HEUTE ABEND

by

MAGDA KELBER

Illustrated by
CARL FELKEL

BOOK TWO

GINN AND COMPANY LTD.
18 BEDFORD ROW, LONDON, W.C.1

This book is set in Monotype Fraktur
with Monotype Imprint Old Face

PRINTED IN GREAT BRITAIN
BY R. & R. CLARK, LIMITED, EDINBURGH

PREFACE

THIS is not an easy book, and you will not be able to stay the course if you skip its exercises and grammatical explanations. If, on the other hand, you are prepared to take its recommendations seriously, and work through it slowly and methodically you should, by the end of it, be able to tackle almost any German book with the help of a dictionary and reference grammar, and to express yourself fairly easily in speaking or writing. Your vocabulary will enable you to talk about subjects even more absorbing than the weather and food.

The fundamental plan is the same as that of "Heute Abend", Book One. The grammar is taken in comparatively easy stages, such main headings as "the subjunctive" being introduced in small doses at various stages of the book —a method abhorrent to many true grammarians and philologists but helpful to practical students. The vocabulary is large, and is contained in reading matter both extensive and varied, and chosen to interest, amuse, and please adult minds. In the grammatical exercises, I have completely discarded the use of disjointed sentences and have treated them instead as additional reading matter, designed to provide practice in specific grammatical points, and in the continual revision of vocabulary. Each fifth chapter is a revision chapter, with a selected list of important words and phrases contained in the preceding four. There are fewer songs than in "Heute Abend", Book One, as you will, by now, be able to use an ordinary German song book and suit your own taste. The book introduces you to quite a number of our best writers and poets, and I can only hope that it will make you want to explore them further on your own.   The advice offered in Chapter One may even then stand you in good stead.

November, 1947   MAGDA KELBER

Inhalt

Erstes Kapitel

Wie man Deutsch lernt

Vor einiger Zeit habe ich einen Brief erhalten, den man etwa so übersetzen kann:

Sehr geehrtes Fräulein Kelber!

Ich muß mich entschuldigen, daß ich mich als Unbekannter an Sie wende. Erlauben Sie, daß ich mich vorstelle: Ich heiße Herbert Martin und arbeite in einer Exportfirma in London. Als ich in meiner Firma als junger Mann anfing, sagte mir mein Vorgesetzter, ein wenig Deutsch sei sehr wünschenswert. Also entschloß ich mich, Deutsch zu lernen.

Ich sah mich in den Buchhandlungen nach einem guten Buch um. Es gab etwa ein halbes Dutzend verschiedener Lehr= bücher. Einige versprachen mir, ich könne Deutsch in drei Monaten, und ohne Lehrer lernen. Na ja, drei Monate — so viel Zeit wollte ich der Sache gern widmen.

Ich machte mich also an die Arbeit. Zuerst kam ich ganz flink vorwärts. Vier Wochen lang hielt ich mich für außerordentlich klug. Dann aber wurde die Grammatik immer komplizierter, und beim Genitiv klappte ich das Buch zu.

Einige Jahre lang dachte ich gar nicht mehr daran. Ich ging

I

tanzen und Tennis spielen und freute mich meines Lebens. Wir
hörten viel deutsche Tanzmusik im Radio. „Sag', was singt
der Mann da?" sagte meine Schwester dann, „du hast doch so
lange Deutsch gelernt, kannst du ihn denn nicht verstehen?"
Lange hatte ich ja nicht Deutsch gelernt, aber ich ärgerte mich
doch, wenn die Titel und Texte böhmische Dörfer für mich
waren.

Eines Tages erzählte mir ein junger Mann im Büro, daß er
gerade in einem deutschen Abendkurs anfange, und ich entschloß
mich, es noch einmal zu probieren. Ich fing wieder in einem
Anfängerkurs an. Der Lehrer war Deutscher, und ich mußte
mich erst an seine Aussprache gewöhnen, die ich zuerst sehr
sonderbar fand. Eine Weile kam ich ganz schön vorwärts.
Eines Tages gab mir mein Vorgesetzter einen deutschen
Geschäftsbrief, und es gelang mir, die zwei Seiten ins Englische
zu übersetzen. „Sehr erfreulich, junger Mann," sagte er, als er
hinausging, „sehr erfreulich."

Dann erhielt ich vierzehn Tage Urlaub. So viel Urlaub auf
einmal hatte ich im Leben nicht gehabt, und ich freute mich sehr
darauf. Ich entschloß mich, mit einer Gruppe junger Leute auf
vierzehn Tage nach Deutschland zu gehen. In den vierzehn
Tagen wollte ich fließend Deutsch sprechen lernen.

Meinen ersten deutschen Satz sprach ich auf dem Aachener
Bahnsteig aus: „Ein Bier, bitte!" Dieses Glas wässeriges
Bier war fast das Einzige, was ich mir auf Deutsch kaufte. Denn
wohin wir kamen, in Cafés, Gasthäusern, Jugendherbergen,
überall waren die Leute furchtbar nett zu uns — so nett, daß sie
uns nicht Deutsch sprechen ließen. Englisch sei ihnen lieber,
sagten sie!

Ich probierte daher, mich mit Kindern zu unterhalten.
Einmal wohnte ich einige Tage bei einer Familie. Da hatten die
kleinen Zwillinge Zeit, sich etwas an mich zu gewöhnen. Aber
dann fingen sie gleich an, so schnell zu reden, daß ich wieder
kein Wort verstand.

Ein [1] Gutes hat dieser Urlaub aber doch gehabt: ich habe meine Frau dabei kennengelernt. Sie war auch in meiner Gruppe. Sie kam oft zu mir, um sich bei mir nach Wörtern und Ausdrücken zu erkundigen. Sie konnte noch weniger Deutsch als ich und hielt mich für sehr klug. Ich glaube, ich habe mich aus Dankbarkeit dafür in sie verliebt. Dann redete ich natürlich nur noch Englisch mit ihr. Mein Urlaub war auch sowieso zu Ende.

Das ist nun schon lange her. Sie werden sich wundern — aber ich habe inzwischen wieder angefangen, Deutsch zu lernen, und ich bin schon wieder seit mehr als einem Jahr dabei.

Diesmal kam es durch die Kinder. Der Älteste lernt Deutsch in der Schule. Da fragte er dann von seiner Hausaufgabe her, ob es „der Sack" oder „die Sack" heiße. Wenn ich ihm dann keine Antwort geben konnte, so war mir das doch recht ärgerlich. So habe ich mein altes Buch genommen und bin wieder zu einem Abendkurs gegangen.

Und nun bin ich wieder einmal auf einem toten Punkt angekommen. Ich gehe regelmäßig in den Kurs, aber ich habe gar nicht das Gefühl, daß ich vorwärtskomme. Am Anfang war das so schön: jede Woche konnte man etwas verstehen, was man vorher nicht verstanden hatte. Aber jetzt bin ich sehr unzufrieden mit mir.

Und daher bitte ich Sie um Rat. Soll ich weiter den Kurs besuchen, eine Menge Grammatik lernen, Aufgaben und Über= setzungen machen und Geschichtchen lesen? Ich interessiere mich, ehrlich gesagt, weder für Grammatik noch für Märchen. Aber ich möchte wirklich gerne so weit kommen, daß ich verstehen kann, was sie im deutschen Radio sagen, und was in der deutschen Zeitung steht, und ich möchte mich mit einem Deutschen über alltägliche Dinge unterhalten können und Dativ und Akkusativ und Hauptsatz und Nebensatz dabei vergessen können. Wozu

---

[1] Ein Wort, das gesperrt gedruckt ist, muß man beim Lesen be= tonen.

überhaupt diese ganze Grammatik? Die dreijährigen Knirpse in Frankfurt konnten überhaupt keine Grammatik und konnten doch viel mehr Deutsch als ich, der zu der Zeit schon den Genitiv von „ein altes Haus" wußte!

Also bitte, was raten Sie mir? Da Sie deutsche Lehrbücher schreiben, müssen Sie doch Bescheid wissen.

Mit herzlichem Dank im Voraus,

Ihr

Herbert Martin.

Ich habe mich ein paar Tage über diesen Brief besonnen. Schließlich habe ich mich an meinen Schreibtisch gesetzt und habe den folgenden Brief geschrieben:

Sehr geehrter Herr Martin!

Über Ihren Brief habe ich mich sehr gefreut, aber er ist gar nicht leicht zu beantworten.

Das Gefühl des „toten Punktes" kenne ich nur zu gut. Aber nehmen Sie einmal ein Stück Prosa vor, das Sie vor einem Jahr noch ziemlich schwer fanden. Scheint es Ihnen nicht auf einmal ganz leicht? Sehen Sie, Sie haben seit dem letzten Jahr doch etwas gelernt. Aber, wie Sie selbst wissen, lesen können ist nicht genug.

Darum nehmen Sie einmal irgendein leichtes Buch, lesen Sie eine Seite und versuchen Sie, sich diese Seite zu erzählen, wenn möglich laut — im Bad, oder auf einem Spaziergang, oder wenn Sie das Haus für sich allein haben. Sie werden sich wundern, wie viel schwerer es ist, etwas selbst zu sagen, was man beim Lesen oder Hören ganz leicht versteht. Wenn irgendein Gedicht eines deutschen Dichters Ihnen gefallen hat, lesen Sie es immer wieder, bis Sie es auswendig können. Beginnen Sie auch da mit etwas Einfachem, wie zum Beispiel dem folgenden Gedicht, das wahrscheinlich eine Frau schrieb, die im 12. Jahrhundert lebte:

Ich bin dein,
du bist mein,
des sollst du gewiß sein.
Du bist beschlossen
in meinem Herzen,
verloren ist das Schlüsselein,
du mußt ewig drinnen sein.

Wenn Sie im Bett liegen oder auf den Zug warten oder im Omnibus fahren, erzählen Sie sich auf Deutsch, was Sie heute getan haben, oder was Sie vorhaben. Bleiben Sie bei einfachen Dingen und einfachen, kurzen Sätzen. Die komplizierten Sätze kommen später von selbst.

Wählen Sie auch einmal einen Abschnitt mit einfachen Sätzen, den Sie gut verstehen, und übersetzen Sie ihn schriftlich ins Englische. Übersetzen Sie ihn zurück ins Deutsche, und vergleichen Sie dann die Übersetzung mit dem Text.

Wenn Sie in einer Buchhandlung oder in einer Bibliothek die englische Übersetzung eines deutschen Buches zusammen mit dem deutschen Text finden können, so wird es Ihnen Vergnügen machen, das Deutsche mit dem Englischen zur gleichen Zeit zu lesen. Fangen Sie etwa mit einer zweisprachigen Ausgabe von Theodor Storm an, oder mit Grimms Märchen — aber noch nicht gleich mit Goethes Faust!

Wenn Sie aber keine Übersetzung finden können, dann sollten Sie alle Ihnen unbekannten Wörter in dem ersten Viertel des Buches nachsehen und herausschreiben und lernen. Damit haben Sie den wichtigsten Wortschatz des Buches. Und Sie werden sich wundern, wie leicht Sie dann das Weitere verstehen können. Versuchen Sie immer wieder, sich das Gelesene selbst zu erzählen, dann haben Sie wirklichen Gewinn davon.

Und endlich: hören und sprechen Sie Deutsch. Hören Sie es im Radio — Dinge, die Sie zum Teil erraten können, wie zum Beispiel Nachrichten, Konzertprogramme, Sportberichte. Gehen

Sie regelmäßig in Ihren Kurs und hören Sie Ihrem Lehrer zu.
Sprechen Sie so viel wie möglich im Kurs, dort ist es leichter als
außerhalb.

Wenn Sie einen Deutschen finden können, mit dem Sie Ihr
Englisch austauschen können, tun Sie's. Wenn nicht, versuchen
Sie, sich regelmäßig mit ein paar englischen Freunden zum
Deutschsprechen zu treffen. Unterhalten Sie sich über einfache,
alltägliche Dinge: über Ihre Arbeit, Ihre Familie, Ihr Haus
und Ihren Garten. Fragen Sie sich, was Sie letzten Sonntag
gemacht haben und erzählen Sie sich ein Ereignis aus der letzten
Woche. Lesen Sie die Zeitung oder ein Buch zusammen, und
sprechen Sie Deutsch beim Schach= oder Kartenspiel.

Und schließlich ein ganz unorthodoxer Rat: Wenn Ihnen
Deutsch längere Zeit lang keine Freude macht — zwingen Sie
sich nicht dazu. Lassen Sie es eine Weile ruhen. Wer weiß,
nächsten Winter oder vor Ihrer Urlaubsreise kommen Sie mit
neuem, lebendigem Interesse darauf zurück.

Jedenfalls wünsche ich Ihnen zu Ihrer weiteren Arbeit viel
Vergnügen!

Mit den besten Wünschen und freundlichen Grüßen,

Ihre

Magda Kelber.

Wortschatz

der Anfänger (—), *beginner*
  „ Dichter, *poet*
  „ Schlüssel, *key*
  „ Titel, *title*

  „ Abschnitt (e), *paragraph*
  „ Akkusativ, *accusative*
  „ Bericht, *report*
  „ Bescheid, *information*
  „ Dativ, *dative*
  „ Genitiv, *genitive*

der Geschäftsbrief, *business letter*
  „ Gewinn, *profit*
  „ Kurs, *class, course*
  „ Schreibtisch, *writing desk*
  „ Teil, *part*
  „ Text, *text*
  „ Zwilling, *twin*

  „ Ausdruck ("e), *expression*
  „ Hauptsatz, *main clause*

der Nebensatz, *subordinate sentence*
„ Sack, *sack*
„ Wortschatz, *vocabulary*

„ Vorgesetzte (n, n), *chief*

die Aussprache (n), *pronunciation*
„ Bibliothék (en), *library*
„ Buchhandlung (en), *bookshop*
„ Grammátik (en), *grammar*
„ Menge (n), *quantity*
„ Nachricht (en), *news*
„ Übersétzung (en), *translation*

„ Expórtfirma (-firmen), *export firm*

„ Dankbarkeit (kein Pl.), *gratitude*
„ Prosa, *prose*

das Beispiel (e), *example*
„ Ereignis (se), *event*
„ Gefühl, *feeling*

„ Bad ("er), *bath, bathroom*
„ Lehrbuch, *textbook*
„ Wort, *word*

„ Tennis (kein Pl.), *tennis*

an'fangen, fängt an, fing an, hat angefangen, *begin*

sich ärgern, *be annoyed*
aus'sprechen, spricht aus, sprach aus, hat ausgesprochen, *pronounce*
aus'tauschen, *exchange*
beantworten, *answer*
sich besinnen, besann sich, hat sich besonnen, *ponder*
ehren, *honour*
sich entschließen, entschloß sich, hat sich entschlossen, *make up one's mind*
sich entschuldigen, *apologize*
erhalten, erhält, erhielt, hat erhalten, *receive*
sich erkundigen nach, *enquire for, after*
erlauben, *allow*
erraten, errät, erriet, hat erraten, *guess*
sich freuen (gen.), *enjoy*
sich freuen auf (acc.), *look forward to*
sich freuen über (acc.), *be pleased about*
gelingen, gelang, ist gelungen, *succeed*
sich gewöhnen an (acc.), *get used to*
sich halten für, hält sich, hielt sich, hat sich gehalten, *think oneself*
hinaus'gehen, ging hinaus, ist hinausgegangen, *go outside*

sich interessieren für, *be interested in*

lernen, *learn*

sich machen an (acc.), *set to*

nach'sehen, sieht nach, sah nach, hat nachgesehen, *look up*

probieren, *try*

sich setzen, *sit down*

sich um'sehen nach (dat.), sieht sich um, sah sich um, hat sich umgesehen, *look around for*

sich unterhalten, unterhält sich, unterhielt sich, hat sich unterhalten, *talk, converse, amuse oneself*

vergessen, vergißt, vergaß, hat vergessen, *forget*

vergleichen, verglich, hat verglichen, *compare*

sich verlieben in (acc.), *fall in love with*

vor'haben, hat vor, hatte vor, hat vorgehabt, *intend to do*

sich vor'stellen, *introduce oneself*

vorwärts'kommen, kam vorwärts, ist vorwärtsgekommen, *get on*

sich wenden, wendet sich, wandte sich, hat sich gewandt, *turn*

widmen, *devote*

sich wundern, *be surprised*

zu'klappen, *shut with a bang*

sich zwingen, zwang sich, hat sich gezwungen, *force oneself*

alltäglich, *every-day*

ärgerlich, *annoying, annoyed*

außerordentlich, *extraordinary*

auswendig, *by heart*

dreijährig, *three-year-old*

ehrlich, *honest*

erfreulich, *pleasing*

folgend, *following*

klug, *clever*

lebéndig, *alive, live*

regelmäßig, *regular*

schriftlich, *in writing*

sonderbar, *strange*

unbekannt, *unknown*

unorthodox, *unorthodox*

unzufrieden, *dissatisfied*

verschieden, *different, various*

wässerig, *watery*

wünschenswert, *desirable*

außerhalb, *outside*

daher, *therefore*

darum, *therefore*

dein, *thine*

ein paar, *a few*

irgend, *at all*

mein, *mine*

schließlich, *at last*

sowieso, *anyway*

überhaupt, *generally*

vorher, *previously*

weder . . . noch, *neither . . . nor*

wozu, *what for ; to which*

bleiben Sie bei einfachen Dingen, *stick to simple things*

böhmische Dörfer, *double Dutch*

das ist schon lange her, *that was a long time ago*

das Weitere, *the rest*

ehrlich gesagt, *to tell the truth*

ein halbes Dutzend, *half a dozen*

ein toter Punkt, *a dead end*

Englisch ist ihnen lieber, *they prefer English*

es gelang mir, ihn zu übersetzen, *I succeeded in translating it*

herzlichen Dank im Voraus, *thanking you in anticipation*

ich als Unbekannter, *I as a stranger*

ich besuche den Kurs weiter, *I continue to attend the class*

ich bin schon seit einem Jahr dabei, *I have been at it for a year*

Sehr geehrtes Fräulein Kelber! *Dear Miss Kelber, . . .*

Sie müssen Bescheid wissen, *you ought to know all about it*

tun Sie's! *do so!*

von selbst, *automatically*

wohin wir kamen, *wherever we went*

wozu überhaupt diese Grammatik? *why all this grammar, anyway?*

zum Beispiel, *for example*

zum Teil, *partly*

Aus der Grammatik späterer Kapitel

Grammatik

I. The reflexive verb (acc.):

(*a*) Ich freue mich sehr darauf.   Sie werden sich wundern.
Er interessiert sich nicht dafür.   Du stellst dich vor.   Wir

II—B

haben uns sehr darüber geärgert. Setzen Sie sich!
Unterhaltet euch gut! Sie haben sich gar nicht darüber
gefreut.

Generally speaking, the reflexive pronoun is added to a
verb when its action is directed against the subject of the
sentence. In the third person singular and plural and in
the "Sie"-form of the second person we use the pronoun
sich; in all other persons the reflexive pronoun takes the
same form as the personal pronoun in the accusative:
mich, dich, uns, euch. Thus we have the present tense of
a reflexive verb as follows:

ich freue mich	wir freuen uns
du freust dich	ihr freut euch
Sie freuen sich	Sie freuen sich
er, sie, es freut sich	sie freuen sich

All these reflexive verbs (being transitive verbs) are conjugated with haben.

(b) Many verbs are reflexive in German only, and often
the reflexive form has a meaning different from the ordinary
verb. Here are those with which we are now familiar:

sich ärgern, *be annoyed*	sich gewöhnen an, *get used to*
„ besinnen, *ponder*	„ interessieren für, *take an interest in*
„ entschließen, *decide*	
„ entschuldigen, *apologize*	„ an etwas machen, *set to do something*
„ erkundigen, *enquire*	
„ freuen (gen.), *enjoy*	„ setzen, *sit down*
„ freuen auf, *look forward to*	„ umsehen, *look round*
	„ unterhalten, *talk*
„ freuen über, *be pleased about*	

(c) Wir sehen uns oft. Sie treffen sich heute abend. Wir
müssen uns trennen. Schreibt ihr euch? Wir haben uns

lange nicht gesprochen. Sie lieben sich sehr. Wir teilen uns in die Schokolade.

The reflexive pronouns are generally used instead of " einander " with verbs such as treffen, sehen, sich trennen, lieben usw., verbs which express mutual rather than reflexive action.

(d) Word order : Position of the reflexive pronoun :

Wir erkundigen uns nach dem Zug.
Dann erkundigten wir uns nach dem Zug.
Wir wollten uns nach dem Zug erkundigen.
Wir gingen zum Bahnhof, weil wir uns nach dem Zug erkundigen wollten.

II. The subjunctive, present tense :

(a) We form the present tense of the subjunctive by adding to the stem of the verb the following endings :

ich geh e	wir geh en
du geh est	ihr geh et
Sie geh en	Sie geh en
er, sie, es geh e	sie geh en

The only verb which forms an exceptional subjunctive present tense is the verb sein :

ich sei	wir seien
du sei(e)st	ihr seiet
Sie seien	Sie seien
er, sie, es sei	sie seien

Irregularities of the indicative present are not shared by the subjunctive. Thus we have

ich müsse,	er müsse	er habe
ich könne,	er könne	er nehme
ich dürfe,	er dürfe	er halte
ich wolle,	er wolle	er gebe
ich werde,	er werde	er finde
ich wisse,	er wisse	er lese

(*b*) The present tense of the subjunctive is used to express uncertainty or doubt. It is used in indirect speech and indirect question, especially when the main verb is in a past tense :

Ich dachte, sie sei nicht zu Hause
Er sagte, er habe kein Geld
Man erkundigte sich, ob er es tun könne
Ich fragte ihn, ob er kommen wolle
Sie schrieb, sie wolle sich nach dem Buch umsehen
Sie fragte mich, warum ich Deutsch lernen wolle
Ich erzählte ihm, wo ich wohnen wolle

If " daß " is used the verb goes to the end of the sentence :

Ich dachte, daß sie nicht zu Hause sei
Er sagte, daß er kein Geld habe
Sie schrieb, daß sie sich nach dem Buch umsehen wolle

When, in indirect speech, the main clause is in the present tense the subjunctive need only be used if the emphasis is on the fact that the statement is a reported one :

Er sagt, er hat kein Geld (*and I do not doubt it*)
Er sagt, er habe kein Geld (*—at least, that is what he says*)
Er schreibt, daß er krank ist (*which is, no doubt, true*)
Er schreibt, daß er krank sei (*I am merely repeating his statement*)

Aufgaben

I. Schreiben Sie die folgende Aufgabe im Präsens!

Hans Langsam (sich interessieren) aus Prinzip gar nicht für Mädchen. Er (sich freuen) seines Lebens, (spielen) Tennis und (wandern) und (sich fühlen) recht wohl dabei. Eines Tages (sich entschließen) er, in ein Café zu gehen. Er (sich setzen) an einen leeren Tisch und (sich freuen), daß er (sich nicht unterhalten müssen). Als er (sich wenden) einmal zur Tür, (sehen) er eine junge Dame, die (sich umsehen) nach einem freien Platz. Sie (sich erkundigen) bei ihm, ob der zweite Platz an seinem Tisch frei (sein), und er (sich wundern), wie schnell er „ja" (sagen). Er (sich zwingen) eine Weile, in seinem Buch weiterzulesen, aber dann (sich besinnen) er, ob er (sich unterhalten sollen) mit ihr. Er (sich erinnern), daß man (sich vor= stellen müssen) zuerst. So (aufstehen) er, und (sich vorstellen) sehr höflich. Sie (antworten), sie (sich freuen), ihn kennenzulernen, und darüber (sich freuen) er wieder. Ehe er es (wissen), (sich verlieben) er in sie bis über die Ohren. Er (sich freuen) darauf, wenn sie sich treffen. Sie (sich schreiben), wenn sie (sich nicht sehen können). Bald (vergessen) er ganz, daß er (sich interessieren) aus Prinzip nicht für junge Mädchen.

II. Lesen Sie Aufgabe I auch im Imperfekt mit „ich"!

III. Lesen Sie die folgende Aufgabe in der indirekten Rede: Er sagte, er heiße . . .

Ich heiße Herbert Martin und bin 35 Jahre alt. Ich habe eine Frau und drei Kinder. Mein Ältester ist jetzt schon zehn Jahre alt. Er besucht eine gute Schule und lernt seit einem Jahr Deutsch. Manchmal fragt er mich: „Was heißt ‚the floor' auf Deutsch?" Dann muß ich mich schnell besinnen, denn so sehr viel Deutsch kann ich nicht mehr. Ich weiß noch ziemlich viele Wörter, aber die Grammatik habe ich fast ganz vergessen. Und ohne Gram= matik kann man doch nicht richtig sprechen, soviel weiß ich auch schon. Meine Frau spricht gut Deutsch, und sie kann deutsche Bücher ganz leicht verstehen. Wenn es im deutschen Radio etwas gibt, was ich nicht verstehe, hilft sie mir oft. Wenn ich es so leicht habe, warum soll ich mich dann selbst bemühen? Soll sich der Mensch vielleicht überarbeiten?

IV. Fragen Sie einander über das Kapitel und unterhalten Sie sich darüber!

V. Erzählen Sie, was in den beiden Briefen steht, jeder ein Stück!

VI. Schreiben Sie eine oder zwei Seiten über eine der folgenden Fragen!

Wie ich Deutsch gelernt habe, und warum.

Wie ich am besten lernen kann. Was ich am liebsten in einer fremden Sprache lese. Wie ich über Grammatik denke.

Sprechen Sie dann über die Fragen!

VII. Schreibspiel! Was findet man in einem Wohnzimmer? In einer Küche? In einem Büro?

VIII. Schreiben Sie ein oder zwei Seiten über das folgende Wort, und sprechen Sie dann darüber!

Wer fremde Sprachen nicht kennt, weiß nichts von seiner eigenen. (Goethe)

IX. Übersetzen Sie den folgenden Abschnitt aus Jerome K. Jeromes *Diary of a Pilgrimage* (gekürzt)!

Then came to me the reflection that I had in my pocket a German conversation book. There were lengthy and passionate " conversations with a laundress ". Some twenty pages of the volume were devoted to silly dialogues between an extraordinarily patient shoemaker and one of the most irritating customers. After twaddling [1] for about forty minutes, and trying on, apparently, every pair of boots in the place,[2] he calmly walks out with [3] : " Ah ! well, I shall not purchase anything to-day. Good morning ! "

Then there were two pages of watery chatter [4] " on meeting [5] a friend in the street ".— " Good morning, sir [6] (or

---

[1] *say:* after he has . . .   [2] *say:* in the shop   [3] and says
[4] wässerigen Geschwätzes   [5] when one meets   [6] „mein Herr"

madam)." [1] — " I wish you a merry Christmas." — " How is your mother ? " . . .

Then there were also " conversations in the railway carriage ", conversations between travelling lunatics, apparently, and dialogues " during the passage ". — " How do you feel now ? " — " Pretty well as yet ; but I cannot say how long it will last." — " Oh, what waves ! I now feel very unwell and shall go below. Ask for a basin for me."

At the end of the book were German proverbs and " Idiomatic Phrases ", which appear to be in all languages, " phrases for the use of idiots ". — " A sparrow in the hand is better than a pigeon on the roof." — " Time brings roses." — " The eagle does not catch flies." — " One should not buy a cat in a sack ", — as if a large class of consumers habitually did purchase their cats in that way.

[1] „meine Dame"

Etwas zum Lachen:

Der Deutsche im englischen Restaurant: " Waiter, when shall I become a sausage ? "

Zweites Kapitel

Die Schöpfung

Aus dem Alten Testament, Erstes Buch Mose (in Luthers Übersetzung)

Das erste Kapitel

1. Am Anfang schuf Gott Himmel und Erde.

2. Und die Erde war wüst und leer, und es war finster auf der Tiefe; und der Geist Gottes schwebte auf dem Wasser.

3. Und Gott sprach: Es werde Licht! [1] und es ward [2] Licht.

4. Und Gott sah, daß das Licht gut war. Da schied Gott das Licht von der Finsternis

5. und nannte das Licht Tag und die Finsternis Nacht. Da ward aus Abend und Morgen der erste Tag.

6. Und Gott sprach: Es werde eine Feste [3] zwischen den Wassern, und die sei ein Unterschied zwischen den Wassern.

7. Da machte Gott die Feste und schied das Wasser unter der Feste von dem Wasser über der Feste. Und es geschah also. [4]

8. Und Gott nannte die Feste Himmel. Da ward aus Abend und Morgen der andere Tag.

9. Und Gott sprach: Es sammle sich das Wasser unter dem Himmel an besondere Örter, daß man das Trockene sehe. Und es geschah also.

10. Und Gott nannte das Trockene Erde, und die Sammlung der Wasser nannte er Meer. Und Gott sah, daß es gut war.

11. Und Gott sprach: Es lasse die Erde aufgehen Gras und Kraut, das sich besame, und fruchtbare Bäume, da ein jeglicher [5] nach seiner Art Frucht trage und habe seinen eigenen Samen bei sich selbst auf Erden. [6] Und es geschah also.

12. Und die Erde ließ aufgehen Gras und Kraut, das sich besamte, ein jegliches nach seiner Art, und Bäume, die da Frucht trugen und ihren eigenen Samen bei sich selbst hatten, ein jeglicher nach seiner Art. Und Gott sah, daß es gut war.

13. Da ward aus Abend und Morgen der dritte Tag.

14. Und Gott sprach: Es werden Lichter an der Feste des Himmels, die da scheiden Tag und Nacht und geben Zeichen, Zeiten, Tage und Jahre

15. und seien Lichter an der Feste des Himmels, daß sie scheinen auf Erden. Und es geschah also.

16. Und Gott machte zwei große Lichter: ein großes Licht, das den Tag regiere, und ein kleines Licht, das die Nacht regiere, dazu auch Sterne.

17. Und Gott setzte sie an die Feste des Himmels, daß sie schienen auf die Erde

18. und den Tag und die Nacht regierten und schieden Licht und Finsternis. Und Gott sah, daß es gut war.

19. Da ward aus Abend und Morgen der vierte Tag.

20. Und Gott sprach: Es errege sich das Wasser mit webenden und lebendigen Tieren, und Gevögel[7] fliege auf Erden unter der Feste des Himmels.

21. Und Gott schuf große Walfische und allerlei Getier,[7] das da lebt und webt, davon das Wasser sich erregte, ein jegliches nach seiner Art, und allerlei gefiedertes Gevögel, ein jegliches nach seiner Art. Und Gott sah, daß es gut war.

22. Und Gott segnete sie und sprach: Seid fruchtbar und mehret euch und erfüllet das Wasser im Meer; und das Gefieder[7] mehre sich auf Erden.

23. Da ward aus Abend und Morgen der fünfte Tag.

24. Und Gott sprach: Die Erde bringe hervor lebendige Tiere, ein jegliches nach seiner Art: Vieh,[8] Gewürm[7] und Tiere auf Erden, ein jegliches nach seiner Art. Und es geschah also.

25. Und Gott machte die Tiere auf Erden, ein jegliches nach

seiner Art, und das Vieh nach seiner Art, und allerlei Gewürm auf Erden nach seiner Art. Und Gott sah, daß es gut war.

26. Und Gott sprach: Lasset uns Menschen machen, ein Bild, das uns gleich sei, die da herrschen über die Fische im Meer und über die Vögel unter dem Himmel und über das Vieh und über die ganze Erde und über alles Gewürm, das auf Erden kriecht.

27. Und Gott schuf den Menschen ihm [9] zum Bilde, zum Bilde Gottes schuf er ihn; und schuf sie einen Mann und ein Weib.[10]

28. Und Gott segnete sie und sprach zu ihnen: Seid fruchtbar und mehret euch und füllet die Erde und machet sie euch untertan und herrschet über die Fische im Meer und über die Vögel unter dem Himmel und über alles Getier, das auf Erden kriecht.

29. Und Gott sprach: Sehet da, ich habe euch gegeben allerlei Kraut, das sich besamt, auf der ganzen Erde und allerlei fruchtbare Bäume, die sich besamen, zu eurer Speise,

30. und allem Getier auf Erden und allen Vögeln unter dem Himmel und allem Gewürm, das da lebt auf Erden, daß sie allerlei grünes Kraut essen. Und es geschah also.

31. Und Gott sah an alles, was er gemacht hatte; und siehe da, es war sehr gut. Da ward aus Abend und Morgen der sechste Tag.

Das zweite Kapitel

1. Also ward vollendet Himmel und Erde mit ihrem ganzen Heer.

2. Und also vollendete Gott am siebenten Tag seine Werke, die er machte, und ruhte am siebenten Tage von allen seinen Werken, die er machte.

3. Und Gott segnete den siebenten Tag und heiligte ihn, darum daß [11] er an demselben geruht hatte von allen seinen Werken, die Gott schuf und machte.

Anmerkungen

[1] „Es werde Licht!" Wir gebrauchen den Konjunktiv unter anderem, um einen Wunsch oder Befehl auszudrücken. Im Englischen finden Sie

dasselbe in religiöser oder dichterischer Sprache, so zum Beispiel in Gebeten wie im Vaterunser: „Hallowed be Thy name, Thy kingdom come, Thy will be done". Im deutschen Vaterunser lauten die ersten drei Bitten: „Geheiliget werde Dein Name; Dein Reich komme; Dein Wille geschehe".

² „Und es ward Licht." In modernem Deutsch sagt man „wurde". Die alte Form gebraucht man meistens in biblischer und dichterischer Sprache.

³ „Die Feste" ist ein Wort, das man heute nicht mehr gebraucht. Es ist verwandt mit dem Wort „die Festung". Beide kommen natürlich von demselben Stamm: dem Adjektiv „fest".

⁴ „Und es geschah also." In modernem Deutsch sagt man: „Und so geschah es".

⁵ „Ein jeglicher nach seiner Art." In der Umgangssprache gebraucht man anstatt „jeglicher" das Wort „jeder". Also sagt man: „(Ein) jeder nach seiner Art".

⁶ „Auf Erden." In der Umgangssprache heute: „auf der Erde".

⁷ „Das Gevögel; das Getier; das Gewürm; das Gefieder." Diese Worte sind Sammelnamen, die man anstatt des Plurals gebrauchen kann. Sie bedeuten so viel wie: alle Vögel, alle Tiere, alle Würmer, alles, was Federn hat.

⁸ „Vieh" hängt mit dem englischen Wort „fee" zusammen. In alter Zeit war das Vieh der einzige Reichtum der Familien und Stämme, und man bezahlte seine Schulden mit Vieh. Im Englischen haben Sie einen ähnlichen Zusammenhang in dem Ausdruck „goods and chattels".

⁹ „Gott schuf den Menschen ihm zum Bilde." In modernem Deutsch: „Gott schuf den Menschen sich zum Bilde".

¹⁰ „Und schuf sie einen Mann und ein Weib." Das Wort „Weib" gebraucht man seltener als das Wort „Frau". In dichterischer Sprache bedeutet es „woman, wife". In der alltäglichen Sprache aber gebraucht man es meistens in der Bedeutung von „altes Weib, häßliches Weib, armes Weib" — fast wie das englische „hag".

¹¹ „Darum daß." Dafür sagt man in modernem Deutsch „weil".

Wortschatz

der Befehl (e), *command*
„ Fisch, *fish*
„ Konjunktiv, *subjunctive*
„ Ort, *place* (auch: Örter im Plural)
„ Plural, *plural*
„ Unterschied, *difference, distinction*
„ Walfisch, *whale*

der Stamm ("e), *stem, root, tribe*
„ Zusammenhang, *context*
„ Geist (er), *spirit*
„ Reichtum ("er), *wealth, riches*
„ Wurm, *worm*

der Same (ns, n, n), *seed*
„ Sammelname, *collective term*
„ Wille, *will*

die Anmerkung (en), *note, footnote*
„ Bedeutung (en), *meaning*
„ Bitte (n), *request, petition*
„ Feder (n), *feather, pen*
„ Festung (en), *fortress*
„ Form (en), *form, shape*
„ Sammlung (en), *collection, gathering*
„ Schöpfung (en), *creation*
„ Speise (n), *nourishment*
„ Umgangssprache (n), *everyday language*

„ Finsternis (se), *darkness*

„ Frucht ("e), *fruit*

das Gefieder (—), *fowls, plumage*
„ Vaterúnser, *Our Father*

„ Adjektiv (e), *adjective*
„ Gebet, *prayer*
„ Heer, *host, army*
„ Meer, *ocean*
„ Testamént, *testament*
„ Werk, *work*

„ Weib (er), *woman, wife*

das Kraut ("er), *herb, plant*

„ Vieh (kein Pl.), *cattle*

aus'drücken, *express*
erfüllen, *fulfil, fill*
sich erregen, *bestir, stir, get excited*
gebrauchen, *use*
geschehen, geschieht, geschah, ist geschehen, *happen*
heiligen, *sanctify*
herrschen, *rule*
hervor'bringen, brachte hervor, hat hervorgebracht, *bring forth, produce*
kriechen, kroch, ist gekrochen, *creep*
lauten, *sound, run (text)*
sich mehren, *multiply, increase*
nennen, nannte, hat genannt, *call, name*
regieren, *rule, govern*
sich sammeln, *gather*
schaffen, schuf, hat geschaffen, *create*
scheiden, scheidet, schied, hat geschieden, *divide*
schweben, *hover*
segnen, *bless*
vollénden, *complete*
zusammen'hängen, *be connected*

besonder, *special*

biblisch, *biblical*

dichterisch, *poetical*

finster, *dark, gloomy*

fruchtbar, *fertile, fruitful*

gefiedert, *feathered*

häßlich, *ugly*

religiös, *religious*

selb, *same*

untertan, *subject*

verwandt, *related*

vollendet, *complete*

wüst, *desolate*

anstatt (gen.), *instead of*

darum, *therefore*

dazú, *in addition*

unter anderem, *among other things*

Aus der Grammatik späterer Kapitel

Alles, was er gemacht hatte, **all that he had made**..s. Kapitel 4

In modernem Deutsch, in dichterischer Sprache....s. Kapitel 3

Um einen Wunsch auszudrücken, *in order to express a wish*

s. Kapitel 7

Die Teilung der Erde
von Friedrich Schiller (1759–1805)

Nehmt hin die Welt! rief Zeus von seinen Höhen
  den Menschen zu; nehmt, sie soll euer sein.
Euch schenk' ich sie zum Erb' und ewigen Lehen;
  doch teilt euch brüderlich darein.

Da eilt, was Hände hat, sich einzurichten,
  es regte sich geschäftig jung und alt.
Der Ackermann griff nach des Feldes Früchten,
  der Junker birschte durch den Wald.

Der Kaufmann nimmt, was seine Speicher fassen,
    der Abt wählt sich den edeln Firnewein,
Der König sperrt die Brücken und die Straßen
    und sprach: der Zehente ist mein.

Ganz spät, nachdem die Teilung längst geschehen,[1]
    naht der Poet, er kam aus weiter Fern';
ach, da war überall nichts mehr zu sehen,
    und alles hatte seinen Herrn.

Weh mir! so soll denn ich allein von allen
    vergessen sein, ich, dein getreuster Sohn?
So ließ er laut der Klage Ruf erschallen
    und warf sich hin vor Jovis Thron.

Wenn du im Land der Träume dich verweilet,
    versetzt der Gott, so hadre nicht mit mir.
Wo warst du denn, als man die Welt geteilet?
    Ich war, sprach der Poet, bei dir.

Mein Auge hing an deinem Angesichte,
    an deines Himmels Harmonie mein Ohr;
verzeih dem Geiste, der, von deinem Lichte
    berauscht, das Irdische verlor!

Was tun? spricht Zeus, — die Welt ist weggegeben,
    der Herbst,[2] die Jagd, der Markt ist nicht mehr mein.
Willst du in meinem Himmel mit mir leben,
    so oft du kommst, er soll dir offen sein.

Anmerkungen

[1] Nachdem die Teilung längst geschehen (war): in dichterischer Sprache gebraucht man oft das Perfekt ohne „haben" oder „sein".

[2] „Herbst" hat hier die Bedeutung des englischen Wortes, mit dem es auch zusammenhängt: „harvest".

Wortſchatz

der Speicher (—), *storehouse*

„ Ruf (e), *call, cry*
„ Thron, *throne*

die Brücke (n), *bridge*
„ Harmonie (n), *harmony*
„ Höhe (n), *height*
„ Klage (n), *complaint, wail*
„ Teilung (en), *division, distribution*

das Erbe (Erbgüter), *heritage*

berauſchen, *intoxicate*
eilen, *hurry*
ſich ein'richten, *settle, establish oneself*
erſchallen (auch: erſcholl, iſt erſchollen), *resound*
faſſen, *hold*
greifen, griff, hat gegriffen, *grasp*
hadern, *quarrel*
hin'nehmen, nimmt hin, nahm hin, hat hingenommen, *accept*
ſich hin'werfen, wirft ſich hin, warf ſich hin, hat ſich hingeworfen, *throw oneself down*
ſich regen, *stir, bestir oneself*

ſchenken, *give*
ſperren, *bar, close*
teilen, *divide, share out*
ſich teilen in (acc.), *share*
verſetzen, *reply*
verzeihen, verzieh, hat verziehen, *forgive*
weg'geben, gibt weg, gab weg, hat weggegeben, *give away*
zu'rufen, rief zu, hat zugerufen, *call out to*

brüderlich, *brotherly*
edel, *noble*
euer, *yours*
geſchäftig, *(over-)busy*
getreu, *faithful*
irdiſch, *earthly*
nachdém, *after* (conj.)

nachdem die Teilung längſt geſchehen, *long after the distribution was finished*
ſo oft du kommſt, *as often as you come*
teilt euch brüderlich darein, *share it out fairly*
was Hände hat, *whoever has a pair of hands*
was tun? *what is to be done?*
weh mir! *woe is me!*

Aus der Grammatik späterer Kapitel

Grammatik

A note on the use of the infinitive

I. Er bat mich, ihm das Buch zu bringen. Er hat mich gebeten, ihm das Buch zu bringen. The infinitive stands at the end of its clause. Note the position of "gebeten": like a subordinate clause, the infinitive clause begins after the main clause has been completed.

II. In a sentence, the infinitive is preceded by "zu" except after the verbs of mood (können, wollen, müssen, dürfen, sollen, mögen), after werden, machen, lassen, and usually after helfen, lehren, lernen. Er half mir den Abschnitt übersetzen (but also: zu übersetzen). Sie lehrte mich singen. Wo haben Sie Deutsch sprechen gelernt? Mach' mich nicht lachen! Sie ließ mich nicht ausgehen.

III. The infinitive is also used instead of the English present participle or gerund (e.g. *singing, eating*, etc.) :

(*a*) Without "zu", after such verbs as sehen, hören, helfen, lehren, machen, fühlen: Er hörte mich nicht kommen. Wir sahen sie die Straße heraufkommen. Ich fühlte meine Hände kalt werden.

(*b*) With "zu", after the conjunctions "ohne" and "anstatt", when the infinitive refers to the same subject as the main verb : Er kam, ohne zu fragen. Sie setzte sich, ohne eingeladen zu sein. Sie fragte mich, anstatt ihr Wörterbuch zu gebrauchen. Instead of the infinitive construction we can also use a "daß"-sentence : Ich möchte sprechen können, ohne daß ich an Grammatik denken muß.　We *must* use this latter construction when the two subjects differ : Er ging vorbei, ohne daß ich mit ihm sprechen konnte.

(*c*) The infinitive of a verb can be made into a noun simply by spelling it with a capital letter and giving it the neuter article : Der Appetit kommt beim Essen.　Mein Haar braucht das Schneiden.　Das viele Singen gefällt mir gar nicht.　Beim Lesen lasse ich mich nicht gerne stören.

IV. Was tun?　Da war nichts mehr zu sehen.　There is no passive infinitive in German (" to be done ", " to be seen ").

Aufgaben

I. Lesen oder schreiben oder erzählen Sie die folgende Geschichte in verschiedenen Zeiten!

Mein kleiner Bruder Ludwig (sich besinnen) schon über tiefe Probleme.　Eines Abends (geschehen) das Folgende: Meine Mutter (sich setzen) wie immer noch ein wenig an sein Bett.　Er (sprechen) sein Abendgebet: „Lieber Gott, (machen) mich fromm, daß ich in den Himmel komm' !" Dann (sich erinnern) er daran, daß seine Hose ein Loch (haben), und (sagen) es meiner Mutter.　Sie (sich freuen) natürlich nicht sehr darüber.　Ludwig (sich besinnen) eine Weile und (liegen) inzwischen ganz still.　Endlich (sich wenden) er zu meiner Mutter und (sprechen) mit einem tiefen Seufzer: „Nicht wahr, Mutter, wenn der liebe Gott ein Loch in der Hose (haben), dann (sagen) er einfach: ‚Es werde', — und dann (sein) das Loch wieder ganz!"

II. Lesen oder schreiben Sie das Folgende in der indirekten Rede!　Beginnen Sie: Er sagte, er . . . :

Ich lese gerne Gedichte, aber ich muß offen sagen, daß ich sie nicht immer verstehe.　Besonders Gedichte in einer fremden Sprache finde ich oft gar nicht leicht.　Natürlich muß ich erst alle Wörter nachsehen, die ich nicht kenne. Aber das ist nicht genug. Die Wortfolge ist oft in Gedichten anders als in der Umgangssprache, und die Sätze sind darum oft nicht leicht zu verstehen. Wenn ich weiß, was die Wörter und Sätze bedeuten, fange ich an, mich über besondere Dinge zu besinnen. Ich frage mich zum Beispiel, warum der Dichter dieses Wort gebraucht hat und nicht ein anderes. Ich besinne mich viel über ein Gedicht, das mir gefallen hat. Ich lese es immer wieder, bis ich es auswendig kann. Dann habe ich das Gefühl, daß es wirklich mir gehört.

III. Lesen Sie Aufgabe II in der dritten Person, weiblich, im Imperfekt und Perfekt: sie las gerne . . ., sie hat gerne . . . gelesen usw.

IV. Übersetzen Sie!

Will you try to play the following game in German ? You have to prepare a number of small pieces of paper and write on them the names of famous people, for instance : Goethe, Wilhelm Tell, Luther, Shakespeare, etc. Then you pin these names on the players' backs (singular) and they must guess who they are. Instead of seeing their own names they can only see those (die) of the others. Now they have to ask another player who they are. But he can only answer " yes " or " no ". Soon they will learn to ask the right kind [of]* questions. Everybody is allowed to ask another [person]* three questions, and then he has to help the other player to guess his name. Soon you hear them all talking German, and all those questions and answers will make you laugh. When a player has guessed his name he gets another piece of paper until they are all used up. The player who has the greatest number of names wins. Playing makes talking much easier, but of course you may only speak German !

* Words in square brackets are to be omitted.

V. Erzählen Sie die Schöpfungsgeschichte, jeder einen Schöpfungstag!

VI. Erzählen Sie Geschichten, an die Aufgabe I Sie erinnert! Schreiben Sie eine solche Geschichte!

VII. Sprechen Sie über Schillers „Teilung der Erde": erzählen Sie die Geschichte, sagen Sie, was Ihnen daran gefällt, oder nicht gefällt!

VIII. Sehen Sie in einem Lexikon über Schiller und Luther nach und sprechen Sie über die beiden Männer!

IX. Schreibspiel: Schreiben Sie in fünf Minuten alle Tiere und Pflanzen, die Sie kennen! Wer hat die meisten? Wer hat die seltensten?

X. Übersetzen Sie den folgenden Abschnitt aus Samuel Pepys' *Diary* (gekürzt)!

April 14, 1667. (Lord's day.) *Up and read a little in my new History of Turkey, and so with my wife to church, and then home, where is little Michell [1] and my pretty Betty and also Mercer, and very merry. A good dinner of roast beef. After dinner I away to take water

* *For easier translation, make complete sentences.*
[1] *say:* the little Michell

at the Tower, and thence to Westminster, where Mrs.
Martin was not at home. So to White Hall, and there
walked up and down, and among other things visited
Sir G. Carteret, and much talk [1] with him. From him
to St. Margaret's Church, and there spied Martin, and
home with her. By and by away home, and there took
out my wife and the two Mercers and two of our maids,
Barker and Jane, and over the water to Jamaica House,
where I never was before, and there the girls did run for
wagers over the bowling-green ; and there with much
pleasure spent little, and so home, and they home, and I
read with satisfaction in my book of Turkey, and so to
bed.

[1] *say:* talked much

XI. Etwas zum Lachen:

Ein deutsches Ehepaar steigt in einen Londoner Omnibus,
er geht nach oben, sie bleibt unten. Der Schaffner bittet
sie um das Fahrgeld, und sie antwortet: " The Lord is
above ". (Was hat sie sagen wollen?)

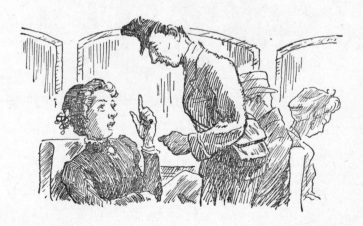

Drittes Kapitel

Von dem Fischer und seiner Frau

(gekürzt nach Grimm)

Es war einmal ein Fischer und seine Frau, die wohnten zusammen in einer kleinen Fischerhütte, dicht an der See, und der Fischer ging alle Tage hin und angelte: und er angelte und angelte.

So saß er auch einmal mit seiner Angel und sah immer in das klare Wasser hinein: und so saß er nun und saß.

Da ging die Angel auf den Grund, tief hinunter, und als er sie heraufholte, da holte er einen großen Butt heraus. Da sagte der Butt zu ihm: „Hör' mal, Fischer, ich bitte dich, laß' mich leben, ich bin gar kein richtiger Butt, ich bin ein verwunschener Prinz. Was hilft dir's, wenn du mich totmachst? Ich würde dir doch nicht recht schmecken: setz' mich wieder ins Wasser und laß' mich schwimmen." „Nun," sagte der Mann, „du brauchst nicht so viele Worte zu machen; einem Butt, der sprechen kann, werde ich doch nichts zuleide tun." Damit setzte er ihn wieder in das klare Wasser; da ging der Butt auf den Grund und ließ einen langen Streifen roten Blutes hinter sich. Da stand der Fischer auf und ging zu seiner Frau in die kleine Hütte.

„Mann," sagte die Frau, „hast du heute nichts gefangen?" „Nein," sagte der Mann, „ich fing einen Butt, der sagte, er sei ein verwunschener Prinz, da hab' ich ihn wieder schwimmen lassen." „Hast du dir denn nichts gewünscht?" sagte die Frau. „Nein," sagte der Mann, „was sollt' ich mir denn wünschen?" „Ach," sagte die Frau, „das war dumm von dir. Geh' noch mal hin und sag' ihm, wir möchten ein kleines Häuschen haben, das tut er gewiß." „Ach," sagte der Mann, „was soll ich da noch mal hingehen?" „J was," sagte die Frau, „du hatteſt ihn doch gefangen und haſt ihn wieder ſchwimmen laſſen, er tut das gewiß. Geh' gleich hin!" Der Mann wollte noch nicht recht, mochte aber auch ſeiner Frau nicht zuwiderhandeln. So ſetzte er ſich die Kappe wieder auf und ging hin an die See.

Als er dorthin kam, war die See ganz grün und gelb und gar nicht mehr ſo klar. So ſtellte er ſich hin und ſagte:

> „Manntje, Manntje, Timpe Te,
> Buttje, Buttje in de See,
> mine Fru de Ilſebill
> will nich ſo as ik wol will".[1]

Da kam der Butt angeſchwommen und ſagte: „Na, was will ſie denn?" „Ach," ſagte der Mann, „ich hab' dich doch gefangen gehabt, nun ſagt meine Frau, ich ſoll mir was wünſchen. Sie mag nicht mehr in ihrer Hütte wohnen, ſie möchte gern ein kleines Häuschen." „Geh nur hin," ſagte der Butt, „ſie hat es ſchon."

Da ging der Mann hin, und ſeine Frau ſaß nicht mehr in dem Fiſcherhüttchen: an ſeiner Stelle ſtand jetzt ein kleines Häuschen, und ſeine Frau ſaß vor der Türe auf einer Bank. Da nahm ihn ſeine Frau bei der Hand und ſagte zu ihm: „Komm' nur herein, ſieh, nun iſt das doch viel beſſer". Da gingen ſie hinein und betrachteten es alles mit großem Stolz. In dem Häuschen war ein kleiner Vorplatz und eine kleine allerliebſte Stube und Kammer, wo jedem ſein Bett ſtand, und Küche und Speiſekammer, alles aufs beſte eingerichtet mit gutem Geſchirr und Töpfen, und was eben ſo dazugehört. Und dahinter war auch ein kleiner Hof mit Hühnern und Enten und ein kleiner Garten mit

---

[1] Dieſer Reim iſt plattdeutſch, das iſt ein norddeutſcher Dialekt, der eng mit dem Engliſchen verwandt iſt. Auf hochdeutſch lautet der Reim etwa ſo:

> „Männchen, Männchen, Timpe Te,
> Buttchen, Buttchen in der See,
> meine Frau, die Ilſebill,
> will nicht ſo, wie ich wohl will".

frischem Gemüse und reifem Obst. „Sieh," sagte die Frau, „ist das nicht nett?" „Ja," stimmte der Mann zu, „so soll es bleiben; nun wollen wir recht vergnügt leben." „Das will ich mir überlegen", sagte die Frau. Dann aßen sie etwas und gingen zu Bett.

So ging das wohl nun acht oder vierzehn Tage; da sagte die Frau: „Hör', Mann, das Häuschen ist auch gar zu eng, und der Hof und der Garten sind so klein. Ich möchte wohl in einem großen steinernen Schloß wohnen. Geh' hin zum Butt und wünsche dir ein Schloß." „Ach, Frau," sagte der Mann, „das Häuschen ist ja gut genug. Wozu möchtest du in einem Schlosse wohnen?" „I was", sagte die Frau. „Geh' du nur hin, der Butt kann das schon tun." „Nein, Frau," sagte der Mann, „der Butt hat uns erst das Häuschen gegeben; ich mag nun nicht gleich wiederkommen, den Butt könnte das ärgern." „Geh' doch," sagte die Frau, „er kann das recht gut und tut es auch gern; geh' du nur hin."

Dem Mann war das Herz so schwer, und er wollte nicht; er sagte zu sich selber: „Das ist nicht recht" — aber dann zog er sich die Jacke an und ging doch hin.

Als er an die See kam, war das Wasser ganz violett und dunkelblau und grau und dick, und gar nicht mehr so grün und gelb; doch war es noch still.   Da stellte er sich nun hin und sagte:

> „Manntje, Manntje, Timpe Te,
> Buttje, Buttje in de See,
> mine Fru de Ilsebill
> will nich so as ik wol will".

Da kam der Butt angeschwommen und sagte: „Na, was will sie denn?"   „Ach," sagte der Mann,   „sie möchte in einem großen steinernen Schloß wohnen."   „Geh' nur hin, sie steht vor der Tür", sagte der Butt.

Da ging der Mann hin und dachte, er wollte nach Haus gehen; als er aber dahin kam, da stand dort ein großer steinerner Palast, und seine Frau stand oben auf der Treppe und wollte hineingehen: da nahm sie ihn bei der Hand und sagte: „Komm' mal herein!" Damit ging er mit ihr hinein, und in dem Schloß war eine große Diele aus weißem Marmor, und da waren so viele Diener, die

rissen die großen Türen auf, und die Wände hatte alle schöne
Tapeten, und in den Zimmern standen goldene Stühle und
Tische, und kristallene Kronleuchter hingen von der Decke, und
alle Stuben und Kammern waren mit Teppichen belegt. Und
wunderschönes Essen und roter und weißer Wein stand auf den
Tischen, als ob sie brechen wollten. Und hinter dem Hause war
auch ein großer Hof mit einem Pferde= und Kuhstall, und
Kutschen und Kutscher — alles vom besten; auch war da ein
großer herrlicher Garten mit mancherlei schönen Blumen und
feinstem Obst, und ein herrlicher Park, wohl eine halbe Meile
lang: da waren Hirsche und Rehe und Hasen drin und Nachti=
gallen und Rotkehlchen und alles, was man sich nur immer
wünschen mochte. „Na," sagte die Frau, „ist das nun nicht
schön?" „Ach ja," stimmte der Mann zu, „so soll es auch
bleiben; nun wollen wir auch in dem schönen Schloß wohnen
und zufrieden sein." „Das will ich mir überlegen," sagte die
Frau, „und will es beschlafen." Darauf gingen sie zu Bett.

Am andern Morgen wachte die Frau zuerst auf; es war eben
Tag geworden, und sie sah von ihrem Bett aus das herrliche
Land vor sich liegen. Der Mann dehnte und reckte sich noch, da
stieß sie ihn mit dem Ellenbogen in die Seite und sagte: „Mann,
steh' auf und guck' mal aus dem Fenster. Sieh, könnten wir nicht
König werden über das ganze Land? Geh' hin zum Butt, ich
möchte König sein." „Ach, Frau," sagte der Mann, „König kann
er nicht machen, ich mag dem Butt das nicht sagen; König ist
nur einmal im Reich; König kann der Butt nicht machen, das
kann und kann er nicht!" Der Mann war ganz bedrückt, daß
seine Frau König werden wollte. „Das ist und ist nicht recht,"
dachte der Mann, „König ist zu unverschämt." Er wollte nicht
hingehen, aber dann zog er sich die Schuhe an und ging doch
hin.

Und als er an die See kam, da war die See ganz schwarzgrau,
und schwarzes Wasser wirbelte von unten herauf und roch auch
ganz faul. Dem Mann war bang. Er stellte sich hin und sagte:

> „Manntje, Manntje, Timpe Te,
> Buttje, Buttje in de See,
> mine Fru de Ilsebill
> will nich so as ik wol will".

Da kam der Butt angeschwommen und sagte: „Na, was will sie denn?" „Ach," sagte der Mann, „sie möchte König werden." „Geh' nur hin, sie ist es schon", sagte der Butt.

Da ging der Mann hin, und als er zu dem Palast kam, da war das Schloß viel größer geworden, mit einem großen Turm und herrlichem Schmuck daran: und die Schildwacht stand vor dem Tor, und da waren so viele Soldaten und Pauken und Trompeten. Und als er in das Haus kam, da war alles von weißem Marmor und purem Gold, und da waren samtene Decken und große goldene Quasten. Da gingen die Türen von dem Saal auf, wo der ganze Hofstaat war, und seine Frau saß auf einem hohen Thron von purem Gold und Diamanten und hatte eine große goldene Krone auf und den Zepter in der Hand von purem Gold und funkelndem Edelstein. Und auf beiden Seiten von ihr standen sechs schön geputzte Hofdamen in einer Reihe, immer eine einen Kopf kleiner als die andere. Da stellte er sich nun hin und sagte: „Ach Frau, bist du nun König?" „Ja," sagte die Frau, „nun bin ich König." Da stand er nun und sah sie an, und als er sie nun eine Zeitlang so angesehen hatte, sagte er: „Ach, Frau, was steht dir das gut, daß du König bist! Nun wollen wir uns auch nichts mehr wünschen." „Das will ich mir überlegen", sagte die Frau. Damit gingen sie beide zu Bett.

Der Mann schlief gut und fest, er hatte am Tag viel laufen müssen; die Frau aber konnte gar nicht einschlafen und warf sich die ganze Nacht von einer Seite auf die andere und überlegte sich immer, was sie wohl noch werden könnte und konnte sich auf nichts mehr besinnen. Indessen wollte die Sonne aufgehen, und als sie das Morgenrot sah, setzte sie sich aufrecht im Bett hin und sah starr da hinein. Und als sie aus dem Fenster die Sonne

so heraufkommen sah: „Hah," dachte sie, „kann ich nicht auch
die Sonne und den Mond aufgehen lassen?"   „Mann," sagte sie
und stieß ihn mit dem Ellenbogen in die Rippen, „wach' auf, geh'
hin zum Butt, ich will werden wie der liebe Gott."   Der Mann
war noch ganz schlaftrunken, aber er erschrak so, daß er aus dem
Bett fiel.   Er meinte, er hätte sich verhört und rieb sich die Augen
aus und sagte: „Ach, Frau, was sagst du?"   „Mann," sagte
sie, „wenn ich nicht die Sonne und den Mond kann aufgehen
lassen — das kann ich nicht aushalten, und ich habe dann keine
ruhige Stunde mehr, daß ich sie nicht selbst kann aufgehen lassen."
Dabei sah sie ihn ganz böse an, daß ihn ein Schauder überlief.
„Gleich geh' hin; ich will werden wie der liebe Gott."   „Ach,
Frau," sagte der Mann und fiel vor ihr auf die Knie, „das kann
der Butt nicht.   König kann er machen, aber nicht mehr.   Ich
bitte dich, geh' in dich und bleibe König."   Da kam die Bosheit
über sie; die Haare flogen ihr wild um den Kopf und sie schrie:
„Ich halte das nicht aus!   Und ich halte das nicht länger aus!
Ich bin König, merke dir das, und du bist mein Mann: willst du
gleich hingehen?"   Da zog er sich die Hosen an und lief davon
wie unsinnig.

Draußen aber ging der Sturm und brauste, daß er kaum auf
den Füßen stehen konnte.   Die Häuser und die Bäume wurden
umgeweht, und die Berge bebten, und die Felsenstücke rollten in
die See.   Es war düster, und der Himmel war ganz pechschwarz,
und es donnerte und blitzte, und die See ging in so hohen
schwarzen Wogen wie Kirchtürme und Berge, und oben hatten
sie alle eine weiße Schaumkrone.   Dem Mann war sehr bang, und
er schrie, und konnte sein eigenes Wort nicht hören:

> „Manntje, Manntje, Timpe Te,
> Buttje, Buttje in de See,
> mine Fru de Ilsebill
> will nich so as ik wol will".

„Na, was will sie denn?" sagte der Butt.   „Ach," sagte er,

„sie will werden wie der liebe Gott." „Geh' nur hin, sie sitzt schon wieder in der Fischerhütte."

Da sitzen sie noch bis auf den heutigen Tag.

Wortschatz

der Diener (—), *servant*
„ Ell(en)bogen, *elbow*
„ Fischer, *fisherman*
„ Kutscher, *coachman*
„ Streifen, *streak, stripe*

„ Edelstein (e), *gem, stone*
„ Hirsch, *stag*
„ Mond, *moon*
„ Teppich, *carpet*

„ Hof ("), *court, yard*
„ Palást, *palace*
„ Saal (Säle), *hall*
„ Stall, *stable*
„ Sturm, *storm*
„ Vorplatz, *entrance hall*

„ Diamánt (en, en), *diamond*
„ Prinz, *prince*
„ Soldát, *soldier*

„ Park (s), *park*

der Marmor (kein Pl.), *marble*
„ Schauder, *shudder*
„ Schmuck, *ornament*
„ Stolz, *pride*

die Diele (n), *hall*
„ Ente (n), *duck*
„ Kammer (n), *chamber*
„ Krone (n), *crown*
„ Kutsche (n), *coach*
„ Meile (n), *mile*
„ Pauke (n), *kettledrum*
„ Rippe (n), *rib*
„ Schaumkrone (n), *white horse (foam)*
„ Speisekammer (n), *larder*
„ Stube (n), *(small) room*
„ Trompéte (n), *trumpet*
„ Woge (n), *tall wave*

das Knie (—) (auch: Kniee im Plural), *knee*
„ Rotkehlchen, *robin redbreast*

das Reh (e), *deer, roe*

„ Schloß ("sser), *castle*

„ Geschirr (kein Pl.), *crockery*

angeln, *fish*

an'sehen, sieht an, sah an, hat angesehen, *look at*

an'ziehen, zog an, hat angezogen, *put on*

aus'halten, hält aus, hielt aus, hat ausgehalten, *stand, endure*

beben, *tremble*

beschlafen, beschläft, beschlief, hat beschlafen, *sleep on, think over*

betrachten, *contemplate, look at*

davon'laufen, läuft davon, lief davon, ist davongelaufen, *run away*

sich dehnen, *stretch*

ein'schlafen, schläft ein, schlief ein, ist eingeschlafen, *go to sleep*

erschrecken, erschrickt, erschrak, ist erschrocken, *get a shock*

gucken, *peep, look*

sich hin'stellen, *place oneself, go and stand*

kürzen, *abridge*

meinen, *think, remark*

sich (dat.) merken, *remember*

putzen, *dress, trim ; clean, polish*

sich recken, *stretch (oneself)*

reiben, rieb, hat gerieben, *rub*

stoßen, stößt, stieß, hat gestoßen, *knock, nudge*

sich (dat.) überlegen, *consider, ponder*

sich verhören, *hear wrong, misunderstand*

wirbeln, *whirl*

zuleide'tun, tat zuleide, hat zuleide getan, *hurt*

zu'stimmen, *agree*

zuwiderhandeln (dat.), *oppose, act against*

allerliebst, *darling*

aufrecht, *upright*

bang, *afraid*

bedrückt, *depressed*

böse, *vicious*

dicht, *close, thick*

düster, *dark, gloomy*

funkelnd, *sparkling*

heutig, *to-day's, present*

hochdeutsch, *standard German*

lauter, *pure*

pechschwarz, *pitch-dark, -black*

pur, *pure*

samten, *velvet*

schlaftrunken, *drowsy*

starr, *rigid, fixed*

steinern, *stone*
unsinnig, *mad*
unverschämt, *impudent*, *cheeky*
violétt, *violet*, *purple*

dahin, *thither*
dorthin, *thither*
hin, *thither*
hinúnter, *down*
mancherlei, *many a*, *all kinds of*
    things
selber, *self*

acht Tage, *a week*
am andern Morgen, *next morn-
    ing*
bis auf den heutigen Tag, *to
    this very day*
das ist und ist nicht recht, *that
    cannot be right*
das tut er gewiß, *he is sure to
    do it*
dem Mann war bang, *the man
    was afraid*
dem Mann war das Herz so
    schwer, *the man's heart was
    so heavy*
der liebe Gott, *the Lord*
du brauchst nicht so viele Worte

machen, *you need not waste
    so many words*
er kam angeschwommen, *he
    came swimming along*
er kann das schon tun, *he can
    easily do that*
er wollte nicht recht, *he didn't
    really want to*
es donnerte und blitzte, *there
    was thunder and lightning*
es war einmal, *once upon a
    time, there was*
gar zu eng, *really too small*
geh' in dich, *repent*
I was, *go on ! get away !*
ich tue dir nichts zuleide, *I
    won't hurt you*
ich würde dir doch nicht recht
    schmecken, *you wouldn't like
    the taste of me*
sie wollte hineingehen, *she was
    on the point of going in*
was eben so dazugehört, *every-
    thing that usually belongs to it*
was hilft dir's ? *what good would
    it do you ?*
was soll ich hingehen? *what
    should I go for ?*
was steht dir das gut! *how well
    it suits you !*

Aus der Grammatik späterer Kapitel

Könnten wir nicht, *could we not* ....s. Kapitel 5
Wenn ich nicht die Sonne kann aufgehen lassen.

s. Kapitel 8 und 15

Anmerkung über die Bedeutung von „hin" und „her"

„Hin" bedeutet „weg von mir" (das heißt, weg von dem, der spricht), „her" bedeutet „zu mir" (oder : zu dem, der spricht).

Im Englischen drücken Sie dies nur durch Verben aus: *bring* and *take*, *come* and *go*. Wir sagen: „Kommen Sie herauf!" und „Gehen Sie hinauf!" Wir können auch sagen: „Ich bringe das Buch hin".

Grammatik

I. Reflexive pronouns in the dative, cf. p. 358 :
Ich will es mir überlegen. Sie wünscht sich einen Palast. Merke dir das! Sie müssen sich eine Geschichte ausdenken. Ich dachte es mir. Erzählt euch, was ihr vorhabt.

A few German verbs are reflexive as well as transitive. In such cases we use the dative of the reflexive pronoun, which differs from the accusative in the first and second persons singular only, where it is " mir " and " dir " :

ich überlege es mir	wir überlegen es uns
du überlegst es dir	ihr überlegt es euch
Sie überlegen es sich	Sie überlegen es sich
er, sie, es überlegt es sich	sie überlegen es sich

The dative reflexive pronoun can also be used to emphasize the personal character of an action : Ich kaufe mir ein Buch. Er hat sich ein Haus gebaut. Ich sehe mir das Bild an. Nimm dir ein Stück Kuchen!

II. Declension of adjectives in the singular without article :
Aus purem Gold; in kurzer Zeit; als junger Mann; mit

neuem, lebendigem Interesse; in modernem Deutsch; in dichterischer Sprache; wegen schlechten Wetters; bei solch dichtem Nebel; mit viel gutem Geld; wegen ein wenig kalten Wassers; während manch schöner Stunde; mit welch großer Freude!

When there is no article to show the appropriate case and gender ending the adjective takes those endings instead. Thus we have:

N.	starker Regen	frische Milch	kaltes Wasser
A.	starken Regen	frische Milch	kaltes Wasser
G.	starken Regens	frischer Milch	kalten Wassers
D.	starkem Regen	frischer Milch	kaltem Wasser

In masculine and neuter genitive the adjective retains its neutral -en for the good reason that the noun by its -s establishes the case beyond doubt.

It is easy to see that these above endings must also be used after invariables such as etwas, viel, wenig, mehr when they are not preceded by an article, and after manch, solch, welch, when they are used as invariables.

III. The verb „mögen":

Its conjugation

Present tense		Past tense	
ich mag	wir mögen	ich mochte	wir mochten
du magst	ihr mögt	du mochtest	ihr mochtet
Sie mögen	Sie mögen	Sie mochten	Sie mochten
er, sie, es mag	sie mögen	er, sie, es mochte	sie mochten

Past participle
gemocht

Its various meanings

Magst du Münchener Bier? Nein, ich mag es nicht besonders gern, ich mag ein Glas Rheinwein viel lieber.

Ich mag den Jungen sehr gern, aber seine kleine Schwester mag ich nicht so gern.

> mögen — gern haben

Er mag etwa fünfzig Jahre alt sein.

> mögen — es ist möglich, *maybe*

Ich mag heute nicht ins Kino gehen, und ich mag auch nicht spazierengehen.

> mögen — Lust haben

Magst du mir, bitte, das Buch dort geben? Magst du, bitte, das Fenster zumachen?

> mögen — *would you mind* . . .

Ich möchte gern ein Paar Handschuhe. Ich möchte gern kommen, aber ich kann morgen leider nicht.

> mögen — always in the past subjunctive form of „möchte" — *I should like.*

Aufgaben

I. Setzen Sie die folgende Aufgabe in die indirekte Rede! Sie sagte, jeden Abend . . .:

Jeden Abend muß ich meinen Kindern eine Geschichte erzählen. Ich denke sie mir immer selbst aus, und nun weiß ich nichts mehr. Meine Jüngste vor allem mag Märchen sehr gern, und ohne ihre Geschichte mag sie nicht zu Bett gehen. Ich überlege mir immer den ganzen Tag, was ich den Kindern abends erzählen kann. Aber nun habe ich mir ein Buch gekauft, und seit einigen Tagen lese ich ihnen die Geschichten daraus vor. Aber es ist gekommen, wie ich es mir gedacht habe: Das Buch ist den Kindern zu langweilig. Es mag sein, daß die eine oder die andere Geschichte manchen Kindern gefällt, aber bei meinen Kleinen habe ich kein Glück damit. Die Jüngste reibt sich bald die Augen und dehnt und reckt sich, und ich muß sie meistens zu Bett bringen, ehe ich die Geschichte zu Ende gelesen habe. Und nun sagt sie abends: „Eine Geschichte, bitte, aber es muß eine richtige Geschichte sein!" Da muß ich mein schönes, teueres Buch zuklappen und kann mich wieder selbst auf Geschichten besinnen. Wie sagt doch Faust so richtig? „Da steh' ich nun, ich armer Tor und bin so klug als wie zuvor!"

II. Geben Sie die richtige Form des Verbs!

„(Mögen) du Märchen?" „Nein, ehrlich gesagt, ich (sich interessieren) gar nicht dafür. Für Kinder (mögen) sie das Richtige sein, aber ich als Erwachsener (sich ansehen) kein Märchenbuch mehr." „Du (sich wundern) vielleicht, aber ich (sich interessieren) seit einiger Zeit von Neuem für Märchen. Hier, (gucken) einmal!" „Was (haben) du denn da? Das Buch (aussehen) ja dick genug!" „Ja, das (sein) die ganzen Märchen der Brüder Grimm — nicht weniger als 211 Geschichten!" „Und die (wollen) du nun alle lesen? Ich (sich wundern), daß du (sich kaufen) solche Bücher. Du (sich interessieren) doch sonst viel mehr für Gedichte!" „Ja, da (Recht haben) du auch. Aber du (müssen) wissen, daß man Märchen als Dich= tungen ansehen (kann). Eine der tiefsten Dichtungen Goethes (schreiben) er in der Form eines Märchens." „Wirklich? Das (mögen) ich gern einmal lesen. (Mögen) du es mir einmal mitbringen?" „Gern. (Sehen) du, in solch einer Sache (liegen) manchmal mehr als du (sich denken)."

III. Lesen Sie Aufgabe II auch mit „ihr" und „Sie" für „du"!

IV. Geben Sie die richtigen Endungen!

Seit lang— Zeit schon gibt es in d— deutsch— Sprache die groß— Sammlung alt— Märchen, die die beid— Brüder Grimm vor etwa hundert Jahr— in lang—, fleißig— Arbeit gesammelt haben. In dies— alt— Geschichten findet sich manch tief— Gedanke, und in einfach— Form

bringen sie oft wunderbar— dichterisch— Schönheit. Sie
sind aber in nicht sehr leicht— Sprache geschrieben, da sie
mit groß— und natürlich gar nicht modern— Wortschatz
arbeiten. Aber wenn man sie mit wirklich—, lebendig—
Interesse liest, wird man trotz manch schwer— Wortes
und manch seltsam— Redewendung bald d— besonder—
Geist dies— alt— Dichtung— verstehen, und man wird
fühlen, aus welch tief— Quelle sie fließen.

V. Fragen Sie einander über die Geschichte vom Fischer und
seiner Frau! Erzählen Sie sie, jeder ein Stück!

VI. Erzählen Sie ein englisches Märchen oder eine kurze
Geschichte schriftlich oder mündlich!

VII. Schreiben Sie in fünf Minuten Wörter, die mit „hin"
oder „her" beginnen oder aufhören!

VIII. Übersetzung!

After Charles Lamb, *Dream-Children, a Reverie* (ge=
kürzt) :

My little ones crept about me the other evening to hear [1]
about their great-grandmother Field. She, who lived in
a great house in Norfolk (a hundred times bigger than
that in which they and papa lived) which had been the
scene—so at least it was generally believed [2] in that part
of the country—of the tragic incidents which they had
lately become familiar with [3] from the ballad of the
Children in the Wood. Certain it is that the whole story
of the children and their cruel uncle was to be seen [4]
fairly carved out in wood upon the chimney-piece of the
great hall, the whole story down to the Robin Redbreasts,
till a foolish rich person pulled it down to [1] set up a

[1] *say:* in order to   [2] *say:* one generally believed
[3] *say:* with which . . .   [4] *say:* was to see

marble one of modern invention in its stead with no story
upon it.   Then I went on to say how religious and
how good their great-grandmother Field was, so good
indeed that she knew all the Psaltery by heart, ay,
and a great part of the Testament besides.   Here little
Alice [1] spread her hands.   Then I told what a tall, upright, graceful person their great-grandmother Field
once was ; and how in her youth she was esteemed the
best dancer [2]—here Alice's little right foot played an
involuntary movement, till, upon my looking grave,[3] it
desisted—the best dancer, I was saying, in the county. . .

[1] *say:* the little Alice   [2] *say:* one thought her the best dancer
                  [3] *say:* when I looked grave

IX. Wahre Geschichte:

Eine deutsche Frau zu ihrer englischen Bekannten: " You
see, my husband died for a little while ! "   (Warum sagte
sie das?)

Viertes Kapitel

Aus der Novelle „Immensee"

von Theodor Storm (1817-1888)

Die Kinder

Bald trat die anmutige Gestalt eines kleinen Mädchens zu ihm. Sie hieß Elisabeth und mochte fünf Jahre zählen; er selbst war doppelt so alt. Um den Hals trug sie ein rotseidenes Tüchelchen; das ließ ihr hübsch zu den braunen Augen.

„Reinhard," rief sie, „wir haben frei, frei! Den ganzen Tag keine Schule, und morgen auch nicht."

Reinhard stellte die Rechentafel, die er schon unterm Arm hatte, flink hinter die Haustür, und dann liefen beide Kinder durchs Haus in den Garten und durch die Gartenpforte hinaus auf die Wiese. Die unverhofften Ferien kamen ihnen herrlich zustatten. Reinhard hatte hier mit Elisabeths Hilfe ein Haus aus Rasenstücken aufgeführt; darin wollten sie die Sommerabende wohnen; aber es fehlte noch die Bank. Nun ging er gleich an die Arbeit; Nägel, Hammer und die nötigen Bretter lagen schon bereit. Während dessen ging Elisabeth an dem Wall entlang und sammelte den ringförmigen Samen der wilden Malve in ihre Schürze; davon wollte sie sich Ketten und Halsbänder machen; und als Reinhard endlich trotz manches krummgeschlagenen Nagels seine Bank dennoch zu Stande gebracht hatte und nun wieder in die Sonne hinaustrat, ging sie schon weit davon am andern Ende der Wiese.

„Elisabeth!" rief er, „Elisabeth!", und da kam sie, und ihre

Locken flogen. „Komm," sagte er, „nun ist unser Haus fertig. Du bist ja ganz heiß geworden; komm herein, wir wollen uns auf die neue Bank setzen. Ich erzähl dir etwas."

Dann gingen sie beide hinein und setzten sich auf die neue Bank. Elisabeth nahm ihre Ringelchen aus der Schürze und zog sie auf lange Bindfäden; Reinhard fing an zu erzählen: „Es waren einmal drei Spinnfrauen. . . ."

„Ach," sagte Elisabeth, „das weiß ich ja auswendig; du mußt auch nicht immer dasselbe erzählen."

Da mußte Reinhard die Geschichte von den drei Spinnfrauen stecken lassen, und statt dessen erzählte er die Geschichte von dem armen Mann, der in die Löwengrube geworfen war.

„Nun war es Nacht," sagte er, „weißt du? ganz finstere, und die Löwen schliefen. Mitunter aber gähnten sie im Schlaf und reckten die roten Zungen aus; dann schauderte der Mann und meinte, daß der Morgen komme. Da warf es um ihn her auf einmal einen hellen Schein, und als er aufsah, stand ein Engel vor ihm. Er winkte ihm mit der Hand und ging dann gerade in die Felsen hinein."

Elisabeth hatte aufmerksam zugehört. „Ein Engel?" sagte sie. „Hatte er denn Flügel?"

„Es ist nur so eine Geschichte", antwortete Reinhard; „es gibt ja gar keine Engel."

„O pfui, Reinhard!" sagte sie und sah ihm starr ins Gesicht. Als er sie aber finster anblickte, fragte sie ihn zweifelnd: „Warum sagen sie es denn immer? Mutter und Tante und auch in der Schule?"

„Das weiß ich nicht", antwortete er.

„Aber du," sagte Elisabeth, „gibt es denn auch keine Löwen?"

„Löwen? Ob es Löwen gibt! In Indien; da spannen die Götzenpriester sie vor den Wagen und fahren mit durch die Wüste. Wenn ich groß bin, will ich einmal selber hin. Da ist es viel tausendmal schöner als hier bei uns; da gibt es gar keinen Winter. Du mußt auch mit mir. Willst du?"

„Ja", sagte Elisabeth; „aber Mutter muß dann auch mit, und deine Mutter auch."

„Nein," sagte Reinhard, „die sind dann zu alt, die können nicht mit."

„Ich darf aber nicht allein."

„Du sollst schon dürfen; du wirst dann wirklich meine Frau, und dann haben die andern dir nichts zu befehlen."

„Aber meine Mutter wird weinen."

„Wir kommen ja wieder", sagte Reinhard heftig; „sag es nur gerade heraus: willst du mit mir reisen? Sonst geh ich allein; und dann komme ich nimmer wieder."

Der Kleinen kam das Weinen nahe. „Mach nur nicht so böse Augen," sagte sie, „ich will ja mit nach Indien."

Reinhard faßte sie mit ausgelassener Freude bei beiden Händen und zog sie hinaus auf die Wiese. „Nach Indien, nach Indien!" sang er und schwenkte sich mit ihr im Kreise, daß ihr das rote Tüchelchen vom Halse flog. Dann aber ließ er sie plötzlich los und sagte ernst: „Es wird doch nichts daraus werden; du hast keine Courage".

„Elisabeth! Reinhard!" rief es jetzt von der Gartenpforte. „Hier! Hier!" antworteten die Kinder und sprangen Hand in Hand nach Hause. . . .

(Reinhard ist nun Student und feiert Weihnachten
allein in der Universitätsstadt fern von zuhause.)

Weihnachtsabend kam heran.

... Draußen auf der Straße war es tiefe Dämmerung;
Reinhard fühlte die frische Winterluft an seiner heißen Stirn.
Hie und da fiel der helle Schein eines brennenden Tannenbaums
aus den Fenstern, dann und wann hörte man von drinnen das
Geräusch von kleinen Pfeifen und Blechtrompeten und dazwi=
schen jubelnde Kinderstimmen. ...

Reinhard hörte sie nicht, er ging
rasch an allem vorüber, aus einer
Straße in die andre. Als er an seine
Wohnung gekommen, war es fast
völlig dunkel geworden; er stolperte
die Treppe hinauf und trat in seine
Stube.

Ein süßer Duft schlug ihm ent=
gegen; das heimelte ihn an, das roch
wie zu Haus der Mutter Weihnachts=
stube. Mit zitternder Hand zündete
er sein Licht an; da lag ein mächtiges Paket auf dem Tisch, und
als er es öffnete, fielen die wohlbekannten braunen Festkuchen
heraus; auf einigen waren die Anfangsbuchstaben seines
Namens in Zucker ausgestreut; das konnte niemand anders als
Elisabeth getan haben.

Dann kam ein Päckchen mit feiner gestickter Wäsche zum
Vorschein, Tücher und Manschetten, zuletzt Briefe von der Mutter
und von Elisabeth. Reinhard öffnete zuerst den letzteren;
Elisabeth schrieb:

„Die schönen Zuckerbuchstaben können dir wohl erzählen, wer
bei den Kuchen mitgeholfen hat; dieselbe Person hat die
Manschetten für dich gestickt. Bei uns wird es nun Weihnachts=
abend sehr still werden; meine Mutter stellt immer schon um

halb zehn ihr Spinnrad in die Ecke; es ist gar so einsam diesen
Winter, wo du nicht hier bist.

„Aber du hältst nicht Wort, Reinhard. Du hast keine Märchen
geschickt. Ich habe dich oft bei deiner Mutter verklagt; sie sagt
dann immer, du habest jetzt mehr zu tun als solche Kindereien.
Ich glaub' es aber nicht; es ist wohl anders."

Nun las Reinhard auch den Brief seiner Mutter, und als er
beide Briefe gelesen und langsam wieder zusammengefaltet und
weggelegt hatte, überfiel ihn unerbittliches Heimweh. Er ging
eine Zeitlang in seinem Zimmer auf und nieder; dann trat er an
sein Pult, nahm einiges Geld heraus und ging wieder auf die
Straße hinab.

Hier war es mittlerweile stiller geworden; die Weihnachts-
bäume waren ausgebrannt. . . . Der Wind fegte durch die
einsamen Straßen; Alte und Junge saßen in ihren Häusern
familienweise zusammen; der zweite Abschnitt des Weihnachts-
abends hatte begonnen.

. . . Nach einer Weile erreichte er den erleuchteten Laden
eines Juweliers; und nachdem er hier ein kleines Kreuz von
roten Korallen eingehandelt hatte, ging
er auf demselben Wege, den er gekommen war, wieder zurück.

Nicht weit von seiner Wohnung bemerkte er ein kleines, in klägliche Lumpen gehülltes Mädchen an einer hohen
Haustür stehen, in vergeblicher Bemühung sie zu öffnen. „Soll ich dir
helfen?" sagte er. Das Kind erwiderte
nichts, ließ aber die schwere Türklinke
fahren. Reinhard hatte schon die Tür
geöffnet. „Nein," sagte er, „sie könnten dich hinausjagen; komm mit mir!
Ich will dir Weihnachtskuchen geben."
Dann machte er die Tür wieder zu

und faßte das kleine Mädchen an der Hand, das stillschweigend mit ihm in seine Wohnung ging.

Er hatte das Licht beim Weggehen brennen lassen. „Hier hast du Kuchen", sagte er und gab ihr die Hälfte seines ganzen Schatzes in ihre Schürze, nur keine mit den Zuckerbuchstaben. „Nun geh nach Hause und gib deiner Mutter auch davon." Das Kind sah mit einem scheuen Blick zu ihm hinauf; es schien solcher Freundlichkeit ungewohnt und nichts darauf erwidern zu können. Reinhard machte die Tür auf und leuchtete ihr, und nun flog die Kleine wie ein Vogel mit ihren Kuchen die Treppe hinab und zum Hause hinaus.

Reinhard schürte das Feuer in seinem Ofen an und stellte das bestaubte Tintenfaß auf seinen Tisch; dann setzte er sich hin und schrieb, und schrieb die ganze Nacht Briefe an seine Mutter, an Elisabeth. Der Rest der Weihnachtskuchen lag unberührt neben ihm; aber die Manschetten von Elisabeth hatte er angeknöpft, was sich gar wunderlich zu seinem weißen Flausrock ausnahm. So saß er noch, als die Wintersonne auf die gefrorenen Fensterscheiben fiel und ihm gegenüber im Spiegel ein blasses, ernstes Antlitz zeigte.

Wortschatz

der Flügel (—), *wing*
 „ Spiegel, *mirror*

 „ Hammer ("), *hammer*
 „ Nagel, *nail*

 „ Blick (e), *glance*
 „ Rest, *remainder*

 „ Flausrock, *woollen coat*
 „ Tannenbaum ("e), *fir tree*

 „ Anfangsbuchstabe (ns, n, n), *initial*

der Buchstabe, *letter*

 „ Löwe (n, n), *lion*

 „ Schein (kein Pl.), *light*

die Dämmerung (en), *dusk*
 „ Fensterscheibe (n), *window-pane*
 „ Freundlichkeit (en), *kindness*
 „ Gartenpforte (n), *garden gate*

die Gestalt (en), *figure*
„ Hälfte (n), *half*
„ Hilfe (n), *help*
„ Kette (n), *chain*
„ Locke (n), *curl*
„ Novelle (n), *short story*
„ Stirne (n), *forehead*
„ Tante (n), *aunt*
„ Türklinke (n), *door-knob, handle*
„ Wüste (n), *desert*
„ Zunge (n), *tongue*

„ Wäsche (kein Pl.), *linen, laundry*

das Päckchen (—), *small parcel*

„ Antlitz (e), *countenance*
„ Geräusch (e), *noise*
„ Kreuz, *cross*
„ Pult, *desk*

„ Brett (er), *board*

„ Halsband ("er), *necklace*
„ Tuch, *cloth, scarf*

„ Heimweh (kein Pl.), *homesickness*
Indien (neut.), *India*

an'blicken, *look at*
an'heimeln, *make one feel at home*
an'knöpfen, *button on*

an'schüren, *make up the fire*
an'zünden, *light, kindle*
sich aus'nehmen, nimmt sich aus, nahm sich aus, hat sich ausgenommen, *look, appear*
aus'streuen, *sprinkle*
befehlen, befiehlt, befahl, hat befohlen, *command, order*
bemerken, *notice, remark*
erreichen, *reach*
erwidern, *reply*
fegen, *sweep*
fehlen, *be missing, lacking*
fühlen, *feel*
gähnen, *yawn*
heran'kommen, kam heran, ist herangekommen, *come near, approach*
hinaus'jagen, *chase out, drive away*
sich hin'setzen, *sit down*
hüllen, *wrap*
los'lassen, läßt los, ließ los, hat losgelassen, *let go*
mit'helfen, hilft mit, half mit, hat mitgeholfen (bei), *assist (with)*
schaudern, *shudder*
schicken, *send*
sticken, *embroider*
stolpern, *stumble*

überfallen, überfällt, überfiel, hat überfallen, *overcome*

verklagen, *accuse*

vorüber'gehen, ging vorüber, ist vorübergegangen, *pass*

zittern, *tremble*

zusámmen'falten, *fold up*

zweifeln, *doubt*

anmutig, *graceful*

aufmerksam, *attentive*

ausgelassen, *boisterous*

bereit, *ready*

bestaubt, *dusty*

doppelt, *double*

flink, *quick*

heftig, *impetuous*

kläglich, *miserable*

krumm, *crooked*

letzter, *latter*

mächtig, *mighty*

scheu, *shy*

stillschweigend, *silent*

unberührt, *untouched*

unerbittlich, *merciless*

ungewohnt (gen.), *unused, unwonted*

unverhofft, *unexpected*

vergeblich, *vain, fruitless*

völlig, *complete*

wohlbekannt, *well known*

wunderlich, *strange*

gegenüber, *opposite*

hinab, *down*

mittlerweile, *meanwhile*

mitúnter, *at times*

nieder, *down*

sonst, *else*

trotz (gen.), *despite, in spite of*

auf einmal, *(all) at once*

dann und wann, *now and then*

der Kleinen kam das Weinen nahe, *the little one was near weeping*

du sollst schon dürfen, *they will have to let you*

er ging an die Arbeit, *he set to work*

es kam zum Vorschein, *it appeared*

es rief, *someone called*

ob es Löwen gibt! *are there lions!*

pfui! *shame!*

sie haben dir nichts zu befehlen, *they cannot order you about*

sie kamen ihnen zustatten, *they came handy*

sie kamen zum Vorschein, *they appeared*

um ihn her, *round about him*

wo du nicht hier bist, *(now) that you are not here*

Wort halten, *keep one's word*

zu Stande bringen, *achieve*

Aus der Grammatik späterer Kapitel

Grammatik

I. The pluperfect tense :

Ich hatte nicht lange Deutsch gelernt. Reinhard hatte hier ein Haus aufgeführt. Als er seine Bank zu Stande gebracht hatte. Der Weg, den er gekommen war.

The pluperfect tense is formed and used in German as it is in English. Verbs conjugated with sein must, of course, be used with the past tense of sein instead of haben.

II. Use of " was " as a relative pronoun :

Ich lerne nicht das, was mir wichtig ist. Lesen Sie nichts, was noch zu schwer ist. Alles, was er gemacht hatte. Die Manschetten hatte er angeknöpft, was sich wunderlich ausnahm. Das Schönste, was ich dort sah, war die alte Ruine.

" Was " is used as a relative pronoun when it does not refer to a specific object, hence especially after indefinite numerals such as : alles, nichts, manches, vieles, viel, etwas, and after adjectives used as abstract nouns, especially after a superlative ; and when the relative pronoun refers to the whole of the preceding sentence. The German " was " is then the equivalent of the English " which ".

Many proverbs use " was " as a relative pronoun :

Was man nicht im Kopfe hat, muß man in den Beinen haben; was ein Narr fragt, können oft neun Weise nicht beantworten; was man wünscht, das glaubt man gern;

was ich nicht weiß, macht mich nicht heiß; was du nicht
willst, daß man dir tu, das füg' auch keinem andern zu.

III. Plural of feminine nouns (revision and completion, cf.
"Heute Abend I", Chapter 3) :

Practically all feminine nouns form their plural by adding
=en or =n to the singular : die Frau—die Frauen ; die
Kohle—die Kohlen.

There are three groups of feminine nouns with irregular
plural forms. The first group form it by modifying the
stem vowel ; the second modify the vowel and add =e ;
the third add =s. Here they are, brought together in
rhymes which (we hope) will help you to remember them:

> Die erste Klasse ist furchtbar fein,
> da dürfen nur Mütter und Töchter hinein.
>
> In der zweiten aber, sollte man's denken,
> da sitzen auf den polierten Bänken
> zwei dicke Mägde und drei Bräute.
> Die Gänse haben schon Gänsehäute,
> denn draußen ist Finsternis [1] und Nacht,
> und es pfeift und braust in den Lüften mit Macht.
> Sie sehen in Angsten auf die Wände
> und schließen zu Fäusten die schönen Hände.
> Aber eine, trotz aller Trübsal,[2] sucht
> in ihren Taschen nach einer Frucht.
> Sieh da, sie findet Würste und Nüsse,
> die helfen ihr über die Finsternisse.
> Sie essen nach Kräften und plaudern indessen
> von der Stadt und haben die Angst vergessen.
> Eine Kuh und zwei Mäuse ausgenommen
> ist niemand sonst hereingekommen.

[1] *This stands for all feminine nouns ending in =is. The final s becomes
ß in the plural.*
[2] *This stands for all feminine nouns ending in =al. There is no Umlaut
in the plural :* Trübsale.

Die dritte Klasse ist reserviert
für Fremdes, was noch nicht assimiliert.
Da tanzen zum Beispiel zwei Mamas
die Polka zu Ziehharmonikas.

Aufgaben

I. Ergänzen Sie!

Für Ihr— nächst— gesellig— Abend will ich Ihnen noch
ein sehr lustig— Schreibspiel erklären. Viel— Leut—
nennen es „Konsequenzen", — Sie verstehen werden,
wenn Sie dies— kurz— Beschreibung gelesen haben.
Jeder Ihr— geduldig— Gäste bekommt ein— lang—
Zettel und ein— schön— spitz— Bleistift. Oben auf d—
leer— Zettel muß er d— Name— ein— weiblich—
Wesens schreiben, zum Beispiel: d— blond— Fräulein
Elisabeth. Dann faltet man sein— Zettel so, daß keiner
d— ander— Spieler lesen kann, — auf d— erst— Zeile
steht, und gibt ihn sein— link— Nachbar—. Dieser schreibt
nun d— Name— ein— männlich— Wesen—, z.B. d—
Name— d— jetzig— Präsident— d— Vereinigt—
Staaten von Nordamerika.

Man faltet sein— Zettel wieder wie vorher und gibt
ihn sein— link— Nachbar—. Dann kommt: Wann sich
d— beid— Person— treffen: Am fünfzehnt— März
10 Uhr abends. Dann kommt, wo sich zwei solch reizend—,
interessant— Mensch— treffen können: Vor d—
modern—, elegant— Kino am Alexanderplatz. Nun
folgt ein— d— wichtigst— Zeilen: „Er sagt . . .", und
danach müssen Sie sich auf etwas Schönes besinnen, —
d— weiblich— Wesen antworten könnte.

Und schließlich kommt d— aufregend— Höhepunkt
d— ganz— aufregend— Roman—: Sie müssen sich aus=
denken, — daraus werden kann. Und in d— letzt—
Zeile müssen Sie uns erzählen, — d— ander— Leute dazu
sagen, — Ihnen nicht schwer fallen sollte. Nun werfen

Sie d— ganz— Zettel in ein— groß— Schüssel oder in ein— alt— Hut und jeder von Ihnen wählt sich ein-gefaltet— Zettel, ohne zu wissen, — darin stehen wird. Sie öffnen Ihr— Zettel und aus d— wenig— Punkten, welch— Ihnen d— kurz— Zeilen d— Zettel— geben, müssen Sie sich nun ein— aufregend—, interessant— und lustig— Geschichte ausdenken, und dies— Geschichte d— ander— Spieler— erzählen. Und alles in Ihr— best— Deutsch, versteht sich!

II. Lesen Sie Aufgabe I mit „ihr" anstatt „Sie"!

III. Spielen Sie das Spiel „Konsequenzen" (*cf.* Aufgabe I).

IV. Fragen Sie einander über die zwei Abschnitte aus „Immensee"! Erzählen Sie sie!

V. Lesen Sie in einer Literaturgeschichte oder in der „En-cyclopaedia Britannica" über Storm nach und sprechen Sie über ihn!

VI. Erzählen Sie erst schriftlich und dann mündlich!
    (*a*) Spiele aus meiner Kindheit;
    (*b*) Ein Weihnachtstag aus meinem Leben.

VII. Übersetzen Sie den folgenden Abschnitt aus *Alice's Adventures in Wonderland*, von Lewis Carroll!
Chapter VII. A Mad Tea-Party :
There was a table set out [1] under a tree in front of the house, and the March Hare and the Hatter were having [2] tea at it : a Dormouse was sitting between them, fast asleep, and the other two were resting their elbows on it, and talking over its head. " Very uncomfortable for the Dormouse ", thought Alice ; " only, as it's asleep, I suppose it doesn't mind."

[1] gedeckt   [2] *say:* drank

The table was [a] large [one], but the three were all crowded together at one corner of it. " No room ! No room ! " they cried out when they saw Alice coming.

" There's *plenty* of room ! " said Alice indignantly, and she sat down in a large armchair at one end of the table.
" Have some wine ", the March Hare said in an encouraging tone.
Alice looked all round the table,[1] but there was nothing on it but tea. " I don't see any wine ", she remarked.
" There isn't any ", said the March Hare.
" Then it wasn't very civil of you to offer it ", said Alice angrily.
" It wasn't very civil of you to sit down without being invited ", said the March Hare.
" I didn't know it was *your* table ", said Alice ; " it's laid [2] for a great many more than three."

[1] sich auf dem ganzen Tisch umsehen   [2] gedeckt

Etwas zum Lachen :

Zwiegespräch zwischen zwei Deutschen in England:
A : " Can you English ? "
B : " And if ! "

Fünftes Kapitel

„Die Deutschen" und „Die Engländer" oder: Vom Volkscharakter

Sie kennen wahrscheinlich den alten Witz: Es gab einmal ein Preisausschreiben. Das Thema war: „Der Elefant". An diesem Preisausschreiben beteiligten sich ein Engländer, ein Amerikaner, ein Franzose und ein Deutscher. Der Engländer nannte seinen Aufsatz „Hunting the Elephant in India". Der Amerikaner schrieb eine Arbeit mit dem Titel „Rearing bigger and better Elephants". Der Franzose schrieb einen kurzen Aufsatz mit dem Titel „La vie amoureuse de l'éléphant". Und von dem Deutschen kam ein dicker Band mit dem Titel „Versuch einer Einführung in das Studium des Elefanten mit vollständiger Bibliographie". Ähnliche Witze gibt es in England über Engländer, Schotten und Iren, und in Deutschland über Preußen, Sachsen und Bayern. Vielleicht kennen Sie den folgenden Satz über England, Deutschland und Österreich: „In England ist alles erlaubt, was nicht verboten ist; in Deutschland ist alles verboten, was nicht erlaubt ist; und in Österreich ist alles erlaubt, was verboten ist". Man will auf diese Art die Unterschiede im Volkscharakter kurz zusammenfassen. Denn daß Unterschiede bestehen, darüber sind sich alle klar. Wenn man sie aber einmal genau beschreiben will, so merkt man, daß die Sache gar nicht so einfach ist.

Allerdings, wenn Sie Herrn Spießer fragen, wie die Engländer sind, so findet er das sehr leicht zu beantworten. Herr Spießer, müssen Sie wissen, ist in seinem Leben nicht über die deutsche Grenze hinausgekommen, er liest jeden Tag seine Provinzzeitung und politisiert jede Woche einmal an seinem Stammtisch [1] im „Goldenen Löwen". Außerdem war sein Vetter vor zehn Jahren einmal geschäftlich in England.

„Wie die Engländer sind? Na, das weiß doch jedes Kind. Groß sind sie und blond, und sie haben furchtbar große Füße. Die Männer rauchen kurze Pfeifen und haben karrierte Anzüge an, und die Frauen tragen Brillen und karrierte wollene Kostüme." Das Essen, hat der Vetter erzählt, sei schrecklich eintönig: immer Kohl, einfach in Salzwasser gekocht, und Beefsteak und Kartoffelbrei, und dazu tränken die Engländer Whisky, Sodawasser und starken Tee. Sie seien alle sehr zurückhaltend und phlegmatisch und sie arbeiteten nicht viel, denn von Freitag mittag bis Montag Mittag machten sie „weekend". Dann gingen sie auf die Fuchsjagd. Opern seien ihnen fast ganz unbekannt, und sie seien darum sehr unmusikalisch. Die Männer trockneten ihren Frauen das Geschirr ab, und man könne sie sogar den Kinderwagen schieben sehen. Sie hätten immer alle Türen und Fenster offen, und durch den dauernden Zug bekämen sie dann alle natürlich Rheumatismus und Gicht. Es regne fast immer in England, und in London könne man keine drei Schritte weit sehen vor Nebel. Das ganze Land sei flach und bestehe fast nur

---

[1] Stammtisch: das heißt, er trifft sich jede Woche einmal mit einem Kreis Bekannter im „Goldenen Löwen", wo sie immer am gleichen Tisch sitzen.

aus Kohlenzechen und Eisenhütten. Sie hielten sich für die erste
Nation der Welt. Ja, sie seien sich darüber so klar, daß sie es gar
nicht einmal aussprächen. Sie bedauerten nur im Stillen jeden,
der kein Engländer ist. Das Schlimmste aber sei, daß sie leider
keine Spur von Humor hätten. — So weit Herr Spießer.

Und wenn Sie Mrs. Knowall fragen, die ihr Leben lang in
ihrer Provinzstadt gelebt hat, jede Woche einen Roman aus der
Leihbibliothek liest und jeden Donnerstag Abend ins Kino geht,
so brauchen Sie auch nicht lange auf die Antwort zu warten.

Die Deutschen, sagt sie, seien alle breitschultrig und blond
und hätten blaue Augen. Die Mädchen hießen Gretchen und
hätten lange Zöpfe. Über dreißig würden sie alle furchtbar dick.

Das komme davon, daß sie den ganzen Tag
lang Kaffee tränken und immer nur Suppe
und Wurst äßen. Sie äßen überhaupt viel
zu viel. Die Männer rauchten immer starke
Zigarren und tränken viel wässeriges Bier.
Sie trügen kurze Lederhosen und grüne
Filzhüte mit Rasierpinseln darauf. Ihre
Fenster hätten sie immer zu und die Luft in
den Zimmern sei zum Schneiden. Die
Frauen trügen Dirndlkleider und Brillen.
Sie seien alle musikalisch und sängen gern
sentimentale Volkslieder wie zum Beispiel
„Die Lorelei". Das Rheintal bestehe aus malerischen alten
Burgen. Die deutsche Sprache sei sehr kompliziert, aber man
brauche sie nicht zu lernen denn sie sprächen alle Englisch, was ja
auch viel besser für sie sei. Die deutschen Frauen interessierten
sich nur für Kinder, Kochen und Kirche. Sie seien schrecklich
gründlich und nähmen sich selbst und das ganze Leben furchtbar
ernst und wichtig. Sie hätten leider gar keinen Charme und,
schließt sie mit einem Seufzer, überhaupt keine Spur von Humor.

Je weiter wir von einem Volk weg sind, desto leichter ist
es, seinen Charakter in ein paar kurzen Sätzen zu beschreiben.

Von den Chinesen und Japanern und Indern zum Beispiel
haben die meisten von uns eine ziemlich klare Vorstellung.
Aber je näher wir einem Volk kommen, desto unklarer wird diese
Vorstellung. Deutsche, sagen wir, kommen nach England, und
sofort fällt ihnen vieles als höchst
sonderbar auf. Sie sehen kleine Männer, die weder große Füße noch blonde
Haare haben, die weder karrierte Anzüge tragen noch auf die Fuchsjagd
gehen. Engländer besuchen Deutschland und lernen dunkelhaarige und dun-
keläugige Deutsche kennen, die Charme
haben und das Leben gar nicht so ernst
nehmen. Sie hören gute Konzerte in
England, und am Rhein finden Sie
außer dem Loreleifelsen und malerischen Burgen einige höchst moderne
Industriestädte.

Zuerst vermuten Sie, das typisch Englische, das typisch
Deutsche würde wohl bald zum Vorschein kommen. Aber je
länger Sie im fremden Land bleiben, desto schwerer wird es
Ihnen, das „Typische" zu finden. Sie lernen mehr und mehr
verschiedene Typen von Menschen kennen — Nette und weniger
Nette, Höfliche und Unhöfliche, Fleißige und Faule, Offene und
Zurückhaltende. Jeder hat seine eigenen Interessen, seinen
eigenen Lebensstil. Die Arbeit scheint Typen von Menschen zu
bilden, und englische Arbeiter, Lehrer, Ärzte scheinen den
deutschen Arbeitern, Lehrern, Ärzten ähnlicher zu sein als
manchen ihrer eigenen Landsleute. Auch sehen Sie „Typen" im
Ausland, die Sie an Bekannte in der Heimat erinnern. So
groß kann der Unterschied also nicht sein. Nach einer Weile
geben Sie es ganz auf, nach dem Typischen zu suchen. Halb
unbewußt kommen Sie zu dem Schluß: „Es gibt so'ne und so'ne
in jedem Land".

Und dann, nach Jahren vielleicht, gehen Sie wieder in Ihr eigenes Land zurück. Man fragt Sie natürlich, wie man im fremden Land lebt, und wie die Menschen seien. Und im Umsehen fangen Sie an zu verallgemeinern. Sie hören sich selber sagen: „Die Engländer sind natürlich . . ." oder „Die Deutschen haben alle . . ." Nun, da Sie die Verhältnisse in beiden Ländern ziemlich gut kennen, drängt es Sie zum Vergleichen, und Sie beginnen wieder nach dem Typischen zu suchen.

Und warum sollten Sie auch nicht, — schließlich ist ja alles Denken mehr oder weniger ein Verallgemeinern. Und offenbar gibt es doch Dinge, die ein Volk von dem andern unterscheiden und die Sie zum Engländer und mich zum Deutschen machen. Woher kommen diese Unterschiede? Ich glaube, daß es darauf ankommt, welche Seiten in einem Menschen ausgebildet werden durch seine Arbeit, das Klima, die Sprache, die Schule, die Bildung im allgemeinen, und durch die ganze ungreifbare und doch so unendlich mächtige Atmosphäre um ihn herum. All dies gibt ihm ein oft ganz unbewußtes Lebensideal. So lernt er, was sich gehört und was sich nicht gehört, beim Essen und Trinken, im Anzug, in geschäftlichen sowie in rein persönlichen Dingen.

Nun können Sie natürlich weiterfragen: wie kommt es, daß Sprache und Atmosphäre in den verschiedenen Ländern so verschieden sind? Kommt das daher, daß jedes Land seine eigene geschichtliche Entwicklung gehabt hat, daß Deutschland zum Beispiel so viel mehr Kriege erlebt hat? Warum aber haben sie solch verschiedene geschichtliche Entwicklung erlebt? Kommt das daher, daß sie von Anfang an schon verschieden im Charakter waren, oder kommt es vom Klima und den geographischen Verhältnissen? Ändert sich der Charakter eines Volkes, wenn sich die Verhältnisse ändern? Sind die Deutschen heute noch so, wie sie zur Zeit Goethes oder Luthers waren? Haben sich die Engländer seit der Zeit Shakespeares geändert?

Diese Fragen erinnern mich an das berühmte alte Problem,

was zuerst kam, die Henne oder das Ei. Und wenn Sie mich fragen, was nun der Unterschied zwischen dem englischen und deutschen Volkscharakter wirklich ist, so fällt mir die Antwort auch da sehr schwer. Einer der wichtigsten Unterschiede liegt heutzutage meiner Meinung nach darin, daß der Engländer im allgemeinen selbstsicher und selbstbewußt ist, und der Deutsche ist es meistens nicht. Man kann daraus heute fast alle oberflächlicheren Unterschiede erklären und verstehen. Was meinen Sie dazu?

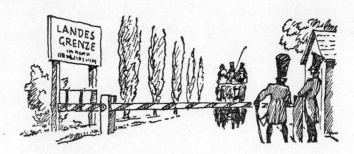

Wortschatz

der Amerikáner (—), *American*

  „ Arbeiter, *worker*

  „ Engländer, *Englishman*

  „ Inder, *Indian*

  „ Japáner, *Japanese*

  „ Kinderwagen, *perambulator*

  „ Charákter (Charaktére), *character*

  „ Krieg (e), *war*

  „ Versuch, *attempt*

der Witz, *joke*

  „ Arzt ("e), *doctor*

  „ Aufsatz, *essay*

  „ Band, *tome*

  „ Filzhut, *felt hat*

  „ Zopf, *plait*

  „ Zug, *draught*

  „ Chinése (n, n), *Chinese*

  „ Elefánt (en, en), *elephant*

  „ Franzose (n, n), *Frenchman*

der Ire (n, n), *Irishman*
„ Schotte, *Scotsman*

„ Landsmann (Landsleute), *fellow-countryman*

„ Humór (kein Pl.), *humour*
„ Kartóffelbrei, *mashed potatoes*

die Atmosphäre (n), *atmosphere*
„ Bildung (en), *education*
„ Brille (n), *spectacles*
„ Burg (en), *castle*
„ Einführung (en), *introduction*
„ Eisenhütte (n), *iron foundry*
„ Entwicklung (en), *development*
„ Grenze (n), *frontier*
„ Henne (n), *hen*
„ Kohlenzeche (n), *coal mine*
„ Meinung (en), *opinion*
„ Spur (en), *trace*
„ Vorstellung (en), *conception, idea*

„ Industriestadt ("e), *industrial town*

„ Gicht (kein Pl.), *gout*
„ Heimat, *home (country)*

das Preisausschreiben (—), *prize competition*

das Lebensideál, *ideal for life*
„ Problém, *problem*
„ Verhältnis (se), *condition, relation*

„ Volk ("er), *people*

„ Klima (s), *climate*

„ Thema (Themen), *subject*

„ Ausland (kein Pl.), *foreign parts*
Preußen (neut.), *Prussia*
Sachsen (neut.), *Saxony*

ab'trocknen, *dry* (transitive)
sich ändern, *change*
an'kommen auf, kam an, ist angekommen, *depend on*
auf'fallen, fällt auf, fiel auf, ist aufgefallen, *strike*
aus'bilden, *train, develop*
bedauern, *pity*
bestehen aus, bestand, hat bestanden, *consist of*
bilden, *shape, educate*
drängen, *urge, prompt*
erinnern an (acc.), *remind of*
sich gehören, *be proper, seemly*
politisieren, *talk politics*
schieben, schob, hat geschoben, *push*
unterscheiden, unterscheidet,

unterschied, hat unter=
schieden, *differentiate*
verallgemeinern, *generalize*
vermuten, *suppose, assume*
zusammen'fassen, *sum up*

allgemein, *general*
dauernd, *continual*
flach, *flat*
geográphisch, *geographical*
geschäftlich, *(on) business*
geschichtlich, *historical*
gründlich, *thorough*
karriert, *chequed*
malerisch, *picturesque*
oberflächlich, *superficial*
offenbar, *obvious*
persönlich, *personal*
phlegmátisch, *phlegmatic*
selbstbewußt, *self-confident*
selbstsicher, *self-assured*
sentimentál, *sentimental*
typisch, *typical*
unbewußt, *unconscious*
unéndlich, *infinite*
ungreifbar, *intangible*
unhöflich, *rude*
unklar, *hazy*
unmusikalisch, *unmusical*
vollständig, *complete*
wollen, *woollen*
zurückhaltend, *reserved*

außer, *except*
je . . . desto, *the . . . the*

alle sind sich klar, *everybody is
quite clear*
auf diese Art, *in this manner*
das kommt davon (daher),
daß . . ., *the reason is
that . . .*
das weiß doch jedes Kind, *after
all, every child knows that*
die Luft ist zum Schneiden,
*you can cut the air with a
knife*
er trifft sich mit einem Kreis
Bekannter, *he meets a circle
of his friends*
es fällt ihnen auf, *it strikes
them*
es gibt so'ne und so'ne, *it takes
many sorts . . .*
im Stillen, *secretly*
im Umsehen, *in no time*
man kann keine drei Schritte
weit sehen vor Nebel, *you
can't see more than a few
yards for fog*
meiner Meinung nach, *in my
opinion*
sie gehen auf die Fuchsjagd,
they go fox-hunting
sie trocknen ihren Frauen das
Geschirr ab, *they dry the
dishes for their wives*
über die deutsche Grenze hin=
auskommen, *get beyond the
German frontier*
um ihn herum, *round about him*

Grammatik

I. Subjunctive, past tense :

With weak verbs (sagen, fragen, etc.) the past tense of the subjunctive is exactly the same as the indicative : ich sagte, du sagtest, Sie sagten, etc. Verbs of mood, however, retain their Umlaut: ich könnte, müßte, dürfte but: wollte, sollte. The verbs werden, wissen, brauchen and haben acquire an Umlaut especially for this tense : ich hätte, ich würde, ich wüßte, ich bräuchte.

To form the past subjunctive of strong verbs you take the first person of the past indicative (e.g. ging) and add to it the subjunctive endings of the present tense : ich ginge, du gingest, er ginge, etc. When the stem of the verb contains the vowels a, o, or u, these become modified to ä, ö, and ü.

ich ginge	wir gingen	ich nähme	wir nähmen
du gingest	ihr ginget	du nähmest	ihr nähmet
Sie gingen	Sie gingen	Sie nähmen	Sie nähmen
er		er	
sie } ginge	sie gingen	sie } nähme	sie nähmen
es		es	

Mein Freund schrieb mir, er sei (wäre) krank

Mein Freund schrieb mir, er komme (käme) morgen

Mein Freund schrieb mir, er wolle (preferable to wollte) morgen kommen

Er glaubte, ich lache (preferable to lachte) über ihn

Mein Freund fragte mich, ob ich es ihm erklären könne (könnte)

The past subjunctive is, like the present, used in indirect speech and question. Where both past and present differ from the indicative either past or present subjunctive can be used though the present is more usual. Where only one of them differs from the indicative it is preferable

to use that tense which establishes the subjunctive
clearly.

II. Adjectives used as nouns :

Ein Gutes; er war Deutscher; als Erstes, als Erster, als
Letzte; die Deutschen; im Englischen; ein Weißer; die
Großen; meine Kleinste; ein Kreis Bekannter; ein
Verwandter von uns; mein Vorgesetzter; ein Reisender.

Adjectives, and present and past participles used as nouns
are declined as if they were followed by a noun. If they
denote abstract ideas they are neuter: das Wahre, das
Gute, das Schöne. They do not need to be followed by
an equivalent to the English " one " as in " the little one —
die Kleine ":

N.	der Deutsche	die Deutschen
A.	den Deutschen	die Deutschen
G.	des Deutschen	der Deutschen
D.	dem Deutschen	den Deutschen

N.	ein Deutscher	Deutsche
A.	einen Deutschen	Deutsche
G.	eines Deutschen	Deutscher (besser: von Deutschen)
D.	einem Deutschen	Deutschen

Adjectival nouns formed from the names of towns are
treated like ordinary nouns ending in -er :

der Berliner, des Hamburgers, die Frankfurter, den
Londonern.

Their feminine equivalents are : die Berlinerin, die
Hamburgerin, die Frankfurterinnen, die Londonerinnen.

III. Je . . . desto:

Je weiter man entfernt ist, desto besser weiß man
Bescheid.

Je mehr Geld einer hat, desto mehr will er haben.

In sentences joined by " je . . . desto " the second clause is considered to be the main clause and the first the subordinate sentence.

Aufgaben

I. Lesen Sie die folgende Geschichte aus Ostpreußen in verschiedenen Zeiten!

Ein Bauer (brauchen) einen neuen Arbeiter. Er (finden) einen jungen Mann, der ihm (gefallen), und sie (sich unterhalten) über die Arbeitsbedingungen. „Na, ich glaube, wir (sich verstehen)", (sagen) der Bauer schließlich. „Aber eins (wollen) ich dir noch sagen: viel Reden (geben) es bei mir nicht. Wenn ich so (machen)," und dabei (winken) er mit der Hand, „dann (müssen) du zu mir kommen!" Der Arbeiter (nicken) und (erwidern): „Dann (sich vertragen) wir sicher gut, Herrchen. Wenn ich so (machen)," und dabei (schütteln) er den Kopf nach ihm, „dann (kommen) ich nicht."

II. Setzen Sie die direkte Rede in Aufgabe I in die indirekte! Der Bauer sagte schließlich, . . .

III. Tun Sie dasselbe mit den folgenden zwei Geschichten! Ein junger bayrischer Beamter (erhalten) von seinem Vorgesetzten eine große Menge Papiere, die er durch-

arbeiten (sollen). „Heute (haben) wir viel zu tun",
(meinen) der ältere Beamte dazu. Der junge Mann
(erwidern): „Damit (wollen) wir bald fertig werden".
Nach kurzer Zeit (sein) er wirklich mit der Arbeit fertig
und (geben) sie dem Vorgesetzten nicht ohne Stolz zurück.
„Was? schon fertig?" (sagen) der andere ganz sprachlos
vor Erstaunen. „Das (können) nicht richtig sein, Sie
(arbeiten) viel zu schnell. Das (müssen) Sie mir vorlesen."
Nachdem er alles nachgesehen (haben), (brummen) er sehr
erstaunt: „Es (sein) doch richtig. Es (sein) doch richtig.
Aber zu schnell (sein) es trotzdem!"

(Nach Wilhelm Busch)

Es (sein) in der Münchner Altstadt und zu einer Zeit, wo
viele Fremde in der Stadt (sein). Ein kleines Mädchen (sich
verirren), (stehen) mitten auf der Straße und (weinen).
Um sie herum (sich bilden) ein Kreis mitleidiger Menschen.
Eine Sächsin (fragen) das Kind: „Nun, Kleine, wie
(heißen) denn deine Mama?" „Das (wissen) ich nicht!"
(weinen) die Kleine. Ein Berliner (sich erkundigen)
freundlich: „Na, Kleine, du (wissen) doch gewiß die
Straße, wo deine Mutter (wohnen)?" „Das (wissen) ich
nicht!" Der Kreis Mitleidiger (sich wundern) sehr.
„Sie (wissen) nicht einmal die Straße, es (sein) unglaub=
lich!" Ein Münchner, der (dazukommen), (nehmen) die
Sache in die Hand. „So (fragen) man doch kein Kind.
Ich (bringen) sie schon zum Reden. Du, wo (holen)
denn deine Mutter das Bier?" „Vom Franziskaner!"[1]
„Na also!" Man (aufatmen) erleichtert. Das Problem
(sein) gelöst.

[1] Ein berühmter Münchner Bierkeller

IV. Geben Sie die Endungen!

Als jung— Student— auf d— groß— Berliner Uni=

versität haben wir oft tief— philosophisch— Unterhal=
tungen über d— Gut—, d— Wahr— und d— Schön—
geführt. Wir sind in d— berühmt— Museen d— Stadt
gegangen und haben uns d— herrlich— Bilder berühmt—
alt— Meister angesehen, und dann haben wir viel—
interessant— Beispiele modern— Kunst studiert. Soll ein
gut— Bild, soll groß— Malerei ein Ausdruck d— Schön—
sein, haben wir uns gefragt, oder soll es ein treu— Bild
d— Wahr— sein? Wir sehen so viel Unschön— um uns
herum, haben die ein— gesagt, daß wir auf ein— gut— Bild
nicht auch noch Unschön— und Schrecklich— sehen wollen.
Groß— Malerei soll uns durch d— Ausdruck d— Schön—
und d— Anmutig— all— Unschön— d— wirklich—
Lebens vergessen lassen. Aber, haben die anderen gesagt,
d— Wahr— ist nicht dasselbe wie d— Unschön—. Daran
erkennen wir gerade die wirklich Groß— in d— Malerei,
daß sie d— Wahr— und d— Schön— in einem ausdrücken
können. Kompliziert— Gespräche, nicht wahr? Was
sagen Sie dazu?

V. Fragen Sie einander über das Kapitel. Was für eine
Vorstellung haben Sie von den Deutschen, den Eng=
ländern, den Franzosen, den Italienern, den Spaniern,
den Russen, den Chinesen, den Japanern usw.? Wählen
Sie jeder eine Nation, und sprechen Sie in ein paar Sätzen
über die allgemeine Vorstellung von dem Volkscharakter!

VI. An was für Geschichten erinnert Sie das Kapitel und die
Witze in den „Aufgaben"? Erzählen Sie sie schriftlich
oder mündlich!

VII. Schreibspiel!
Deutschland, der Deutsche, deutsch: von wievielen
Nationen kennen Sie die Substantive und Adjektive?

VIII. Übersetzung!

The Mad Hatter's Tea-Party, from *Alice's Adventures in Wonderland*, by Lewis Carroll (continued):

" Your hair wants cutting ",[1] said the Hatter. He had been looking at Alice for some time with great curiosity, and this was his first speech.[2]

" You shouldn't make personal remarks ", Alice said with some severity ; " it's very rude."

The Hatter opened his eyes very wide on hearing this [3]; but all he *said* was " Why is a raven like a writing-desk ? "

" Come, we shall have some fun now ! " thought Alice. " I'm glad they've begun asking[4] riddles.—I believe I can guess that ", she added aloud.

" Do you mean that you think you can find out the answer to it ? " said the March Hare.

" Exactly [so] ", said Alice.

" Then you should say what you mean ", the March Hare went on.

" I do ",[5] Alice hastily replied ; " at least—at least I mean what I say—that's the same thing, you know."

" Not the same thing a bit ",[6] said the Hatter. " You

[1] *say:* the cutting   [2] *Wort*   [3] *say:* when he heard this   [4] *say:* to ask
[5] *say:* I do that   [6] *say:* not at all

might just as well say that ' I see what I eat ' is the same
thing as ' I eat what I see ' ! ' "

" You might just as well say," added the March Hare, " that
' I like what I get ' is the same thing as ' I get what I like ' ! ' "

" You might just as well say," added the Dormouse, who
seemed to be talking in his sleep, " that ' I breathe when I
sleep ' is the same thing as ' I sleep when I breathe ' ! ' "

" It *is* the same thing with [1] you ", said the Hatter, and here
the conversation dropped.[2]

[1] bei   [2] *say:* stopped

Selbstkritik

Die Selbstkritik hat viel für sich.
Gesetzt den Fall, ich tadle mich,
so hab ich erstens den Gewinn,
daß ich so hübsch bescheiden bin;
zum zweiten denken sich die Leut,
der Mann ist lauter Redlichkeit;
auch schnapp ich drittens diesen Bissen
vorweg den andern Kritiküssen;
und viertens hoff ich außerdem
auf Widerspruch, der mir genehm.
So kommt es denn zuletzt heraus,
daß ich ein ganz famoses Haus.

Wilhelm Busch

Wiederholung des wichtigsten Wortschatzes

der

1. Amerikaner (—)
2. Anfänger
3. Arbeiter
4. Artikel
5. Dichter
6. Diener
7. Engländer
8. Flügel
9. Inder
10. Japaner
11. Kutscher
12. Politiker
13. Streifen
14. Titel

15. Abschnitt (e)
16. Befehl
17. Bericht
18. Blick
19. Charakter
20. Edelstein
21. Fisch
22. Genitiv
23. Geschäftsbrief
24. Hirsch
25. Konjunktiv
26. Krieg
27. Kurs
28. Ort (Pl. auch: Örter)
29. Plural
30. Rest
31. Ruf
32. Text
33. Thron

der

34. Unterschied
35. Versuch
36. Witz
37. Zwilling

38. Arzt ("e)
39. Aufsatz
40. Ausdruck
41. Band
42. Filzhut
43. Hof
44. Palast
45. Saal (Säle)
46. Sack
47. Satz
48. Stall
49. Stamm
50. Tannenbaum
51. Vorplatz
52. Wortschatz
53. Zug
54. Zusammenhang

55. Reichtum ("er)

56. Anfangsbuchstabe (ns, n, n)
57. Buchstabe
58. Gedanke
59. Wille

60. Chinese (n, n)
61. Diamant
62. Franzose
63. Ire

der

64. Löwe
65. Prinz
66. Schotte
67. Soldat
68. Vorgesetzte
69. Landsmann (Landsleute)
70. Kartoffelbrei (kein Pl.)
71. Marmor
72. Schein
73. Stolz

die

74. Anmerkung
75. Atmosphäre
76. Aussprache
77. Bibliothek
78. Bitte
79. Brille
80. Brücke
81. Dämmerung
82. Eisenhütte
83. Ente
84. Entwicklung
85. Feder
86. Fensterscheibe
87. Festung
88. Form
89. Freundlichkeit
90. Gestalt
91. Grenze
92. Hälfte
93. Harmonie

1. American
2. beginner
3. worker
4. article
5. poet
6. servant
7. Englishman
8. wing
9. Indian
10. Japanese
11. coachman
12. politician
13. stripe, streak
14. title

15. paragraph
16. command
17. report
18. glance
19. character
20. gem
21. fish
22. genitive
23. business letter
24. stag
25. subjunctive
26. war
27. class, course
28. place

29. plural
30. remainder
31. call, cry
32. text
33. throne

34. difference
35. attempt
36. joke, anecdote
37. twin

38. doctor
39. essay, composition
40. expression
41. volume, tome
42. felt hat
43. court, yard
44. palace
45. hall
46. sack
47. sentence
48. stable
49. stem
50. fir tree
51. entrance hall
52. vocabulary
53. draught
54. connection, context

55. riches, wealth

56. initial

57. letter
58. thought
59. will

60. Chinese
61. diamond
62. Frenchman
63. Irishman

64. lion
65. prince
66. Scotsman
67. soldier
68. superior, boss

69. fellow-country-man

70. mashed potatoes

71. marble
72. appearance, shimmer
73. pride

74. footnote
75. atmosphere
76. pronunciation
77. library
78. request
79. spectacles
80. bridge
81. dusk
82. iron foundry
83. duck
84. development
85. feather, pen
86. window pane
87. fortress
88. form
89. kindness
90. figure
91. frontier
92. half
93. harmony

die

94. Henne
95. Hilfe
96. Höhe
97. Kammer
98. Kette
99. Klage
100. Kohlenzeche
101. Krone
102. Kutsche
103. Locke
104. Meile
105. Meinung
106. Menge
107. Nachricht
108. Nation
109. Rippe
110. Sammlung
111. Schöpfung
112. Speise
113. Speisekammer
114. Spur
115. Stirne
116. Stube
117. Tante
118. Teilung
119. Trompete
120. Türklinke
121. Übersetzung
122. Umgangssprache
123. Unterhaltung
124. Vorstellung
125. Woge

126. Frucht ("e)
127. Industriestadt

128. Finsternis (se)

129. Exportfirma
    (=firmen)

130. Dankbarkeit (kein
    Pl.)

die

131. Wäsche

das

132. Knie (—)
133. Päckchen
134. Rotkehlchen
135. Vaterunser

136. Beispiel (e)
137. Gefühl
138. Geräusch
139. Kreuz
140. Problem
141. Pult
142. Reh

143. Bad ("er)
144. Halsband
145. Schloß ("ser)
146. Tuch

147. Ereignis (se)

148. Klima (s)

149. Blut (kein Pl.)
150. Geschirr
151. Heimweh
152. Tennis

153. an'blicken
154. sich ändern
155. an'schüren
156. an'zünden
157. sich ärgern
158. auf'fallen

159. auf'geben
160. auf'sehen
161. aus'bilden
162. aus'drücken
163. aus'sprechen

164. aus'tauschen
165. bedauern
166. bedeuten
167. befehlen
168. bemerken
169. sich besinnen
170. bestehen aus
171. bilden
172. drängen
173. ehren
174. eilen
175. sich ein'richten
176. sich entschließen
177. sich entschuldigen
178. erfüllen
179. erhalten
180. erinnern
181. sich erinnern
182. sich erkundigen
183. erraten
184. erreichen
185. erwidern
186. fassen
187. fegen
188. fehlen
189. sich freuen
190. gähnen
191. gebrauchen
192. sich gehören
193. gelingen
194. geschehen
195. sich gewöhnen
196. heiligen
197. herrschen
198. hervor'bringen
199. hinaus'gehen
200. hin'nehmen
201. sich hin'setzen
202. sich hin'werfen
203. hüllen
204. kriechen

94. hen
95. help
96. height
97. chamber
98. chain
99. complaint
100. coal mine
101. crown
102. coach
103. curl
104. mile
105. opinion
106. crowd, lot
107. news
108. nation
109. rib
110. collection
111. creation
112. dish, food
113. larder
114. trace
115. forehead
116. room
117. aunt
118. distribution
119. trumpet
120. door handle
121. translation
122. everyday language
123. conversation
124. idea
125. wave

126. fruit
127. industrial town

128. darkness

129. export firm

130. gratitude

131. linen, laundry

132. knee
133. small parcel
134. robin redbreast
135. Our Father

136. example
137. feeling
138. noise
139. cross
140. problem
141. desk
142. roe

143. bath
144. necklace
145. castle
146. scarf, cloth

147. event

148. climate

149. blood
150. crockery
151. homesickness
152. tennis

153. look at
154. change
155. poke (fire)
156. light
157. be annoyed
158. strike, be conspicuous
159. give up
160. look up
161. train
162. express
163. pronounce

164. exchange
165. regret, pity
166. signify
167. command, order
168. remark, notice
169. ponder
170. consist of
171. form
172. urge
173. honour
174. hurry
175. settle
176. decide
177. apologize
178. fulfil
179. receive
180. remind
181. remember
182. enquire
183. guess
184. reach
185. reply
186. hold
187. sweep
188. be lacking
189. rejoice
190. yawn
191. use
192. be proper, fitting
193. succeed
194. happen
195. get used to
196. hallow
197. rule
198. produce
199. go outside
200. accept
201. sit down
202. throw oneself down
203. wrap
204. crawl

205. leuchten	245. anmutig	287. starr
206. lösen	246. aufmerksam	288. steinern
207. los'lassen	247. ausgelassen	289. typisch
208. meinen	248. außerordentlich	290. unbekannt
209. politisieren	249. bang	291. unberührt
210. sich regen	250. bedrückt	292. unbewußt
211. regieren	251. bereit	293. unendlich
212. sammeln	252. bestaubt	294. unerbittlich
213. schaffen	253. biblisch	295. ungewohnt
214. schaudern	254. böse	296. ungreifbar
215. schenken	255. dauernd	297. unhöflich
216. schicken	256. dicht	298. unklar
217. schweben	257. dichterisch	299. unmusikalisch
218. segnen	258. doppelt	300. unverschämt
219. sich setzen	259. düster	301. unzufrieden
220. stolpern	260. edel	302. vergeblich
221. teilen	261. ehrlich	303. verwandt
222. überfallen	262. finster	304. violett
223. verallgemeinern	263. flach	305. vollendet
224. vergessen	264. flink	306. völlig
225. vergleichen	265. fruchtbar	307. vollständig
226. verklagen	266. geographisch	308. wohlbekannt
227. sich verlieben	267. geschäftlich	309. wollen
228. vermuten	268. geschichtlich	310. wunderlich
229. verzeihen	269. gründlich	311. wüst
230. vor'haben	270. heftig	312. zurückhaltend
231. sich vor'stellen	271. heutig	
232. vorüber'gehen	272. krumm	
233. vorwärts'kommen	273. lebendig	313. anstatt
234. weg'geben	274. letzter	314. außerdem
235. sich wenden	275. mächtig	315. außerhalb
236. sich wundern	276. pechschwarz	316. daher
237. zittern	277. persönlich	317. dahin
238. zu'rufen	278. philosophisch	318. darum
239. zusammen'falten	279. pur	319. dorthin
240. zusammen'fassen	280. regelmäßig	320. gegenüber
241. zusammen'hängen	281. religiös	321. mancherlei
242. zweifeln	282. scheu	322. mittlerweile
	283. schriftlich	323. mitunter
	284. selb	324. nachdem
243. allerliebst	285. sentimental	325. sonst
244. alltäglich	286. sonderbar	326. trotz

205. light, shine
206. solve
207. let go
208. think, remark
209. talk politics
210. stir
211. rule, govern
212. collect
213. create
214. shudder
215. give
216. send
217. hover
218. bless
219. sit down
220. stumble
221. divide
222. overcome
223. generalize
224. forget
225. compare
226. accuse
227. fall in love
228. suppose, presume
229. forgive
230. intend
231. introduce oneself
232. pass
233. get on
234. give away
235. turn
236. be surprised
237. tremble
238. call out to
239. fold up
240. sum up
241. be connected
242. doubt

243. darling
244. everyday

245. graceful
246. attentive, intent
247. boisterous
248. extraordinary
249. anxious
250. depressed
251. ready
252. dusty
253. biblical
254. wicked
255. continual
256. dense, close
257. poetical
258. double
259. gloomy
260. noble
261. honest
262. dark
263. flat
264. quick
265. fertile
266. geographical
267. business, on
268. historical
269. thorough
270. violent
271. to-day's
272. crooked
273. alive
274. latter
275. mighty, powerful
276. pitch dark
277. personal
278. philosophical
279. pure
280. regular
281. religious
282. shy
283. in writing
284. same
285. sentimental
286. strange

287. fixed
288. stony
289. typical
290. unknown
291. untouched
292. unconscious
293. infinite
294. merciless
295. unwonted
296. intangible
297. impolite
298. hazy
299. unmusical
300. impudent
301. discontented
302. vain
303. related
304. purple
305. completed
306. full
307. complete
308. well known
309. woollen
310. strange, queer
311. desolate
312. reserved

313. instead
314. besides
315. outside
316. hence
317. thither
318. therefore
319. thither
320. opposite
321. many a
322. meanwhile
323. at times
324. after (conj.)
325. otherwise, else
326. in spite of

327. weder . . . noch
328. wozu

329. acht Tage
330. alle sind sich klar

331. am anderen Morgen
332. auf diese Art
333. auf einmal
334. bis auf den heutigen Tag
335. bleiben Sie bei einfachen Dingen
336. böhmische Dörfer
337. dann und wann
338. das ist schon lange her
339. das kommt davon (daher), daß . . .
340. das tut er gewiß
341. das Weitere
342. dem Mann war bang
343. dem Mann war das Herz so schwer
344. der Kleinen kam das Weinen nahe
345. der liebe Gott
346. ehrlich gesagt
347. ein halbes Dutzend
348. ein toter Punkt
349. Englisch ist ihnen lieber
350. er ging an die Arbeit

351. er kam angeschwommen
352. er kann das schon tun
353. er trifft sich mit ihnen
354. er wollte nicht recht
355. es donnerte und blitzte
356. es fällt Ihnen auf
357. es gibt
358. es gibt so'ne und so'ne
359. es macht Ihnen Vergnügen
360. es rief
361. es war einmal
362. es würde dir nicht schmecken
363. gar zu eng
364. herzlichen Dank
365. ich als Unbekannter
366. ich besuche den Kurs weiter
367. ich bin schon seit einem Jahr dabei
368. jetzt wo du nicht hier bist
369. man kann keine drei Schritte weit sehen vor Nebel
370. ob es Löwen gibt!
371. sehr geehrtes Fräulein K.

372. sie gehen auf die Fuchsjagd
373. sie kamen zum Vorschein
374. Sie müssen Bescheid wissen
375. sie wollte hineingehen
376. so ging das
377. sowohl als auch
378. teilt euch brüderlich darein!
379. tun Sie's!
380. um ihn her
381. unter anderem
382. viele Worte machen
383. von selbst
384. vor allem
385. was Hände hat
386. was hilft dir's?
387. was soll ich hingehen?
388. was steht dir das gut!
389. was tun?
390. weh mir!
391. wohin wir kamen
392. Wort halten
393. wozu überhaupt diese ganze Grammatik?
394. zu Stande bringen
395. zum Beispiel
396. zum Teil

327. neither . . . nor
328. what for

329. a week
330. everybody is clear about it
331. next morning

332. in this fashion
333. (all) at once
334. to this very day
335. stick to simple things
336. double Dutch
337. now and then
338. that was a long time ago
339. the reason is that . . .
340. he is sure to do it
341. the rest
342. the man was afraid

343. the man's heart was so heavy
344. the little one was almost crying
345. the Lord
346. to be honest
347. half a dozen
348. a dead end
349. they prefer English
350. he set to work

351. he came swimming along
352. he can do that alright
353. he meets them
354. he did not really want to
355. there was thunder and lightning
356. it strikes you
357. there is, there are
358. there are different kinds (it takes many sorts . . .)
359. it gives you pleasure
360. someone called
361. once upon a time
362. you would not like the taste of it
363. far too narrow
364. many thanks
365. I as a stranger

366. I continue to attend the class
367. I have been at it for a year
368. now that you are not here
369. you cannot see three yards for fog
370. are there lions!
371. dear Miss K.

372. they go foxhunting
373. they appeared

374. you ought to know all about it
375. she was on the point of going in
376. thus it went on
377. as well as
378. share it out fairly!
379. do so!
380. round about him
381. among other things
382. waste one's breath
383. by itself
384. above all
385. whoever has a pair of hands
386. what good does it do you?
387. what should I go for?
388. how it suits you!

389. what is to be done?
390. woe is me!
391. wherever we went
392. keep one's word
393. anyway, why all this grammar?
394. achieve
395. for example
396. partly

Wortschatzübungen (Schreibspiele)

(1) Wieviele Adjektive kennen Sie, die ihr Gegenteil bilden wie höflich — unhöflich? Welche Vorsilben entsprechen dem „un" im Englischen?

(2) Welche Speisen und Getränke kennen Sie auf deutsch? Wie schmecken sie und wie sehen sie aus?

(3) Nennen Sie Verben, die mit her= oder hin= beginnen!

(4) Nennen Sie Substantive auf =heit, =keit, =ung, =ion, =ie! Welchen Artikel haben solche Substantive? Wie ist der Plural?

(5) „Der Arbeiter arbeitet." Geben Sie ähnliche Beispiele!

Andante

Am Brunnen vor dem Tore, da steht ein Lindenbaum

Sechstes Kapitel

Liederprogramm

Im folgenden möchte ich Ihnen eine Reihe von Liedern aus der Literatur von Mozart bis Richard Strauß geben, die Sie an Ihren geselligen Abenden auf eigenen oder Ihnen geliehenen Schallplatten spielen können. Vielleicht können Sie sie selbst singen oder im Notfall mindestens schön sprechen oder lesen.

Beginnen wir mit Mozart. Wie Sie wohl wissen, hatte man zu Mozarts und Beethovens Zeit das „Lied" als eine musikalische Form noch gar nicht eigentlich entdeckt. Daher kommt es, daß sowohl Mozart wie Beethoven allerdings in ihren Opern wunderbare Arien geschrieben haben, daß sie aber nur wenige Lieder komponiert haben. Eines aber von Mozarts Liedern kennen Sie gewiß alle: seine Vertonung von Goethes Ballade „Das Veilchen".

In diesem Zusammenhang ist interessant, was Goethes Freund Eckermann berichtet: „Mittwoch den 3. Februar 1830. Bei Goethe zu Tische. Wir sprachen über Mozart. ,Ich habe ihn als siebenjährigen Knaben gesehen,' sagte Goethe, ,wo er auf einer Durchreise ein Konzert gab. Ich selber war etwa vierzehn Jahre alt, und ich erinnere mich des kleinen Mannes in seiner Frisur und Degen noch ganz deutlich.' Ich machte große Augen, und es war mir ein halbes Wunder zu hören, daß Goethe alt genug sei, um Mozart als Kind gesehen zu haben."

Das Veilchen

Ein Veilchen auf der Wiese stand,
Gebückt in sich und unbekannt;
Es war ein herzigs Veilchen.
Da kam eine junge Schäferin
Mit leichtem Schritt und munterm Sinn
Daher, daher,
Die Wiese her, und sang.

Ach! denkt das Veilchen, wär' ich nur
Die schönste Blume der Natur,
Ach, nur ein kleines Weilchen,
Bis mich das Liebchen abgepflückt
Und an dem Busen matt gedrückt!
Ach nur, ach nur
Ein Viertelstündchen lang!

Ach! aber ach! das Mädchen kam
Und nicht in acht das Veilchen nahm;
Ertrat das arme Veilchen.
Es sank und starb und freut' sich noch:
Und sterb' ich denn, so sterb' ich doch
Durch sie, durch sie,
Zu ihren Füßen doch.

Eines der bekannteſten Lieder Beethovens iſt „Die Ehre Gottes“, zu dem er Worte des älteren Dichters Gellert gewählt hat. In Deutſchland ſingt man es viel — faſt zu viel. Jeder Männerchor, jeder Schulchor, jeder Soliſt und jeder Dilettant hat es in ſeinem Repertoire, bei jeder feſtlichen Gelegenheit ſteht es auf dem Programm und wird mit viel Gefühl und lauter Stimme geſungen.

Die Ehre Gottes

Die Himmel rühmen des Ewigen Ehre,
ihr Schall pflanzt ſeinen Namen fort.
Ihn rühmt der Erdkreis, ihn preiſen die Meere,
vernimm, o Menſch, ihr göttlich Wort.
Wer trägt der Himmel unzählbare Sterne?
Wer führt die Sonn’ aus ihrem Zelt?
Sie kommt, und leuchtet, und lacht uns von ferne
und läuft den Weg gleich als ein Held.

Vernimm’s und ſiehe die Wunder der Werke,
die die Natur dir aufgeſtellt!
Verkündigt Weisheit und Ordnung und Stärke
dir nicht den Herrn, den Herrn der Welt?
Er iſt dein Schöpfer, iſt Weisheit und Güte,
ein Gott der Ordnung und dein Heil;
er iſt’s, ihn liebe von ganzem Gemüte
und nimm an ſeiner Gnade teil!

Es war Schubert, der das Lied als musikalische Form entdeckt und geschaffen hat. Er schrieb seine Lieder mit unglaublicher Leichtigkeit. Im Jahr 1815, als er achtzehn Jahre alt war, komponierte er nicht weniger als 144 Lieder, und im folgenden Jahr 110. Sehr oft verwendete er Gedichte seiner Freunde, und sie wurden dann im Freundeskreis zum erstenmal gesungen. Aber er komponierte auch eine Reihe von Goethes Gedichten: eines davon, das „Heidenröslein", kennen Sie gewiß alle. Goethe allerdings hatte wenig Verständnis für Schuberts Kunst, und er antwortete nicht einmal auf Schuberts Brief, als dieser ihm einige seiner Lieder sandte. Ihm waren die alltäglicheren Melodien lieber, die sein Freund Zelter zu seinen Gedichten erfand. Eine dieser Melodien, die zu dem „Heidenröslein", wird heute noch in Deutschland mindestens ebenso gern gesungen wie die Schuberts.

Von Schuberts Goetheliedern ist eines der bekanntesten „Wanderers Nachtlied". Goethe bestieg an einem Abend im September des Jahres 1780 den Gickelhahn, einen Berg in der Nähe von Ilmenau in Thüringen, und schrieb dort diese Zeilen:

Wanderers Nachtlied

Über allen Gipfeln
ist Ruh',
in allen Wipfeln
spürest du kaum einen Hauch.
die Vögelein schweigen im Walde.
Warte nur, balde
ruhest du auch.

In einem anderen Lied hat Schubert eines der wertvollsten der vielen Gedichte verwendet, die der um neun Jahre ältere Dichter Friedrich Rückert geschrieben hat:

Du bist die Ruh,
der Friede mild,
die Sehnsucht Du,
und was sie stillt.

Ich weihe Dir
voll Lust und Schmerz
zur Wohnung hier
mein Aug und Herz.

Kehr ein bei mir
und schließe Du
still hinter Dir
die Pforten zu!

Treib andern Schmerz
aus dieser Brust!
Voll sei dies Herz
von Deiner Lust.

Dies Augenzelt
von Deinem Glanz
allein erhellt,
o, füll es ganz!

Robert Schumann hat die meisten und die besten seiner Lieder im Jahre 1840 geschrieben, dem Jahr, in dem er nach langem Kampf und vielen Schwierigkeiten Clara Wieck heiraten konnte. Er hat zu seinen Liedern die beste deutsche Dichtung verwendet —

Goethe, Heine, Eichendorff, Mörike, Rückert, Kerner. Von
Heine sind alle Gedichte in dem Liederkreis „Dichterliebe", der
mit diesem Lied der erwachenden Liebe beginnt:

> Im wunderschönen Monat Mai,
> Als alle Knospen sprangen,
> Da ist in meinem Herzen
> Die Liebe aufgegangen.

> Im wunderschönen Monat Mai,
> Als alle Vögel sangen,
> Da hab' ich ihr gestanden
> Mein Sehnen und Verlangen.

Von Eichendorff hat er unter anderen das wunderschöne
Gedicht „Mondnacht" vertont:

> Es war als hätt der Himmel
> Die Erde still geküßt,
> Daß sie im Blütenschimmer
> Von ihm nur träumen müßt.

> Die Luft ging durch die Felder,
> Die Ähren wogten sacht,
> Es rauschten leis die Wälder,
> So sternklar war die Nacht.

> Und meine Seele spannte
> Weit ihre Flügel aus,
> Flog durch die stillen Lande,
> Als flöge sie nach Haus.

Eines meiner Lieblingslieder unter allen Brahmsliedern ist „Feldeinsamkeit", die Vertonung eines Gedichtes von Hermann Allmers.

Ich ruhe still im hohen grünen Gras
und sende lange meinen Blick nach oben,
von Grillen rings umschwirrt ohn Unterlaß,
von Himmelsbläue wundersam umwoben.

Und schöne, weiße Wolken ziehn dahin
durchs tiefe Blau wie schöne stille Träume; —
mir ist, als ob ich längst gestorben bin,
und ziehe selig mit durch ewge Räume.

In Brahms' Stil wird es schon ganz offenbar, wie das Lied durch verschiedene Stufen zu immer größerer Freiheit gekommen ist. Sowohl der Text wie die Begleitung erhalten eine wachsende Bedeutung. Dieser Linie können wir in Hugo Wolfs Liedern weiter folgen. Er hat viele Gedichte von Goethe und Mörike vertont. Hier ist eines seiner Mörikelieder:

Der Gärtner

Auf ihrem Leibrößlein,
So weiß wie der Schnee,
Die schönste Prinzessin
Reit't durch die Allee.

Der Weg, den das Rößlein
Hintanzet so hold,
Der Sand, den ich streute,
Er blinket wie Gold.

Du rosenfarbs Hütlein,
Wohl auf und wohl ab,
O wirf eine Feder
Verstohlen herab!

Und willst du dagegen
Eine Blüte von mir,
Nimm tausend für eine,
Nimm alle dafür!

Und zum Schluß ein Lied von Richard Strauß, zu dem er
Worte von Otto Julius Bierbaum verwendet hat:

Traum durch die Dämmerung

Weite Wiesen im Dämmergrau,
die Sonne verglomm, die Sterne ziehn —
nun geh' ich hin zu der schönsten Frau,
weit über Wiesen im Dämmergrau
tief in den Busch von Jasmin.

Durch Dämmergrau in der Liebe Land;
ich gehe nicht schnell, ich eile nicht;
mich zieht ein weiches, samtenes Band
durch Dämmergrau in der Liebe Land,
in ein blaues, mildes Licht.

II–G

Wortschatz

der Busen (—), *bosom*
" Degen, *rapier*
" Schöpfer, *creator*
" Wanderer, *wanderer, walker*
" Wipfel, *tree-top*

" Blick (e), *glance*
" Liederkreis, *song cycle*
" Sinn, *sense, mind*
" Stil, *style*

" Chor ("e), *choir*
" Notfall, *emergency*

" Dilettánt (en, en), *amateur*
" Held, *hero*
" Solist, *soloist*

" Friede (ns, n), *peace*

" Glanz (kein Pl.), *radiance*
" Hauch, *breath*
" Jasmin, *syringa*
" Sand, *sand*
" Schall, *sound*
" Schimmer, *lustre, gleam*
" Schnee, *snow*

die Ähre (n), *ear (corn)*
" Allée (n), *avenue*
" Arie (n), *aria*
" Balláde (n), *ballad*

die Begleitung (en), *accompaniment*
" Blüte (n), *blossom*
" Dichtung (en), *poetry, poem*
" Durchreise (n), *transit*
" Ehre (n), *honour*
" Einsamkeit (en), *solitude*
" Freiheit (en), *freedom*
" Frisúr (en), *hair style*
" Gelegenheit (en), *occasion*
" Grille (n), *cricket*
" Knospe (n), *bud*
" Literatúr (en), *literature*
" Melodie (n), *melody*
" Natur (en), *nature*
" Ordnung (en), *order*
" Pforte (n), *porch, door*
" Prinzéssin (nen), *princess*
" Schallplatte (n), *gramophone record*
" Schwierigkeit (en), *difficulty*
" Seele (n), *soul*
" Stufe (n), *stage*
" Taube (n), *dove, pigeon*
" Vertonung (en), *setting*
" Wolke (n), *cloud*
" Zeile (n), *line*

" Brust ("e), *breast*
" Kunst, *art*

" Leichtigkeit (kein Pl.), *ease*
" Stärke, *strength*

die Weisheit, *wisdom*

das Liebchen (—), *sweetheart*

„ Zelt (e), *tent, tabernacle*

„ Gemüt (er), *soul, mind*
„ Roß ("ſer), *horse*

„ Heil (kein Pl.), *salvation*
„ Verſtändnis, *appreciation*

ab'pflücken, *pick, pluck*
auf'ſtellen, *erect*
aus'ſpannen, *stretch, spread out*
berichten, *record, report*
ſich bücken, *stoop*
daher'kommen, kam daher, iſt dahergekommen, *come along*
drücken, *press*
eilen, *hurry*
ein'kehren, *enter, put up*
entdecken, *discover*
erfinden, erfindet, erfand, hat erfunden, *invent*
erhellen, *illumine, brighten*
ſich erinnern (gen.), *remember*
ertreten, ertritt, ertrat, hat ertreten, *crush with one's foot*
erwachen, *awake, wake up*
fort'pflanzen, *propagate, transmit*

geſtehen, geſtand, hat geſtanden, *confess*
heiraten, *marry*
in acht'nehmen, nimmt in acht, nahm in acht, hat in achtgenommen, *heed*
komponieren, *compose*
küſſen, *kiss*
leihen, lieh, hat geliehen, *lend*
preiſen, pries, hat geprieſen, *praise*
reiten, reitet, ritt, iſt geritten, *ride*
rühmen, *glorify, praise*
ſich ſehnen, *long*
ſpüren, *feel, sense*
ſtillen, *appease, satisfy*
ſtreuen, *scatter*
teil'nehmen, nimmt teil, nahm teil, hat teilgenommen, *share*
treiben, trieb, hat getrieben, *drive*
verglimmen, verglomm, iſt verglommen, *fade*
verkündigen, *proclaim*
verlangen, *demand, long for*
verwenden, *use*
wachſen, wächſt, wuchs, iſt gewachſen, *grow*
weihen, *consecrate*
zu'ſchließen, ſchloß zu, hat zugeſchloſſen, *close*

deutlich, *distinct*
eigentlich, *real, actual*
festlich, *festive*
gesellig, *social, sociable*
herzig, *darling, sweet*
matt, *lifeless, weary*
mild, *mild, gentle*
munter, *alert, lively*
sacht, *gentle, slow*
selig, *blissful*
sternklar, *starry*
unzählbar, *countless*
verstohlen, *surreptitious*
wertvoll, *valuable*
wundersam, *wondrous*

mindestens, *at least*
rings, *round about*
sowohl wie, *as well as*

es steht auf dem Programm, *it is on the programme*
im Notfall, *if the worst comes to the worst*
ohn(e) Unterlaß, *ceaseless(ly)*
um 9 Jahre älter, *by 9 years his senior*
von ganzem Gemüte, *with all one's mind*
zu Tische, *at table*
zur Wohnung, *as a dwelling*

Aus der Grammatik späterer Kapitel

Ach, wär' ich nur die schönste Blume der Natur .. s. Kapitel 9
. . . als flöge sie nach Haus, *as though she were flying home*
s. Kapitel 18

Auf den Gickelhahn, einen Berg .... s. Kapitel 12
Die Melodie wird gesungen, *the melody is sung* .... s. Kapitel 7
Es war, als hätt' der Himmel die Erde still geküßt, *it was as if heaven had quietly kissed the earth* .... s. Kapitel 18
Im Jahr 1840, dem Jahr.................. s. Kapitel 12
Sie wurden im Freundeskreis zum erstenmal gesungen, *they were sung for the first time in the circle of his friends*
s. Kapitel 7

Grammatik

I. Use of participles as adjectives and adverbs:

Die leuchtende Sonne; bei strömendem Regen; im folgenden Jahr. Er antwortete freundlich lachend. Sie kam singend in das Zimmer.

The present participle is formed by adding ⸗d to the infinitive. Where the infinitive does not end in ⸗en, the missing ⸗e is inserted, as in sein — seiend, tun — tuend.

When the participle is used as an adjective, it has to be declined as such ; as an adverb it is, of course, invariable.

Where in English you use the present participle in such sentences as " coming into the room he said . . ."; " going up the stairs I saw her coming down ", we usually find a subordinate clause in German : „Als er in das Zimmer kam, sagte er . . .“; „Als ich die Treppe hinauf⸗ ging, sah ich sie herunterkommen“.

Der gedeckte Tisch; frisch gebackener Kuchen. Er stand gebückt.

The past participle, too, can be used as an adjective and adverb.

II. " Ein ", " kein " and the possessive adjectives standing by themselves :

Eines von Mozarts Liedern; eines der bekanntesten Lieder Beethovens; eine dieser Melodien; der eine tut dies und der andere das; einer der größten deutschen Dichter; dies Buch ist das meine; ist dieser Hut der Ihre? nein, das ist nicht meiner; keiner von ihnen hatte Geld.

When " ein ", " kein " and the possessive adjectives stand by themselves they are declined like adjectives.

III. Use of the dative instead of the possessive :

Die Mutter zieht dem Jungen die Schuhe an. Kathrin⸗ chen setzt ihrer Puppe den Hut auf. Ich wasche mir die Hände. Der Vater bürstet sich die Haare. Sie zieht sich die Handschuhe aus. Hat man dir die Haare geschnitten? Wascht euch die Hände!

With parts of the body or clothing we avoid the possessive and use the dative case instead.

Ich reibe mir die Augen; aber: Ich mache die Augen zu.
Er bürstet sich den Anzug; aber: Er hat seinen Anzug
nicht gern.

The dative is used only when an action is performed on
the part of the body or piece of clothing.

Aufgaben

I. Geben Sie die richtigen Endungen und erklären Sie sie
selbst!

Am früh—, sich langsam erhellend— Morgen gehe ich
durch die schlafend— Straßen d— schweigend— Stadt.
Silbern blinkend— Sterne verglimmen vor d— im Osten
beginnend— Morgenrot. Eilend— Schritt— (gen.
sing.) verlasse ich d— wie tot scheinend— Häuserreihen
und freue mich, als ich in d— erfrischend— Grün d—
am Wege liegend— Felder und Wiesen komme. D—
erst—, noch vorsichtig klingend— Vogelstimmen erwachen,
und d— vom Osten kommend— Wind treibt d— letzt—
schnell dahinziehend— Wolken von ein— rein gewaschen— Himmel. Nun liegt d— zuerst sacht anstei=
gend— Berg vor mir, von d— aus ich d— aufgehend—
Sonne sehen will. Mit langsamer werdend— Schritt
beginne ich zu steigen. D— wachsend— Wind streut mir
gefallen— Blätter vor d— Füße und fegt durch rauschend—
Wipfel über mir. Lauter werdend— Singen d— erwa=
chend— Vögel ist mein— Begleitung auf d— steiler wer=
dend— Weg. Durch niedriger werdend— Büsche erreiche
ich endlich d— wogend— Wiesen. Blinkend— Tropfen
hängen an schlafend— Blumen und leise bebend— Gras.
D— im Zickzack steigend— Fußweg führt mich nach kurz—
Zeit auf d— flach vor mir liegend— Gipfel, wo grau—
Stein durch d— dünner werdend— Grasdecke bricht.
Bald geht d— leuchtend— Sonne über d— sich weit
dehnend— flach— Land— in weit— Ferne auf. Schon

liegen d— sich hinter einander schiebend— Gipfel in wärmend— Licht, während ich mich wieder zu d— kühlend— Schatten d— wogend— Tannen wende.

II. Lesen Sie die Aufgabe auch im Imperfekt!

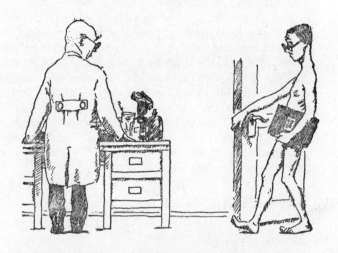

III. Setzen Sie die folgende Geschichte ins Perfekt!

Der Wiener Hautarzt Neumann (sein) berühmt und (haben) sehr viel zu tun. Er (wollen) Zeit sparen und (einrichten) in seinem Wartezimmer kleine Kabinen. Da (sich ausziehen müssen) die Patienten, ehe sie zu ihm (kommen). Eines Tages (öffnen) er die Tür zum Wartezimmer und (sehen) da einen schwarz angezogenen Mann mit Brille und Aktentasche, der sofort (aufstehen) und (versuchen), in das Sprechzimmer zu kommen. „Hinaus!" (schreien) Neumann, „zuerst (sich ausziehen)!" Der Mann (sich entschuldigen) und (wollen) etwas erklären, aber Neumann (zuhören) überhaupt nicht. Der Mann (verschwinden) in einer Kabine, (sich ausziehen) die Jacke und (klopfen) an die Sprechzimmertür. Neumanns Kopf (kommen) zum Vorschein. „Sie (sollen) sich ausziehen, (sagen) ich“, (schreien) er noch lauter als vorher, und die Tür (sich schließen) wieder. Der Mann (schütteln) den Kopf und (sich denken): „Na schön, dann (sich ausziehen wollen) ich auch das Hemd“, und (versuchen) es wieder. „Warum (sich ausziehen) Sie denn nicht?“ (schreien) der Arzt noch ärgerlicher, (warten) aber nicht auf eine Antwort. „Schön,“ (sich sagen) der Mann, „dann (sich ausziehen) ich auch noch die Schuhe.“ Aber auch das (sein) nicht genug. Er (sich ausziehen müssen) die Hose, die Unterhose, die Strümpfe — alles. Schließlich (stehen) er im Sprechzimmer, ganz nackt, nur die Brille auf der Nase und die Aktentasche unter dem Arm, und er (können) zum ersten Mal zu Wort kommen. „Entschuldigen Sie, Herr Professor,“ (bemerken) er, „ich (kommen) wegen Ihrer Einkommensteuer!“

IV. Erzählen Sie Aufgabe III, jeder einen Satz!

V. Schreibspiele!
Was tut die Sonne? der Wind? das Wasser? Wo findet man Wasser? Was für Farben sehen sie jetzt in der Natur?

VI. Wählen Sie sich ihr Lieblingslied in diesem Kapitel und übersetzen Sie es in wirklich schönes Englisch, wenn möglich so, daß man es auch gut singen kann!

VII. Lernen Sie eines der Gedichte auswendig!

VIII. Schreiben und sprechen Sie kurz über Ihren Lieblingsdichter oder =komponisten!

IX. Übersetzen Sie den folgenden Abschnitt aus Pepys' Tagebuch (gekürzt)!

Jan. 16, 1660. Thence we went to the Green Dragon, on Lambeth Hill and there we sang of all sorts of things and after that I played on my flageolet and staid there till nine o'clock very merry and drawn on with one song after another till it came to be so late. After that Sheply, Harrison and myself, we went towards Westminster on foot, and at the Golden Lion, near Charing Cross, we went in and drank a pint of wine, and so parted, and thence home, where I found my wife and maid a-washing. I staid up till the bell-man came by with his bell just under my window as I was writing of this very line, and cried, " Past one of the clock, and a cold, frosty, windy morning ". I then went to bed, and left my wife and the maid a-washing still.

Wahre Geschichte:

Der englische Hausherr bittet sein deutsches Dienstmädchen um „soda siphon". Sie schüttelt erstaunt den Kopf, bringt ihm aber auf silbernem Tablett — Seife und Soda!

Siebentes Kapitel

Vom Briefschreiben

Man ist sieben Jahre alt. Man hat in der Schule Schreiben gelernt. Vor Kurzem ist Weihnachten gewesen. Man hat, wie gewöhnlich, alle möglichen Geschenke von Großmutter, Tanten und Onkels bekommen — vernünftige Geschenke wie Trompeten, Lokomotiven, Puppen und Autos, und unvernünftige wie Taschentücher, Hemden, Strümpfe und Patenlöffel.[1] Nun wird einem plötzlich gesagt: Mein Kind, schreibe mal an Großmutter und an Tante Luise und an Fräulein Süßkind und an Onkel Walter, und bedanke dich bei ihnen für deine schönen Weihnachtsgeschenke! Plötzlich geht einem ein Licht auf: also d a z u wurde man von seinen Eltern zur Schule geschickt, um solche Briefe schreiben zu lernen! Die Sache hatte einem ja von Anfang an nicht gefallen.

Nun wird einem Papier und Bleistift auf den Tisch gelegt, und man sitzt und kaut an seinem Bleistift. Wieviele Linien so eine Seite hat! Ein oder zwei Jahre später sitzt man mit einem bösartigen Federhalter, der spritzt und kleckst, sodaß man die halbe Zeit nur Tintenkleckse löscht. Indessen, mit der Zeit bekommt man Übung. Es wird ein Musterbrief entworfen, der mit kleinen Änderungen bei allen solchen Gelegenheiten verwendet werden kann, etwa so:

[1] Von einem Paten wird erwartet, daß er seinem Patenkind im Lauf der Jahre ein Dutzend silberne Löffel schenkt — jedes Jahr einen zu Weihnachten.

Berlin, den 3. Januar 1960.

Liebe { Großmutter!
Tante Ottilie! } Lieber { Großvater!
Onkel August! }

Liebes { Fräulein Schneider!
Fräulein Langhals! }

Ich möchte mich bei Dir (Ihnen) herzlichst bedanken für das schöne Schaukelpferd (die praktischen Handschuhe, den silbernen Patenlöffel usw.), das (die, den) ich von Dir (Ihnen) zu Weihnachten (zum Geburtstag) bekommen habe, und über das (die, den) ich mich sehr gefreut habe. Außerdem habe ich noch bekommen: zwei Geschichtenbücher und drei Malbücher, eine Schachtel Buntstifte, einen Puppenwagen, einen Mekkanobaukasten, eine elektrische Lokomotive, einen Herd für meine Puppenküche, usw., usw. Hans hat auch sehr viel bekommen, nämlich: . . . Karl hat folgende Geschenke gekriegt: . . . Es ist heute sehr kalt (gar nicht kalt), und wir können viel (gar nicht) schlittschuhlaufen und Schlitten fahren. Ich wünsche Dir (Ihnen) ein glückliches neues Jahr. Nun nochmals vielen herzlichen Dank und viele herzliche (freundliche) Grüße auch von meinen Eltern und Geschwistern,

Dein (Ihr) Heiner.
Deine (Ihre) Hilde.

Bei uns zu Hause hießen diese Briefe die „Nun-nochmals-Briefe", weil zum Schluß regelmäßig kam: „Nun nochmals vielen Dank". Die Erwachsenen finden solche Kinderbriefe ohne Zweifel meistens komisch, reizend und allerliebst und tragen sie in der Tasche mit sich herum, um sie sich einander vorzulesen. Erwachsene sind ja solche Klatschbasen und können nichts für sich behalten. Aber als Kind hat man für den Humor der Sache wenig Verständnis. Die schönste Lokomotive und die längsten Ferien werden einem durch die „Nun-nochmals-Briefe" verdorben.

Indessen, man findet sich in das Unabänderliche. Verlernen kann man ja das Schreiben nicht gut wieder, und bald beginnt man die neue Kunst auch für seine eigenen Zwecke zu gebrauchen. So kommt es zur Briefpost im Klassenzimmer: Zettel werden unter dem Pult geschrieben, unter Lebensgefahr weitergegeben, und wieder unter dem Pult gelesen; Zettel, auf denen die wichtigsten Mitteilungen gemacht werden, wie zum Beispiel, daß in der Zehn=Uhr=Pause in der linken Ecke des Schulhofes Räuber und Soldat gespielt werden soll. In den Ferien, wenn man von zu Hause weg ist, schreibt man seinen ersten freiwilligen Brief an einen Kameraden, an die beste Freundin. Solche Briefe werden einem schon viel leichter. In einem Gedicht Detlev von Lilien= crons wird beschrieben, wie ihm ein solcher Brief Jahre später wieder einmal in die Hände gefallen ist:

Aus der Kinderzeit

In alten Briefen saß ich heut vergraben,
als einer plötzlich in die Hand mir fiel,
auf dem die Jahresziffer mich erschreckte,
so lange war es her, so lange schon.
Die Schrift stand groß und klein und glatt und kraus
und reichlich untermischt mit Tintenklecksen:
„Mein lieber Fritz, die Bäume sind nun kahl,
wir spielen nicht mehr Räuber und Soldat,
Türk hat das rechte Vorderbein gebrochen,
und Tante Hannchen hat noch immer Zahnweh,
Papa ist auf die Hühnerjagd gegangen.
Ich weiß nichts mehr. Mir geht es gut.
Schreib bald und bleibe recht gesund.
Dein Freund und Vetter Siegesmund."—
„Die Bäume sind nun kahl", das herbe Wort
ließ mich die Briefe still zusammenlegen,
gab Hut und Handschuh mir und Rock und Stock
und drängte mich hinaus in meine Heide.

Dann wird man ein wenig älter, und man verliebt sich zum erstenmal. Nun werden Briefe geschrieben und empfangen, in denen jedesmal das ganze Herz liegt. Und dann wird einem wohl sogar einmal ein Brief in den Kasten gesteckt, in dem sie sagt (oder er sagt): es ist alles aus, auf immer und ewig zu Ende. Aber ist es wirklich so ernst gemeint? Heine schreibt:

Der Abschiedsbrief

Der Brief, den du geschrieben,
Er macht mich gar nicht bang;
Du willst mich nicht mehr lieben,
Aber dein Brief ist lang.

Zwölf Seiten lang und zierlich!
Ein kleines Manuskript!
Man schreibt nicht so ausführlich,
Wenn man den Abschied gibt.

Je älter man wird, desto mehr wird man von langweiligen Briefen belästigt — Geschäftsbriefen, Briefen, von ganz fremden Menschen, die etwas von einem wollen. Manche Leute lösen das Problem sehr einfach damit, daß sie Briefe überhaupt nicht beantworten. Wie gut wir mit Uhland fühlen können, der einen Brief an seinen Freund Kerner so anfängt:

„Paris, den 15. Juni 1810.
„Wieviel lieber, bester Freund! möchte ich einen Brief von Dir lesen als einen an Dich schreiben! Der letzte Brief, den ich von Dir erhielt, war vom 18. März. Vergebens schrieb ich Dir am 27. März. Keine Antwort! . . ."

Viele Leute, besonders in England, haben sich ein praktisches
System erfunden, um die Sache zu vereinfachen: sie kaufen
an Weihnachten vier Dutzend Weihnachtskarten, um sie allen
möglichen Freunden und Bekannten zu schicken, denen sie nie
im Leben einen Brief schreiben würden. Diese Karten werden
natürlich erwidert, wie es sich gehört, und sie werden auf dem
Kaminsims ausgestellt, um allen Gästen zu zeigen: seht, wie
viele gute Freunde ich habe! Am sechsten Januar steckt man die
ganze Sammlung in den Ofen, zündet sie an und atmet er=
leichtert auf.

Leider gibt es noch keine gedruckten Karten für die Art Briefe,
die wir zu Hause die „Zurückgekehrt=drängt=es=mich=Briefe"
nannten. Man war bei jemandem zu Besuch gewesen, es hatte
einem gut gefallen, man hatte übernachtet. Damit wurde ein
Brief an den Gastgeber fällig, der gleich nach der Rückkehr ins
eigene Heim erledigt werden mußte. Es gab nichts zu sagen,
man hatte sich ja erst vor ein paar Stunden gesprochen, und
inzwischen war einem nichts Neues passiert. So erzählte man
von der Reise, die trotz der vielen Menschen im Abteil, trotz der
Hitze, oder trotz der Feuchtigkeit und Kälte ganz glatt gegangen
sei. Auch über den Gesundheitsstand der eigenen Familie wurde
ausführlich berichtet. Diese Briefe begannen immer mit dem
Satz: „Zurückgekehrt drängt es mich (mich bei Ihnen nochmals
herzlich für die schönen Tage zu bedanken, die ich usw. usw.)".
Daher ihr Name.

Es soll allerdings auch Leute geben, denen das Briefschreiben Freude macht. Solchen Menschen ist es sogar ziemlich gleich, ob sie etwas Besonderes zu sagen haben oder nicht. Sie stellen sich vor, sie hätten den anderen neben sich sitzen und plaudern mit ihm über alles Mögliche, Wichtiges und Unwichtiges, wie es ihnen gerade in den Kopf kommt, und wie sie es ihm mündlich auch sagen würden. Besonders Frauen haben oft die Gabe, über gar nichts lange, reizende Briefe zu schreiben, und sie erwarten solchen Stil auch von anderen. Uhlands vierzehn= jährige Schwester hat einmal in einer Nachschrift an einen Brief ihrer Mutter ganz energisch solch einen Brief von ihm verlangt:

„30. Juni 1810.

„Du bist und bleibst auch in Paris immer noch der alte trockene Vetter,[1] schreibst nur immer von Bibliotheken, Museen usw., Sachen die mich ganz und gar nicht interessieren. Schreibe lieber auch von den Pariser Mädchen, was sie für Kleider anhaben, wie sie gemacht sind u. dgl. Auch von der Kaiserin und von ihrem Anzug möchte ich viel wissen, was freilich für Dich blinden Heß[2] schwere Fragen sind. Doch für was hast Du Deine Brille? Auch von der Kocherei möchte ich hören.“

Das Merkwürdige ist, daß solche Briefe über gar nichts, in denen der Charme der lebendigen Menschen liegt, auch nach hundert Jahren noch mindestens ebenso frisch und interessant zu lesen sind wie die tiefste und gedankenvollste Epistel. Daß übrigens Frauen nicht die einzigen sind, die in Briefen reizend plaudern können, zeigt Alexander von Villers:

„Wien, 9. August 1866.

„Verehrteste Frau Gräfin,

„. . . Es ist uns lange Zeit gut gegangen, da haben wir gesagt, es geht miserabel; jetzt wird's uns schlecht gehen, und da werden

---

[1] „Vetter“ wird manchmal im Sinn von „Kerl“ — „fellow“ ge= braucht.
[2] „Heß“: süddeutscher Ausdruck für „Kerl“

wir sagen: scharmant. Ich habe mich nie so sehr auf die Zukunft gefreut als jetzt, da ich keine mehr habe. Jetzt werde ich erst vergnügt und gesund, werde Hühner haben und Eier legen und Holz hacken und Heu fahren und ein ganz anderer Mensch werden. Kommen Sie zu mir und besuchen Sie mich, Bettelleut sind lustig.

„. . . Adieu, kleine Gräfin, seien Sie lustig und guter Dinge, seien Sie versichert, die Zeiten werden immer schlechter. Das ist herrlich, wie wird das hübsch sein, wenn alles drüber und drunter geht und einer sagt zum andern: Kannst du mir nicht einen Augenblick deine Stiefel borgen, ich muß meine letzte Kartoffel wechseln lassen. Dann werden wir auch viel malerischer aussehen.

„Neues gibt's gar nicht. Adieu. Lebtwohl. Glückliche Reise. Auf Wiedersehen. Kommen Sie bald wieder. Wie befinden Sie sich? Viele Grüße."

Wortschatz

der Federhalter (—), pen-holder

„ Gastgeber, host

„ Löffel, spoon

„ Räuber, robber

„ Zweifel, doubt

„ Baukasten ("), building set

„ Kasten, box

„ Abschied (e), farewell, dis-missal

„ Augenblick, moment

„ Bleistift, pencil

„ Buntstift, crayon

„ Geburtstag, birthday

„ Handschuh, glove

der Tintenklecks, ink blot

„ Zweck, purpose

„ Lauf ("e), course

„ Rock, coat

„ Schulhof, playground

„ Pate (n, n), godfather

„ Onkel (s), auch (—), uncle

die Änderung (en), alteration

„ Gabe (n), gift, talent

„ Gräfin (nen), countess

„ Kaiserin (nen), empress

„ Klatschbase (n), gossip

die Lebensgefahr (en), *danger of life*

„ Lokomotive (n), *railway engine*

„ Mitteilung (en), *communication*

„ Pause (n), *break, rest, interval*

„ Schrift (en), *writing*

„ Übung (en), *practice, exercise*

„ Ziffer (n), *figure, number*

„ Zukunft ("e), *future*

‚‚ Feuchtigkeit (kein Pl.), *damp*

„ Gesundheit, *health*

„ Hitze, *heat*

„ Kälte, *cold*

„ Kocheréi, *cooking*

„ Rückkehr, *return*

das Muster (—), *model, sample*

„ Heim (e), *home*

„ Systém, *system*

„ Kleid (er), *dress*

„ Malbuch ("er), *painting book*

„ Taschentuch, *handkerchief*

„ Auto (s), *motor car*

das Heu (kein Pl.), *hay*

„ Zahnweh, *toothache*

die Bettelleute (kein Sing.), *beggars*

„ Geschwister, *brothers and sisters*

an'reden, *address*

aus'stellen, *exhibit*

beantworten, *answer*

sich bedanken, *thank, say thank you*

behalten, behält, behielt, hat behalten, *keep*

belästigen, *beset, pester*

borgen, *borrow*

empfangen, empfängt, empfing, hat empfangen, *receive*

entwerfen, entwirft, entwarf, hat entworfen, *draft, design*

erledigen, *get done, settle*

erwarten, erwartet, *expect*

sich finden in (acc.), *resign oneself to*

hacken, *chop, hack*

kauen, *chew*

klecksen, *blot*

kriegen, *get, receive*

legen, *lay*

löschen, *extinguish, remove a blot*

passieren, *happen*

II–H

Schlitten fahren (auch: schlitten'fahren), fährt S., fuhr S., ist S. ge=fahren, *toboggan, sledge*

Schlittschuh'laufen (auch: schlittschuhlaufen), läuft, Schlittschuh, lief S., ist S.gelaufen, *skate*

spritzen, *splash*

-verderben, verdirbt, ver=darb, hat verdorben (trans.), *spoil, ruin*

verehren, *adore, admire*

vereinfachen, *simplify*

vergraben, vergräbt, ver=grub, hat vergraben, *bury*

verlernen, *forget, unlearn*

sich (dat.) vor'stellen, *imagine, picture to oneself*

weiter'geben, gibt weiter, gab weiter, hat weiter=gegeben, *pass on*

zurück'kehren, *return*

ausführlich, *detailed*

bösartig, *vicious, wicked*

energisch, *vigorous*

fällig, *due*

freiwillig, *voluntary*

gedankenvoll, *thoughtful*

glatt, *smooth*

herb, *harsh, bleak*

kahl, *bare*

merkwürdig, *remarkable*

miserábel, *miserable*

mündlich, *by word of mouth*

reichlich, *liberal*

unabänderlich, *inevitable*

unvernünftig, *unreasonable, futile*

unwichtig, *unimportant*

zierlich, *dainty, neat*

adieu (pron. adió), *goodbye*

ebenso, *just as*

jemand, *someone*

nämlich, *that is to say*

noch immer, *still*

nochmals, *once again*

u. dgl. — und dergleichen, *and such things*

vergebens, *in vain*

woher, *whence*

alle möglichen Geschenke, Leute, alles Mögliche, *all kinds of presents, people, things*

bleibe recht gesund, *take care of yourself*

den Abschied geben, *dismiss, discharge*

die Sache gefällt mir nicht, *I have my suspicions*

es geht drunter und drüber (auch: drüber und drunter), *everything is upside down*

es ist ihnen ziemlich gleich, *it*

hardly makes any difference to them

es ſoll Leute geben, *there are said to be people*

lebt wohl, *farewell*

mir geht ein Licht auf, *the penny drops*

Räuber und Soldat, *robber and copper*

ſeien Sie guter Dinge, *be cheerful*

ſeien Sie verſichert, *rest assured*

ſolche Briefe werden einem leichter, *such letters come more easily to you*

vor Kurzem, *a short while ago*

was für Kleider, *what sort of clothes*

Aus der Grammatik ſpäterer Kapitel

Es ließ mich die Briefe zuſammenlegen, *it made me fold the letters* ; ich muß ſie wechſeln laſſen, *I must get small change for it* . . . . ſ. Kapitel 15

Grammatik

I. The passive voice :

(*a*) What is the meaning of " was " in these two sentences : The house was built last summer. The house was beautifully built. " Was " in the first sentence means that the house *was being* built.; in the second, that it *had been* built. In German we use the verb " ſein " to describe the finished result of an action, and the verb " werden " to describe the action in progress. Thus we would say :

Das Haus wurde letzten Sommer gebaut. Das Haus war ſchön gebaut. Die Tür wurde geöffnet. Die Tür war geöffnet (offen). Das Buch iſt in Leipzig gedruckt worden. Das Buch iſt ſchlecht gedruckt geweſen.

The first of these two constructions is called the passive voice because the subject of the sentence is undergoing some action directed against it.

(*b*) The conjugation of a verb in the passive voice simply amounts to conjugating the verb " werden ". In the perfect and pluperfect tenses, however, the participle of " werden " becomes " worden " instead of " geworden ".

Aktiv	Passiv
Die Katze frißt die Maus	Die Maus wird von der Katze gefressen
Die Katze fraß die Maus	Die Maus wurde von der Katze gefressen
Die Katze hat die Maus gefressen	Die Maus ist von der Katze gefressen worden
Die Katze hatte die Maus gefressen	Die Maus war von der Katze gefressen worden
Die Katze wird die Maus fressen	Die Maus wird von der Katze gefressen werden

(c) Man wird von seinen Eltern zur Schule geschickt. Ein Brief wird einem vom Briefträger in den Kasten gesteckt. Das Haus wurde von meinem Großvater gebaut.

The equivalent of the English " by " in the passive is " von ".

(d) Analyse these sentences :

Man erzählt mir eine Geschichte. Man gibt mir einen Brief. Man sagte mir, daß er krank sei.

In English it would be possible to make the indirect object of these sentences (" mir ") into the subject of a passive sentence expressing the same thing : " I am told a story. I am given a letter. I am told he is ill." This construction is not possible in German, which keeps in mind that it is not I who is told, but the story ; that it is not I who is given, but the letter. The German passive of these sentences would therefore have to be :

Eine Geschichte wird mir erzählt. Ein Brief wird mir gegeben.

For reasons of emphasis it is usual to reverse the order, or to anticipate the subject by " es " :

Mir wird eine Geschichte erzählt. Es wird mir eine Geschichte erzählt.

Mir wird ein Brief gegeben. Es wird mir ein Brief gegeben.

Mir wird gesagt, daß er krank sei. Es wird mir gesagt, daß er krank sei.

Es is only used when it can precede the verb : Es wurde mir eine Geschichte erzählt. Aber: Dann wurde mir eine Geschichte erzählt.

(e) In der Pause wird Räuber und Soldat gespielt. Es wurde viel gesungen. In unserer Familie wurde viel Musik gemacht.

The passive voice can be used impersonally, when nobody in particular is mentioned as performing the action. Unless it precedes the verb, " es " is omitted altogether.

(f) Das Haus ist zu verkaufen. Zimmer zu vermieten. Es gab viel zu sehen. Er war nicht zu finden.

There is no passive infinitive in German. English passive infinitives must be rendered by the active.

II. " Man ":

Man tut das hier nicht. Man gab mir einen Bleistift in die Hand. Sie geben einem gut zu essen. Man hat mir davon erzählt.

" Man " is used to express " you ", " we ", " they ", " people ". Frequently, an active construction with " man " in German takes the place of an English passive.

" Man " is declined as follows :

        N.　man
        A.　einen
        G.　eines (almost obsolete)
        D.　einem

The possessive is " sein ".

Dort hat man seine Ruhe. Man muß seine Arbeit tun.

III. " Um . . . zu ":

Ich muß in die Stadt gehen, um Papier zu kaufen. Man
muß arbeiten, um zu leben. Man wurde in die Schule
geschickt, um solche Briefe schreiben zu lernen.

Whenever it is *possible* in English to use " in order " before
an infinitive it is *necessary* to use " um . . . zu " in German.

Aufgaben

I. Lesen Sie die folgende wahre Geschichte in verschiedenen
Zeiten!

Eine englische Firma (schicken) meinen deutschen Freund
auf einige Jahre in eine englische Provinzstadt. Zuerst
(einladen) ihn englische Freunde auf einige Zeit in
ihr hübsches Haus, und dann (sagen) man ihm, vor der
Stadt (bauen) man eine Reihe guter neuer Häuser. Man
(besuchen) den Architekten, der die Häuser (bauen), und
er (zeigen) sie ihnen.   „Dieses Haus hier", (erklären)
der Architekt, „(bauen) wir für einen deutschen Arzt. Wie
Sie sehen, (graben) wir eben den Keller. Wir (bauen)
auch in das Dach einen richtigen Dachboden, und in die
Zimmer (setzen) wir Öfen."

Bald (bauen) derselbe Architekt auch für meinen
Freund solch ein Haus. Er (verwenden) das beste Holz
und guten Stein. Man (bringen) die Möbel und (auf=

hängen) die Vorhänge und (legen) die Teppiche. Man
(anlegen) den Garten, (säen) das Gras für einen schönen
englischen Rasen, und man (pflanzen) viele wertvolle
Rosen. Dann, im Herbst, (bringen) der Briefträger dem
Architekten einen Brief. Der Deutsche (bitten) ihn, bald
einmal zu kommen.

Bei seinem Besuch (zeigen) man ihm ein Experiment:
Man (stellen) eine Kerze auf den Fußboden zwischen Tür
und Fenster. Man (anzünden) die Kerze und, siehe da,
der starke Zug (löschen) sie. Die ganze Familie (anse-
hen) den Architekten vorwurfsvoll: „Sehen Sie?"
Der aber (erwidern) nur erstaunt: „(sein) Ihnen der
Zug denn nicht stark genug?" Erst einige Jahre später
(erklären) man meinem Freund, daß man in England die
Häuser mit viel Zug (bauen), damit die Feuchtigkeit die
Mauern nicht (zerstören). Andere Länder, andere Sitten!

II. Lesen Sie Aufgabe I im Passiv anstatt im Aktiv!

III. Geben Sie die richtige Form von „man"!

Wenn — jung ist, freut — sich, wenn — der Briefträger
viele Briefe bringt. Aber wenn — älter wird, freut —
das nicht mehr so sehr. Jeder neue Brief erinnert — an
die vielen anderen, die — in der Schublade liegen hat, und
die — jeden Tag vorwurfsvoll ansehen. Zu einer Postkarte entschließt — sich schon leichter. Vor allem in
Deutschland schreibt — viel mehr Postkarten als in England, und — ist dabei viel persönlicher als in England.
Wenn — in Deutschland eine Postkarte bekommt, so redet
— der Absender mit vollem Namen an, als ob — einen
Brief bekäme, zum Beispiel: „Lieber Onkel Hermann!"
Er schreibt — ausführlich über persönliche Dinge und
Familienereignisse, und es kann — passieren, daß — der
Briefträger zur Geburt des Enkels gratuliert, ehe —
selber das glückliche Ereignis bekannt geworden war. —

schreibt so klein wie möglich, und eine Postkarte erzählt —
oft ebenso viel wie ein langer Brief. Am Schluß der
Postkarte schickt — der Absender die herzlichsten Grüße
und läßt — auch nicht im Zweifel, von wem — die Karte
bekommen hat: er unterschreibt mit seinem vollen
Namen. Das alles muß — wissen, wenn — nach Deutschland und an — deutschen Bekannten schreibt. — kann
sonst leicht falsch verstanden werden, und der andere
kann — nicht verstehen, wenn — keine Anrede und keine
Unterschrift gebraucht.

IV. Fragen Sie einander über das Kapitel; über das Briefschreiben im Allgemeinen und im Besonderen; über die
beiden Gedichte von Heine und Liliencron; über den
Brief von Villers; über Weihnachtskarten; über die
Briefe an Gastgeber, und Dankbriefe im allgemeinen,
usw. usw.

V. Beantworten Sie mündlich oder schriftlich!
Machen Sie sich etwas aus Wandern? Sind Sie beim
Wandern am liebsten allein? Was nehmen Sie zum
Wandern mit? Was für Wetter haben Sie am liebsten
zum Wandern? Wo wandern Sie am liebsten? usw.
Halten Sie das Essen nur für eine notwendige oder auch
für eine angenehme Beschäftigung? Sind Sie beim
Essen gern allein? Trinken Sie gern zum Essen?
Nehmen Sie sich gern viel Zeit zum Essen? usw.

VI. Schreiben Sie einen Brief, in dem die Gräfin den Brief
von Alexander von Villers beantwortet; oder eine Antwort auf Liliencrons Kinderbrief; oder schreiben Sie den
Brief, den Heine wohl damals bekommen haben mag;
oder schreiben Sie einen Brief von der Art, wie Uhland sie
wohl an seine Familie geschrieben hat! Lesen Sie sich
die Briefe gegenseitig vor!

VII. Übersetzen Sie!

Aus Jonathan Swifts *Journal to Stella* (gekürzt):

London, Jan. 14, 1710. O faith, young women, I want a letter from MD [1]; it is now nineteen days since I had the last ; and where have I room to answer it, pray ? I hope I shall send this away without any answer at all : for I will hasten it, and away it goes on Tuesday, by which time [2] this side will be full. I will send it two days sooner on purpose out of spite, and the very next day after, you must know, your letter will come, and then it is too late, and I will so laugh, never saw the like ! It is spring with us already, I ate asparagus the other day. Did you ever see such a frostless winter ?

At night I called at the coffee-house, where I had not been a week, and talked coldly awhile with Mr Addison : all our friendship and dearness are off : we are civil acquaintance, talked words of course, of [3] when we shall meet, and that is all. Is not it odd ? But I think he has used me ill, and I have used him too well, at least his friend Steele.

[1] MD ist Swifts Abkürzung für Stella und Mrs Dingley.
   [2] *say:* when   [3] davon

Etwas zum Lachen:

Was meinte der Deutsche, der zu seiner englischen Wirtin sagte: " Expensive housewife, there's a terrible train in my room, and if you do not give me another ceiling I shall undress immediately " ?

Achtes Kapitel

Wilhelm Busch

(1832–1908)

Es gibt viele Leute, die alle humoristische Literatur verabscheuen und sich gründlich dabei langweilen. Wenn Sie zu dieser Art Menschen gehören, so muß ich Sie um Entschuldigung bitten, daß ich Sie in diesem Kapitel langweilen werde. Ich will Ihnen nämlich Wilhelm Busch vorstellen, der — das kann man ohne Zweifel behaupten — zur Kenntnis der deutschen Literatur unentbehrlich ist, obwohl auch viele Deutsche nichts mit ihm anfangen können und ihn sogar grob und geradezu unanständig finden. Immerhin, Sie sollen einige Kostproben von ihm bekommen. Sie kennen ihn übrigens schon aus seinem Gedicht „Selbstkritik" (s.S. 72), in dem er uns und sich selbst zum besten hat.

Busch hat die meisten seiner tollen Geschichten in Reimen geschrieben und selbst mit schlagenden Bildern illustriert.

Sein Humor bleibt gar nicht immer so gutmütig, wie Sie nach den unten folgenden Abschnitten denken könnten. Seine beißende Kritik an allen Schiefheiten und Halbheiten, an falscher Tugend und versteckter Bosheit ist oft von einer Schärfe und Bitterkeit, der die deutsche Literatur in dieser Form nichts an die Seite zu setzen hat.

„Max und Moritz, eine Bubengeschichte in sieben Streichen", schildert die unglaublichen Streiche zweier unglaublich ungezogener Jungen. Hier ist der erste Streich, nämlich der, welcher das traurige Ende von Witwe Boltes Federvieh berichtet.

114

Mancher gibt sich viele Müh'
Mit dem lieben Federvieh;
Einesteils der Eier wegen,
Welche diese Vögel legen,
Zweitens: Weil man dann und wann
Einen Braten essen kann;
Drittens aber nimmt man auch
Ihre Federn zum Gebrauch
In die Kissen und die Pfühle,
Denn man liegt nicht gerne kühle.—

Seht, da ist die Witwe Bolte,
Die das auch nicht gerne wollte.

Ihrer Hühner waren drei
Und ein stolzer Hahn dabei. —
Max und Moritz dachten nun:
Was ist hier jetzt wohl zu tun? —
— Ganz geschwinde, eins, zwei, drei,
Schneiden sie sich Brot entzwei,

In vier Teile jedes Stück
Wie ein kleiner Finger dick.
Diese binden sie an Fäden,
Übers Kreuz, ein Stück an jeden,

Und verlegen sie genau
In den Hof der guten Frau. —

Kaum hat dies der Hahn gesehen,
Fängt er auch schon an zu krähen:
Kikeriki!   Kikikerikih!!
Tak, tak, tak! — da kommen sie.

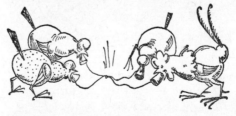

Hahn und Hühner schlucken munter
Jedes ein Stück Brot hinunter;

Aber als sie sich besinnen,
Konnte keines recht von hinnen.

In die Kreuz und in die Quer
Reißen sie sich hin und her,

Flattern auf und in die Höh',
Ach herje, herjemineh!

Ach, sie bleiben an dem langen,
Dürren Ast des Baumes hangen. —

— Und ihr Hals wird lang und länger,
Ihr Gesang wird bang und bänger.

Jedes legt noch schnell ein Ei,
Und dann kommt der Tod herbei. —

Witwe Bolte in der Kammer
Hört im Bette diesen Jammer:

Ahnungsvoll tritt sie heraus,
Ach, was war das für ein Graus!

„Fließet aus dem Aug', ihr Tränen!
All' mein Hoffen, all' mein Sehnen,
Meines Lebens schönster Traum
Hängt an diesem Apfelbaum!" . . .
Dieses war der erste Streich,
Doch der zweite folgt sogleich.

In der Hundegeschichte „Plisch und Plum" erscheint am
Schluß ein „Mister Pief", Buschs Porträt des „typischen"
reisenden Engländers, der, wie Sie sehen werden, in einer reichlich
peinlichen Szene mit angeborener Würde auftritt.

Zugereist in diese Gegend,
Noch viel mehr als sehr vermögend,
In der Hand das Perspektiv,
Kam ein Mister Namens Pief.

„Warum soll ich nicht beim Gehen" —
Sprach er — „in die Ferne sehen?
Schön ist es auch anderswo,
Und hier bin ich sowieso."
Hierbei aber stolpert er

In den Teich und sieht nichts mehr.
„Paul und Peter, meine Lieben,
Wo ist denn der Herr geblieben?"

Fragte Fittig, der mit ihnen
Hier spazieren geht im Grünen.
Doch wo der geblieben war,
Wird ihm ohne dieses klar.

Ohne Perspektiv und Hut
Steigt er ruhig aus der Flut.

„Alleh Plisch und Plum, apport!"
Tönte das Kommandowort.
Streng gewöhnt an das Parieren,
Tauchen sie und apportieren
Das Vermißte prompt und schnell.
Mister Pief sprach: „Weriwell!
Diese zwei gefallen mir!

Wollt Ihr hundert Mark dafür?"
Drauf erwidert Papa Fittig
Ohne weiters: „Ei, da bitt' ich".

Er fühlt sich wie neu gestärkt,
Als er so viel Geld bemerkt.

„Also Plisch und Plum, ihr beiden,
Lebet wohl, wir müssen scheiden, . . .
Lebt vergnügt und ohne Not,
Beefsteak sei euer täglich Brot!"

Und zum Schluß müssen Sie noch das Gedicht kennenlernen, in dem Busch selbst erklärt, was er unter Humor versteht.

Humor

Es sitzt ein Vogel auf dem Leim,
Er flattert sehr und kann nicht heim.
Ein schwarzer Kater schleicht herzu,
Die Krallen scharf, die Augen gluh.
Am Baum hinauf und immer höher
Kommt er dem armen Vogel näher.
Der Vogel denkt: Weil das so ist,
Und weil mich doch der Kater frißt,
So will ich keine Zeit verlieren,
Will noch ein wenig quinquilieren
Und lustig pfeifen wie zuvor.
Der Vogel, scheint mir, hat Humor.

Wortschatz

der Kater (—), *tom-cat*

„ Reim (e), *rhyme*
„ Streich, *prank*
„ Teich, *pond*
„ Tod, *death*

„ Braten ("), *roast meat*

„ Ast ("e), *branch*
„ Gebrauch, *use*

der Gesang, *song, singing*

„ Bube (n, n), *boy, lad*

„ Graus (kein Pl.), *horror*
„ Jammer, *misery*

die Bitterkeit (en), *bitterness*
„ Entschuldigung (en), *excuse, apology*

die Flut (en), *flood*

„ Halbheit (en), *incompleteness, lukewarmness*

„ Kostprobe (n), *sample (to
   taste)*

„ Kralle (n), *claw*

„ Mühe (n), *trouble*

„ Schiefheit (en), *lopsidedness*

„ Szene (n), *scene*

„ Tugend (en), *virtue*

„ Witwe (n), *widow*

„ Würde (n), *dignity*

„ Zeichnung (en), *drawing*

„ Kenntnis (se), *knowledge*

„ Not ("e), *need, want*

„ Schärfe (kein Pl.), *acidity*

das Kissen (—), *pillow, cushion*

„ Porträt (s), *portrait*

auf'treten, tritt auf, trat
   auf, ist aufgetreten, *behave, act*

behaupten, *maintain*

binden, bindet, band, hat
   gebunden, *tie*

erscheinen, erschien, ist
   erschienen, *appear*

illustrieren, *illustrate*

(sich) langweilen, *bore (be bored)*

pfeifen, pfiff, hat gepfiffen,
   whistle

reißen, riß, hat gerissen
   (trans.), *tear*

schildern, *describe, picture*

schleichen, schlich, ist geschlichen, *slink, creep*

schlucken, *swallow*

stärken, *strengthen*

tauchen, *dive, submerge*

verabscheuen, *detest*

angeboren, *innate*

dürr, *dry, dead (wood)*

geschwind, *quick*

grob, *rude, crude*

humoristisch, *humorous*

prompt, *prompt, quick*

schlagend, *telling*

streng, *severe*

täglich, *daily*

toll, *mad*

unanständig, *indecent, vulgar*

unentbehrlich, *indispensable*

ungezogen, *naughty*

vermögend, *wealthy*

anderswo, *elsewhere*

einesteils, *partly*

entzwei, *to pieces*

geradezu, *almost, straightway*

herjé, herjémineh! *good gracious!*

herzú, *near, hither*

immerhin, *nevertheless*

namens, *called*

sogléich, *at once*

er hat uns zum besten, *he pulls our leg*

ich bitte Sie um Entschuldigung, (daß . . .), *I apologize (for . . .)*

im Grünen, *in the open*

ins Kreuz und in die Quere, *in all directions*

sie bleiben hangen, *they are caught*

sie hat ihm nichts an die Seite zu setzen, *it has nothing to equal him*

sie können nichts mit ihm anfangen, *they can do nothing with him*

übers Kreuz, *crossways*

wo ist denn der Herr geblieben? *where has the gentleman gone?*

Grammatik

I. Indirect speech :

Sequence of tenses in indirect speech or question :

Direct speech	Indirect speech
Mein Bruder sagte mir:	Mein Bruder sagte mir,
„Ich habe nicht viel Geld"	er habe (hätte) nicht viel Geld
„Ich bin gestern gekommen"	er sei (wäre) gestern gekommen
„Ich schrieb dir vor Kurzem"	er habe (hätte) mir . . . geschrieben
„Ich besuche dich morgen"	er werde (würde) mich . . . besuchen
„Ich werde dir alles erzählen"	er werde (würde) mir alles erzählen

If you compare the tenses used in these sentences you will see that to a past tense of the direct speech corresponds the perfect or pluperfect of the subjunctive ; also, that in indirect speech the present tense cannot be used to express a future meaning.

Expression of wish, command or question in indirect speech :

Direct speech	Indirect speech
Mein Bruder sagte zu mir: „Besuche uns bald!“	Mein Bruder sagte zu mir, ich solle (möge) ihn bald besuchen
„Mach' dich nicht lächerlich!“	ich solle mich nicht lächerlich machen
„Sei nicht so dumm!“	ich solle nicht so dumm sein
„Mach' dir keine Sorgen!“	ich solle (möge) mir keine Sorgen machen
Mein Bruder fragte mich: „Was willst du tun?“	Mein Bruder fragte mich, was ich tun wolle
„Wohin fährst du?“	wohin ich führe
„Hast du Geld bei dir?“	ob ich Geld bei mir hätte
„Kannst du mit mir kommen?“	ob ich mit ihm kommen könne

II. Word order in subordinate clauses:

Ich habe nicht kommen können.	Es tut mir leid, daß ich nicht habe kommen können.
Er hatte schreiben wollen.	Er sagte, daß er hatte schreiben wollen.
Sie hat gehen müssen.	Wissen Sie, warum sie hat gehen müssen?
Sie hat nichts essen dürfen.	Es war langweilig für sie, weil sie nichts hat essen dürfen.
Ich habe ihn schlafen lassen.	Es war gut, daß ich ihn habe schlafen lassen.

Ich denke, daß ich das Buch nicht werde lesen können.
Ich freue mich, daß ich sie habe singen hören.

When two infinitive forms come together at the end of a subordinate clause, the auxiliary (haben and sein) precedes them instead of going to the end of the clause.

Aufgaben

I. Lesen Sie im Perfekt!

Goethe und Beethoven (sich befinden) zur gleichen Zeit in Karlsbad. Beide (sich freuen) sehr, daß sie (sich kennen-lernen können), und sie (sich unterhalten) gern mit-einander. Eines Tages (sich vornehmen) sie einen langen Spaziergang. Natürlich (begegnen) ihnen viele Leute. Sie (grüßen) höflich und (sich umsehen) und (sich umdrehen) nach ihnen, so daß (sich unterhalten können) vor lauter Grüßen die beiden Männer nicht richtig. Goethe (werden) ganz böse und (sich beklagen): „Es (tun) mir leid, daß uns die Leute so (belästigen). Ich (müssen) mich beinahe verstecken, um Ruhe vor ihnen zu haben." Beethoven (sich aufregen) gar nicht. Er (sich wenden) ruhig zu Goethe und (bemerken): „Ärgern Sie sich nicht darüber. Vielleicht (meinen) die Leute mich."

II. Lesen oder erzählen Sie die vorstehende Geschichte in der indirekten Rede! Es wird erzählt, Goethe und Beet-hoven . . .

III. Lesen Sie in verschiedenen Zeiten!

Zu dem alten Rothschild (kommen) ein Herr in die Bank. Rothschild (empfangen) ihn in seinem Büro. Der Herr (sich vorstellen): „Ich bin . . ." „Einen Augenblick," (erwidern) Rothschild rasch, „(sich nehmen) inzwischen einen Stuhl!“ Der Herr (sich setzen) und (sich ausruhen) eine Weile. Bald aber (sich langweilen) er. Rothschild (sich beschäftigen) offenbar mit wichtigen Papieren. Immerhin, der Herr (sich halten) auch nicht für ganz un= wichtig. So (sich erheben) er, (sich räuspern) und (be= ginnen): „(Entschuldigen) Sie, ich (sein) der Graf . . .“ Rothschild (sich umdrehen) nicht einmal zu ihm, sondern (bemerken) nur von seinen Papieren her: „Schon gut, dann (sich nehmen) bitte noch einen Stuhl!“

IV. Lesen oder erzählen Sie die vorstehende Geschichte in der indirekten Rede! Es wird erzählt, daß . . .

V. Geben Sie die richtigen Endungen!

Kant, d— groß— und berühmt— Königsberg— Philo= soph, war ein sehr höflich— und liebenswürdig— Mann, aber er verlangte auch von ander— höflich—und taktvoll— Benehmen. Ein— Tages saß er in ein— bekannt— Gasthaus d— alt— Universitätsstadt Königsberg, wo er schon seit einig— Zeit lebte. Er saß mit einig— gut— freund— an ein— groß— rund— Tisch, an den sich auch einig— unbekannt— Gäste setzten. Bald wurde ein— dampfend— Schüssel mit frisch— grün— Gemüse auf d— Tisch gesetzt. Da nahm ein— d— Fremden, der d— Philosophen gegenüber saß, d— vor ihm stehend— Schüsselchen Pfeffer und leerte d— ganz— Pfeffer über d— einladend riechend— Schüssel aus, indem er mit freundlich— Lächeln (*sing.*) bemerkte: „Frisch— Gemüse esse ich gar zu gern mit viel scharf— Pfeffer“. Sofort nahm Kant sein— ledern— Beutel mit frisch— Tabak aus d— Tasche, leerte ihn über d— mit Pfeffer bedeckt— Gemüse und erwiderte mit ebenso freundlich— Lächeln: „Und ich esse es gar zu gern mit viel frisch— Tabak“.

VI. Erzählen Sie die vorstehende Geschichte im Perfekt und auch in der indirekten Rede!

VII. Sprechen Sie über das Kapitel! Erzählen Sie den Bubenstreich und die Szene aus „Plisch und Plum"! Beschreiben und erklären Sie die Bilder! Lernen Sie einige der Reime auswendig!

VIII. Schreibspiel!
Wieviele Wörter kennen Sie, die mit „schreiben" zusammenhängen? Mit „lesen"? Mit „essen"? Mit „sehen"? Mit „reisen"?

IX. Erzählen Sie schriftlich oder mündlich den besten Witz, den Sie kennen!

X.　　　　　　　Meine Wahl

　　Ich liebe mir den heitern Mann
　　am meisten unter meinen Gästen:
　　wer sich nicht selbst zum besten haben kann,
　　der ist gewiß nicht von den Besten.

　　　　　　　　　　　　　　　(Goethe)

Schreiben Sie einen kurzen Aufsatz über dieses Gedicht!

XI. Übersetzen Sie den folgenden Abschnitt aus *A Hot Day*, von Leigh Hunt (gekürzt)!
Now, in town, gossips talk more than ever to one another, in rooms, in doorways, and out of windows, always beginning [1] the conversation with saying [2] that the heat is overpowering. Now blinds are let down, and doors thrown open, and flannel waistcoats left off, and cold meat

　　[1] and they always begin　　　　　[2] damit daß . . .

preferred to hot, and wonder expressed why tea continues [1]
so refreshing. Now ladies loiter in baths ; and people
make presents of flowers ; and wine is put into ice. Now
five people in a stage-coach hate the sixth fat one who is
coming in, and think he has no right to be so large. Now
clerks in offices do nothing but drink soda-water and
spruce-beer, and read the newspaper, and bakers look
vicious ; and cooks aggravated. Now delicate skins are
beset with gnats ; and cobblers in their stalls almost feel
a wish to be transplanted ; and butter is too easy to
spread ; and the dragoons wonder whether the Romans
liked their helmets and the servant maids are afraid
they look vulgarly hot ; and the author, who has a plate
of strawberries brought him,[2] finds that he has come to
the end of his writing.

[1] is still so refreshing   [2] to whom a plate, etc., is brought

Berliner Geſchichte:

Die Berliner verwechſeln oft den Akkuſativ und
Dativ. So paſſierte eines Tages folgendes: Ein
Berliner und ein Hamburger gingen zuſammen die
Straße entlang, und ein Herr grüßte ſie. Der
Hamburger nahm den Hut ab. Sagte der Berli-
ner: „Der Herr hat mir gegrüßt".
„Nein, mich!" verbeſſerte der andere.
„Was, Ihnen?"
„Nein, Sie!"
„Na alſo, doch mir", ſagte der Berliner
erleichtert.

Neuntes Kapitel

Wenn . . .

„Wenn das Wörtchen ‚wenn‘ nicht wär’, wär’ mein Vater Millionär“, haben wir als Kinder gesagt, wenn einer von uns sich beim Spiel herausreden wollte: „Ja, wenn sie mich nicht am Anfang gefangen hätten“. . . Auf unsere Zwecke umgeändert, könnte dieser Satz lauten: „Wenn das Wörtchen ‚wenn‘ nicht wär’, wär’ Grammatik nicht so schwer“. Bis jetzt haben wir Sie damit verschont, aber einmal muß es ja sein. Wenn es nach Ihnen ginge, würden Sie das „Wenn“ wahrscheinlich überhaupt aus der deutschen Sprache verbannen. Und wie ich Sie kenne, würden Sie dann gleich eine gründliche Vereinfachung vornehmen. Wenn Sie könnten, würden Sie auch gleich das „der, die, das“ abschaffen — warum sollte e i n Artikel nicht genügen? — und mit der Deklination wäre auch Schluß — warum sollte man nicht auch ohne Akkusativ, Dativ und Genitiv leben können? Kann man aber wirklich ohne das „Wenn“ auskommen? Das Wörtchen „wenn“ ist nämlich ein sehr vielseitiges, ein sehr brauchbares, ein sehr dienstbeflissenes Wort, was ich Ihnen gleich beweisen werde.

Da ist zunächst das praktische, alltägliche, realistische Wenn. „Wenn,“ sagt der Realist, „wenn Emilie Geld hat, nehme ich sie.“ Daß sie nicht hübsch ist, das will er gnädig übersehen, er ist ein Mensch ohne Vorurteile. Er sagt es mit derselben sorglosen Selbstverständlichkeit, mit der er erklärt: „Wenn es kalt ist, nehme ich meinen Mantel mit“. Er kümmert sich nur um Tatsachen, Spekulationen interessieren ihn nicht.

Der Fall wird komplizierter, wenn unser Held mit einem Seufzer erklärt: „Wenn Emilie nur Geld hätte . . .“ Emilie

130

hat offenbar kein Geld. Aber selbst wenn sie Geld hätte,
muß man noch bezweifeln, ob aus der Sache etwas werden
würde.

Dann gibt es natürlich unvernünftige Menschen, die immer
das Unmögliche verlangen. „Wenn," sagt der Anspruchsvolle,
„wenn Emilie hübsch wäre und Geld hätte, nähme ich sie." Es

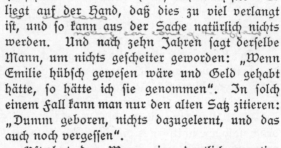

liegt auf der Hand, daß dies zu viel verlangt
ist, und so kann aus der Sache natürlich nichts
werden. Und nach zehn Jahren sagt derselbe
Mann, um nichts gescheiter geworden: „Wenn
Emilie hübsch gewesen wäre und Geld gehabt
hätte, so hätte ich sie genommen". In solch
einem Fall kann man nur den alten Satz zitieren:
„Dumm geboren, nichts dazugelernt, und das
auch noch vergessen".

Oft hat das Wenn eine deutlich negative
Bedeutung; es erinnert uns an all die gräßlichen,
schrecklichen Dinge, die vielleicht passieren könnten, wenn wir
dies oder jenes täten, und es führt dazu, daß man überhaupt
nichts mehr zu tun wagt. So geht es dem armen Christian
in Thomas Manns Roman „Buddenbrooks". „. . . Man sitzt
bei Tische, man ist beim Obste angelangt und speist unter
behaglichen Gesprächen. Plötzlich jedoch legt Christian einen
angebissenen Pfirsich auf den Teller zurück, sein Gesicht ist
bleich, und seine runden, tiefliegenden Augen über der allzu
großen Nase haben sich erweitert.

„ ‚Ich esse nie wieder einen Pfirsich‘, sagt er.

„ ‚Warum nicht, Christian? . . . Was für ein Unsinn! . . .
Was ist dir?‘

„ ‚Denkt euch, wenn ich aus Versehen . . . diesen großen
Kern verschluckte, und wenn er mir im Halse steckte . . . und ich
nicht Luft bekommen könnte . . . und ich spränge auf und
würgte gräßlich, und ihr alle spränget auch auf . . .‘ Und
plötzlich fügt er ein kurzes, stöhnendes ‚Oh!‘ hinzu, das voll ist

von Entsetzen, richtet sich unruhig auf seinem Stuhle empor und wendet sich seitwärts, als wollte er fliehen.

„Die Konsulin und Mamsell Jungmann springen tatsächlich auf.

„ ‚Gott im Himmel, — Christian, du hast ihn doch nicht verschluckt?‘ Denn es hat vollkommen den Anschein, als sei es wirklich geschehen.

„ ‚Nein, nein,‘ sagt Christian und beruhigt sich allmählich, ‚aber wenn ich ihn verschluckte!‘

„Der Konsul, der gleichfalls blaß vor Schrecken ist, beginnt nun zu schelten, und auch der Großvater pocht indigniert auf den Tisch und verbittet sich die Narrenspossen. . . . Allein Christian ißt wirklich längere Zeit keinen Pfirsich mehr. . . .“

Das Wenn kann aber auch Wünsche und Sehnsucht aus= drücken, so wie in Mörikes Gedicht „Die Soldatenbraut“ (vertont von Hugo Wolf).

Ach, wenn's nur der König auch wüßt',
wie wacker mein Schätzelein ist!
Für den König da ließ' er sein Blut,
für mich aber ebensogut.

Mein Schatz hat kein Band und kein' Stern,
kein Kreuz wie die vornehmen Herrn,
mein Schatz wird auch kein General;
hätt' er nur seinen Abschied einmal!

Es scheinen drei Sterne so hell
dort über Marien=Kapell;
da knüpft uns ein rosenrot Band,
und ein Hauskreuz ist auch bei der Hand.

Das folgende Volkslied hat Coleridge so gut gefallen, daß er eine freie Übersetzung davon geschrieben hat. Es ist eines der bekanntesten Volkslieder geworden, seit Herder es in seiner Volksliedersammlung im Jahr 1778 mit vielen anderen ge= sammelt und herausgegeben hat.

Wenn ich ein Vöglein wär' und auch zwei Flüglein hätt',
flög' ich zu dir. Weil's aber nicht kann sein,
weil's aber nicht kann sein. bleib' ich all = hier.

Wenn ich ein Vöglein wär'
und auch zwei Flüglein hätt',
flög' ich zu dir.
Weil's aber nicht kann sein,
bleib' ich allhier.

Bin ich gleich weit von dir,
bin ich doch im Schlaf bei dir
und red' mit dir.
Wenn ich erwachen tu,
bin ich allein.

> Es vergeht kein Stund in der Nacht,
> daß mein Herz nicht erwacht
> und an dich gedenkt,
> daß du mir vieltausendmal
> dein Herz geschenkt.

Ich weiß nicht, woher es kommt, aber der Münchner neigt zur Spekulation, und in seinem Denken spielt das Wenn eine große Rolle.

Das Folgende passierte auf dem Münchner Marienplatz, einem sehr verkehrsreichen Platz im Mittelpunkt der Stadt, vor dem Rathaus. Neben dem Brunnen stand ein braver Münchner Bürger, schaute auf das Dach des gegenüberliegenden Hauses und winkte mit der Hand und dem Kopf dort hinauf. Er machte immer die gleiche Bewegung von rechts nach links, als wolle er, daß dort oben jemand etwas weiter nach links rücken solle. Wie

es in einem solchen Fall zu gehen pflegt: bald stand hinter ihm
eine Gruppe von Zuschauern, die auch auf das Dach des gegen=
überliegenden Hauses schauten. Die Menge wurde immer
größer, der Verkehr wurde aufgehalten, der Eingang zum
Rathaus versperrt. Ein Schutzmann erschien, um die Ursache
der Verkehrsstörung herauszufinden. Er bat

die Leute weiterzugehen. „Weitergehen!
Nicht stehenbleiben!" Niemand bewegte sich.
Der brave Münchner winkte immer noch mit
der Hand. Da ging der Schutzmann auf den
winkenden Mann zu. „Hören Sie, Sie
können hier nicht einfach so stehen bleiben,
das ist eine Verkehrsstörung. Und über=
haupt, was ist denn los, warum winken
Sie denn immer zu dem Haus hinauf? Da
droben ist ja nicht einmal ein Dachdecker!"

Da erklärte ihm der Brave: „Schauen Sie doch einmal selbst
hinauf, Herr Wachtmeister! Sehen Sie den kleinen Spatzen
dort oben auf der Dachrinne? Wenn der nur ein klein wenig
nach links rücken würde, dann säße er in der Sonne!"

Ein andermal hat der Münchner Besuch. Sein Vetter aus
dem bayrischen Land ist mit dem Morgenzug in die Stadt
gekommen. Er will alles Sehenswürdige besichtigen, und
abends um 21 Uhr sechzehn muß er wieder heimfahren.

Der Münchner holt seinen Vetter zur bestimmten Zeit von der
Bahn ab, um neun Uhr fünfzehn. Er übernimmt die Rolle des
Fremdenführers. Schließlich, er als Einheimischer muß ja seine
Heimatstadt kennen. Er führt seinen bayerischen Landsmann
zuerst zum Maximilians=Denkmal. „Da, siehst du," erklärt er
dem staunenden Gast, „siehst du, Vetter, das ist unser alter König
Max, ganz aus Erz gegossen. Steht schon lange so da. Und die
schönen Figuren ringsherum mußt du dir auch ansehen, sind auch
aus Erz gegossen, und auf jeder Seite ist eine andere. Schau es
dir nur gründlich an, das kostet nichts. Also, das ist das König-

Max=Denkmal, ein sehr schönes Denkmal, das gibst du zu, nicht?
Und wenn du dann fertig bist, dann können wir ja weiter=
gehen."

Sie gehen die Maximilianstraße entlang, bis zum Kosttor.
Es ist kein reiner Zufall, daß sie in dieser Richtung gehen, denn
der Gastgeber bleibt plötzlich stehen und sagt mit freudestrahlen=
dem Blick und größter Liebenswürdigkeit: „Da, schau, Vetter,
weißt du, was das ist? Na, also, das mußt du unbedingt sehen,
das ist nämlich das Hofbräuhaus, das schauen wir uns jetzt gründ=
lich an."

Die Besichtigung des Hofbräuhauses dauert etwas länger.
Der innere Mensch muß gestärkt werden; das, finden sie, hat er
verdient. Um 21 Uhr sitzen sie noch da. Sie haben eine ganze
Reihe leerer Bierkrüge um sich auf dem Tisch stehen. Es ist
nicht zu leugnen, der Vetter hat von der Landeshauptstadt den
günstigsten Eindruck. Die gründliche Besichtigung des Hofbräu=
hauses hat aber die Folge, daß ihnen auf dem Weg zum Bahnhof
das Gehen etwas schwer fällt. Als sie am Bahnsteig ankommen,
sehen sie gerade noch das rote Licht des letzten Wagens des
letzten Zuges aus der Halle verschwinden. Der Vetter ärgert
sich und schimpft: „Wenn wir zwei Minuten früher gegangen
wären, hätten wir den Zug noch erreicht!"

„Ja, siehst du, Vetter," sagt der treffliche Führer, „wenn wir
uns das König=Max=Denkmal nicht angesehen hätten . . ."

Wortschatz

der Bürger (—), *citizen*
  „ Fremdenführer, *guide*
  „ Wachtmeister, *sergeant*
  „ Zuschauer, *spectator*

  „ Kern (e), *stone, kernel*
  „ Millionär, *millionaire*
  „ Mittelpunkt, *centre*

  „ Bierkrug ("e), *beer mug*
  „ Eindruck, *impression*
  „ Generál, *general*
  „ Zufall, *accident, coincidence*

  „ Schutzmann ("er, auch: =leute), *policeman*

  „ Realist (en, en), *realist*
  „ Spatz, *sparrow*

  „ Anschein (kein Pl.), *appearance*
  „ Schrecken, *shock*
  „ Unsinn, *nonsense*
  „ Verkéhr, *traffic*

die Bahn (en), *railway*
  „ Besichtigung (en), *inspection*
  „ Bewegung (en), *movement*
  „ Dachrinne (n), *gutter*
  „ Deklinatión (en), *declension*
  „ Folge (n), *consequence*
  „ Halle (n), *hall*

die Kapélle (n), *chapel*
  „ Liebenswürdigkeit (en), *charm, amiability*
  „ Richtung (en), *direction*
  „ Rolle (n), *part*
  „ Selbstverständlichkeit (en), *matter-of-factness*
  „ Spekulatión (en), *speculation*
  „ Tatsache (n), *fact*
  „ Ursache (n), *cause*
  „ Vereinfachung (en), *simplification*
  „ Verkehrsstörung (en), *traffic jam, obstruction*

das Erz (e), *ore*
  „ Vorurteil, *prejudice*

  „ Entsetzen (kein Pl.), *horror*

    ab'holen, *meet, fetch, collect*
    ab'schaffen, *do away with*
    an'beißen, biß an, hat angebissen, *bite into*
    an'schauen, *look at*
    auf'halten, hält auf, hielt auf, hat aufgehalten, *hold up, delay*
    aus'kommen, kam aus, ist ausgekommen, *manage*
sich beruhigen, *calm down*
    besichtigen, *view, inspect*
    bestimmen, *fix, determine*

(fich) bewegen, *move*

beweifen, bewies, hat bewiefen, *prove*

bezweifeln, *doubt*

fliehen, floh, ift geflohen, *flee*

gießen, goß, hat gegoffen, *pour, cast (metal)*

heraus'geben, gibt heraus, gab heraus, hat herausgegeben, *edit*

fich heraus'reden, *make excuses*

knüpfen, *tie, knot*

fich kümmern um, *bother about*

leugnen, *deny*

neigen, *incline*

pochen, *knock*

rücken, *move*

fchelten, fchilt, fchalt, hat gefcholten, *scold*

fchimpfen, *scold, grumble*

fpeifen, *dine*

ftaunen, *be astonished*

verbannen, *banish*

verdienen, *deserve*

verfchlucken, *swallow*

verfchonen, *spare*

verfperren, *block*

vor'nehmen, nimmt vor, nahm vor, hat vorgenommen, *undertake*

wagen, *dare*

zitieren, *quote*

zu'geben, gibt zu, gab zu, hat zugegeben, *admit*

angeboren, *innate*

anfpruchsvoll, *greedy, exacting*

behaglich, *comfortable*

bleich, *pale*

brauchbar, *serviceable*

brav, *good, respectable*

dienftbefliffen, *eager to serve*

einheimifch, *native*

freudeftrahlend, *beaming*

geboren, *born*

gefcheit, *clever*

gräßlich, *ghastly*

günftig, *favourable*

inner, *inner*

negativ, *negative*

realíftifch, *realist*

fehenswürdig, *worth seeing*

forglos, *carefree, unconcerned*

tatfächlich, *actual*

trefflich, *excellent, worthy*

unbedingt, *absolute*

unmöglich, *impossible*

unruhig, *restless, alarmed*

verkehrsreich, *busy, full of traffic*

vielfeitig, *many-sided*

vollkommen, *perfect*

allzu, *all too*

gleich (obgléich), *although*

immer noch, *still*

ringsherum, *round about*

feitwärts, *aside, sideways*

zunächft, *first of all*

aus der Sache kann nichts

II–K

werden, *nothing can come of the affair*

aus Versehen, *by mistake*

das ist zu viel verlangt, *that is asking too much*

ein klein wenig, *a little bit*

einmal muß es ja sein, *it has got to be sooner or later*

er ließe sein Blut, *he would give his blood*

er verbittet sich die Narrens=possen, *he protests against these foolish pranks*

es ist bei der Hand, *it is at hand*

es liegt auf der Hand, *it is obvious*

um nichts gescheiter geworden, *having learned nothing*

was ist denn los? *what is the matter?*

was ist dir? *what is the matter with you?*

wenn es nach Ihnen ginge, *if you had your way*

wie es zu gehen pflegt, *as usually happens*

wie ich Sie kenne, *if I know you*

Aus der Grammatik späterer Kapitel

Grammatik

„Wenn"=Sätze:

1. Wenn ich Urlaub habe, fahre ich nach London. Habe ich Urlaub, (so) fahre ich nach London.

   The use of wenn in the sense of " when " or " whenever " has long been familiar to us. For the difference between " wenn " and " als " see " Heute Abend I " p. 201. If wenn is omitted, the verb begins the first clause and the second one usually begins with " so ".

2. Wenn ich nur Geld hätte! Hätte ich (doch) nur Geld! Wenn ich nur Geld gehabt hätte! Wenn er nur hier wäre! Wäre er nur hier gewesen!

Wenn can also introduce an exclamatory sentence expressing a wish not likely to be fulfilled. The verb must be in the past or pluperfect subjunctive. Wenn can be omitted, in which case the sentence begins with the verb.

3. Wenn ich Geld hätte, würde ich nach Amerika fahren
                 führe ich nach Amerika
Hätte ich Geld, so (dann) würde ich nach Amerika fahren
              so (dann) führe ich nach Amerika
Wenn ich Geld gehabt hätte, wäre ich nach Amerika gefahren.
Hätte ich Geld gehabt, so (dann) wäre ich nach Amerika gefahren.

The most frequent use of wenn in the sense of "if" is in sentences which express an unfulfilled condition. The verb in the wenn-sentence is in the past or pluperfect subjunctive. The word "wenn" can be omitted, and the verb then begins the sentence. The following main clause is then usually introduced by "so" or "dann". In the main clause we can use either the past or pluperfect subjunctive (führe ich etc., wäre ich gefahren) or the so-called conditional, i.e. the infinitive with "würde, würdest" etc. (würde ich nach Amerika fahren). This form is preferable with weak verbs which do not change for their past subjunctive. Thus: Wenn ich Geld hätte, würde ich ein Haus kaufen (preferable to: kaufte ich ein Haus).

Aufgaben

I. Geben Sie die richtige Form des Verbs in verschiedenen Zeiten und machen Sie die Wenn=Sätze zu Konditional=sätzen!
Der Pfarrer (sich bemühen), den Kindern zu erklären, was göttliche Vorsehung (sein). Karls Vater (verdienen) sein Brot als Dachdecker, und der Pfarrer (vornehmen) ihn: „(Sagen) mir, Karl, wenn dein Vater auf das Kirchendach

(steigen) und dort (arbeiten), und wenn er (herunterfallen), und wenn (geschehen) ihm nichts — was (sein)
das?" „Das (sein) Zufall!" (er-

widern) der Bengel. „Schön!"
(fortfahren) der Pfarrer. „Wenn
aber dein Vater nun von Neuem
auf das Dach (klettern), und wenn
er (herunterfallen) auf der anderen
Seite, und wenn ihm dann nichts
(geschehen), was (sein) das?" „Das
(sein) Glück, Herr Pfarrer!" (antworten) der Junge. Der Pfarrer
(müssen) lachen, aber er (versuchen)
es noch einmal. „Schön! Aber wenn es nun ein drittes
Mal so (gehen), was (sein) es dann?" „Das (sein)
Übung, Herr Pfarrer!" Der Herr Pfarrer (aufgeben) den
Kampf.

II. Setzen Sie die folgende Aufgabe ins Passiv!

Heute halten wir einen Bunten Abend. Wir haben die
Einladungen schon vor einer Woche ausgeschickt, und wir
erwarten unsere Gäste um ½ 8 Uhr. Wir haben ein großes
Zimmer von allen unnötigen Möbeln geleert und viele
Stühle aus dem ganzen Haus hineingetragen. Nun
machen wir die Haustür weit auf. Den Blumen in
den bunten Vasen geben wir noch einmal frisches Wasser,
wir sagen der Köchin noch einmal, wie man die Frankfurter Würstchen behandelt.

Und da klingelt es auch schon an der Haustür. Wir
führen die ersten Gäste ins Zimmer, und wir beginnen
auch gleich mit dem ersten Spiel: „Wer bin ich?" Wir
stecken jedem Spieler einen Zettel hinten an seine Jacke
mit einem Namen, den er raten muß. Mehr und mehr
Menschen bitten uns um Zettel, und nun fragen und raten
sie alle, daß es einem den Kopf fast verwirrt. Dann,

nachdem sie alle Zettel verbraucht haben, spielen wir „Ich seh' etwas . . ." Danach machen wir das Spiel „Konsequenzen", und dabei lachen wir alle sehr viel.

Dann essen und trinken wir, und die Frankfurter Würstchen, die man uns anbietet, essen wir natürlich alle auf. Dabei plaudern wir viel, aber natürlich dürfen wir nur Deutsch sprechen. Nun holen wir Schallplatten und Noten und Liederbücher, denn nun singen wir und machen Musik. Wir singen alle unsere deutschen Lieder und Kanons und spielen die Schallplatten, die unsere Gäste mitgebracht haben. Am Schluß singen wir alle "Kein schöner Land", und viele unserer Gäste sprechen auch auf dem Heimweg noch deutsch.

III. Lesen oder erzählen Sie Aufgabe II auch im Imperfekt und Perfekt!

IV. Wählen Sie eine der Geschichten aus dem Kapitel und erzählen Sie sie den anderen! Erzählen Sie andere Geschichten, die Ihnen dabei einfallen!

V. Sprechen Sie ein paar Minuten über eines der folgenden Themen und diskutieren Sie darüber!

　　1. Was würden Sie tun, wenn Sie das große Los gewännen?

　　2. Was würden Sie tun, wenn Sie ein Jahr bezahlten Urlaub bekämen?

　　3. Was würden Sie anders machen, wenn Sie wieder auf die Welt kämen?

VI. Schreibspiel!

Schreiben Sie, wie bei dem Spiel „Konsequenzen", erst eine Frage: „Was würden Sie tun, wenn . . .", falten

Sie den Zettel, geben Sie ihn weiter, und Ihr Nachbar schreibt eine Antwort darunter: „Ich würde . . .“

VII. Übersetzung!

Aus *Pride and Prejudice*, von Jane Austen.

Mrs Bennett speaks :

" Good gracious ! Lord bless me ! only think ! dear me ! Mr Darcy ! Who would have [1] thought it ? And is it really true ? Oh, my sweetest Lizzy ! how rich and how great you will be ! What pin-money, what jewels, what carriages you will have ! Jane's is nothing to [2] it—nothing at all. I am so pleased—so happy. Such a charming man ! so handsome ! so tall ! Oh, my dear Lizzy ! pray apologize [3] for my having disliked him so much before. I hope he will overlook it. Dear, dear Lizzy. A house in town ! Everything that is charming ! Three daughters married ! Ten thousand a year ! Oh Lord ! what will become of me ? I shall go [4] distracted ! "

This was enough to prove that her approbation need not be doubted ; and Elizabeth . . . soon went away. But before she had been three minutes in her room, her mother followed her.

" My dearest child," she cried, " I can think of nothing else. Ten thousand a year, and very likely more ! 'Tis as good as a lord ! . . . But, my dearest love, tell me what dish Mr Darcy is particularly fond of, that I may have [5] it to-morrow."

---

[1] would have — hätte　　　　[2] against it　　　　[3] bitte ihn um Entschuldigung, daß . . .　　　　[4] become　　　[5] *say:* make

Sprichwort:

Wenn mancher Mann wüßte, wer mancher Mann wär;
Gäb' mancher Mann manchem Mann manchmal mehr Ehr'.
Weil mancher Mann nicht weiß, wer mancher Mann ist,
Drum mancher Mann manchen Mann manchmal vergißt.

Zehntes Kapitel

Was Goethe darüber gesagt hat

Es ist immer beruhigend, wenn man zur Unterstützung seiner Meinung sagen kann: und schließlich und endlich hat Goethe das auch schon gesagt!

 Wir wissen glücklicherweise ziemlich viel von Goethes Ideen und Meinungen, denn in den letzten Jahren seines Lebens hat sein junger Freund und Helfer Eckermann viele der Gespräche, die er mit dem alten Herrn geführt hat, aufgeschrieben und sie später unter dem Titel „Gespräche mit Goethe" herausgegeben. Goethe hat oft über England und die englische Literatur gesprochen, er hat Shakespeare in- und auswendig gekannt und hat Byron und Scott sehr bewundert. Er hat auch immer gern die Gelegenheit benützt, durchreisende Engländer kennenzulernen.

Montag, den 10. Januar 1825.

Bei seinem großen Interesse für die englische Nation hatte Goethe mich ersucht, die hier anwesenden jungen Engländer ihm nach und nach vorzustellen. Heute um fünf Uhr erwartete er mich mit dem englischen Ingenieuroffizier Herrn H., von welchem ich ihm vorläufig viel Gutes hatte sagen können. Wir gingen also zur bestimmten Stunde hin und wurden durch den Bedienten in ein angenehm erwärmtes Zimmer geführt, wo Goethe in der Regel nachmittags und abends zu sein pflegt. Drei Lichter brannten auf dem Tische; aber Goethe war nicht darin, wir hörten ihn in dem anstoßenden Saale sprechen . . .

Nachdem wir einige Minuten gewartet hatten, trat Goethe zu uns herein und begrüßte uns freundlich. „Ich darf Sie geradezu in deutscher Sprache anreden," wendete er sich an Herrn H., „denn ich höre, Sie sind im Deutschen schon recht bewandert." Dieser erwiderte hierauf mit Wenigem freundlich, und Goethe bat uns darauf, Platz zu nehmen.

Die Persönlichkeit des Herrn H. mußte auf Goethe einen guten Eindruck machen, denn seine große Liebenswürdigkeit und heitere Milde zeigte sich dem Fremden gegenüber heute in ihrer wahren Schönheit. „Sie haben wohlgetan," sagte er, „daß Sie, um Deutsch zu lernen, zu uns herübergekommen sind, wo Sie nicht allein die Sprache leicht und schnell gewinnen, sondern auch die Elemente, worauf sie ruht, unsern Boden, Klima, Lebensart, Sitten, gesellschaftlichen Verkehr, Verfassung und dergleichen mit nach England im Geiste hinübernehmen."

„Das Interesse für die deutsche Sprache", erwiderte Herr H., „ist jetzt in England groß und wird täglich allgemeiner, sodaß jetzt fast kein junger Engländer von guter Familie ist, der nicht Deutsch lernte."

„Wir Deutschen", versetzte Goethe freundlich, „haben es jedoch Ihrer Nation in dieser Hinsicht um ein halbes Jahrhundert zuvorgetan. Ich beschäftige mich seit fünfzig Jahren mit der englischen Sprache und Literatur, sodaß ich Ihre Schriftsteller und das Leben und die Einrichtung Ihres Landes sehr gut kenne. Käme ich nach England hinüber, ich würde kein Fremder sein.

„Aber wie gesagt, Ihre jungen Landsleute tun wohl, daß sie jetzt zu uns kommen und auch unsere Sprache lernen. Denn nicht allein, daß unsere eigene Literatur es an sich verdient, sondern es ist auch nicht zu leugnen, daß wenn einer jetzt das Deutsche gut versteht, er viele andere Sprachen entbehren kann. Von der französischen rede ich nicht, sie ist die Sprache des Umgangs und ganz besonders auf Reisen unentbehrlich, weil sie jeder versteht und man sich in allen Ländern mit ihr statt eines guten Dolmetschers aushelfen kann. Was aber das Griechische,

Lateinische, Italienische und Spanische betrifft, so können wir die
vorzüglichsten Werke dieser Nationen in so guten deutschen
Übersetzungen lesen, daß wir ohne ganz besondere Zwecke nicht
Ursache haben, auf die mühsame Erlernung jener Sprachen viele
Zeit zu verwenden. Es liegt in der deutschen Natur, alles
Ausländische in seiner Art zu würdigen und sich fremder Eigentümlichkeit zu bequemen. Dieses und die große Fügsamkeit
unserer Sprache macht denn die deutschen Übersetzungen durchaus
treu und vollkommen.

„Und dann ist wohl nicht zu leugnen, daß man im allgemeinen mit einer guten Übersetzung sehr weit kommt. Friedrich
der Große konnte kein Latein, aber er las seinen Cicero in der
französischen Übersetzung ebenso gut als wir andern in der Ursprache."

Dann das Gespräch auf das Theater wendend, fragte Goethe
Herrn H., ob er es viel besuche. „Ich besuche das Theater jeden
Abend," antwortete dieser, „und ich finde, daß der Gewinn für
das Verstehen der Sprache sehr groß ist."

Goethe fragte darauf Herrn H., was er von deutscher Literatur
gelesen habe. „Ich habe den ‚Egmont' gelesen," antwortete
dieser, „und habe an dem Buche so viel Freude gehabt, daß ich
dreimal zu ihm zurückgekehrt bin. So auch hat ‚Torquato Tasso'
mir vielen Genuß gewährt. Jetzt lese ich den ‚Faust'; ich finde
aber, daß er ein wenig schwer ist." Goethe lachte bei diesen
letzten Worten. „Freilich," sagte er, „würde ich Ihnen zum
‚Faust' noch nicht geraten haben. Es ist tolles Zeug und geht
über alle gewöhnlichen Empfindungen hinaus. Aber da Sie
es von selbst getan haben, ohne mich zu fragen, so mögen Sie
sehen, wie Sie durchkommen. . . . Sehen Sie zu, was für
Lichter sich Ihnen dabei auftun. . . ."

Unter diesen und ähnlichen Gesprächen war die Zeit des
Theaters herangekommen, und wir standen auf und wurden von
Goethe freundlich entlassen.

Im Nachhausegehen fragte ich Herrn H., wie ihm Goethe

gefallen. „Ich habe nie einen Mann gesehen," antwortete dieser, „der bei aller liebevollen Milde so viel angeborene Würde besäße. Er ist immer groß, er mag sich stellen und sich herablassen wie er wolle."

Freitag, den 3. Dezember 1824.

„Es kommt darauf an," fuhr Goethe fort, „daß Sie sich ein Kapital bilden, das nie ausgeht. Dieses werden Sie erlangen in dem begonnenen Studium der englischen Sprache und Literatur. Halten Sie sich dazu und benutzen Sie die treffliche Gelegenheit der jungen Engländer zu jeder Stunde. Die alten Sprachen sind Ihnen in der Jugend größtenteils entgangen, deshalb suchen Sie in der Literatur einer so tüchtigen Nation wie die Engländer einen Halt! Zudem ist ja unsere eigene Literatur größtenteils aus der ihrigen hergekommen. Unsere Romane, unsere Trauerspiele, woher haben wir sie denn als von Goldsmith, Fielding und Shakespeare? Und noch heutzutage, wo wollen Sie denn in Deutschland drei literarische Helden finden, die dem Lord Byron, Moore und Walter Scott an die Seite zu setzen wären? Also noch einmal, befestigen Sie sich im Englischen, halten Sie Ihre Kräfte zu etwas Tüchtigem zusammen, und lassen Sie alles fahren, was für Sie keine Folge hat und Ihnen nicht gemäß ist!"

Dienstag, den 30. Dezember 1823.

Wir sprachen darauf von Übersetzungen, wobei er mir sagte, daß es ihm sehr schwer werde, englische Gedichte in deutschen Versen wiederzugeben. „Wenn man die schlagenden einsilbigen Worte der Engländer", sagte er, „mit vielsilbigen oder zusammengesetzten deutschen ausdrücken will, so ist gleich alle Kraft und Wirkung verloren."

Mittwoch, den 14. April 1824.

„Die Engländer schreiben in der Regel alle gut, als geborene Redner und als praktische, auf das Reale gerichtete Menschen. .. Im ganzen ist der Stil eines Schriftstellers ein treuer

Abdruck seines Innern: will jemand einen klaren Stil schreiben, so sei es ihm zuvor klar in seiner Seele."

Mittwoch, den 12. März 1828.

„Es ist ein eigenes Ding," erwiderte Goethe, „liegt es in der Abstammung, liegt es im Boden, liegt es in der freien Verfassung, liegt es in der gesunden Erziehung — genug! die Engländer überhaupt scheinen vor vielen andern etwas voraus zu haben. Wir sehen hier in Weimar ja nur ein Minimum von ihnen und wahrlich keineswegs die besten: aber was sind das alles für tüchtige, hübsche Leute! Und so jung und siebzehnjährig sie auch hier ankommen, so fühlen sie sich doch in dieser deutschen Fremde keineswegs fremd und verlegen; vielmehr ist ihr Auftreten und ihr Benehmen in der Gesellschaft so voller Zuversicht und so bequem, als wären sie überall die Herren und als gehöre die Welt überall ihnen. Das ist denn auch, was unsern Weibern gefällt und wodurch sie in den Herzen unserer jungen Dämchen so viele Verwüstungen anrichten. Als deutscher Hausvater, dem die Ruhe der Seinigen lieb ist, empfinde ich oft ein kleines Grauen, wenn meine Schwiegertochter mir die erwartete baldige Ankunft irgend eines jungen Insulaners ankündigt. Ich sehe im Geiste immer schon die Tränen, die ihm dereinst bei seinem Abgange fließen werden. Es sind gefährliche junge Leute; aber freilich, daß sie gefährlich sind, das ist eben ihre Tugend."

„Ich möchte jedoch nicht behaupten," versetzte ich, „daß unsere weimarischen jungen Engländer gescheiter, geistreicher, unterrichteter und von Herzen vortrefflicher wären als andere Leute auch."

„In solchen Dingen, mein Bester," erwiderte Goethe, „liegt nichts. Es liegt auch nicht in der Geburt und im Reichtum; sondern es liegt darin, daß sie eben die Courage haben, das zu sein, wozu die Natur sie gemacht hat. Es ist an ihnen nichts verbildet und verbogen, es sind an ihnen keine Halbheiten und Schiefheiten; sondern wie sie auch sind, es sind immer durchaus komplette Menschen. Auch komplette Narren mitunter, das gebe ich von Herzen zu; allein es ist doch was und hat doch auf der Wage der Natur immer ewiges Gewicht.

„Das Glück der persönlichen Freiheit, das Bewußtsein des englischen Namens und welche Bedeutung ihm bei andern Nationen beiwohnt, kommt schon den Kindern zugute, so daß sie sowohl in der Familie als in den Unterrichtsanstalten mit weit größerer Achtung behandelt werden und einer weit glücklich= freiern Entwicklung genießen als bei uns Deutschen.

„Ich brauche nur in unserm lieben Weimar zum Fenster hinauszusehen, um gewahr zu werden, wie es bei uns steht. Als neulich der Schnee lag und meine Nachbarskinder ihre kleinen Schlitten auf der Straße probieren wollten, sogleich war ein Polizeidiener nahe, und ich sah die armen Dingerchen fliehen so schnell sie konnten. . . . Es darf kein Bube mit der Peitsche knallen, oder singen, oder rufen, sogleich ist die Polizei da, es ihm zu verbieten. Es geht bei uns alles dahin, die liebe Jugend frühzeitig zahm zu machen und alle Natur, alle Originalität und alle Wildheit auszutreiben, so daß am Ende nichts übrigbleibt als der Philister.“

Wortschatz

der Dolmetscher (—), *interpreter*
 „ Redner, *speaker, orator*
 „ Schriftsteller, *writer*

der Abdruck ("e), *copy*
 „ Genuß ("sse), *enjoyment*

 „ Halt (kein Pl.), *support*

die Abstammung (en), *descent*

„ Eigentümlichkeit (en), *peculiarity*

„ Einrichtung (en), *institution, organisation*

„ Erziehung (en), *education*

„ Gesellschaft (en), *society*

„ Peitsche (n), *whip*

„ Regel (n), *rule*

„ Unterrichtsanstalt (en), *educational institution*

„ Unterstützung (en), *support*

„ Ursprache (n), *vernacular*

„ Verfassung (en), *constitution*

„ Verwüstung (en), *devastation*

„ Wage (n), *scales*

„ Wildheit (en), *boisterousness*

„ Wirkung (en), *effect*

„ Schwiegertochter (¨), *daughter-in-law*

„ Ankunft ("e), *arrival*

„ Achtung (kein Pl.), *respect*

„ Fremde, *abroad, strange land*

„ Fügsamkeit, *suppleness*

„ Milde, *gentleness*

„ Polizei, *police*

„ Zuversicht, *confidence*

das Gewicht (e), *weight*

das Trauerspiel, *tragedy*

„ Kapitál (Kapitalien), *capital*

„ Minimum (Minima), *minimum*

„ Bewußtsein (kein Pl.), *consciousness*

„ Grauen, *horror*

„ Zeug, *stuff*

an'kündigen, *announce*

an'richten, *cause, commit*

an'stoßen, stößt an, stieß an, hat angestoßen, *adjoin*

auf'schreiben, schrieb auf, hat aufgeschrieben, *write down*

sich auf'tun, tat sich auf, hat sich aufgetan, *open*

sich aus'helfen, hilft sich aus, half sich aus, hat sich ausgeholfen, *make do*

sich befestigen, *ground, establish oneself*

benützen (auch: u), *use*

besitzen, besaß, hat besessen, *possess*

betreffen, betrifft, betraf, hat betroffen, *concern*

entbehren, *go without*

entgehen, entging, ist entgangen, *escape*

entlassen, entläßt, entließ, hat entlassen, *dismiss*

erwärmen, *warm*

genießen, genoß, hat genossen, *enjoy*

sich herab'lassen, läßt sich herab, ließ sich herab, hat sich herabgelassen, *condescend*

knallen, *crack*

probieren, *try*

richten (auf, acc.), *direct to*

sich stellen, *pretend*

unterrichten, *instruct, teach*

verbiegen, verbog, hat verbogen, *twist*

verbilden, *deform*

versetzen, *reply*

wieder'geben, gibt wieder, gab wieder, hat wiedergegeben, *render*

würdigen, *appreciate*

zugúte'kommen, kam zugute, ist zugutegekommen, *benefit*

zuvór'tun, tat zuvor, hat zuvorgetan, *forestall*

angenehm, *agreeable*

anwesend, *present*

ausländisch, *foreign*

baldig, *imminent*

französisch, *French*

frühzeitig, *early*

gefährlich, *dangerous*

geistreich, *brilliant*

gesellschaftlich, *social*

gewahr, *aware*

gewöhnlich, *ordinary*

griechisch, *Greek*

ihrig, *theirs, hers*

italiénisch, *Italian*

komplétt, *complete*

latéinisch, *Latin*

liebevoll, *tender, affectionate*

mühsam, *tedious*

reál, *real*

seinig, *his*

spanisch, *Spanish*

tüchtig, *capable, efficient*

verlegen, *embarrassed*

vorläufig, *provisional, for the time being*

vortréfflich, *excellent*

vorzüglich, *outstanding*

wahrlich, *true*

zahm, *tame*

deshalb, *therefore*

durcháus, *thoroughly*

größtenteils, *for the most part*

hierauf, *hereupon*

keineswegs, *by no means*

nach und nach, *gradually, one by one*

neulich, *recently*

vielmehr, *rather*

wodúrch, *whereby*

woráuf, *whereupon*

zudém, *moreover*

an sich, *in itself*

es geht bei uns alles dahin, *with us, everything tends to*

es geht darüber hinaus, *it goes beyond it*

genug! die Engländer . . ., *at any rate, the English . . .*

ich habe Freude an dem Buche gehabt, *the book has given me pleasure*

im Ganzen, *on the whole*

man kommt weit damit, *you can get a long way with it*

so jung sie auch hierherkommen, *young as they are when they come*

von Herzen, *with all my heart*

von selbst, *on your own*

was . . . betrifft, *as far as . . . is concerned*

wie es bei uns steht, *how things are with us*

wie gesagt, *as I have said*

wie sie auch sind, *whatever they may be like*

wir haben es Ihnen zuvorgetan, *we have forestalled you*

wobei er mir sagte, *in which connection he told me*

woher haben wir sie als von . . ., *where else have we got it but from . . .*

Aus der Grammatik späterer Kapitel

Aufgaben

I. Schreiben Sie die folgende Geschichte im Perfekt!

Goethe (sein) in Karlsbad. Eines Tages (bitten) er seinen Diener, zwei Flaschen Wein und zwei Gläser auf sein Zimmer zu bringen, und (sagen) ihm, er (sollen) sie in die zwei sich gegenüberliegenden Fenstersimse stellen. Der Bediente (sich wundern) zwar, aber er (erfüllen) natürlich Goethes Wunsch. Die zwei Flaschen (werden) in die beiden Fenster gestellt, und neben jede Flasche (werden) ein Glas gestellt. Goethe (auf= und abgehen) im Zimmer, und jedesmal, wenn er (ankommen) an einem der Fenster, (sich füllen) er ein Glas mit Wein und (leeren) es.

Nach einiger Zeit (klopfen) es. Es (sein) sein Freund,
der Arzt Rehbein, der (sich unterhalten wollen) mit
Goethe, und der (sich freuen), ihn zu Hause zu treffen.
Goethe (fragen) ihn etwas ärgerlich: „(Sich erinnern) Sie
nicht, welcher Tag es (sein)? Ich (sich erlauben), Sie
zu einem Glas Wein einzuladen, es (sein) nämlich mein
Geburtstag." Rehbein aber (sich wehren) gegen Goethes
Vorwurf: „Ihren Geburtstag (vergessen) ich nie. Es
(sein) nicht der 28. August, wir (haben) erst den 27.,
darauf (sich verlassen können) Sie!"

Goethe aber (wollen) es nicht zugeben. „Ich (sich
erkundigen) bei meinem Bedienten", sagte er, „und Sie
(werden) sehen, daß ich Recht (haben)." Der Diener
(werden) gerufen, und er (geben) dem Arzt Recht. Goethe
(nachsehen) selbst in dem Kalender, den ihm der Bediente
(bringen), und (sich ansehen) ihn genau. Dann (sich
wenden) er zu Rehbein, und (bemerken) mit ernster
Miene: „Dann (sich betrinken, *perf. tense*) ich umsonst!"

II. Lesen oder erzählen Sie die vorstehende Geschichte in der
indirekten Rede! Man erzählt, daß . . .

III. Geben Sie die richtige Form des Verbs!
Wenn ich nicht im 20. Jahrhundert auf die Welt (kommen),
und wenn ich meinen Geburtstag wählen (können), so
(wählen) ich die Zeit um 1750. Wenn ich damals (leben),
so (kommen) ich in Weimar auf die Welt. Ich (sein)
natürlich eine der mehr oder weniger bedeutenden
Persönlichkeiten in dem Kreis um Goethe und Schiller,
und ich (kennen) beide persönlich. Ich (sein) oft bei
ihnen zu Besuch, und ich (einladen) sie zu geselligen
Abenden in meinem Haus. Ich (gehen) auch oft ins
Theater, und da (sehen) ich die neuesten Stücke der beiden
großen Dichter. Ich (kennenlernen) natürlich auch die
anderen berühmten Dichter ihrer Zeit, die in Weimar

lebten, vor allem Herder und Wieland, und ich (sich unter=
halten) auch mit ihnen, so oft ich Gelegenheit (haben).
Manchmal (fahren) ich auch nach Wien, und dort (hören)
ich Mozart in Konzerten und (sehen) seine Opern. Es
(sein) ein interessantes Leben, nicht wahr? Das Schlimme
ist nur, daß ich wahrscheinlich statt dessen in einem kleinen
Dorf hinter dem Mond auf die Welt (kommen), und daß
ich von Goethe und Schiller so wenig (wissen) wie die
Hühner in meinem Hof!

IV. Lesen Sie die vorstehende Aufgabe im Plural! Wenn wir
nicht . . .

V. Setzen Sie die folgenden Sätze ins Passiv!

Am Ende dieses Jahres spielen die Leute in unserem Kurs
einen Abschnitt aus Goethes „Faust", nämlich den
„Osterspaziergang". Einer der jungen Männer spielt
Faust, und ein Freund von ihm über=
nimmt die Rolle seines Dieners und
Schülers Wagner. Sie arbeiten schon
seit einigen Wochen an den Rollen, und
die Mädchen nähen die Kostüme.

Am Anfang der Szene zeigt uns der
Dichter eine bunte Volksmenge auf
dem Weg zum Tanz unter der Dorflinde. Als das Volk
den herankommenden Faust erkannt hat, begrüßt ihn ein
alter Bauer in ihrem Namen. Er bietet ihm ein Glas
Wein an und erinnert ihn an frühere Zeiten, wo Faust
ihnen allen während der Epidemie geholfen hat. Wagner
bewundert den Meister, weil ihn das ganze Volk kennt und
ehrt.

Dann läßt man die beiden allein in tiefen Gesprächen,
in denen uns der Dichter in die Gedankenwelt Fausts
einführt. Am Ende der Szene, als der Abend sie wieder
in die Stadt zurückruft, bemerken sie einen schwarzen

Hund, einen Pudel. Mephisto hat diese Gestalt ange-
nommen. Faust erkennt bald das Außerordentliche an
diesem Tier, und er zwingt es, seine wahre Natur zu
zeigen. „Das also war des Pudels Kern!" — so begrüßt
er den von hinter dem Ofen hervorkommenden Mephisto.
Dieses Wort zitieren wir heute noch oft, wenn wir den
Kern einer Sache entdeckt haben.

VI. Unterhalten Sie sich über das Kapitel und über die vielen
Fragen, die darin berührt werden, wie zum Beispiel:
Kann man Deutsch nur in Deutschland lernen? In-
teressiert man sich in England heute für die deutsche
Literatur? Welche Sprache halten Sie für die prak-
tischste Sprache? Welche Sprache haben Sie am liebsten?
Was halten Sie von Übersetzungen? Finden Sie
Theater und Film gut zum Lernen der Sprache? Was
halten Sie von Schallplatten? Hat Goethe Recht mit
seiner Meinung von den Engländern? usw. usw.

VII. Spielen Sie die Szene mit Goethe, Eckermann und dem
Herrn H.!

VIII. Schreibspiel!
Wieviele Worte kennen Sie, die etwas Ähnliches aus-
drücken wie „sagen" (z.B. sprechen)? „denken"? „sehen"?
Bilden Sie ihre Wortfamilien (z.B. Ansager usw.)!

IX. Übersetzen Sie:
Katherine Mansfield writes about Eckermann's *Conversations with Goethe* several times in her letters, especially in
those of the last year of her life. On March 9, 1922, she
writes as follows :
" England has political freedom (a terrific great thing) and
poetry and lovely careless lavish green country. But I'd
much rather admire it from afar. English people are I
think superior Germans. (10 years hard labour for that

Frankfurt ist Goethes Geburtsstadt

remark.) But it's true. They are the German ideal. I
was reading Goethe on the subject the other day. He had a
tremendous admiration for them. But all through it [1] one
feels ' so might we Germans be if we only knocked the
heads of our police off '."

And on March 19, 1922, she writes : " I wish you read
German. Goethe's *Conversations with Eckermann* is one of
those books which become part of one's [2] life and what's
more, enrich one's [2] life for ever. Our edition is in two
volumes. We lie in bed each reading one [3]—it would
make [4] a funny drawing."

On April 26, 1922, she is still reading Goethe : " It being [5]
a cold night, lately, John and I lay in one bed each with an
immense Tome of Eckermann's *Conversations with Goethe*
perched on our [several] chests.[6] And when my side of
the bed began to shake [up and down] :

J. : ' What in God's name are you laughing at ? '

K. : ' Goethe is so very, very funny ! '

But it hadn't ' struck ' John."

---

[1] through the whole   [2] *say:* the life   [3] and each reads one
    [4] abgeben   [5] as it was   [6] *singular*

Lied des Lynceus

Aus dem zweiten Teil des „Faust"

(Tiefe Nacht)

Lynceus der Türmer (auf der Schloßwarte singend)

Zum Sehen geboren,
Zum Schauen bestellt,
Dem Turme geschworen,
Gefällt mir die Welt.
Ich blick' in die Ferne,
Ich seh' in die Näh',
Den Mond und die Sterne,
Den Wald und das Reh.
So seh' ich in allen
Die ewige Zier,
Und wie mir's gefallen,
Gefall' ich auch mir.
Ihr glücklichen Augen,
Was je ihr gesehn,
Es sei, wie es wolle,
Es war doch so schön!

Wiederholung des wichtigsten Wortschatzes

der

1. Bürger (—)
2. Gastgeber
3. Kater
4. Räuber
5. Redner
6. Schlitten
7. Schöpfer
8. Wachtmeister
9. Wanderer
10. Wipfel
11. Zuschauer
12. Zweifel

13. Abschied (e)
14. Bleistift
15. Buntstift
16. Handschuh
17. Kern
18. Liederkreis
19. Millionär
20. Mittelpunkt
21. Sinn
22. Stil
23. Streich
24. Tintenklecks
25. Zweck

26. Baukasten (")
27. Braten
28. Kasten

29. Abdruck ("e)
30. Ast
31. Bierkrug
32. Eindruck
33. General

der

34. Gesang
35. Männerchor
36. Notfall
37. Rock
38. Schulhof
39. Zufall

40. Schutzmann
    (Schutzleute)

41. Bediente (n, n)
42. Bube
43. Dilettant
44. Held
45. Pate
46. Realist
47. Solist
48. Spatz

49. Friede (ns, n)

50. Glanz (kein Pl.)
51. Graus
52. Halt
53. Hauch
54. Jammer
55. Jasmin
56. Schall
57. Schrecken
58. Verkehr

die

59. Ähre (n)
60. Allee
61. Änderung
62. Arie
63. Bahn

die

64. Begleitung
65. Besichtigung
66. Bitterkeit
67. Blüte
68. Dachrinne
69. Deklination
70. Dichtung
71. Durchreise
72. Einrichtung
73. Entschuldi=
    gung
74. Erziehung
75. Flut
76. Folge
77. Freiheit
78. Frisur
79. Gabe
80. Gräfin
81. Grille
82. Halbheit
83. Kaiserin
84. Kapelle
85. Klatschbase
86. Knospe
87. Kostprobe
88. Kralle
89. Liebenswürdigkeit
90. Literatur
91. Lokomotive
92. Melodie
93. Miene
94. Mitteilung
95. Nachschrift
96. Ordnung
97. Pause
98. Peitsche
99. Persönlichkeit

1. citizen, townsman
2. host
3. tom-cat
4. robber
5. speaker
6. sledge
7. creator
8. sergeant
9. wanderer
10. tree-top
11. spectator
12. doubt

13. leave, dismissal
14. pencil
15. crayon
16. glove
17. stone, kernel
18. song-cycle
19. millionaire
20. centre
21. sense, mind
22. style
23. prank
24. ink blot
25. purpose

26. building set
27. roast meat
28. box

29. copy
30. branch
31. beer mug
32. impression
33. general

34. song
35. male voice choir
36. emergency
37. coat
38. play-ground
39. accident, chance

40. policeman

41. servant
42. lad
43. amateur
44. hero
45. godfather
46. realist
47. soloist
48. sparrow

49. peace

50. brilliance
51. horror
52. support
53. breath
54. misery
55. syringa
56. sound
57. horror
58. traffic

59. ear (corn)
60. avenue
61. change, alteration
62. aria
63. railway

64. accompaniment
65. inspection, view
66. bitterness
67. blossom
68. gutter
69. declension
70. poetry
71. transit
72. institution
73. excuse, apology

74. education
75. flood
76. consequence
77. freedom
78. hair-style
79. gift
80. countess
81. grasshopper
82. half-heartedness
83. empress
84. chapel
85. gossip
86. bud
87. sample (to taste)
88. claw
89. amiability
90. literature
91. railway engine
92. melody
93. expression (face)
94. communication
95. postscript
96. order
97. break, pause
98. whip
99. personality

die

100. Pforte
101. Prinzessin
102. Rolle
103. Schiefheit
104. Schönheit
105. Schrift
106. Schwierigkeit
107. Selbstverständ=
     lichkeit
108. Spekulation
109. Stufe
110. Szene
111. Tatsache
112. Tugend
113. Unterrichtsan= [stalt
114. Unterstützung
115. Ursache
116. Ursprache
117. Vereinfachung
118. Verfassung
119. Verkehrsstörung
120. Verwüstung
121. Wage
122. Wildheit
123. Witwe
124. Würde
125. Zeichnung
126. Zeile

127. Brust ("e)
128. Kunst
129. Not
130. Zukunft

131. Achtung (kein Pl.)
132. Feuchtigkeit
133. Fügsamkeit
134. Leichtigkeit
135. Milde
136. Rückkehr
137. Schärfe
138. Stärke

die

139. Weisheit
140. Zuversicht

das

141. Liebchen (—)

142. Erz (e)
143. Gewicht
144. Schaukelpferd
145. System
146. Trauerspiel
147. Vorderbein
148. Vorurteil

149. Gemüt (er)

150. Malbuch ("er)
151. Roß
152. Taschentuch

153. Porträt (s)

154. Minimum
     (Minima)

155. Kapital (ien)

156. Entsetzen (kein Pl.)
157. Grauen
158. Heil
159. Verständnis
160. Zahnweh
161. Zeug

162. Geschwister
     (kein Sing.)

163. ab'holen
164. ab'schaffen
165. an'beißen
166. an'reden
167. an'richten
168. an'schauen

169. an'stoßen
170. auf'halten
171. auf'schreiben
172. auf'treten
173. aus'stellen
174. aus'treiben
175. sich bedanken
176. begegnen
177. behaupten
178. belästigen
179. benützen (u)
180. berichten
181. sich beruhi=
     gen
182. besichtigen
183. bestimmen
184. betreffen
185. beweisen
186. bewundern
187. bezweifeln
188. blicken
189. borgen
190. sich bücken
191. drucken
192. drücken
193. einkehren
194. empfangen
195. entdecken
196. entgehen
197. entlassen
198. entwerfen
199. erfinden
200. erfrischen
201. erhellen
202. erlangen
203. erledigen
204. ertreten
205. erwachen
206. gießen
207. hacken
208. sich herab'lassen
209. heraus'geben

100. porch, door, gate
101. princess
102. part
103. lopsidedness
104. beauty
105. writing
106. difficulty
107. matter-of-factness
108. speculation
109. step, stage
110. scene
111. fact
112. virtue
113. educational institution
114. support
115. cause
116. vernacular
117. simplification
118. constitution
119. traffic jam
120. devastation
121. scales
122. high spirits
123. widow
124. dignity
125. drawing
126. line
127. breast
128. art
129. need
130. future

131. respect
132. dampness
133. suppleness
134. ease
135. mildness
136. return
137. acidity
138. strength

139. wisdom
140. confidence
141. sweetheart
142. ore
143. weight
144. rocking horse
145. system
146. tragedy
147. front leg
148. prejudice
149. soul, mind
150. painting book
151. horse
152. handkerchief
153. portrait
154. minimum
155. capital
156. horror
157. terror
158. salvation
159. understanding
160. toothache
161. stuff
162. brothers and sisters
163. meet (at station)
164. do away with
165. bite into
166. address
167. cause
168. look at

169. adjoin
170. hold up
171. write down
172. behave, act
173. exhibit
174. drive out
175. thank
176. encounter, meet
177. assert
178. pester
179. use
180. report
181. calm down
182. view
183. determine, fix
184. concern
185. prove
186. admire
187. doubt
188. glance
189. borrow
190. stoop
191. print
192. press
193. enter
194. receive
195. discover
196. escape
197. dismiss
198. draft
199. invent
200. refresh
201. lighten
202. obtain
203. settle
204. tread on
205. wake up
206. cast (metal)
207. chop
208. condescend
209. edit

210. sich heraus'reden
211. illustrieren
212. kauen
213. knallen
214. knüpfen
215. komponieren
216. kriegen
217. küssen
218. (sich) langweilen
219. leihen
220. leugnen
221. löschen
222. pfeifen
223. rücken
224. rühmen
225. schelten
226. schildern
227. schlucken
228. sich sehnen
229. stärken
230. staunen
231. sich stellen
232. tauchen
233. teil'nehmen
234. unterrichten
235. verbiegen
236. verbilden
237. verdienen
238. vereinfachen
239. vergraben
240. verkündigen
241. verlangen
242. verlernen
243. verschlucken
244. verschonen
245. verschwinden
246. verwenden
247. sich vor'stellen
248. weiter'geben
249. wieder'geben
250. würdigen
251. zitieren

252. zugute'kommen
253. zusammen'halten
254. zusammen'setzen

255. angeboren
256. anspruchsvoll
257. anwesend
258. ausländisch
259. baldig
260. bewandert
261. bleich
262. bösartig
263. brauchbar
264. brav
265. deutlich
266. dürr
267. einheimisch
268. energisch
269. fällig
270. festlich
271. freiwillig
272. frühzeitig
273. geboren
274. gedankenvoll
275. gegenseitig
276. geistreich
277. gescheit
278. geschwind
279. gesellig
280. gewahr
281. griechisch
282. grob
283. günstig
284. herzig
285. humoristisch
286. inner
287. kahl
288. komplett
289. liebevoll
290. matt
291. mild
292. miserabel

293. mühsam
294. mündlich
295. munter
296. negativ
297. prompt
298. real
299. realistisch
300. sacht
301. seinig
302. sorglos
303. streng
304. täglich
305. toll
306. unanständig
307. unbedingt
308. unentbehrlich
309. ungezogen
310. unruhig
311. unter
312. unvernünftig
313. unwichtig
314. unzählbar
315. verkehrsreich
316. vermögend
317. vielseitig
318. vielsilbig
319. vorläufig
320. vortrefflich
321. vorzüglich
322. wahrlich
323. wertvoll
324. zahm
325. zierlich

326. adieu
327. allein
328. allzu
329. bei weitem
330. deshalb
331. durchaus
332. ebenso
333. einesteils

210. make excuses
211. illustrate
212. chew
213. crack (whip)
214. tie
215. compose
216. get
217. kiss
218. (be bored), bore
219. lend
220. deny
221. extinguish
222. whistle
223. move
224. praise
225. scold
226. describe
227. swallow
228. long
229. strengthen
230. be astonished
231. place oneself
232. dive
233. take part
234. teach
235. twist
236. deform
237. deserve
238. simplify
239. bury
240. announce
241. demand, long
242. forget
243. swallow
244. spare
245. disappear
246. use
247. imagine
248. pass on
249. render
250. appreciate
251. quote

252. benefit
253. hold together
254. compound

255. innate
256. exacting
257. present
258. foreign
259. imminent
260. expert
261. pale
262. malicious
263. serviceable
264. good, valiant
265. distinct
266. dry
267. native
268. vigorous
269. due
270. festive
271. voluntary
272. betimes
273. born
274. thoughtful
275. mutual
276. witty
277. clever
278. quick
279. sociable
280. aware
281. Greek
282. crude
283. favourable
284. darling
285. humorous
286. inner
287. bare
288. complete
289. affectionate
290. dull
291. mild
292. miserable

293. laborious
294. oral
295. alert, lively
296. negative
297. prompt
298. real
299. realistic
300. gentle
301. his
302. carefree
303. severe
304. daily
305. mad
306. indecent
307. absolute
308. indispensable
309. naughty
310. restless
311. lower
312. unreasonable
313. unimportant
314. countless
315. busy (with traffic)
316. wealthy
317. versatile
318. polysyllabic
319. provisional
320. excellent
321. outstanding
322. true
323. valuable
324. tame
325. graceful

326. goodbye
327. however
328. too
329. by far
330. therefore
331. thoroughly
332. equally
333. on the one hand

334. entzwei
335. geradezu
336. gleich
337. größtenteils
338. heim
339. herzu
340. immer noch
341. immerhin
342. je
343. keineswegs
344. mindestens
345. nach und nach
346. nimmer
347. nochmals
348. rings, ringsherum
349. sogleich
350. und dergleichen (u. dgl.)
351. vergebens
352. vielmehr
353. wodurch
354. woher
355. worauf

356. alle möglichen Geschenke, Leute
357. an sich
358. aus der Sache kann nichts werden
359. bleibe recht gesund
360. das ist zu viel verlangt
361. den Abschied geben
362. die armen Dinger (=chen)
363. einmal muß es ja sein
364. er hat uns zum besten
365. er verbittet es sich
366. es geht drunter und drüber
367. es ist bei der Hand
368. es liegt auf der Hand
369. es soll Leute geben
370. es steht auf dem Programm
371. ich bitte Sie um Entschuldigung, daß . . .
372. ich möchte wissen
373. im Ganzen
374. im Grunde
375. lebt wohl
376. mir geht ein Licht auf
377. seien Sie guter Dinge
378. seien Sie versichert
379. sie können nichts mit ihm anfangen
380. um neun Jahre älter
381. um nichts gescheiter geworden
382. und überhaupt
383. von Herzen
384. von selbst
385. was . . . betrifft
386. was ist denn los?
387. was ist dir?
388. wenn es nach Ihnen ginge
389. wie es zu gehen pflegt
390. wie ich Sie kenne
391. wie sie auch sind
392. zu Tisch(e)

Wortschatzübungen (Schreibspiele)

(1) Geben Sie die Wortfamilien von „bauen", „schreiben", „ziehen"!

(2) Was braucht man zum Schreiben? zum Essen? zum Reisen?

(3) Welche Bedeutung haben die Vorsilben „ver=", „zer=" und „ent=" im allgemeinen (z.B. vergraben, zerstören, entdecken)? Geben Sie weitere Beispiele!

[Fortsetzung folgt auf der nächsten Seite

334. to pieces
335. straightway
336. although
337. for the most part
338. home
339. along
340. still
341. all the same
342. ever
343. by no means
344. at least
345. by and by
346. no longer
347. once again
348. round about
349. at once
350. and such (things)
351. in vain
352. rather
353. whereby
354. wherefrom
355. whereupon

356. all kinds of presents, people
357. in itself
358. nothing can come of it

359. take care of yourself
360. that's asking too much
361. dismiss
362. the poor (little) things
363. it has got to be sooner or later
364. he pulls our leg
365. he protests against it
366. everything is up-side down
367. it is at hand
368. it is obvious
369. they say there are people . . .
370. it is on the programme
371. I beg your pardon for . . .
372. I wonder
373. on the whole
374. at bottom
375. farewell

376. I begin to see light
377. be of good cheer
378. rest assured
379. they can do nothing with him
380. his senior by nine years
381. having grown no wiser
382. and anyhow
383. with all my heart
384. by itself (yourself, etc.)
385. as far as . . . is concerned
386. what is the matter?
387. what is the matter with you?
388. if you had your way
389. as usually happens
390. if I know you
391. whatever they may be like
392. at table

Wortſchatzbüngen (Schreibſpiele) (Fortſetzung)

(4) Welche Vorſilben können die folgenden Verben haben: gehen (z.B. aufgehen), fahren (abfahren), ſehen (beſehen)?
(5) Welche engliſchen Nachſilben entſprechen häufig dem deutſchen =ſchaft (Freundſchaft); =keit (Dankbarkeit), =heit (Falſchheit), =in (Kellnerin)? Beiſpiele!

Elftes Kapitel

Reiseunterhaltung

Männer richten nach Gründen, des Weibes Urteil ist seine
Liebe: wo es nicht liebt, hat schon gerichtet das Weib.

(Schiller)

Man saß im Speisewagen vor weiß gedeckten Tischen. Der
Schnellzug hatte vor nicht langer Zeit den Kölner Hauptbahnhof
verlassen und war über eine der vielen Rheinbrücken gedonnert,
wo man die graubraunen Fluten unter sich hatte fließen sehen.
Nun schmiegte sich die Bahnlinie dicht an die Bergabhänge, und
wo das Tal eng wurde, mußte sie sich in Tunnels verkriechen.
Grünblaue Weinberge bedeckten die steil ansteigenden Sonnen-
seiten der Hügel, die Schattenseite war fast durchaus bewaldet.
Der Morgennebel begann sich langsam vom Fluß und von den
Abhängen zu lösen, und die Sonne lag schon auf den Bergrücken
höher oben.

„Jetzt fange ich langsam an, meine Urlaubsreise zu genießen",
sagte die junge Frau mit dem dicken Haarknoten im Nacken und
lachte ihr Gegenüber aus ihren lebhaften braunen Augen an.
„Bis jetzt habe ich an nichts anderes denken können als Paß, Zoll
und Zollbeamte, Fahrkarte, Reisescheck, Fahrplan, Gepäck,
Reiseversicherung, Adressenbüchlein, Ankunfts= und Abfahrts=
zeiten, Anschlüsse, Hotelrechnungen und dergleichen schöne Dinge.
Sonst macht mein Mann all das. Er kennt nichts Schöneres als

Reisen — diese Dinge nennt er nämlich Reisen. Wochenlang
vorher hat er alles schon aufgeschrieben, was er wissen muß,
und was er mitnehmen will, wann er abfährt, und auf welchem
Bahnsteig welches Bahnhofs er ankommt. Koffer packen
kann er auch wunderbar. Und ich lasse ihm natürlich das
Vergnügen. Wozu heiratet man schließlich, wenn das Leben
nachher genau so kompliziert sein soll wie vorher?

„Aber diesmal konnte er nicht mitkommen. Wenn ich nicht
meine Eltern in Deutschland hätte, würde ich ja natürlich im
Leben nicht über den Kanal fahren. Es wird mir regelmäßig
schlecht. Nein, ich müßte auf den Knopf drücken können und
dann, schluppdiwupp, bei meinen Eltern in meinem geliebten
München landen, und dann müßte ich dort je länger je lieber
sitzen bleiben können. Denn wenn ich einmal irgendwo bin,
gehe ich sehr ungern wieder fort. Und ausgerechnet ich muß
ins Ausland heiraten! Das hätte mir nicht passieren dürfen,
nicht wahr? Na, so ist es im Leben. Reisen Sie zum Vergnügen,
oder weil Sie müssen?"

Der Mann gegenüber lachte behaglich. „Ich muß häufig
geschäftlich reisen, aber zum Glück macht mir das Reisen Vergnügen. Ich bin Kaufmann von Beruf, wissen Sie, — Metallbranche — und da komme ich jedes Jahr mindestens zweimal
nach England. Ich finde, man reist heutzutage so bequem, daß
wir uns wirklich nicht beklagen können. Vor hundert Jahren
war das etwas anderes!"

„Sagen Sie das nicht. Haben Sie einmal Mörikes ‚Mozart
auf der Reise nach Prag' gelesen? So hätte sogar ich das Reisen
genießen können. Mozart und seine Frau Konstanze nahmen
sich eine Kutsche, Pferde und Kutscher, packten alle ihre Siebensachen und sich selbst hinein und fuhren nach ihrem eigenen
Fahrplan. Wenn sie zu einem hübschen Fleck kamen, hielten sie
an und gingen zwischen Bäumen und Blumen eine Weile
spazieren. Abends kamen sie dann in irgendeine Stadt, hielten
vor einem einladenden Gasthaus an, ließen die Kutsche in den

Schuppen fahren und hatten bis zum nächsten Morgen ihre Ruhe. So hätte ich auch reisen mögen."

„Das können Sie heutzutage auch haben. Kaufen Sie sich ein kleines Auto, und dann brauchen Sie nicht einmal Kutscher und Pferde!"

„O du lieber Himmel, — Autofahren ist ja noch viel schlimmer als Eisenbahnfahren. Hier im Zug können wir uns doch wenigstens gemütlich unterhalten und brauchen  uns nicht um Kreuzungen und Haupt- und Nebenstraßen und Autobahnen und Wegweiser und Geschwindigkeitsgrenzen und Verkehrslichter und Vorfahrtsrecht und Autokarten zu kümmern, und es laufen uns keine dummen Hühner über den Weg. Nein danke, ich weiß Bescheid, wir hatten nämlich einen kleinen, grünen, immer nach Wachstuch riechenden Ford. Wunderschöne Fahrten haben wir gemacht: ich mußte neben meinem Mann sitzen und die Karte auf meinen Knien balancieren. Mein Mann schaute nur starr auf die Straße, denn er fährt gern schnell, und ich schaute ebenso starr auf die Karte, und so rasten wir durch die schönsten Gegenden. Bei jeder Gabelung sollte ich ihm schon eine Weile vorher sagen, ob es nach links oder nach rechts weiterginge. Und wenn ich es falsch machte, dann ärgerte er sich. Dann ärgerte ich mich darüber, daß er sich ärgerte, und so saßen wir dann beide und redeten kein Wort. Beim Essen vertrugen wir uns dann meist wieder — bis zur nächsten Straßenkreuzung. War ich froh, als der Wagen endlich eine Panne hatte und nicht mehr repariert werden konnte! Das hätte schon gleich in den ersten sechs Monaten passieren sollen!"

„Sie Ärmste!" Der Kaufmann lachte wieder sein behagliches Lachen. „Aber nun, da Sie schon einmal unterwegs sind, dürfen Sie auch nicht vergessen, aus dem Fenster zu sehen. Wir nähern uns schon bald der Lorelei. Eigentlich hätten wir dieses Stück

an der Lorelei vorbei mit dem Dampfer fahren müssen. Sie
kennen die Strecke wahrscheinlich ganz gut?"

„Das wäre zu viel gesagt. Wenn ich an Köln denke — Sie
werden lachen — dann fällt mir immer zuerst die Jugendherberge ein, in der ich vor zehn — ja, zehn ganzen Jahren meinen
Mann beim Wandern kennengelernt habe. Ja, das ganze
Rheintal besteht für mich hauptsächlich aus Jugendherbergen.
Andernach zum Beispiel, wo wir in dem alten runden Turm
übernachteten: Ich sehe den Tagesraum jetzt noch deutlich vor
mir, zu dem eine richtige alte Wendeltreppe hinaufführte. Er
nahm die ganze Fläche des Turmes ein, und von den breiten
Fenstersimsen sah man abends vor Sonnenuntergang die
schwer beladenen Fahrzeuge die Windungen des Stromes

 entlang gleiten, vom stattlichen Dampf-
schiff bis zu den Segelschiffen mit hübschen
roten Segeln und dem kleinen Paddelboot; und links und rechts schmiegten sich
die Dörfer und Städtchen in die kleinen
Seitentäler, und auf den roten oder
grauen Dächern rauchten die Schorn-
steine. Aber wenn Sie mich fragen, wann der Kölner Dom
gebaut wurde, oder wieviele Einwohner Koblenz hat, und
warum das Niederwalddenkmal da oben bei Rüdesheim steht,
dann kann ich Ihnen keine Antwort geben — genau so, wie
ich bei Dresden nur an das Porzellan denke, das wir zu Hause
von der Dresdner Porzellanmanufaktur haben, und wie
Nürnberg mich gleich an die schönen Lebkuchen erinnert, die uns
unsere Tante immer zu Weihnachten schickte. Mein Mann aber
würde bei solchen Gelegenheiten seinen rot gebundenen Reiseführer aus der Tasche ziehen und Ihnen eine eng gedruckte Seite
über die Geschichte, die wirtschaftliche Bedeutung, die Sehens-
würdigkeiten und die Zahl der Einwohner vorlesen. Ich kann
mir so etwas Gedrucktes nie merken. Sie wissen es wahrscheinlich alles auswendig?"

„Falsch geraten!" lachte der Kaufmann. „Als Kaufmann
kenne ich natürlich jede Eisenhütte und Kohlenzeche und
Maschinenfabrik in dieser Gegend. Aber beim Reisen denke ich
am liebsten gar nicht an meine Arbeit. Mit Geschichte ist es schon
anders: über den Kölner Dom zum Beispiel weiß ich ganz gut
Bescheid. Das verdanke ich meinem Vater. Sein Erstes, wenn
er in eine fremde Stadt kam, war, daß er auf einen Kirchturm
stieg, ‚um einen Überblick zu gewinnen', wie er sagte. Sie hätten
es sehen sollen, wieviel er gelernt hatte, wenn er einen Ort
zwanzig Minuten lang so von oben betrachtet hatte. Und dann
besichtigte er die Kirchen. Und da, wo die Kirchen jahrhunderte=
lang der kulturelle Mittelpunkt der wachsenden Ortschaften
waren, hat das auch Sinn. Man kann in ihnen oft die ganze
Geschichte einer Stadt lesen.

„Aber Sie hätten sein Gesicht sehen sollen, als er mich einmal
in der rauchigen, nebligen englischen Industriestadt besuchte,
in der ich damals arbeitete! Alles, was einen Kirchturm besaß,
war für ihn sehenswürdig. Na, als er das erste Dutzend dieser
scheingotischen Backstein= und Sandsteinbauten aus dem neun=
zehnten Jahrhundert besichtigt hatte, kam er sehr erstaunt
zurück. ‚Sag mal, Junge, wieviele Kirchen haben sie hier denn
eigentlich? Mir scheint, an jeder Straßenecke steht eine. Sind sie
denn so fromm hier? Und haben sie denn keine alten Kirchen?'
Später jedoch, als er alte englische Kathedralen sah, und als ich
ihn aufs Land fuhr, wo er uralte sächsische und romanische und
gotische Dorfkirchen fand — na, da war er wieder zufrieden.

„Jung gewohnt ist alt getan — in einer fremden Stadt gehe
ich heute noch immer zuerst auf einen Turm, und dann sehe ich
mir die Kirchen und das Rathaus an. Wenn Sie mir erzählen,
daß Sie aus München kommen, dann sehe ich zum Beispiel
gleich die aus Backstein gebaute Frauenkirche mit ihren runden
Türmen vor mir, und die wunderbaren Barock= und Rokoko=
kirchen, die Sie dort haben. Ihretwegen allein lohnt sich die
Reise, finde ich."

II—M

„Schade, daß mein Mann nicht hier ist. Er als Engländer findet gerade unser Barock und Rokoko furchtbar. Die vergoldeten Altäre, die holzgeschnitzten und bunt bemalten Figuren und die geradezu in den Himmel führenden Deckengemälde scheinen ihm alle übertrieben und unnatürlich. Ich selbst kenne ja nichts Schöneres, aber ich bin auch damit aufgewachsen. Trotzdem, ich habe es immer lieber mit etwas Lebendigem zu tun, und auf Reisen finde ich die Menschen immer am unterhaltsamsten. Ich mag nie irgendwo hinfahren, wo ich niemanden kenne. Und wenn ich irgendwo bin, mag ich gern bei Freunden oder Bekannten wohnen anstatt im Hotel, und möglichst immer so lange bleiben, bis ich es im Gefühl habe, wie die Menschen an einem Ort leben. Es hat ja jede Stadt und jede Gegend ihre Individualität. Sehen Sie, München, — das ist eigentlich gar keine Stadt, oder jedenfalls die bäuerlichste Großstadt in Deutschland. Schlag zwölf wird warm zu Mittag gegessen, man steht früh auf und geht früh schlafen — außer den Künstlern und Studenten natürlich. Hamburg dagegen, die frühere Freie Reichsstadt und Hansastadt — da ißt man um zwölf ein ‚Brisenfrühstück‘, und abends um sechs erst die Hauptmahlzeit, und wenn man das Geld hat, kauft man sich ein Landhaus draußen vor der Stadt in englischem Stil, mit Kieswegen und Pappeln und Rasenflächen. Überhaupt: je englischer die Hamburger sein können, desto vornehmer kommen sie sich vor. Und Berlin — den Witz, daß es in Berlin keine geborenen Berliner gibt, kennen Sie doch? Darum gibt es dort auch wenig Tradition, keine Regeln über das, was ‚man‘ tut. Selbst Fontane, der Dichter Berliner Lebens, war kein geborener Berliner. Kennen Sie seine „Reisebilder"? Ich mag ihn immer gerne lesen, und eine Stelle daraus paßt so gut auf meine Art zu reisen, daß ich sie auswendig kann. ‚Das Beste aber, dem du begegnen wirst, das werden die Menschen sein, vorausgesetzt, daß du dich darauf verstehst, das rechte Wort für den „gemeinen Mann" zu finden. Verschmähe nicht den

Strohsack neben dem Kutscher, laß dir erzählen von ihm, von seinem Haus und Hof, von seiner Stadt oder seinem Dorf, von seiner Soldaten= oder seiner Wanderzeit, und sein Geplauder wird dich mit dem Zauber des Natürlichen und Lebendigen umspinnen. Du wirst, wenn du heimkehrst, nichts Auswendig= gelerntes gehört haben, wie auf den großen Touren, wo alles seine Taxe hat; der Mensch selber aber wird sich vor dir erschlossen haben. Und das bleibt doch immer das Beste.' "

Wortschatz

der Bergrücken (—), *mountain crest*
„ Einwohner, *inhabitant*
„ Hügel, *hill*
„ Künstler, *artist*
„ Nacken, *neck*
„ Schuppen, *shed*
„ Speisewagen, *dining car*
„ Zauber, *charm*

„ Backstein (e), *brick*
„ Beruf, *profession, vocation*
„ Kiesweg, *gravel path*
„ Sandstein, *sandstone*
„ Überblick, *survey*

der Abhang ("e), *slope*
„ Anschluß, *connection*
„ Fahrplan, *timetable*
„ Kanál, *channel, canal*
„ Knopf, *button*
„ Paß, *passport*
„ Schlag, *stroke*
„ Sonnenuntergang, *sunset*
„ Strohsack, *palliasse*
„ Zoll, *customs*

„ Bau (Bauten), *building*
„ Fleck (en), *spot*
„ Tunnel (s), *tunnel*

die Abfahrtszeit (en), *time of departure*

„ Autobahn (en), *arterial road*

„ Fläche (n), *width*

„ Gabelung (en), *road fork*

„ Geschwindigkeitsgrenze (n), *speed limit*

„ Hauptmahlzeit (en), *main meal*

„ Hotélrechnung (en), *hotel bill*

„ Individualität (en), *individuality*

„ Kathedrále (n), *cathedral*

„ Manufaktúr (en), *factory, manufacture*

„ Maschinenfabrik (en), *engineering works*

„ Metállbranche (n), *metal branch, line*

„ Ortschaft (en), *locality*

„ Panne (n), *breakdown*

„ Pappel (n), *poplar*

„ Reiseversicherung (en), *travel insurance*

„ Sehenswürdigkeit (en), *sight*

„ Strecke (n), *stretch, line*

„ Taxe (n), *tariff, price*

„ Tour (en) (pron. Tur), *tour*

„ Traditión (en), *tradition*

„ Wanderzeit (en), *journeyman's time*

die Wendeltreppe (n), *spiral staircase*

„ Windung (en), *winding*

das Adressenbüchlein (—), *address book*

„ Deckengemälde, *painted ceiling*

„ Segel, *sail*

„ Dampfschiff (e), *steam boat*

„ Fahrzeug, *boat, vehicle*

„ Metáll, *metal*

„ Paddelboot, *canoe*

„ Pferd, *horse*

„ Segelschiff, *sailing ship*

„ Vorfahrtsrecht, *right to overtake*

„ Verkehrslicht (er), *traffic light*

„ Seitental ("er), *tributary valley*

„ Wachstuch, *American cloth*

„ Barock (kein Pl.), *baroque*

„ Porzellán, *china*

„ Rokoko, *rococo*

die Siebensachen (kein Sing.), *goods and chattels*

an'halten, hält an, hielt an, hat angehalten, *stop*

balancieren, *balance*

beladen, belädt, belud, hat beladen, *load*

decken, *set, lay (table)*

gleiten, gleitet, glitt, ist geglitten, *glide, slide*

heim'kehren, *return home*

landen, *land*

sich lohnen, *pay, be worth it*

sich lösen, *detach oneself*

sich nähern, *approach*

passen, *fit, suit*

rasen, *dash, race*

reparieren, *repair*

sich schmiegen, *nestle, cling*

verdanken, *owe*

vergolden, *gild*

sich verkriechen, verkroch sich, hat sich verkrochen, *creep away, hide*

verlassen, verließ, hat verlassen, *leave*

verschmähen, *disdain*

voraus'setzen, *assume*

sich vor'kommen, kam sich vor, ist sich vorgekommen, *appear to oneself*

bäuerlich, *rustic*

bewaldet, *wooded*

gemein, *common*

häufig, *frequent*

hauptsächlich, *chiefly*

kulturéll, *cultural*

lebhaft, *lively*

neblig, *foggy, misty*

románisch, *Norman*

sächsisch, *Saxon*

(schein)gotisch, *(pseudo)-Gothic*

stattlich, *handsome, imposing*

übertrieben, *exaggerated*

unterháltsam, *entertaining*

uralt, *ancient*

wirtschaftlich, *economic*

ausgerechnet, *exactly*

außer, *except*

nachher, *afterwards*

ungern, *reluctantly*

unterwégs, *on the way*

ausgerechnet ich, *I of all people*

das wäre zu viel gesagt, *that would be saying too much*

du lieber Himmel! *Good Heavens!*

einen Überblick gewinnen, *to get a general idea*

ich habe es im Gefühl, *I know instinctively*

jung gewohnt (ist) alt getan, *early habits die hard*

laß dir von ihm erzählen, *let him tell you*

nun, da Sie schon einmal unterwegs sind, *now that you are on your way anyhow*

Sie Ärmste! *you poor thing!*

sie hatten ihre Ruhe, *they were left in peace*	so ist es im Leben, *such is life*
sie laufen uns über den Weg, *they run across our road*	von Beruf, *by profession, trade*
	vorausgesetzt, daß, *provided that*

Aus der Grammatik späterer Kapitel

Sie ließen die Kutsche in den Schuppen fahren, *they had the coach driven into the shed* .... s. Kapitel 15

Grammatik

I. „Ich hätte kommen sollen . . .":

This construction can be developed as follows :

Ich hätte das Buch gelesen, aber ich habe nicht gekonnt.

Ich hätte nicht gekonnt, selbst wenn ich gewollt hätte.

Ich hätte das Buch nicht lesen können, selbst wenn ich gewollt hätte.

The equivalent to the English " I could have " etc. is not " ich könnte " etc., but the subjunctive is expressed by the auxiliary verb, in " hätte " etc. When you have to translate such sentences always use the English " to be able to " (" I would have been able to " instead of " I could have "), and then remember that " would have " is commonly expressed by " hätte ". Thus the construction " ich hätte gekonnt ", which, together with an infinitive, becomes " ich hätte kommen können ", seems no longer unreasonably complicated. Similarly you will get :

Ich hätte kommen sollen, aber ich hatte keine Lust.

Ich hätte ihn kommen lassen, aber ich wußte seine Adresse nicht.

Ich hätte gehen müssen, aber ich konnte nicht.

Ich hätte schwimmen mögen, aber ich hatte keine Zeit.

In a subordinate sentence the auxiliary " hätte " precedes two infinitives (*cf.* chapter 8), thus :

Er schrieb, daß er gewollt hätte, daß er aber nicht gekonnt hätte. But :
Er schrieb, daß er hätte kommen wollen, daß er aber nicht hätte kommen können.

II. " There is ", " there are ", etc. :
Auf dem Mond gibt es keine Menschen (es gibt keine Menschen auf dem Mond). Im Winter gibt es viel Schnee, und im Sommer gibt es Sonnenschein. Was gibt es heute zu essen? Heute gibt es Wiener Schnitzel. Was gibt es Neues? Bei uns gibt es gar nichts Neues.
Es sind viele Menschen in dem Zimmer. (Viele Menschen sind in dem Zimmer; in dem Zimmer sind viele Menschen.)
Es ist viel Schnee auf der Straße. Heute ist herrlicher Sonnenschein.

" There is " etc. is translated by " es gibt " etc. whenever the " there " is not meant literally, that is, when it does not point to a definite place, to anything near and tangible. The noun or pronoun referred to is in the accusative, as " es " is the subject of the sentence and governs the verb, which is, therefore, always singular.

When the persons or objects referred to are in a definite place, mostly a limited, clearly defined space or time to which the " there " points, we use the verb " sein " with or without " es ". The verb agrees with the noun or pronoun in question, which is the subject of the sentence ; " es " is merely used to anticipate the subject and does not govern the verb. It is used only when no other part of the sentence precedes the verb.

Aufgaben

I. Setzen Sie die nachstehende Aufgabe in die Vergangenheit! Wenn Sie letzte Woche . . .
Wenn Sie nächste Woche hier wären, so müßten Sie uns

in unserem hübschen Häuschen besuchen. Sie könnten
dann die ersten Astern im Garten bewundern. Mittags
könnten wir im Freien essen, und dann könnten Sie unter
dem alten Lindenbaum mit meinem Mann Schach spielen.
Sie müßten natürlich den ganzen Tag bleiben, denn ich
ließe Sie nicht vor dem Abendessen nach Hause gehen.

Vor dem Nachmittagskaffee könnten Sie im Gras
liegen, und Sie dürften im Schatten schlafen und träumen,
wenn Sie dazu Lust hätten, und später würden Sie mit
uns und den Kindern an unserem großen Gartentisch
Kaffee trinken. Ich würde köstlichen Himbeerkuchen backen,
und Sie sollten die Gesichter der Kleinen sehen, wenn ich
ihn auf den Tisch stellte! Und Sie sollten sehen, wie schnell
sie ihn verschwinden lassen!

Nach dem Kaffeetrinken könnten Sie mit meinem
Mann eine Stunde spazierengehen, und dabei könnten Sie
unsere Gegend ein wenig kennen lernen. Wenn Sie nicht
spazierengehen wollten, so könnten Sie auch im Garten
sitzen, und Sie könnten einen aufregenden Kriminalroman
lesen. Zum Abendessen müßten Sie wieder großen
Hunger haben, denn ich würde Ihnen Wiener Schnitzel
braten, und zum Nachtisch würde es Apfelstrudel geben.
Dann müßten Sie noch ein wenig Klavier spielen, und erst
spät abends würden wir Sie nach Haus gehen lassen.

II. Lesen Sie Aufgabe I mit „du“ anstatt „Sie“, und dann
auch mit „ihr“!

III. Geben Sie die richtigen Endungen!

Vor dem Krieg bestand ein— d— wichtigst— Unter-
schiede zwischen deutsch— und englisch— kulturell—
Leben darin, daß im modern— England d— ganz—
Entwicklung dahin zu gehen schien, alles Wertvoll— und
Wichtig— nach d— Mittelpunkt, das heißt, nach d—
ungeheur— und stets wachsend— London zu bringen.
Deutschland dagegen hatte viel— lebendig— kulturell—
Mittelpunkte. D— aufmerksam— Reisend— brauchte
nicht in d— verkehrsreich— Reichshauptstadt zu bleiben,
wenn er gut— Theater, schön— Musik und herrlich—
Architektur genießen wollte.

Denn Berlin war nur ein— von viel— deutsch—
Hauptstädten, von den— jed— ihr— eigen— Charakter
hatte und kulturell— und historisch— Mittelpunkt ein—
besonder— Gegend war. Bis vor nicht sehr lang— Zeit
war Deutschland ja kein einzig—, groß— Staat, sondern es
bestand aus viel— kleiner— und größer— Staaten. Jed—
dies— verschieden— Staaten, und jed— d— frei— Reichs-
städte oder Hansastädte wie zum Beispiel Hamburg,
Bremen, Nürnberg usw. setzten ihr— ganz— Stolz
darein, kulturell— Mittelpunkt für ihr— eigen— Bürger
zu sein und fremde durch kulturell— und wirtschaftlich—
Reichtum anzuziehen. Fast alle hatten ihr eigen—
Theater, viele hatten ihr— eigen— Opern, ihr— oft
von d— berühmtest— Künstlern gebaut— Schlösser,
Dome und Kirchen. In politisch— Sinn sind dies—
viel— Staat— von d— Bildfläche verschwunden, aber in
kulturell— Hinsicht führen sie noch immer ihr besonder—,
charakteristisch— Leben, und d— durchreisend— Fremde
tut wohl daran, so viel— verschieden— Gegend— wie
möglich zu besuchen.

IV. Lesen Sie Aufgabe III im Perfekt und auch in der indirekten Rede! Man sagt . . .

V. Schreibspiel!

Welcher Wortschatz fällt Ihnen zum Wort „Hauptstadt"
ein?   Zum Wort „Sehenswürdigkeit"?

VI. Erfinden Sie eine Reiseunterhaltung untereinander;
spielen Sie verschiedene Personen, die in einem Abteil
eines Zuges sitzen und miteinander ins Gespräch kommen!

VII. Schreiben und sprechen Sie über das Kapitel und über
solche Fragen wie:

Was interessiert Sie beim Reisen?   Wie reisen Sie am
liebsten — mit der Bahn, mit dem Schiff, mit dem Auto?
Sind Sie schon einmal geflogen?   Reisen Sie gern allein?
Photographieren oder zeichnen oder malen Sie auf der
Reise, und was?   Wohin würden Sie einen Deutschen
führen, der auf vier Wochen nach England kommt, und
warum?   Wie machen Sie es, wenn Sie eine fremde
Stadt besichtigen?

VIII.   Sprechen Sie kurz über einen Teil Deutschlands, den Sie
kennen!

IX. Translate the following passage from Dorothy Wordsworth's *Journal* :

FRANKFORT, *Wednesday, July 26th* (1820).

We went to the Cathedral, a very large, but not otherwise
remarkable building,[1] in the interior. We ascended the
Tower. It is enormously high ; and after an ascent of
above five hundred steps, we found a family living [2] in as
neatly-furnished a set of apartments as need be seen [3] in
any street in Frankfort. A baby in the cradle smiled upon
us, and played with the Kreutzers which we gave her.
The mother was alert and cheerful — nay, she seemed to
glory in her contentment, and in the snugness of her
abode. I said to her, " But when the wind blows fiercely
how terrible ? " and she replied, „Oh nein! es tut
nichts". "Oh no, it does no harm." The view from the
Cathedral is very extensive. The windings of the river
Maine [4] ; vessels in their harbours, or smoothly gliding,
plains of corn, of forest, or fruit-trees, chateaus, villages,
towns, towers and spires ; the expanse irregularly bounded
by distinct mountains . . .
In the winding staircase, while descending [5] from the Tower,
we met different people, who seemed [to be going] to
make neighbourly visits to the family above.

[1] building *agrees in case with* Cathedral (*see chapter 12, apposition*).
[2] who lived   [3] *say:* as is to be seen   [4] der Main   [5] while
we descended we met.

Zwölftes Kapitel

Über Lessings „Nathan der Weise"

Ein dramatisches Gedicht in fünf Akten

Auszug aus dem dritten Akt. Siebente Szene.

Personen: Sultan Saladin; Nathan der Weise, ein reicher Jude
in Jerusalem

Nathan

Vor grauen Jahren lebt' ein Mann im Osten,
der einen Ring von unschätzbarem Wert
aus lieber Hand besaß. Der Stein war ein
Opal, der hundert schöne Farben spielte,
und hatte die geheime Kraft, vor Gott
und Menschen angenehm zu machen, wer
in dieser Zuversicht ihn trug. Was Wunder,
daß ihn der Mann im Osten darum nie
vom Finger ließ; und die Verfügung traf,
auf ewig ihn bei seinem Hause zu
erhalten? Nämlich so. Er ließ den Ring
von seinen Söhnen dem geliebtesten;
und setzte fest, daß dieser wiederum
den Ring von seinen Söhnen dem vermache,

der ihm der liebste sei; und stets der liebste,
ohn' Ansehn der Geburt, in Kraft allein
des Rings, das Haupt, der Fürst des Hauses werde.—
Versteh mich, Sultan.

Saladin.   Ich versteh' dich. Weiter!

Nathan.

So kam nun dieser Ring, von Sohn zu Sohn,
auf einen Vater endlich von drei Söhnen,
die alle drei ihm gleich gehorsam waren,
die alle drei er folglich gleich zu lieben
sich nicht entbrechen konnte. Nur von Zeit
zu Zeit schien ihm bald der, bald dieser, bald
der dritte, — so wie jeder sich mit ihm
allein befand, und sein ergießend Herz
die andern zwei nicht teilten, — würdiger
des Ringes; den er denn auch einem jeden
die fromme Schwachheit hatte, zu versprechen.
Das ging nun so solang' es ging — Allein
es kam zum Sterben, und der gute Vater
kommt in Verlegenheit. Es schmerzt ihn, zwei
von seinen Söhnen, die sich auf sein Wort
verlassen, so zu kränken. — Was zu tun?—
Er sendet insgeheim zu einem Künstler,
bei dem er, nach dem Muster seines Ringes,
zwei andere bestellt und weder Kosten
noch Mühe sparen heißt, sie jenem gleich,
vollkommen gleich zu machen. Das gelingt
dem Künstler. Da er ihm die Ringe bringt,
kann selbst der Vater seinen Musterring
nicht unterscheiden. Froh und freudig ruft
er seine Söhne, jeden insbesondre;
gibt jedem insbesondre seinen Segen,—
und seinen Ring, — und stirbt. — Du hörst doch,
Sultan?

Saladin (der sich betroffen von ihm gewandt).

    Ich hör', ich höre! — Komm mit deinem Märchen
nur bald zu Ende. — Wird's?

Nathan   Ich bin zu Ende.
Denn was noch folgt, versteht sich ja von selbst.—
Kaum war der Vater tot, so kommt ein jeder
mit seinem Ring, und jeder will der Fürst
des Hauses sein. Man untersucht, man zankt,
man klagt. Umsonst; der rechte Ring war nicht
erweislich;—

    (Nach einer Pause, in welcher er des Sultans Antwort
erwartet.)

            fast so unerweislich, als
uns jetzt — der rechte Glaube. . . .
            Wie gesagt; die Söhne
verklagten sich; und jeder schwur dem Richter,
unmittelbar aus seines Vaters Hand
den Ring zu haben. — Wie auch wahr! — Nachdem
er von ihm lange das Versprechen schon
gehabt, des Ringes Vorrecht einmal zu
genießen. — Wie nicht minder wahr! — Der Vater,
beteu'rte jeder, könne gegen ihn
nicht falsch gewesen sein; und eh' er dieses
von ihm, von einem solchen lieben Vater,
argwohnen lass'; eh' müss' er seine Brüder,
so gern er sonst von ihnen nur das Beste
bereit zu glauben sei, des falschen Spiels
verzeihen; und er wolle die Verräter
schon auszufinden wissen; sich schon rächen.

Saladin
Und nun, der Richter? — Mich verlangt zu hören,
Was du den Richter sagen lässest. Sprich!

Nathan

Der Richter sprach: wenn ihr mir nun den Vater
nicht bald zur Stelle schafft, so weis' ich euch
von meinem Stuhle.   Denkt ihr, daß ich Rätsel
zu lösen da bin?   Oder harret ihr,
bis daß der rechte Ring den Mund eröffne?—
          . . . Mein Rat ist aber der: ihr nehmt
die Sache völlig, wie sie liegt.   Hat von
euch jeder seinen Ring von seinem Vater:
so glaube jeder sicher seinen Ring
den echten. — Möglich: daß der Vater nun
die Tyrannei des einen Rings nicht länger
in seinem Hause dulden wollen! — Und gewiß:
daß er euch alle drei geliebt, und gleich
geliebt: indem er zwei nicht drücken mögen,
um einen zu begünstigen. — Wohlan!
Es eifre jeder seiner unbestochnen
von Vorurteilen freien Liebe nach!
Es strebe von euch jeder um die Wette,
die Kraft des Steins in seinem Ring an Tag
zu legen! komme dieser Kraft mit Sanftmut,
mit herzlicher Verträglichkeit, mit Wohltun,
mit innigster Ergebenheit in Gott,
zu Hilf'!   Und wenn sich dann der Steine Kräfte
bei euern Kindes=Kindeskindern äußern:
so lad' ich über tausend tausend Jahre
sie wiederum vor diesen Stuhl.   Da wird
ein weisrer Mann auf diesem Stuhle sitzen,
als ich; und sprechen. — Geht! — So sagte der
bescheidne Richter.

Wie ist Lessing dazu gekommen, diese Geschichte in den Mittelpunkt seines Dramas zu stellen?   Der Gedanke der Toleranz
hat ihn sein ganzes Leben lang beschäftigt.   Daß er aber gegen

Ende seines Lebens (zwei Jahre vor seinem Tode, im Jahre 1781, als er fünfzig Jahre alt war), das Problem gerade in dieser Form behandelte, hat seine besonderen Gründe.

Einer der besten Freunde Lessings war der jüdische Philosoph

Moses Mendelssohn, der gleichaltrig mit ihm war — beide waren 1729 geboren. Als junge Männer lernten sie sich beim Schachspielen kennen und arbeiteten dann ihr ganzes Leben lang auf literarischem Gebiet zusammen. In der Gestalt Nathans des Weisen hat Lessing dem Freund ein Denkmal gesetzt. An Moses Mendelssohn war es ihm persönlich klar geworden, was die Intoleranz für einen deutschen Juden seiner Zeit bedeutete.

Moses Mendelssohn versuchte als einer der ersten, die Isolierung zu durchbrechen, in die das deutsche Judentum getrieben worden war, und Deutscher und Jude zu sein. Als junger Mann lernte er Deutsch (was damals in der jüdischen Gemeinde als Ketzerei angesehen und mit Ausschluß bestraft wurde), und half später in Lessings „Literaturbriefen" mit an der Aufgabe, die deutsche Literatur von der Nachahmung der französischen weg= und auf sich selbst zurückzuführen.

Von Moses Mendelssohns Verheiratung erzählt Auerbach in „Zur guten Stunde" eine hübsche Geschichte.

„Moses Mendelssohn war im Bade Pyrmont. Hier lernte er den Kaufmann Gugenheim aus Hamburg kennen. ,Rabbi Moses,' sagte dieser eines Tages, ,wir Alle verehren Sie, aber am meisten verehrt Sie meine Tochter. — Mir wäre es das höchste Glück, Sie zum Eidam zu haben; besuchen Sie uns doch einmal in Hamburg.'

„Moses Mendelssohn war sehr schüchtern, denn er war traurig verwachsen. Endlich entschloß er sich doch von Berlin aus zur Reise und besuchte unterwegs Lessing in Braunschweig, wie in dessen Briefen zu lesen.

„Mendelssohn kommt nach Hamburg und besucht Gugenheim in seinem Kontor. Dieser sagt: ‚Gehen Sie hinauf zu meiner Tochter, sie wird sich freuen, Sie zu sehen, ich habe viel von Ihnen erzählt'.

„Mendelssohn besucht die Tochter; anderen Tags kommt er zu Gugenheim und fragt endlich, was die Tochter, die ein gar anmutiges Wesen sei, von ihm gesagt habe?

„ ‚Ja, verehrter Rabbi,' sagt Gugenheim, ‚soll ich's Ihnen ehrlich sagen?'

„ ‚Natürlich!'

„ ‚Nun, Sie sind ein Philosoph, ein Weiser, ein großer Mann, Sie werden es dem Kinde nicht übelnehmen; sie hat gesagt, sie wäre erschrocken, wie sie Sie gesehen hat, weil Sie . . .'

„ ‚Weil ich einen Buckel habe?'

„Gugenheim nickte.

„ ‚Ich habe es mir gedacht, ich will aber doch bei Ihrer Tochter Abschied nehmen.'

„Er ging hierauf in die Wohnung und setzte sich zu der Tochter, die nähte. Sie sprachen gut und schön miteinander, aber das Mädchen sah nicht von ihrer Arbeit auf, vermied Mendelssohn anzusehen. Endlich, da dieser das Gespräch geschickt so gewendet, fragt sie:

„ ‚Glauben Sie auch, daß die Ehen im Himmel geschlossen werden?'

„ ‚Gewiß, und mir ist noch was Besonderes geschehen. Bei der Geburt eines Kindes wird im Himmel ausgerufen: Der und Der bekommt Die und Die. Wie ich nun geboren werde, wird mir auch meine Frau ausgerufen, aber dabei heißt es: Sie wird, leider Gottes, einen Buckel haben, einen schrecklichen. Lieber Gott, habe ich da gesagt, ein Mädchen, das verwachsen ist, wird gar leicht bitter und hart, ein Mädchen soll schön sein, lieber Gott, gib mir den Buckel, und laß das Mädchen schlank gewachsen und wohlgefällig sein.' . . .

„Kaum hat Moses Mendelssohn das gesagt, als ihm das

Mädchen um den Hals fiel — und sie ward seine Frau, und sie wurden glücklich mit einander, und hatten schöne und brave Kinder, von denen noch Nachkommen leben. . . ."

Eines dieser Kinder war Abraham, der Vater Felix Mendelssohns, des Komponisten. Er pflegte mit gutmütigem Lächeln zu sagen: „Früher war ich der Sohn meines Vaters, und jetzt bin ich der Vater meines Sohnes".

Von Mendelssohns Freundschaft mit Lessing gibt der Briefwechsel der beiden Männer ein schönes Bild. Wenige Wochen vor seinem Tode hat Lessing an Mendelssohn geschrieben: „An dem Briefchen, das mir Dr. Flies damals von Ihnen mitbrachte, kaue und nutsche ich noch; . . . Und wahrlich, lieber Freund, ich brauche so ein Briefchen von Zeit zu Zeit sehr nötig, wenn ich nicht ganz mißmutig werden soll. . . . Daß Ihnen nicht alles gefallen, was ich seit einiger Zeit geschrieben, das wundert mich garnicht. Ihnen hätte garnichts gefallen müssen, denn für Sie war nichts geschrieben. Höchstens hat Sie die Zurückerinnerung an unsere besseren Tage noch etwa bei der und jener Stelle täuschen können. Auch ich war damals ein gesundes, schlankes Bäumchen und bin jetzt ein so fauler, knorrichter Stamm! Ach lieber Freund! Diese Szene ist aus! Gern möchte ich Sie freilich noch einmal sprechen."

Lessings Prosastil ist von einer Leichtigkeit und Klarheit, die den erfahrenen Logiker und klaren Denker verraten. Zugleich ist aber seine Sprache von einer Wärme, Herzlichkeit und Feinheit des Gefühls erfüllt, die dem reinen Logiker zumeist fremd sind. Als Kritiker hat er die übertriebenen Anmaßungen des französischen Theaters mit der Kraft unwiderstehlicher Überzeugung zerstört und hat damit ein neues Zeitalter der deutschen Literatur eröffnet, in dem Goethe und Schiller in Freiheit schaffen konnten. Auch in der Philosophie der Kunst blicken wir noch heute dankbar auf seine Ideen zurück, die das Wesen der griechischen Kunst neu darstellten und zu einem tieferen Verständnis der klassischen Werke führten.

Er selbst sprach sich verächtlich alles dichterische Verdienst ab, aber wir dürfen ihn dabei nicht beim Wort nehmen. Seine Dramen haben heute noch eine tiefe Wirkung und eine große Anziehungskraft.   Seine Gestalten erscheinen, sprechen und handeln ohne Übertreibung, ohne jede Spur von Falschheit, geistreich in Gedanken und Gespräch, edel in ihrer Haltung. Am deutlichsten zeigt sich Lessings menschliche und dichterische Bedeutung in seinem Meisterwerk, „Nathan der Weise", über das Mendelssohn nach des Dichters Tod in einem Brief an dessen Bruder schrieb:

„Fontanelle sagt von Kopernikus: Er machte sein neues System bekannt und starb. Der Biograph Ihres Bruders wird mit eben dem Anstande sagen können: Er schrieb Nathan den Weisen und starb. . . . Er konnte nicht höher steigen, ohne in eine Region zu kommen, die sich unseren sinnlichen Augen völlig entzieht. . . . Noch einige Wochen vor seinem Hintritte hatte ich Gelegenheit, ihm zu schreiben: er solle sich nicht wundern, daß der große Haufe seiner Zeitgenossen das Verdienst dieses Werkes verkenne; eine bessere Nachwelt werde noch fünfzig Jahr nach seinem Tode daran lange Zeit zu kauen und zu verdauen finden. Er ist in der Tat mehr als ein Menschenalter seinem Jahrhunderte zuvorgeeilt."

Wortschatz

der Briefwechsel (—), *correspondence*

„ Denker, *thinker*

„ Logiker, *logician*

„ Verräter, *traitor*

„ Wert (e), *value*

„ Ausschluß ("se), *expulsion*

„ Auszug ("e), *excerpt*

der Biográph (en, en), *biographer*

„ Fürst, *prince*

„ Jude (n, n), *Jew*

„ Komponist, *composer*

„ Zeitgenosse, *contemporary*

„ Haufe (ns, n, n), *crowd*

„ Anstand (kein Pl.), *propriety*

der Segen, *blessing*

die Anmaßung (en), *presumption, pretension*
„ Ehe (n), *marriage*
„ Falschheit (en), *falsity*
„ Feinheit (en), *subtlety*
„ Freundschaft (en), *friendship*
„ Gemeinde (n), *community, congregation*
„ Isolierung (en), *isolation*
„ Ketzerei (en), *heresy*
„ Klarheit (en), *lucidity*
„ Nachahmung (en), *imitation*
„ Nachwelt (en), *posterity*
„ Philosophie (n), *philosophy*
„ Región (en), *region*
„ Schwachheit (en), *weakness*
„ Tyrannéi (en), *tyranny*
„ Übertréibung (en), *exaggeration*
„ Überzéugung (en), *conviction*
„ Verfügung (en), *provision, decree*
„ Verheiratung (en), *marriage*
„ Verlegenheit (en), *embarrassment*

„ Ergebenheit (kein Pl.), *devotion*

die Herzlichkeit, *warmheartedness*
„ Intoleránz, *intolerance*
„ Sanftmut, *gentleness*
„ Toleránz, *tolerance*
„ Verträglichkeit, *conciliatoriness*

das Menschenalter (—), *generation*
„ Rätsel, *riddle*
„ Zeitalter, *epoch*

„ Gebiet (e), *province, sphere*
„ Verdienst, *merit*
„ Vorrecht, *privilege*

„ Drama (Dramen), *drama*

„ Ansehen (kein Pl.), *consideration*
„ Judentum, *Jewry*

begünstigen, *favour*
bestrafen, *punish*
darstellen, *represent*
dulden, *suffer*
sich entziehen, entzog sich, hat sich entzogen, *elude*
eröffnen, *open*
festsetzen, *fix, stipulate*
handeln, *act*
kränken, *offend*
laden, lädt, lud, hat geladen, *summon, bid*

nach'eifern, *emulate*

sich rächen, *revenge oneself*

schmerzen, *hurt*

schwören, schwur (schwor), hat geschworen, *swear*

streben, *strive*

täuschen, *deceive*

übelnehmen, nimmt übel, nahm übel, hat übelgenommen, *take amiss*

verdauen, *digest*

verkennen, verkannte, hat verkannt, *misjudge*

sich verlassen auf (acc.), verläßt sich, verließ sich, hat sich verlassen, *rely on*

vermachen, *bequeathe*

vermeiden, vermied, hat vermieden, *avoid*

verraten, verrät, verriet, hat verraten, *betray*

zanken, *quarrel*

zuvór'eilen, *forestall*

betroffen, *startled*

dankbar, *grateful*

dramátisch, *dramatic*

echt, *genuine*

erfahren, *experienced*

freudig, *joyous*

geheim, *secret*

gehorsam, *obedient*

geschickt, *clever*

innig, *intense*

jüdisch, *Jewish*

literárisch, *literary*

minder, *less*

mißmutig, *bad-tempered*

schüchtern, *shy*

sicher, *sure*

sinnlich, *sensual, physical*

unbestochen, *objective, unbribed*

unmittelbar, *direct*

unschätzbar, *invaluable*

unwiderstéhlich, *irresistible*

verächtlich, *contemptuous*

verwachsen, *crippled*

weise, *wise*

würdig, *worthy*

folglich, *consequently*

höchstens, *at most*

wiederum, *again*

wohlán, *well then*

zugléich, *at the same time*

an (den) Tag legen, *show forth*

anderen Tags, *the next day*

auf ewig, *for ever*

bald . . . bald, *now . . . then*

er traf die Verfügung, *he made the provision*

es versteht sich von selbst, *it is obvious*

leider Gottes, *unfortunately*

mich verlangt zu hören, *I am longing to hear*

Sie werden es dem Kinde nicht

übelnehmen, *you will not be offended with the child because of it*

um die Wette, *in competition*

vor grauen Jahren, *ages ago*

wir nehmen ihn beim Wort, *we take him at his word*

wird's? *hurry up !*

zur Stelle schaffen, *to produce, bring to the spot*

Aus der Grammatik späterer Kapitel

An dessen Bruder; wie in dessen Briefen zu lesen.. s. Kapitel 13

Was du den Richter sagen läßt, *what you make the judge say*

s. Kapitel 15

Grammatik

I. Apposition :

Eines dieser Kinder war Abraham, der Vater Felix Mendelssohns, des Komponisten.

A word in apposition agrees in case with the noun which it qualifies and explains.

II. Relative pronouns in the prepositional dative and accusative :

Dies ist das Haus, worin (in dem, in welchem) ich aufgewachsen bin. Dort sehen Sie den Garten, wovon (von dem, von welchem) ich Ihnen oft erzählt habe. Er zeigte mir das Buch, wofür (für das, für welches) er so viel Geld hatte bezahlen müssen. Sie erzählte mir, wovon ihr gesprochen habt. Ich will Ihnen sagen, woran ich denke. Wir haben etwas, womit wir Sie überraschen wollen.

In relative sentences which begin with a preposition we can, instead of using the relative pronouns " der ", " welcher " etc., use contractions such as " worin ", " worauf ", " woran ", " womit ". They are formed by adding the preposition to " wo " and inserting " r " wherever necessary to avoid two vowels meeting. Contractions *must* be used

where the relative sentence does not refer back to a noun
(*cf.* chapter 4), and they must *not* be used when the pronoun
refers to a person. In this respect they resemble " damit ",
" darin " etc.

III. Wovon sprechen Sie? Woran denkst du? Womit hast du
das gemacht?

In questions which refer to inanimate objects and where the
interrogative pronoun is used with a preposition the same
contractions are used, and here they *must* be used.

IV. Answering questions :

„Kommt er heute Abend?"   „Ja, er kommt."
„Sind Sie sehr müde?"   „Ja, das bin ich."
„Haben Sie Geld bei sich?"   „Ja, ich habe etwas."
„Können wir gehen?"   „Ja, das können wir."

„Kommt er heute abend nicht?"   „Doch, er kommt."
„Sind Sie nicht müde?"   „Doch, das bin ich."
„Haben Sie kein Geld bei sich?"   „Doch, ich habe etwas."
„Freuen Sie sich nicht darauf?"   „Doch, ich freue mich
(doch, das tue ich)."
„Können wir nicht gehen?"   „Doch, das können wir."

In answering a negative question in the affirmative we use
" doch " for the English " yes ". Also, auxiliary verbs and
verbs of mood must not be used without an object —
" das ", " etwas " etc.

Aufgaben

I. Geben Sie die Antworten auf die folgenden Fragen!

„Sind Sie heute Abend frei?" „(Yes),—." „Dann können
wir wohl zusammen ausgehen?" „(Yes),—." „Sie haben
wohl keine Lust, ins Kino zu gehen?"   „(Yes),—."

„Wissen Sie, welcher Film gegeben wird?"　„(Yes),—."
„Haben Sie den Film nicht schon gesehen?"　„(No), —."
„Wir haben noch eine Stunde Zeit, nicht wahr?"

„(Yes),—."　„Sind Sie nicht hungrig?"　„(Yes),—."　„Möchten Sie zuerst irgendwo zu Abend essen?"　„(Yes),—."　„Schön, wollen wir im Goldenen Löwen essen?"　„(Yes),—."　„Sind Sie auch durstig?"　„(Yes),—."
„Mögen Sie ein Glas Bier trinken?"　„(No),—."　„Trinken Sie nicht gern Bier?"　„(Yes, but),—."　„Schön, dann mögen Sie vielleicht ein Glas Apfelwein?"　„(Yes),—."　„Es tut mir leid, aber ich habe meine Zigaretten vergessen. Haben Sie welche bei sich?"　„(Yes),—."　„Freuen Sie sich auf den Film?"　„(Yes),—."　„Haben Sie nun genug gegessen?"　„(Yes),—."　„Sind Sie auch bestimmt nicht mehr hungrig?"　„(No),—."　„Dann können wir zum Kino gehen, nicht wahr?"　„(Yes),—."　„Hoffentlich ist der Film gut!"　„(Yes),—."

II. Lesen Sie die vorstehende Aufgabe auch mit „du" anstatt „Sie"!

III. Wie muß es heißen?

Vor zwei hundert Jahren gab es in Deutschland viel, — die Juden zu leiden hatten. Es gab Städte, — sie gar nicht wohnen durften, und andere, — sie nur in bestimmter Anzahl leben durften. Man hatte sich vieles ausgedacht, — man ihnen das Leben schwer machte. Es gab Ortschaften, — ihnen verboten war, in Eckhäusern zu wohnen, und andere, — ihnen nur eine bestimmte Anzahl Heiraten im Jahr erlaubt war. Friedrich der Große, — berühmte König von Preußen, hatte sich etwas

ausgedacht, — er seiner Porzellanmanufaktur, — Por=
zellanfabrik, — er sich persönlich sehr interessierte, helfen
wollte: Jeder Jude, — in Berlin heiratete, mußte für
einen bestimmten Betrag Geldes von der Manufaktur
einige Porzellanwaren, — dort gemacht waren, kaufen.
Er konnte aber nicht etwa das wählen, — für ihn
brauchbar war oder — er Freude gehabt hätte, o nein.
Die Manufaktur bestimmte, — sie ihn beglücken wollte
und — er bezahlen mußte. Sie verkauften den Juden, —
unglücklichen Landsleuten, alles, — die übrigen Kunden
kein Interesse hatten. Auch Moses Mendelssohn, — be=
kannte Philosoph, konnte sich dem nicht entziehen. —
denken Sie, hat man ihn, — zu der Zeit schon ganz
bekannt— Mann, beglückt? Er mußte zwanzig lebens=
große Affen aus Porzellan kaufen, etwas, — er bestimmt
nichts anfangen konnte, und — er auch sicher keine Freude
haben konnte!

IV. Lesen Sie Aufgabe III im Perfekt!

 V. Lesen Sie in verschiedenen Zeiten!

Dem Lehrer (werden) ein kleiner Judenjunge in die
Schule geschickt, der bisher zu Hause (unterrichtet werden).
Der Vater (vorstellen) seinen Jungen: „(Sehen), Herr
Lehrer, mein Sohn, Moses David. (Kennen) Sie
meinen Sohn? Er (sein) ein ausgezeichneter Mensch.
Er (helfen) mir schon im Geschäft. Er (können) gut
rechnen, und er (rechnen) alles im Kopf." Der Lehrer
(sich ärgern) etwas, denn er (unterrichtet haben) den
Jungen nicht selbst. Er (sich denken): „Das (wollen) wir
bald sehen, ob du so klug (sein), wie dein Vater (behaup=
ten)". Er (stellen) ihm die folgende Aufgabe: „Wenn ich
in deinen Laden (kommen) und mir eindreiviertel Meter
Stoff zu einer Hose (kaufen) und das Meter (kosten) ein=
dreiviertel Mark, wieviel (machen) das?" Das (sein)
natürlich eine schlimme Sache. Aber Moses David (fangen

lassen) sich nicht. Ohne sich zu besinnen, (antworten) er:
„Nun, Herr Lehrer, Sie (nehmen) doch nicht zu eindrei=
viertel Mark das Meter, das (sein) doch nicht gut genug
für Sie; Sie (nehmen müssen) doch Stoff zu zwei Mark
das Meter. Und, da Sie so groß (sein), (auskommen) Sie
doch nicht mit eindreiviertel Meter, das (sein) doch zu
wenig für Sie. Sie (haben müssen) doch zwei Meter.
Und das (machen) gerade vier Mark."

VI. Lesen oder erzählen Sie die vorstehende Geschichte in der
indirekten Rede!

VII. Sprechen Sie über das Kapitel! Erzählen Sie die
Geschichte von dem Ring, und die von Moses Mendels=
sohns Verheiratung!

VIII. Besprechen Sie schriftlich und mündlich: Was halten Sie
vom Lesen? Lesen Sie gerne Dramen? Romane?
Gedichte? Kriminalromane? Philosophie? Politik?
Geschichte? Lesen Sie gern im Bett? Beim Essen?
Lesen Sie gern schnell oder langsam? Lesen Sie gern
vor? Lassen Sie sich gern etwas vorlesen? usw.

IX. Übersetzen Sie!
From Thomas Carlyle, *State of German Literature*, on
Lessing.
He thinks with the clearness and piercing sharpness of the
most expert logician ; but a genial fire pervades him, a wit,
a heartiness, a general richness and fineness of nature, to
which most logicians are strangers. He is a sceptic in many
things, but the noblest of sceptics [1] ; . . . earning not the
conquest but the battle ; as indeed himself admits to us,
that " it is not the finding of truth, but the honest search
for it, that profits " . . .
As a poet he contemptuously denied himself all merit ;

[1] of the sceptics

but his readers have not taken him at his word : here too a similar felicity of style attends him ; his plays, his *Minna von Barnhelm*, his *Emilia Galotti*, his *Nathan der Weise*, have a genuine and graceful poetic life ; yet no works known to us in any language are purer [1] from exaggeration, or any appearance [2] of falsehood. They are pictures, we might say, painted not in colours, but in crayons ; yet a strange attraction lies in them ; for the figures are grouped into the finest attitudes, and true and spirit-speaking in every line. It is with his style chiefly that we have to do here ; yet we must add, that the matter of his works is not less meritorious. His Criticism and philosophic or religious Scepticism were of a higher mood than had yet been heard in Europe, still more [3] in Germany : his *Dramaturgie* first exploded [4] the pretensions of the French theatre, and, with irresistible conviction, made Shakespeare  known to his country-men ; preparing [5] the way for a brighter era in their literature, the chief men of which [6] still thankfully look back to Lessing as their patriarch. His *Laocoön*, with its deep glances into the philosophy of Art,[7] his *Dialogues of Freemasons*, a work of far higher import than its title indicates,[8] may yet teach many things to most of us, which we know not, and ought to know. . . .

[1] freer from   [2] trace   [3] still less   [4] destroyed
[5] and prepared   [6] deren Hauptvertreter   [7] of the Art   [8] betrays

Aus Goethes und Schillers „Xenien"!

Wahrheit sag' ich euch, Wahrheit und immer Wahrheit, versteht sich:
  Meine Wahrheit; denn sonst ist mir auch keine bekannt.

Dreizehntes Kapitel

Lebenskünstler

Wissen Sie, was ein Pechvogel ist? Ich will Ihnen einen beschreiben. Morgens steigt er mit dem linken Fuß zuerst aus dem Bett, und damit ist der ganze Tag schon verdorben. Zieht er sich dann die Schuhe in großer Eile an, so reißt ihm das Schuhband. Er eilt aus dem Haus, läßt seinen Schirm fallen und stolpert darüber, ehe er ihn aufheben kann. Muß er wegen einer Besprechung, deren Wichtigkeit ihm sein Vorgesetzter gestern noch erklärt hat, besonders pünktlich im Büro sein, so hat der Autobus eine Panne, oder es passiert ein Unfall, und unser Freund ist der Letzte, dessen Namen und Adresse der Polizist aufschreibt.

Wenn er als Junge in der Schule von seinem Nachbarn etwas abgeschrieben hat (er hat es fast nie getan, denn er ist von Natur aus ein ehrlicher Mensch), dann war es bestimmt ein Fehler, dessen Seltenheit den Verdacht des Lehrers erregte. Wenn der arme Kerl einen Spaziergang macht und geht unvorsichtigerweise ohne Schirm und Regenmantel, so fängt es sicher gerade dann zu regnen an, wenn er, einen Strohhut auf dem Kopf und Tennisschuhe an den Füßen, auf einer ungeheuren Fläche steht, in deren Nacktheit weder Baum noch Haus ihm Schutz bieten.

Geht er mit seiner Freundin ins Theater, so fällt die Vorstellung ausgerechnet an diesem Abend wegen Krankheit des Hauptdarstellers aus, und gehen sie dann weiter zum nächsten Kino, so sind keine Plätze mehr zu haben. Versuchen sie dann in ihrer Verzweiflung ein Café, so müssen sie an einem Tisch mit zwei älteren Damen sitzen, deren scharfe Augen und Ohren sie dauernd beobachten. Ist er bei Luise zum ersten Mal zum Mittagessen eingeladen, so gibt es bestimmt grüne Erbsen, deren lästige Eigenschaft es ist, vom Teller weg über den ganzen Tisch zu springen. Er hat sich davon noch kaum erholt, so trinkt man den Kaffee nach dem Essen im Stehen. Die Tasse in zitternder Hand, unterhält er sich mit Luise. Jemand stößt ihn von hinten an, und er gießt „Ihr" seinen Kaffee über das neue Sonntags=kleid. In seiner Verwirrung springt er un=geschickt zur Seite und tritt ihrer Mutter gerade auf den Fuß, dessen Hühneraugen besonders empfindlich sind.

Macht er eine Reise, so erkundigt er sich natürlich genau nach dem Bahnsteig, aber man sagt ihm den falschen. Er stolpert im Bahnhof umher, seinen schweren Koffer in der rechten Hand und seinen Regenmantel und Schirm am linken Arm. Nach vielem Suchen kommt er endlich zum richtigen Zug, dessen letzter Wagen eben aus der Halle ver=schwindet. Muß er umsteigen, so versäumt er den Anschluß und muß drei Stunden im Wartesaal sitzen, dessen Restaurant um diese Zeit geschlossen ist. Wenn er von der Reise nach Deutschland eine kleine Flasche Kölnisches Wasser für seine Frau mitbringt, ohne sie zu verzollen, so findet sie der Zollbeamte bestimmt. Sein Nachbar, dessen neue Kamera im Koffer oben liegt, braucht sein Gepäck gar nicht zu öffnen.

Ist er Beamter von Beruf und hat endlich das Alter erreicht, wo eine Beförderung und ein höheres Gehalt fällig sind, so kommt einen Monat vorher eine Verfügung heraus, auf Grund deren die Beförderung auf weitere fünf Jahre verschoben wird. Wenn er endlich stirbt, so hat er die Ungeschicklichkeit, an einem bösartigen Weisheitszahn zu sterben, sodaß die Leute selbst dann noch über den armen Pechvogel lächeln.

Hören Sie, was der Dichter über den Pechvogel sagt:

> Daß Glück ihm günstig sei,
> was hilft's dem Stöffel?
> Denn regnet's Brei,
> fehlt ihm der Löffel.

Goethe

Weltlauf

> Hat man viel, so wird man bald
> noch viel mehr dazubekommen;
> wer nur wenig hat, dem wird
> auch das Wenige genommen.

> Wenn du aber gar nichts hast,
> ach, so lasse dich begraben;
> denn ein Recht zum Leben, Lump,
> haben nur, die etwas haben!

Heine

Das Gegenteil von einem Pechvogel ist das Glückskind. Glückskinder kommen meistens am Sonntag auf die Welt. Ein Glückskind hat schönes Wetter zum Reisen. „Wenn Engel reisen, so lacht der Himmel", sagt man; und so kommt es, daß solch ein Mensch auch noch als Engel angesehen wird, was er gar nicht verdient. Kommt er zu spät zur Schule, so kommt der Lehrer auch zu spät. Kommt er an die Konzertkasse zu einem Konzert, dessen Plätze alle längst verkauft sind, so hat jemand eben eine gute, billige Karte zurückgegeben, und er sitzt in der Mitte, wo man am besten hört und sieht. Geht er allein in ein Café, so trifft er dort ein hübsches, reizendes Mädchen, das er schon jahrelang nicht gesehen hat, und mit der er sich ausgezeichnet unterhält. Ist er bei seinem Vorgesetzten zum Kaffee eingeladen, so lenkt sich das Gespräch sicher auf das einzige Buch, das er das ganze letzte Jahr gelesen hat, und er macht auf die Gesellschaft den Eindruck

eines höchst gebildeten jungen Mannes. Wird bald darauf eine
bessere Stelle in der Firma frei, zu deren Personal er erst seit
kurzer Zeit gehört, so läßt ihn der Vorgesetzte rufen, schüttelt ihm
die Hand und befördert ihn. Wenn er in Gefahr kommt, pleite
zu machen, so nimmt er an einem Preisausschreiben teil, dessen
Lösung reine Glückssache ist, und gewinnt. Und schließlich stirbt
er schmerzlos im Schlaf, und sein Tod kommt allen so plötzlich,
daß er ehrlich und tief betrauert wird.

Zu welcher Art Menschen gehören Sie? Zum Glück gibt
es ja wenige, die ihr Lebtag immer das eine oder das andere
wären. Trotzdem hat man doch manchmal das Gefühl, daß an
manchen Tagen und zu manchen Zeiten alles gelingt, was einem
in die Finger kommt, und zu anderen Zeiten geht einem alles
schief. Der wirkliche Pechvogel ist aber der, der sich nicht über
sein Glück freuen kann, und der nicht über sich und sein Pech
lachen kann. Der Lebenskünstler ist weder Pechvogel noch
Glückskind: wie es auch kommt, er läßt sich nicht unterkriegen, er
hat etwas von der Weisheit, die Herder beschreibt:

Anklagen

Ein Tor, der klaget
stets andre an.
Sich selbst anklaget
ein halb schon weiser Mann.
Nicht sich, nicht andre klaget
der Weise an.

Oder, wie ein Berliner Witz sagt: „Es gibt kein schlechtes Wetter,
es gibt nur falsche Kleider".

Schopenhauer sagt einmal in einem Aufsatz („Von dem, was
einer ist"): „Immer kommt es darauf an, was einer sei und
demnach an sich selber habe; denn seine Individualität begleitet
ihn stets und überall, und von ihr ist alles tingiert, was er erlebt.
In allem und bei allem genießt er zunächst nur sich selbst: Dies

gilt schon von den physischen; wie viel mehr von den geistigen
Genüssen.   Daher ist das englische to enjoy one's self ein sehr
treffender Ausdruck, mit welchem man z.B. sagt: he enjoys himself at Paris, also nicht ‚er genießt Paris‘, sondern ‚er genießt
sich in Paris‘. . . . Demnach sind die subjektiven Güter wie ein
edler Charakter, ein fähiger Kopf, ein glückliches Temperament,
ein heiterer Sinn und ein wohlbeschaffener, völlig gesunder Leib,
also überhaupt mens sana in corpore sano,[1] zu unserem Glücke
die ersten und wichtigsten; weshalb wir auf die Beförderung und
Erhaltung derselben viel mehr bedacht sein sollten, als auf den
Besitz äußerer Güter und äußerer Ehre.

„Was nun aber von jenen allen uns am unmittelbarsten
beglückt, ist die Heiterkeit des Sinnes: denn diese gute Eigenschaft belohnt sich augenblicklich selbst. Wer eben fröhlich ist, hat
allemal Ursache es zu sein: nämlich eben diese, daß er es ist.
Nichts kann so sehr wie diese Eigenschaft jedes andere Gut vollkommen ersetzen, während sie selbst durch nichts zu ersetzen ist.
Einer sei jung, schön, reich und geehrt, so fragt sich, wenn man
sein Glück beurteilen will, ob er dabei heiter sei: ist er hingegen
heiter, so ist es einerlei, ob er jung oder alt, gerade oder bucklig,
arm oder reich sei: er ist glücklich. In früher Jugend machte ich
einmal ein altes Buch auf, und da stand: ‚Wer viel lacht, ist
glücklich, und wer viel weint, ist unglücklich‘ — eine sehr ein-
fältige Bemerkung, die ich aber wegen ihrer einfachen Wahrheit
doch nicht habe vergessen können, so sehr sie auch der Superlativ
eines truism's ist.“

Goethes Mutter war eine Lebenskünstlerin. In einem Brief,
den sie im Jahr 1796, als die Franzosen Frankfurt eingenommen
hatten, an ihren Sohn nach Weimar schrieb, lesen wir: „Unsere
jetzige Lage ist in allem Betracht fatal und bedenklich — doch vor
der Zeit sich grämen oder gar verzagen war nie meine Sache —
auf Gott vertrauen — den gegenwärtigen Augenblick nutzen —
den Kopf nicht verlieren — sein eignes wertes Selbst vor Krank-

[1] A healthy mind in a healthy body

heit (denn so was wäre jetzt sehr zur Unzeit) zu bewahren — da
dieses alles mir von jeher wohlbekommen ist, so will ich dabei
bleiben. Da die meisten meiner freunde emigriert sind — kein
Komödienspiel ist — kein Mensch in den Gärten wohnt; so bin
ich meist zu Hause — da spiele ich Klavier, ziehe alle Register,
pauke drauf los, daß man es auf der Hauptwache hören kann —
lese alles unter einander: Musenkalender, die Weltgeschichte
von Voltäre — vergnüge mich an meiner schönen Aussicht — und
so geht der gute und mindergute Tag doch vorbei".

Wie wird man zum Lebenskünstler? Jean Paul friedrich
Richter (meistens kurz Jean Paul genannt) hat in seinem
„Schulmeisterlein Wuz" beschrieben, wie es dem Schuljungen
Wuz gelang, den ganzen Tag, trotz der Schule, in der er lebte,
glücklich zu sein:

„Den ganzen Tag freute er sich auf oder über etwas. ‚Vor
dem Aufstehen‘, sagt‘ er, ‚freu‘ ich mich auf das frühstück, den
ganzen Vormittag aufs Mittagessen, zur Vesperzeit aufs Vesper=
brot und abends aufs Nachtbrot — und so hat der Alumnus Wuz
sich stets auf etwas zu spitzen.‘ Trank er tief, so sagt‘ er: ‚Das
hat meinem Wuz geschmeckt‘ und strich sich den Magen. Nieste
er, so sagte er: ‚Helf‘ Dir Gott, Wuz!‘ — Im fieberfrostigen
Novemberwetter letzte er sich auf der Gasse mit der Vormalung
des warmen Ofens und mit der närrischen freude, daß er eine
Hand um die andre unter seinem Mantel wie zu Hause stecken hatte.
War der Tag gar zu toll und windig . . ., so war das Meisterlein
so pfiffig, daß es sich unter das Wetter hinsetzte und sich nichts
darum schor; es war nicht Ergebung, die das unvermeid=
liche Übel aufnimmt, nicht Abhärtung, die das ungefühlte
trägt, nicht Philosophie, die das verdünnte verdaut, oder
Religion, die das belohnte verwindet: sondern der Gedanke
ans warme Bett war's. ‚Abends‘, dacht‘ er, ‚lieg‘ ich auf alle
fälle, sie mögen mich den ganzen Tag zwicken und hetzen wie
sie wollen, unter meiner warmen Zudecke und drücke die Nase
ruhig ins Kopfkissen, acht Stunden lang.‘ — Und kroch er

endlich in der letzten Stunde eines solchen Leidenstages unter
sein Oberbett: so schüttelte er sich darin, krempte sich mit den
Knien bis an den Nabel zusammen, und sagte zu sich: ,Siehst Du,
Wuz, es ist doch vorbei'.

„Ein andrer Paragraph aus der Wuzischen Kunst, stets fröhlich
zu sein, war sein zweiter Pfiff, stets fröhlich aufzuwachen — und
um dies zu können, bedient' er sich eines dritten und hob immer
vom Tage vorher etwas Angenehmes für den Morgen auf,
entweder gebackne Klöße oder eben so viele äußerst gefährliche
Blätter aus dem Robinson, der ihm lieber war als Homer —
oder auch junge Vögel oder junge Pflanzen, an denen er am
Morgen nachzusehen hatte, wie nachts Federn und Blätter
gewachsen.

„Den dritten und vielleicht durchdachtesten Paragraphen
seiner Kunst fröhlich zu sein, arbeitete er erst aus, da er Sekundaner ward:

,er wurde verliebt'."

Wortschatz

der Fehler (—), *mistake*
  „ Hauptdarsteller, *chief actor*
  „ Schulmeister, *schoolmaster*

  „ Autobus (se), *omnibus*
  „ Leidenstag, *day of suffering*
  „ Superlativ, *superlative*
  „ Vormittag, *forenoon*

  „ Magen ("), *stomach*
  „ Pechvogel, *unlucky fellow*

  „ Kloß ("e), *dumpling*
  „ Unfall, *accident*
  „ Weisheitszahn, *wisdom tooth*

  „ Wartesaal (Wartesäle), *waiting room*

  „ Lump (en, en), *ragged fellow*
  „ Paragráph, *clause*

  „ Besitz (kein Pl.), *possession*
  „ Brei, *porridge, milk pudding*
  „ Schutz, *protection*
  „ Verdacht, *suspicion*

die Abhärtung (en), *hardening*
  „ Beförderung (en), *promotion*
  „ Bemerkung (en), *remark*
  „ Besprechung (en), *discussion*

die Eigenschaft (en), *quality*
  „ Gefahr (en), *danger*
  „ Hauptwache (n), *police station, guard room*
  „ Lage (n), *position, situation*
  „ Lösung (en), *solution*
  „ Nacktheit (en), *nakedness*
  „ Seltenheit (en), *rarity*
  „ Ungeschicklichkeit (en), *clumsiness, stupidity*
  „ Verwirrung (en), *confusion*
  „ Verzweiflung (en), *despair*
  „ Vesper (n), *afternoon break*
  „ Wichtigkeit (en), *importance*

  „ Eile (kein Pl.), *hurry*
  „ Erhaltung, *preservation*
  „ Heiterkeit, *serenity*

das Alter (—), *age*
  „ Kopfkissen, *pillow*
  „ Übel, *evil*

  „ Hühnerauge (n), *corn*
  „ Oberbett (en), *feather bed*

  „ Gehalt ("er), *salary*
  „ Gut, *good*
  „ Schuhband, *shoe-lace*

  „ Pech (kein Pl.), *bad luck*
  „ Personál, *staff*

ab'schreiben, schrieb ab, hat abgeschrieben, *copy*

an'klagen, *accuse*

auf'heben, *pick up, keep*

auf'nehmen, nimmt auf, nahm auf, hat aufgenommen, *accept*

aus'fallen, fällt aus, fiel aus, ist ausgefallen, *be cancelled*

sich bedienen, *make use of*

befördern, *promote*

begleiten, *accompany*

begraben, begräbt, begrub, hat begraben, *bury*

belohnen, *reward*

beobachten, *watch, observe*

betrauern, *mourn*

beurteilen, *judge*

bewahren, *protect*

bieten, bot, hat geboten, *offer*

sich erholen, *recover, recuperate*

erleben, *experience*

ersetzen, *replace*

gelten, gilt, galt, hat gegolten, *be valid*

sich grämen, *worry, grieve*

hetzen, *harass, chase*

niesen, *sneeze*

nutzen, *use*

streichen, strich, hat gestrichen, *stroke*

um'steigen, stieg um, ist umgestiegen, *change (trains, etc.)*

unterkriegen, *subdue, defeat*

verdünnen, *thin down*

sich vergnügen, *amuse oneself*

versäumen, *miss*

verschieben, verschob, hat verschoben, *postpone*

vertrauen, *trust*

verzagen, *despair*

verzollen, *declare (customs)*

zwicken, *pinch*

augenblicklich, *present*

äußer, *external, outward*

bedenklich, *critical, serious*

bestimmt, *certain*

empfindlich, *sensitive, touchy*

fähig, *capable*

fatál, *serious, awkward*

gegenwärtig, *present*

geistig, *mental, spiritual*

lästig, *troublesome*

närrisch, *foolish, mad*

physisch, *physical*

schief, *lopsided*

schmerzlos, *painless*

subjektiv, *subjective*

treffend, *telling*

ungeschickt, *clumsy, awkward*

unvermeidlich, *unavoidable*

unvorsichtig, *rash*

wert, *worthy, dear*

windig, *windy*

wohlbeschaffen, *well-built*

demnach, *hence*

einerlei, *all the same*

hingégen, *on the other hand*

hinten, *behind*

nachts, *at night*

stets, *always*

umhér, *around*

weshálb, *for which reason, why*

auf alle Fälle, *in any case*

äußerst gefährlich, *extremely dangerous*

eine Hand um die andere, *one hand after the other in turn*

es fragt sich, *the question is*

es geht schief, *it goes wrong*

ich lese alles untereinander, *I read all sorts of things*

ich pauke drauf los, *I strum away*

ich will dabei bleiben, *I will stick to it*

man trinkt den Kaffee im Stehen, *they have their coffee standing*

mein Tag (Lebtag), *all my life, my days*

so sehr auch, *however much*

von jeher, *all along*

von Natur aus, *by nature*

zur Unzeit, *inconvenient*

Aus der Grammatik späterer Kapitel

Grammatik

I. Relative pronouns, genitive :

Er ist der Letzte, dessen Namen der Polizist aufschreibt. Es war ein Fehler, dessen Seltenheit den Verdacht des Lehrers erregte. Sie sitzen an einem Tisch mit zwei älteren Damen, deren scharfe Augen sie dauernd beobachten.

Suchen Sie weitere Beispiele im Text des Kapitels!

The genitive of the relative pronouns (in English " whose ", " of whom ", " of which ") is dessen for masculine and neuter, deren for feminine and plural.

Mendelssohn schrieb nach dem Tode Lessings an dessen Bruder.

" Dessen " and " deren " are also used in the meaning of " the latter ".

II. Motion and rest :

In German, it is essential to distinguish between things which are moving and those which are stationary. Moreover, among moving objects you have to differentiate according to whether they are moving towards the speaker or away from him. There are different forms of interrogative pronouns, adverbs, and verbal prefixes to express these differences. Here are the most important ones.

Answering the question

wo (bin ich)?	wohin (geht er)?	woher oder wohin (kommt er)?
hier, da, dort, außen (draußen, heraußen[1]), innen (drinnen, herinnen[1]), oben, unten, vorn, hinten, links, rechts, üben	hierhin, dorthin, dahin, hinaus (nach draußen), hinein (nach drinnen), nach oben, nach unten, hinauf, hinunter, nach vorn (vornhin), nach hinten (hintenhin), nach links, nach rechts, hinüber	hierher, von dort(her), von da(her), heraus (nach außen), herein (nach innen), herauf (nach oben), herunter, herüber

[1] Even in stationary adverbs you can express where the speaker is by using such variants as

innen (inside)	drinnen (in there)	herinnen (in here)
außen	draußen	heraußen
oben	droben	heroben
unten	drunten	herunten
vorn	davorn	hiervorn
hinten	dahinten	hierhinten
links	dort links	hier links
rechts	dort rechts	hier rechts
üben	drüben	herüben

With stationary objects, however, these variants need not be used, whereas with moving objects they *must* be used.

Was tut er?	Wohin bewegt er sich?	Woher kommt er?
gehen, kommen	hingehen, hinüberge= hen, hinaufgehen, hin= untergehen, hineinge= hen, hinausgehen, hinabgehen usw.	herkommen, heraus= kommen, hereinkom= men, heraufkommen, herunterkommen, her= überkommen, herab= kommen usw.
fahren	hinfahren, hinüberfah= ren, hinunterfahren, hineinfahren, hinaus= fahren, hinabfahren usw.	herfahren, herüberfah= ren, herunterfahren, hereinfahren, heraus= fahren, herabfahren usw.

Do the same with such verbs as

fliegen	laufen
sehen	springen
hören	

III. Er stand im Zimmer, den Hut auf dem Kopf und den Stock in der Hand. Er stolpert im Bahnhof umher, den schweren Koffer in der linken Hand und seinen Regenmantel und Regenschirm am rechten Arm.

Note the use of the accusative in these sentences. These nouns are still felt to be direct objects although there is no verb; evidently some such verb as " haben " or " halten " or " tragen " is understood.

Aufgaben

I. Geben Sie die Relativpronomina!

Meier, — Kasse wieder einmal pleite ist, kommt zu einem Kaufmann, — Reichtum ihm bekannt ist, und bittet ihn um eine Unterstützung, von — Betrag die Größe seines Mittagessens abhängt. Er klagt dem Mann, — freund= liches Gesicht ihn ermutigt, sein Leid: „Ich kann Ihnen gar nicht sagen, was für ein Pechvogel ich bin; ich bin einer von denen, in — Leben immer alles schief geht". Der Kaufmann, in — gutmütiger Seele sich noch nicht der

mindeste Verdacht regt, fragt ihn: „Was sind Sie denn von
Beruf?" Meier, — Gesicht sich bei dieser freundlichen
Frage erhellt, erzählt ihm: „Musiker bin ich. Ich spielte
in der großen Musikkapelle, — Dirigent vor kurzem gestorben ist. Und nun haben sie die Kapelle, — Mitglied ich
war, aufgelöst."

Der andere, — Interesse sichtlich wächst, fragt weiter:
„Welches Instrument spielen Sie denn?" Meier, — Gedanken flink arbeiten, erwidert nach einem Augenblick
vorsichtigen Überlegens: „Die Trompete spiele ich".
Der Kaufmann erhebt sich mit einem Gesicht, — Ausdruck
die größte Freude verrät. „Das ist wirklich merkwürdig! Ich habe hier eine Trompete, über — Wert ich
gerne Bescheid wüßte! Sie wurde mir von einem Onkel
vermacht, — Lieblingsinstrument sie war. Nun habe ich
in Ihnen jemanden gefunden, auf — Urteil ich mich
sicher verlassen kann! Hier ist sie, nun spielen Sie mir
bitte etwas vor!" Meier, — Gesicht sehr lang geworden
ist, versetzt: „Da können Sie sehen, was für ein Pechvogel
ich bin. Ausgerechnet Sie müssen eine Trompete haben!"

II. Lesen Sie Aufgabe I im Perfekt, und erzählen Sie sie in
der indirekten Rede!

III. Geben Sie die Verben in verschiedenen Zeiten!

Meine beiden Zwillinge (sein) schon sehr geschickt mit ihren
fast drei Jahren. Morgens (sich wecken) sie gegenseitig,
und dann (sich erzählen) sie allerlei Geschichten und (sich
ausdenken) allerlei Spiele. Wenn ich (sich erlauben), zu
ihnen ins Schlafzimmer zu gehen, um ihnen beim
Anziehen zu helfen, so (sich vorkommen) ich ganz unnötig.
„Nein, Mami," (sagen) Walter, „ich (sich anziehen) meine
Hose selber!" Und Renate (erklären): „Ich (sich ausziehen) das Nachthemd allein!" Und wirklich, sie (sich
aufknöpfen) das Hemd und (sich ziehen) es über den

Kopf. Nur die Knöpfe auf dem Rücken ihres Taghemdes
(sich zuknöpfen können) sie noch nicht, und dabei (sich
helfen lassen) sie von mir. „Die Strümpfe (sich anziehen
können) ich auch allein, nur die Knöpfe an den Schuhen ich
(sich nicht zumachen können)“, sagt Renate, aber Walter
(behaupten) stolz: „Ich (sich zumachen) die Knöpfe auch
ganz allein!“ Dann (sich holen) sie die Haarbürste und
Kamm, und wieder (heißen) es energisch: „Ich, Mami, ich,
— ich (sich bürsten) die Haare, ich, — ich (sich kämmen) die
Haare!“ Sie (sich bemühen) auch eine Weile sehr, und erst
am Schluß sie (sich helfen lassen). Ich (sich nehmen
müssen) immer ziemlich viel Zeit für das Aufstehen der
Kinder. Wenn ich die Kinder selbst (anziehen), so (sich
sparen) ich viel Zeit. Aber wenn ich es (sich erlauben
können), ich (sich setzen) geduldig auf den Bettrand oder
(sich beschäftigen) nebenan, bis sie mich zu Hilfe (rufen).
Ich (sich vorstellen), so (sein) es besser für sie. Auf alle
Fälle (scheinen) es ihnen gut zu bekommen.

IV. Erzählen Sie die vorstehende Aufgabe in der indirekten
Rede!

V. Besprechen Sie das Kapitel und erzählen Sie, was wir
von Goethes Mutter und von dem Schulmeisterlein Wuz
hören. Diskutieren Sie solche Fragen wie: Was ist ein
Pechvogel und ein Glückskind und ein Lebenskünstler?
Kennen Sie solch einen Typ im wirklichen Leben, und
können Sie ihn beschreiben? Kennen Sie solche Gestalten
in der Literatur, im Drama, im Film, in der Oper?
Erzählen Sie von Menschen oder Ereignissen, an die das
Kapitel Sie erinnert! Beschreiben Sie einen Tag, an
dem alles schief ging — wenn möglich einen Tag aus
Ihrem Leben! Was halten Sie von Wuz' Lebensweis=
heit? Was für eine Frau muß Goethes Mutter gewesen
sein? Hat Schopenhauer recht? Hat er das englische „to
enjoy one's self“ richtig verstanden?

VI. Lesen Sie in verschiedenen Zeiten und auch in der indirekten Rede!

Ein Mann (haben) zwei Söhne, von denen der ältere sehr faul (sein) und jeden Tag bis Mittag im Bett (liegen) und (schlafen), während der andere früh (aufstehen) und von morgens bis abends wacker (arbeiten). Eines Morgens (finden) der Jüngere einen Beutel mit Geld auf der Straße, den er freudestrahlend seinem Vater (bringen). Der (nehmen) den Beutel, (wecken) seinen älteren Sohn, der noch im Bett (liegen), und (meinen): „Hier, (sehen), du Faulpelz, was mir dein Bruder eben (bringen)! Wenn du früher (aufstehen), (haben) du auch solches Glück!" Der Faulpelz aber (gähnen) laut und (bemerken) weise: „Aber, guter Vater, (sehen), wenn der Man, dem der Beutel (gehören), wie ich im Bett (liegen), so (verlieren) er das Geld nicht, und mein Bruder (finden) es nicht!"

VII. Schreiben Sie einen kurzen Aufsatz über eines der Gedichte in dem Kapitel! Besprechen Sie Ihre Aufsätze!

VIII. Schreibspiel!

Geben Sie Substantive, die mit Adjektiven zusammenhängen (z.B. Größe, Bekannte usw.).

IX. Übersetzen Sie!

Lord Chesterfield to his natural son Philip Stanhope:

SPA, *July* 25, 1741.

. . . When an awkward fellow first comes into a room, it is highly probable that his sword gets between his legs, and throws him down, or makes [1] him stumble at least ; when he has recovered [2] this accident, he goes and places himself in the very place of the whole room where he should not [3] ; there he soon lets his hat fall down ; and, taking it up [4]

[1] lassen   [2] recovered from   [3] *add :* stand
[4] when he takes it up

again, throws down his cane ; in recovering [1] his cane,
his hat falls a second time ; so that he is [2] a quarter of
an hour before he is in order again. If he drinks tea or
coffee, he certainly scalds his mouth, and lets either the
cup or the saucer fall, and spills the tea or coffee in [3]
his breeches. At dinner, his awkwardness distinguishes
itself particularly, as he has more to do : there he holds
his knife, fork, and spoon differently from other people ;
eats with his knife to the great danger of his mouth, picks
his teeth with his fork, and puts his spoon, which has been
in his throat twenty times, into the dishes again. . . .
Besides all this, he has strange tricks and gestures. . . .
His hands are troublesome to him, when he has not something in them, and he does not know where to put them [4] ;
but they are in perpetual motion between his bosom and
his breeches : he does not wear his clothes, and in short
does nothing, like other people. All this, I own, is not in
any degree [5] criminal ; but it is highly disagreeable and
ridiculous in company, and ought most carefully to be
avoided by whoever desires [6] to please. . . .

[1] when he picks up   [2] he needs   [3] over   [4] where he
is to put them   [5] in no wise   [6] *say:* by all who desire

Vierzehntes Kapitel

Deutsche reisen in England

Johanna Schopenhauer, die Mutter des Philosophen, hat im Jahr 1813 ein Buch erscheinen lassen, in dem sie beschreibt, was sie auf einer Reise durch England und Schottland erlebt und gesehen hat. Sie erzählt in sehr unterhaltsamer Weise, was ihr aufgefallen ist, mit wem sie gesprochen und wen sie kennengelernt hat. Da sie selbst eine lebhafte und originelle Persönlichkeit ist, ist sie selbst da interessant, wo die Zustände, die sie beobachtet hat, heute nicht mehr bestehen.

Zunächst einiges von dem, was sie über englische Parks und Landhäuser zu bemerken hat.

„Ein englischer Park ist von dem, was man sich in Deutschland unter diesem Namen denkt, merklich verschieden. . . . Überall hat man nach malerischem Effekte gestrebt, und die sanften Anhöhen und Vertiefungen dieses Landes erleichtern dieses Streben; aber immer ist das Nützliche mit dem Schönen vereint.

„Der höchste Schmuck dieser Parks ist die üppige Vegetation der wohlbestellten Äcker, die unvergleichlich schönen grünen Wiesen und die prächtigen Bäume, größtenteils Eichen und Buchen, welche überall in Gruppen verteilt stehen. In England haben die Bäume das Eigne, daß sie mehr als in andern Ländern gleich von der Wurzel an ausschlagen und kleinere Zweige treiben. Enge, durch dichte Schatten und Gebüsche sich hinschlängelnde Gänge findet man in keinem Parke; auch Gehölze sind, wie überall in England, selten. Man könnte sagen, es fehle Schatten, wenn nicht gerade in diesem Lande, wo bei sehr milder Luft dennoch die Sonne selten recht heiß und hell scheint, der Schatten entbehrlicher wäre als anderswo. . . .

„An Wasser darf es nie fehlen. Künstliche Wasserfälle kennt man nicht und noch weniger Springbrunnen. Fließt aber ein kleiner Fluß, oder nur ein beträchtlicher Bach in der Nähe einer solchen Besitzung, so muß er, wenn auch mit großen Kosten herbeigeführt, sich in mannigfaltigen Krümmungen hindurch= schlängeln. Fehlt es an lebendigem Wasser, so sucht man wenig= stens einem stehenden Kanale den Schein davon zu leihen. Man gibt ihm eine leichte, natürliche Krümmung, verdeckt Anfang und Ende mit überhängendem Gebüsche, wirft schöne Brücken darüber und täuscht so das Auge, oder man verwandelt die Ufer eines Teichs in die unregelmäßigen Umgebungen eines kleinen Sees. Überall strebt man nach dem Schönen und flieht das Gesuchte, Steife, Pretiöse. . . .

„Hunderte von halb zahmen Hirschen und Rehen weiden beinahe ganz furchtlos auf den grünsten Wiesen der Welt; mit ihnen die schönsten Pferde, Kühe und Ziegen, besonders in der Nähe des Hauses, wo sich die Wiesen rings umher wie ein Teppich auf das herrlichste ausbreiten. Die schönen Gestalten dieser Tiere, ihre leichten freien Bewegungen, ihr Wohlsein geben dem Ganzen einen unbeschreiblichen Reiz.

„Immer liegt das Wohnhaus auf einer sanften Anhöhe, alle Bäume sind aus seiner nächsten Nähe verbannt, damit Licht, Luft und Sonne kein Hindernis finden. Dennoch ist es nicht heiß in den Zimmern, teils weil es überhaupt in England nicht heiß ist, teils wegen der wenigen Fenster, die aber so verständig ange= bracht sind, daß jeder Teil des Gebäudes sein hinlängliches Licht hat. . . .

„Man findet es bürgerlich, unmodisch, lächerlich, die Möbel an den Wänden hinzustellen, wie es in Deutschland gebräuchlich ist; in den Wohn= und Gesellschaftszimmern stehen alle in einem großen Kreise umher, so daß noch ein beträchtlicher Raum zum Spazieren zwischen den Stühlen, Sofas, Tischen und den Wänden übrig bleibt. Die Schreibtische sowohl, als die Piano= fortes sind immer mitten im Zimmer, wo eben das Licht am

günstigsten fällt und man nicht von der Hitze nahe am Kamin oder
vom Zuge nahe am Fenster leidet. . . ."

Wem die materielle Seite des Lebens nicht unwichtig ist,
und wer das deutsche Frühstück einmal kennengelernt hat, den
wird es interessieren, welch großen Eindruck das englische
Frühstück auf Johanna Schopenhauer gemacht hat.

„Nichts Einladenderes gibt's in der Welt als ein englisches
Familienfrühstück, auch wird die dabei hingebrachte Stunde
durchaus für die angenehmste des ganzen Tages gehalten, und
man verlängert sie gern. Auf dem hellpolierten, stählernen Roste
lodert die stille Flamme des Steinkohlenfeuers, selbst im Sommer, wenn das Wetter feucht ist. Das elegante Teegeräte steht
in zierlicher Ordnung auf dem schneeweiß bedeckten Tische,
daneben frische ungesalzene, in Wasser schwimmende Butter, das
weißeste Brot von der Welt, Zwieback, hartgekochte Eier, auch
wohl, nach schottischer Sitte, Honig und Marmelade von
Pomeranzen. Hotrolls, heiße Rollen, eine Art warmer, mit
Butter bestrichener Semmel, und Toasts, Brotschnitten, welche,
von beiden Seiten mit Butter bestrichen, langsam am Feuer
rösten, dürfen nie fehlen; letztere stehen in einem dazu verfertigten
silbernen Gestell am Kamin, der Teekessel braust und siedet
gesellig daneben.

„Mit allem diesen wäre aber dennoch das Frühstück ohne die
neuesten Zeitungsblätter sehr unvollständig, sie sind ein Haupt-
stück dabei. . . .

„Die Dame des Hauses bereitet den Tee, zwar viel umständ=
licher, aber auch viel besser, als wir. Die Tassen werden erst
sorgfältig mit heißem Wasser ausgewärmt, der Tee abgemessen,
das heiße Wasser nach gewissen Regeln darauf gegossen, und um
für alle diese Mühe den gehörigen Ruhm zu ernten, wird der
Reihe nach gefragt: ob der Tee nach Jedes
Wunsch geraten sei? Alles geschieht lang=
sam und mit einer feierlichen Ruhe, welche
die Engländer gern ihren Mahlzeiten geben:
denn sie mögen dabei keine andern Ge=
danken aufkommen lassen, außer den des
gegenwärtigen Genusses. Nur die Zei=
tungsblätter machen beim Frühstücke hiervon
eine Ausnahme, und Herren und Damen
beschäftigen sich eifrig damit; denn nicht nur
politische Neuigkeiten werden darin auf=
getischt, auch Theater= und Familiennachrichten und vor allem
die neuesten Stadtgeschichten, frohe und traurige, erbauliche
und skandalöse, wahre, halbwahre und ganz erdichtete. Alles
wird gelesen, alles wird besprochen. Daß bei solchen Fällen das
Gespräch seltner stockt, als sonst wohl geschieht, ist natürlich.“

Wer sich für Musik interessiert, und wem Mendelssohns
Hebriden=Ouvertüre oder seine Schottische Symphonie Freude
gemacht hat, der wird auch gerne lesen, wie es dem Komponisten,
der etwa fünfzehn Jahre nach Johanna Schopenhauer seine erste
Reise nach England gemacht hat, dort gefallen hat. In seinen
Briefen an seine Eltern berichtet er ausführlich über seine
Eindrücke.

„London, 25. April 29.

„Es ist entsetzlich! Es ist toll! Ich bin konfus und verdreht!
London ist das grandioseste und komplizierteste Ungeheuer, das die
Welt trägt. Wie kann ich in einen Brief zusammendrängen, was
ich in drei Tagen erlebt habe? Kaum weiß ich mich noch der

Hauptsachen zu entsinnen und doch darf ich kein Tagebuch führen, sonst würde ich wieder etwas weniger erleben müssen; das will ich aber nicht, sondern alles mitnehmen, was sich mir darbietet. . . .

„Könntet Ihr mich nur sehen, neben dem himmlischen Flügel, den mir die Clementis eben für die Dauer meines Hierseins geschickt haben, am lustigen Kaminfeuer in meinen vier Pfählen, mit Schuhen und grau durchbrochenen Strümpfen und oliven= farbenen Handschuhen (denn ich muß nachher Besuche machen) und nebenan mein immenses Himmelbett, in dem ich nachts spazieren liegen kann, mit den bunten Gardinen und altertüm= lichen Möbeln, meinen Frühstückstee mit trockenem Toast noch vor mir, die servant girl mit Papilloten, die mir eben meine neugesäumte schwarze Binde bringt und nach Befehlen fragt, worauf ich englisch höflich mit dem Kopf nach hinten zu nicken versuche und die vornehme, in Nebel gehüllte Straße, . . . und könntet Ihr ahnen, daß man von hier nach der City dreiviertel Stunden fährt . . . und daß man dann etwa ein Viertel des bewohnten Londons erst durchschnitten hat, so mögt Ihr euch erklären, daß ich halb verrückt bin. . . ."

„1. Mai 1829.

„Es geht mir übrigens sehr gut, die Lebensweise bekommt mir vortrefflich, die Stadt und die Straßen finde ich ganz wunder= schön, auch bekam ich wieder einigen Respekt, als ich gestern im offnen Cabriolet nach der City auf einem andern Wege fuhr und überall dasselbe Leben fand, überall die Häuser von oben bis unten mit grünen, gelben, roten Zetteln beklebt, oder mit mannshohen Buchstaben bemalt, überall das Geschrei und der Rauch, überall das Ende der Straßen in Nebel gehüllt und alle Augenblicke eine Kirche, oder ein Markt, oder ein grüner Square, oder ein Theater, oder eine Durchsicht auf die Themse, auf der die Dampfschiffe jetzt durch die Stadt fahren können, unter allen Brücken fort, weil man die Erfindung gemacht hat, die großen Röhrenschornsteine wie einen Mast niederzulassen. Gucken nun noch die Mastbäume aus den Westindischen Docks hinüber, und

sieht man einen Hafen, etwa so groß wie der Hamburger, hier
als Teich behandelt, mit Schleußen versehen, und die Schiffe
nicht einzeln, sondern nur haufenweise geordnet, wie die
Regimenter aufmarschiert, so muß man sich freuen über die
große Welt."

                                        „Edinburg, 28. Juli 29.

„In Edinburg ist es Sonntag, wenn man eben ankommt; da
geht man denn über die Wiesen auf zwei höllisch steile Felsen zu,
die Arthur's Sitz heißen, und klettert hinauf. Unten gehn die
buntesten Menschen, Frauen, Kinder und Kühe im Grünen
herum, weit umher breitet sich die Stadt aus, wo in der Mitte
die Burg wie ein Vogelnest am Abhang steht, über die Burg
hinweg seht ihr Wiesen, dann Hügel, dann einen breiten Fluß, über
den Fluß hinweg wieder Hügel, dann kommt ein ernsterer Berg,
auf dem Stirlings Gebäude erscheinen, das ist schon blaue Ferne,
dahinter steht ein schwacher Schatten, den sie Ben Lomond
nennen. Alles das ist aber nur die eine Hälfte von Arthur's Sitz;
die andre ist einfach genug, es ist die hohe, blaue See, unermeß=
lich weit, bedeckt mit weißen Segeln, schwarzen Dampfschorn=
steinen, kleinen Insekten von Kähnen und Booten, Felsinseln
und dergleichen. Was soll ich's beschreiben? Wenn der liebe
Gott sich mit Panoramenmalen abgibt, so wird's etwas toll.
Wenige Schweizer Erinnerungen können dies schlagen, es sieht

alles so ernsthaft und kräftig hier aus, es liegt alles halb im Duft
oder Rauch oder Nebel; dazu ist gar morgen ein Wettstreit der
Hochländer auf der Bagpipe, und so kamen viele in ihrem Anzug
aus den Kirchen, führten ihre geputzten Mädchen siegreich am
Arm, sahen stattlich und wichtig in die Welt hinein; mit den
langen, roten Bärten, den bunten Mänteln und Federhüten, den
nackten Knien und ihre Sackpfeife in der Hand, gingen sie ganz
ruhig vor dem halbzerstörten grauen Schloß auf der Wiese vorbei,
wo Maria Stuart glänzend gelebt hat und wo sie Rizzio hat
ermorden sehn. Es kommt mir vor, als ginge die Zeit sehr
schnell, wenn ich soviel Vergangenheit neben der Gegenwart vor
mir habe.

„Es ist aber hier schön! Abends weht kalte Luft von der See
her, und dann sehn alle Gegenstände höchst scharf und klar aus,
schneiden sich gegen den grauen Himmel deutlich ab, die Lichter
aus den Fenstern blinken sehr hell, und so war es gestern, als
ich . . . die Straßen auf= und abging und mir auf der Post
Euren Brief vom 13ten holte, den las ich mit besonderem
Behagen auf Princes Street in Edinburg mir durch!

„. . . Ebenso behaglich war es mir, als ich heut in die See
hineinschwamm und nun ein paar Augenblicke allein im Meer
mich herumtrieb und dabei dachte, wie genau wir doch eigentlich

mit einander bekannt wären, und doch steckte ich tief im schotti=
schen Meer, das sehr salzig schmeckt, Dobberan¹ ist Limonade
dagegen. . . ."

„Edinburg, 30. Juli 1829.

„In der tiefen Dämmerung gingen wir heut nach dem
Palaste, wo Königin Maria gelebt und geliebt hat; es ist da ein
kleines Zimmer zu sehen, mit einer Wendeltreppe zu der Tür;
da stiegen sie hinauf und fanden den Rizzio im kleinen Zimmer,
zogen ihn heraus, und drei Stuben davon ist eine finstere Ecke, wo
sie ihn ermordet haben. Der Kapelle daneben fehlt nun das
Dach, Gras und Efeu wachsen viel darin, und am zerbrochenen
Altar wurde Maria zur Königin von Schottland gekrönt. Es ist
alles zerbrochen, morsch und der heitere Himmel scheint hinein.
Ich glaube, ich habe heut da den Anfang meiner Schottischen
Symphonie gefunden. Nun lebt wohl."

¹ Norddeutsches Seebad.

Wortschatz

der Flügel (—), *grand piano*
  „ Hochländer, *highlander*
  „ Springbrunnen, *fountain*
  „ Teekessel, *tea kettle*

  „ Reiz (e), *charm*
  „ Rost, *grate*
  „ Wettstreit, *competition*

  „ Acker ("), *field*
  „ Hafen, *harbour*

  „ Bach ("e), *stream*
  „ Gang, *path, corridor, pas-
      sage*
  „ Gegenstand, *object*
  „ Mastbaum, *mast*

der Zustand, *condition*
  „ Zwieback, *rusk*

  „ Efeu (kein Pl.), *ivy*
  „ Ruhm, *fame*

die Anhöhe (n), *slope*
  „ Ausnahme (n), *exception*
  „ Besitzung (en), *seat*
  „ Binde (n), *tie*
  „ Burg (en), *castle*
  „ Eiche (n), *oak*
  „ Erfindung (en), *invention*
  „ Erinnerung (en), *memory*
  „ Flamme (n), *flame*
  „ Gardine (n), *curtain*

die Krümmung (en), *bend*
„ Limonáde (n), *lemonade*
„ Mahlzeit (en), *meal*
„ Neuigkeit (en), *news*
„ Schleuse (n), *lock*
„ Schnitte (n), *slice*
„ Semmel (n), *bun*
„ Steinkohle (n), *hard coal*
„ Umgébung (en), *surroundings*
„ Vertiefung, *dell, hollow*
„ Wurzel (n), *root*
„ Ziege (n), *goat*

„ Gegenwart (kein Pl.), *present*

das Gebäude (—), *building*
„ Gesellschaftszimmer, *drawing room*
„ Ungeheuer, *monster*

„ Boot (e), *boat*
„ Gebüsch, *bushes*
„ Gehölz, *copse*
„ Gerät, *tool set*
„ Gestell, *rack*
„ Hindernis (se), *obstacle*

„ Himmelbett (en), *four-poster bed*
„ Insékt, *insect*

„ Dock (s), *dock*

„ Behagen (kein Pl.), *ease, comfort, enjoyment*
„ Geschrei, *clamour*

sich ab'geben (mit), gibt sich ab, gab sich ab, hat sich abgegeben, *busy oneself with, devote oneself to*
ab'messen, mißt ab, maß ab, hat abgemessen, *measure*
ahnen, *divine, guess*
an'bringen, brachte an, hat angebracht, *fix, arrange*
auf'tischen, *dish up, serve*
sich aus'breiten, *spread*
bekleben, *stick on*
bereiten, *prepare*
bestreichen, bestrich, hat bestrichen, *spread*
bewohnen, *inhabit*
sich entsinnen, entsann sich, hat sich entsonnen, *remember*
erdichten, *invent*
erleichtern, *ease, support*
ermorden, *murder*
ernten, *harvest, reap*
geraten, gerät, geriet, ist geraten, *turn out*
glänzen, *shine, sparkle*
sich herum'treiben, trieb sich herum, hat sich herumgetrieben, *loiter, roam*
krönen, *crown*
ordnen, *arrange*
rösten, *roast*
stocken, *stop*
verdecken, *cover up, hide*
vereinen, *unite*

verfertigen, *produce, manufacture*
verlängern, *prolong*
verſehen, verſieht, versah,
hat verſehen, *provide*
verteilen, *distribute*
verwandeln, *change, transform*
weiden, *graze*
zerbrechen, zerbricht, zer=
brach, hat zerbrochen,
smash, break

altertümlich, *old-fashioned, antique*
beträchtlich, *considerable*
bürgerlich, *middle-class, not
fashionable*
eifrig, *eager*
einzeln, *single*
entbehrlich, *dispensable*
entſetzlich, *frightful*
ernſthaft, *grave*
feierlich, *solemn*
feucht, *damp*
furchtlos, *fearless*
gebräuchlich, *usual*
gehörig, *due, proper*
geſucht, *affected*
kräftig, *vigorous*
künſtlich, *artificial*
mannigfaltig, *manifold*
materiéll, *material*
merklich, *noticeable*

morſch, *worm-eaten*
nützlich, *useful*
originéll, *original*
prächtig, *splendid*
salzig, *salty*
ſanft, *gentle*
ſchottiſch, *Scottish*
ſiegreich, *victorious*
ſorgfältig, *careful*
ſtählern, *steel*
umſtändlich, *ceremonious, slow*
únbeſchreíblich, *indescribable*
únerméßlich, *immeasurable*
úngeſálzen, *unsalted*
únregelmäßig, *irregular*
únvergléichlich, *incomparable*
unvollſtändig, *incomplete*
üppig, *luscious*
verdreht, *crazy*
verrückt, *mad*

hinwég, *across*
teils . . . teils, *partly . . .
partly*

alle Augenblicke, *every moment,
frequently*
Beſuche machen, *go visiting*
der Reihe nach, *in turn*
die nächſte Nähe, *the closest
proximity*
es war mir behaglich, *I felt
thoroughly comfortable*
in meinen vier Pfählen, *in my
own four walls*

Aus der Grammatik späterer Kapitel

Grammatik

I. " Wer " as a relative pronoun :

Wer nicht hören will, muß fühlen. Wer andern eine Grube gräbt, fällt ſelbſt hinein. Wer einmal lügt, dem glaubt man nicht, und wenn er auch die Wahrheit ſpricht. Wes (weſſen) Brot ich eſſ', des (deſſen) Lied ich ſing'. Wem nicht zu raten iſt, dem iſt auch nicht zu helfen. Wen die Götter lieben, den laſſen ſie jung ſterben. Wer die Wahl hat, hat die Qual.

Sie hat beſchrieben, mit wem ſie geſprochen und wen ſie kennengelernt hat.

" Wer " is used in the sense of " jeder, der ", or " alle, die ", and in relative sentences which do not refer back to a definite person. Its declension is as follows :

wer, weſſen, wem, wen — *i.e.* just like that of the interrogative pronoun „wer?"

II. Participles in extended adjectival phrases :

Der mit Silber und Porzellan gedeckte Tiſch; enge, durch dichte Schatten und Gebüſche ſich hinſchlängelnde Gänge; die dabei hingebrachte Stunde; friſche, ungeſalzene, in Waſſer ſchwimmende Butter; warme, mit Butter beſtrichene Semmeln; ein dazu verfertigtes Geſtell; der von meinem Großvater geſchriebene Brief.

Instead of a relative sentence we often use an adjectival phrase in which the verb of the relative clause has become a participle which is preceded by an adverbial phrase representing the remainder of the sentence. Thus :

Der Tiſch, der mit Silber und Porzellan gedeckt war becomes : der mit Silber und Porzellan gedeckte Tiſch.

Der Brief, den mein Großvater geschrieben hatte becomes: der von meinem Großvater geschriebene Brief.

Aufgaben

I. Verwandeln Sie die Relativsätze in erweiterte Adjektive!

In den Ferien, die vor uns lagen, wollten wir die
Paddelbootfahrt, die wir schon lange geplant hatten,
endlich machen. Wir freuten uns alle sehr auf die paar
Wochen, die wir unserer Meinung nach schwer verdient
hatten. Endlich kam der Tag, den wir mit so großer
Sehnsucht erwartet hatten. Früh am Morgen schon
trugen wir die zwei Boote zu dem Bahnhof, der zum
Glück nicht weit von uns liegt. Die Bahn, die am Ufer
des Flusses entlang fährt, brachte uns bis zu dem kleinen
Städtchen, das wir zum Anfang der Fahrt bestimmt
hatten. Wir trugen die Boote zu einer Stelle am Ufer,
die zur Abfahrt günstig war, und bald konnten wir in die
Boote einsteigen, die nun mit Essen, Kleidern und Zelt
voll gepackt waren.

Die Sonne, die schon über den Hügeln aufstieg,
hatte uns warm gemacht, und wir ließen die Boote
zunächst mit dem Fluß treiben, der hier ganz sanft
dahinfließt. Die Ufer, die nun an uns vorüberzogen,
boten viel Abwechslung. Bald fuhren wir durch üppige
grüne Wiesen, und die Kühe, die darauf weideten,
hoben die Köpfe und folgten uns mit den Augen. Bald
waren wir von Büschen umgeben, die tief ins Wasser
herunterhingen, und dann wieder kamen wir durch
steinige, wüste Gegenden, die offenbar von Menschen nicht
besucht wurden. Dann wieder fuhren wir durch Dörfer,
die am Fluß entlang gebaut waren, und sahen über
unseren Köpfen die alten Brücken, die über den Fluß
führten.

Am späten Nachmittag kamen wir zu einem alter-
tümlichen Städtchen, das uns zum Ausruhen einlud.

In einem Gasthaus, das am Marktplatz stand, erfrischten
wir uns und beobachteten die Menschen, die draußen
vorübereilten.   Dann ging es wieder zurück zu den Booten,
die wir am Ufer festgebunden hatten.   Am Abend kamen
wir zu einer Wiese, die uns zum Übernachten günstig
schien.   Wir holten das Zelt, das in eines der Boote
gepackt war.   Bald versprach uns das Feuer, das zwischen
zwei Steinen loderte, und der köstliche Geruch, der aus
dem Kochtopf aufstieg, daß wir uns bald zum gemütlichen
Abendessen ums Feuer setzen könnten.   Die Dunkel=
heit, die nun rasch hereinbrach, störte uns nicht.   Lange
noch saßen wir beim Schein des Feuers, das rot und warm
glühte, und plauderten, rauchten und sangen.

II. Geben Sie das richtige Relativpronomen!

Tante Lene kommt jeden Sommer zu uns zu Besuch, —
uns Kinder nicht sehr freut.   Tante Lene hat nämlich
etwas an sich, — uns nicht gefällt: zu allem, — passiert,
weiß sie ein Sprichwort.   Und da alles, — ein Sprichwort
sagt, natürlich wahr sein muß, so hat sie immer das letzte
Wort. — das nicht erlebt hat, hat wirklich etwas versäumt.
Kommt man morgens vor der Schule noch einmal zurück=
gerannt, um etwas zu holen, — man vergessen hatte, so
schüttelt sie sicher den Kopf: „Ja, ja, Kind, — man nicht
im Kopfe hat, muß man in den Beinen haben!" — spät
von der Schule kommt, weil ihn der Lehrer da behalten
hat, wird mit beinahe freudigem Kopfschütteln empfan=
gen: „Ja, ja, Kind, — nicht hören will, muß fühlen". —
klug ist, fragt sie in allem, — er vorhat, vorher um Rat.
Zwar sagt sie zuerst wahrscheinlich: „— ein Narr fragt,
können oft neun Weise nicht beantworten", aber es gibt
doch nichts, — ihr so sehr behagt, als gute Ratschläge
geben. — es eilig hat, und — es an der nötigen Geduld
fehlt, der soll es lieber lassen.   Denn — die gute Tante
einmal gefangen hat, den läßt sie nicht so leicht wieder

gehen. Umständlich erklärt sie ihm vieles, — er längst
schon weiß, erzählt ihm manches aus ihrer Jugend, —
er schon oft gehört hat und rät ihm schließlich zu etwas, —
er keineswegs zu tun vorhat. Das ist natürlich das
Schlimmste, — passieren kann. Denn nun wartet die
gute Tante nur darauf, daß alles, — der ungezogene
Junge unternimmt, schief geht, um dann befriedigt zu
verkündigen: „Hab' es ja gleich gesagt. Aber — nicht
zu raten ist, — ist auch nicht zu helfen." Nein, — so
viele Sprichwörter weiß wie unsere Tante Lene, der
soll sie lieber nicht gebrauchen!

III. Lesen Sie die vorstehende Aufgabe in der indirekten Rede!

IV. Setzen Sie die folgenden Sätze ins Passiv!

In den kleinen Dingen des täglichen Lebens macht man
in Deutschland vieles anders als in England. Zum
Beispiel tun wir beim Essen manches, was man in
England nicht tut, und wir tun manches nicht, was man in
England tut. Man ißt zwar mit Messer und Gabel — o
ja — aber man hält die Gabel etwas anders. Kartoffeln
schneidet man nie mit dem Messer. Man ißt viel
Suppe, aber in den meisten Gegenden Deutschlands
gebraucht man den Suppenlöffel nicht seitwärts, wie in
England, und man hebt den Teller gegen Ende von der
anderen Seite. In Norddeutschland jedoch, wo man
vieles auf englische Weise macht, ißt man auch seine Suppe
nach englischer Art.

Die Speisen tischt die Hausfrau nicht einem jeden
auf den Teller auf, sondern man gibt die Schüsseln der
Reihe nach um den Tisch und überläßt es jedem, wieviel
er sich nehmen will. Man hat Salz und Pfeffer schon
in der Küche in die Speisen getan, und bei Tisch ge=
braucht man nur sehr wenig Salz und Pfeffer. In
den meisten Familien kauft man auch keine Saucen

in Flaschen. Die Köchin macht gute Saucen, die man auf den Tisch bringt.

Vor dem Essen sagt man „Guten Appetit!" oder „Gesegnete Mahlzeit!" und man schließt die Mahlzeit mit „Wohl bekomm's!" oder einem zweiten „Gesegnete Mahlzeit!" Man trinkt selten Wasser zum Essen. In manchen Gegenden gibt man Wein, und in anderen Gegenden bietet man Bier an. Aber in vielen Familien trinkt man überhaupt nichts zu den Mahlzeiten. Die Hauptsache beim Essen ist aber, daß man vorher gut gekocht hat. Ich bin natürlich der Meinung, daß man in Deutschland gut kocht und ißt. Aber man ißt in jedem Land anders, und man muß eben alles versuchen.

V. Schreibspiel!
Wortschatzübung: Alles, was zum Essen gehört.

VI. Sprechen Sie über das Kapitel. Erzählen Sie, was Johanna Schopenhauer und Mendelssohn über ihre Eindrücke in England schreiben. Sind Sie einverstanden mit dem, was die beiden zu sagen haben?

VII. Erzählen Sie kurz schriftlich oder mündlich von einem Reisebuch, das Sie interessiert hat!

VIII. Schreiben Sie eine kurze Schilderung einer Reise, die Sie gemacht haben und sprechen Sie dann darüber!

IX. Übersetzung!
From Dorothy Wordsworth's *Journal*. Arrival in Hamburgh. (September 1798.)

. . . At ten however the sun appeared, and we saw the green shores. All became clear, and we set sail. Churches very frequent on the right, with spires red, blue, sometimes green; houses thatched or tiled,[1] and generally surrounded with low trees. A beautiful low green island, houses, and

---

[1] *say:* covered with straw or tiles

BLANKENESE

wood. As we advanced, the left bank of the river became more interesting.

The houses warm and comfortable, sheltered with trees, and neatly painted. Blankenese, a village or town scattered over the sides of three hills, woody where the houses lie, and steep scars below ; the houses half-concealed by, and half-obtruding themselves from, the low trees. Naked boats with masts lying at the bare feet [1] of the Blankenese hills. Houses more and more frequent as we approach Hamburgh. The banks of the Elbe more steep. Some gentlemen's seats after the English fashion. The spires of Altona and Hamburgh visible a considerable time. . . .

Thursday, 28th September. — William and I set forward at twelve o'clock to Altona. . . . The houses on the banks of the Elbe, chiefly of brick, seemed very warm and well built. . . .

The small cottage houses seemed to have little gardens, and all the gentlemen's houses were surrounded by gardens, quaintly disposed in beds and curious knots, with ever-twisting gravel walks and bending poplars. The view of the Elbe and the spreading country must be very interesting in a fine sunset. . . .

[1] *singular*

Etwas zum Lachen:

Warnung bei einem Fußweg in der Nähe eines bayeri= fchen Dorfes: „Diefer Weg ift kein Weg; wer es aber den= noch tut, zahlt drei Mark und fließt in die Gemeindekaffe".

Fünfzehntes Kapitel

Einiges über Schiller

Wenn Sie einmal nach Deutschland fahren, müssen Sie auch Weimar besuchen. So wie man in England nach Stratford-on-Avon geht, um zu sehen, wie und wo Shakespeare gelebt hat, so reisen wir Deutsche nach Weimar, wo Goethe den größten Teil seines Lebens gewohnt und gearbeitet hat, und wo Schiller einige Jahre lang — von 1799 bis zu seinem Tod im Jahre 1805 — gelebt hat. Wie fruchtbar die Freundschaft der beiden Männer war, hat Schiller einmal in einem Brief an Goethe so ausgedrückt: „Ich kann nie von Ihnen gehen, ohne daß etwas in mir gepflanzt worden wäre, und es freut mich, wenn ich für das viele, was Sie mir geben, Sie und Ihren inneren Reichtum in Bewegung setzen kann". Noch ehe er nach Weimar gezogen war, schrieb er an Goethe in einem Vers, der eine kleine mineralogische Sammlung begleitete:

> „Dem Herren in der Wüste bracht'
> der Satan einen Stein
> und sagte: ‚Herr, durch deine Macht
> laß' es ein Brötchen sein!'

> „Von vielen Steinen sendet dir
> der Freund ein Musterstück;
> Ideen gibst du bald dafür
> ihm tausendfach zurück."

(13. Juni 1797)

Goethe wiederum erkannte dankbar, was Schiller für ihn bedeutete, wenn er an Schiller schrieb: „Sie haben mir eine zweite Jugend verschafft und mich wieder zum Dichter gemacht".

Nun wollen wir in Gedanken einen späteren deutschen Dichter, Friedrich Hebbel, auf seiner Reise nach Weimar begleiten. In einem Brief an seine Frau beschreibt er seinen Besuch des Schillerhauses.

„Weimar, den 6. Mai 1857.

„. . . Ich ging nun zu dem Schillerhaus, das dem Goetheschen so nahe liegt, daß die beiden Freunde einander die Briefe und Zettel hätten in die Fenster werfen können, wenn sie sich ein wenig geübt hätten. Dies ist nun wieder nicht so klein und so eng, als man es sich denkt, sondern freundlich und bequem und sogar mit einem Gärtchen geziert. Es gehört jetzt einem Kunsthändler, der die Fremden herumführt und dem man, da man ihm kein Trinkgeld anbieten kann, eine Kleinigkeit abkauft.

„. . . Hätte ich geahnt, wie sehr mich der Besuch dieser Stätte erschüttern würde, so wäre ich nicht gegangen; ich konnte meiner Bewegung kaum Meister werden und lernte mich von einer ganz neuen Seite kennen. Um das zu begreifen, muß ich mich in meine Jugend zurückversetzen, wo Schiller mir über alles ging. Vor allem sein Arbeitszimmer bewegte mich aufs tiefste; hier stand sein Schreibtisch, Briefe von ihm darauf, dort sein kleines Klavier, auf dem seine Guitarre lag, und dicht daneben an der Wand das braune Bettgestell, auf dem er vor mehr als fünfzig Jahren sein Leben aushauchte. Es überwältigte mich, und mich freute nur, daß ich keinen Lohnbedienten, sondern einen gebildeten Mann an der Seite hatte, der mir Zeit ließ, mich zu fassen. Von dem Schillerhause begab ich mich auf den neuen Friedhof zur Fürstengruft, wo die beiden großen Dichter schlafen, die Deutschland und das deutsche Volk unter den übrigen Nationen würdig gemacht haben."

Nun, da Sie das Schillersche Zimmer etwas vor Augen haben, können Sie sich auch die Szene lebhaft vorstellen, die der Musiker

und Komponist Zelter, ein gemeinsamer Freund Goethes und
Schillers, in einem Gespräch mit Eckermann im Jahre 1823 —
achtzehn Jahre nach Schillers Tod — beschrieben hat:

„Niemand", fuhr er fort, „hatte tieferen Sinn für Musik als
Schiller. Es wurde mir sehr schwer, seine Bekanntschaft zu
machen. Im Jahre 1802, als ich nach Weimar kam, wagte ich es,
zu ihm zu gehen, obgleich man mir sagte, er lasse sich sehr ungern
sprechen. Frau v. Schiller empfing mich; die Türe des Neben-
zimmers stand ein wenig offen und ich vermutete gleich, daß
Schiller sich verberge. Darauf fing ich an, von meinen Komposi-
tionen seiner Gedichte zu sprechen und bat um Erlaubnis, den
„Taucher" auf dem Klavier vorzuspielen. Ich mochte etwa fünf
Minuten gespielt haben, als ich merkte, daß ein Kopf durch die
Türspalte herein horche. Ich kräftig fortspielend — auf einmal
springt Schiller halb angekleidet herein auf mich zu, umarmt mich
heftig und ruft bewegt aus: ‚Sie sind mein Mann, Sie verstehen
mich'. Seitdem sind wir dicke Freunde geblieben bis zu seinem
Tode."

Diese beiden Berichte geben uns einen Eindruck von Schiller
als Menschen — seiner Abneigung gegen viel geselliges Leben,
seiner großen Einfachheit und seiner Gleichgültigkeit gegenüber
äußeren Ehren, ja sogar gegenüber Amt und Würden, die er nie
begehrte. Erst gegen Ende seines Lebens bekleidete er ein Amt,
nämlich eine Universitätsprofessur für Geschichte an der Universität Jena. Er sah seine Aufgabe in der Verfolgung seiner

Ideale, die ihm in schweigendem Meditieren lebendig und wirk=
lich wurden, und die ihn zu der Gewalt und Leidenschaft seiner
Sprache begeisterten. Obgleich er durchaus nicht ungesellig war
und seine Erholung gerne in liebenswürdiger Gesellschaft
suchte, so war er doch am liebsten einsam mit seinen Gedanken.

Von seinem Mannesalter ab nahm sein Leben einen un=
gestörten, ebenen Lauf. Gerade die Ruhe und der äußere Friede
um ihn vermindern leicht unsere Würdigung seiner moralischen
Größe. Hat er doch jahrelang unter ununterbrochenen körper=
lichen Schmerzen gelitten, ohne viel Hoffnung auf Gesundung.
Und doch hat er dies ohne jede Unzufriedenheit mit seinem
Schicksal ertragen. Hierin zeigt sich sein einzigartiges Streben
nach moralischer Vollkommenheit in seiner ganzen Größe und
Vollständigkeit.

Schiller ist nicht leicht zu lesen. Auch als Dichter ist er noch
Philosoph, und vor allem hat die Philosophie Kants eine
tiefe Wirkung auf ihn gehabt. Zu welch leidenschaftlich schöner
Sprache ihn eine große Idee begeistern konnte, sehen Sie
in seinem Lied „An die Freude", einem der bekanntesten
Beispiele seiner Gedankenlyrik, in der er philosophische und
moralische Ideen dichterisch entwickelt. Beethoven hat dieses
„Lied an die Freude" in seiner neunten Symphonie zum Teil
verwendet. Ich gebe Ihnen im Folgenden den ersten Teil des
Liedes in der von Beethoven etwas geänderten Ordnung.

An die Freude

Freude, schöner Götterfunken,
 Tochter aus Elysium,
Wir betreten feuertrunken,
 Himmlische, dein Heiligtum.
Deine Zauber binden wieder,
 Was die Mode streng geteilt,
Alle Menschen werden Brüder,
 Wo dein sanfter Flügel weilt.

Chor

Seid umschlungen, Millionen!
  Diesen Kuß der ganzen Welt!
  Brüder — überm Sternenzelt
Muß ein lieber Vater wohnen.

Wem der große Wurf gelungen,
  Eines Freundes Freund zu sein,
Wer ein holdes Weib errungen,
  Mische seinen Jubel ein!
Ja — wer auch nur eine Seele
  Sein nennt auf dem Erdenrund!
Und wer's nie gekonnt, der stehle
  Weinend sich aus diesem Bund.

Freude trinken alle Wesen
  An den Brüsten der Natur;
Alle Guten, alle Bösen
  Folgen ihrer Rosenspur.
Küsse gab sie uns und Reben,
  Einen Freund, geprüft im Tod;
Wollust ward dem Wurm gegeben,
  Und der Cherub steht vor Gott.

Chor

Froh, wie seine Sonnen fliegen
  Durch des Himmels prächt'gen Plan,
  Wandelt, Brüder, eure Bahn,
Freudig, wie ein Held zum Siegen.

Ihr stürzt nieder, Millionen?
  Ahnest du den Schöpfer, Welt?
  Such ihn überm Sternenzelt!
Über Sternen muß er wohnen.

Schiller hat die Philosophie manchmal auch von der humoristischen Seite behandelt. Wenn Sie sich schon einmal mit philosophischen Systemen beschäftigt haben, werden Sie diese philosophische Unterhaltung würdigen können:

Die Philosophen

Lehrling.

> Gut, daß ich euch, ihr Herren, in pleno beisammen hier finde,
>
>> Denn das Eine, was not, treibt mich herunter zu euch.

Aristoteles.

> Gleich zur Sache, mein Freund! Wir halten die Jenaer Zeitung
>
>> Hier in der Hölle und sind längst schon von allem belehrt.

Lehrling.

> Desto besser! So gebt mir, ich geh' euch nicht eher vom Halse,
>
>> Einen allgültigen Satz, und der auch allgemein gilt.

Erster.

> Cogito, ergo sum. Ich denke, und mithin so bin ich!
>
>> Ist das eine nur wahr, ist es das andre gewiß.

Lehrling.

> Denk' ich, so bin ich. Wohl! Doch wer wird immer auch denken?
>
>> Oft schon war ich, und hab' wirklich an gar nichts gedacht.

Zweiter.

> Weil es Dinge doch gibt, so gibt es ein Ding aller Dinge;
>
>> In dem Ding aller Ding' schwimmen wir, wie wir so sind.

Dritter. Just das Gegenteil sprech' ich. Es gibt kein Ding als mich selber;

Alles andre, in mir steigt es als Blase nur auf.

Vierter. Zweierlei Dinge lass' ich passieren, die Welt und die Seele;

Keins weiß vom andern, und doch deuten sie beide auf eins.

Fünfter. Von dem Ding weiß ich nichts und weiß auch nichts von der Seele;

Beide erscheinen mir nur, aber sie sind doch kein Schein.

Sechster. Ich bin Ich und setze mich selbst, und setz' ich mich selber

Als nicht gesetzt, nun gut, hab' ich ein Nicht-Ich gesetzt.

Siebenter. Vorstellung wenigstens ist! Ein Vorgestelltes ist also;

Ein Vorstellendes auch, macht mit der Vorstellung drei.

Lehrling. Damit lock' ich, ihr Herrn, noch keinen Hund aus dem Ofen.

Einen erklecklichen Satz will ich und der auch was setzt!

Achter. Auf theoretischem Feld ist weiter nichts mehr zu finden:

Aber der praktische Satz gilt doch: du kannst, denn du sollst!

Lehrling. Dacht' ich's doch! Wissen sie nichts Vernünftiges mehr zu erwidern,

Schieben sie's einem geschwind in das Gewissen hinein.

David Hume.	Rede nicht mit dem Volk! Der Kant hat sie alle verwirret.
	Mich frag', ich bin mir selbst auch in der Hölle noch gleich!
Rechtsfrage.	Jahrelang schon bedien' ich mich meiner Nase zum Riechen;
	Hab' ich denn wirklich an sie auch ein erweisliches Recht?
Puffendorf.	Ein bedenklicher Fall! Doch die erste Possession scheint
	Für dich zu sprechen, und so brauche sie immerhin fort!
Gewissensskrupel.	Gerne dien' ich den Freunden, doch tu' ich es leider mit Neigung,
	Und so wurmt es mir oft, daß ich nicht tugendhaft bin.
Entscheidung.	Da ist kein anderer Rat, du mußt suchen, sie zu verachten,
	Und mit Abscheu alsdann tun, wie die Pflicht dir gebeut.

Schillers philosophische und historische Schriften werden heutzutage nur von wenigen gelesen. Seine Dramen aber werden auf jeder deutschen Bühne gespielt, und viele seiner Gedichte — vor allem seine Balladen — lernen wir in der Schule auswendig. Sie sind uns so vertraut, daß viele ihrer Wendungen in die Sprache eingegangen sind, so wie Worte aus der Bibel oder aus Goethes Werken.

Wortschatz

der Kunsthändler (—), *art dealer*
„ Schöpfer, *creator*
„ Skrupel, *scruple*

„ Bericht (e), *report*
„ Lehrling, *apprentice*
„ Satan, *satan*

„ Bund ("e), *league*
„ Friedhof, *graveyard*
„ Wurf, *throw, cast*

„ Funke (ns, n, n), *spark*

„ Abscheu (kein Pl.), *detestation*

die Abneigung (en), *aversion*
„ Bekanntschaft (en), *acquaintance*
„ Einfachheit (en), *simplicity*
„ Entscheidung (en), *decision*
„ Erholung (en), *recreation*
„ Freundschaft (en), *friendship*
„ Gesundung (en), *recovery*
„ Gewalt (en), *power*
„ Gleichgültigkeit (en), *indifference*
„ Hoffnung (en), *hope*
„ Hölle (n), *hell*
„ Kleinigkeit (en), *trifle*
„ Leidenschaft (en), *passion*
„ Mode (n), *fashion*
„ Neigung (en), *affection, inclination*

die Pflicht (en), *duty*
„ Rebe (n), *branch of vine*
„ Rechtsfrage (n), *legal question*
„ Stätte (n), *place*
„ Türspalte (n), *slightly open door*
„ Unzufriedenheit (en), *discontent*
„ Verfolgung (en), *pursuit*
„ Vollkommenheit (en), *completeness, perfection*
„ Vollständigkeit (en), *completeness*
„ Wendung (en), *turn, phrase*
„ Würdigung (en), *estimate, appreciation*

„ Erlaubnis (se), *permission*

das Gewissen (—), *conscience*
„ Mannesalter, *manhood*

„ Ideál (e), *ideal*
„ Schicksal, *fate*

„ Trinkgeld (er), *tip*

„ Amt ("er), *office*
„ Heiligtum, *sanctuary*

ab'kaufen, *buy off, from*
an'erkennen, erkannte an, hat anerkannt, *acknowledge*

an'kleiden, *dress*

sich begeben, begibt sich, begab sich, hat sich begeben, *betake oneself*

begehren, *covet*

begeistern, *inspire*

begreifen, begriff, hat begriffen, *grasp, understand*

belehren, *inform*

betreten, betritt, betrat, hat betreten, *enter*

deuten, *interpret, point*

dienen, *serve*

entwickeln, *develop*

erringen, errang, hat errungen, *obtain*

erschüttern, *shake*

ertragen, erträgt, ertrug, hat ertragen, *bear*

sich fassen, *compose one's self*

gebieten, gebietet (also gebeut), gebot, hat geboten, *bid, command*

horchen, *listen intently*

locken, *entice*

prüfen, *test*

siegen, *conquer*

sich üben, *practise*

überwältigen, *overwhelm*

umarmen, *embrace*

verachten, *despise*

sich verbergen, verbirgt sich, verbarg sich, hat sich verborgen, *hide (oneself)*

vermindern, *decrease*

verschaffen, *procure*

vor'spielen, *play to somebody*

weilen, *abide, stay*

zieren, *embellish, decorate*

einzigartig, *singular, unique*

gemeinsam, *joint, mutual*

körperlich, *bodily, physical*

leidenschaftlich, *passionate*

liebenswürdig, *amiable, genial*

morálisch, *moral*

theorétisch, *theoretical*

tugendhaft, *virtuous*

ungesellig, *unsociable*

ununterbrochen, *continuous*

vertraut, *familiar*

beisámmen, *together*

obgléich, *although*

tausendfach, *thousandfold*

zweierlei, *two things*

dacht' ich's doch! *I thought so!*

desto besser! *all the better!*

dicke Freunde, *great friends*

durchaus nicht ungesellig, *far from unsociable*

ein Amt bekleiden, *hold an office*

gerade die Ruhe, *the very quiet*

ich geh' euch nicht eher vom Halse, *you won't get rid of me before*

Schiller ging mir über alles,   sie vermindern leicht, *they tend*
   Schiller meant more to   *to diminish*
   me than anything else   wie wir so sind, *just as we are*
                                 zur Sache, *to the point*

Grammatik

I. **Lassen:**

(*a*) Es lasse die Erde aufgehen Gras und Kraut. Wenn ich nicht die Sonne kann aufgehen lassen, . . . Es ließ mich die Briefe zusammenlegen. Ich muß sie wechseln lassen. Sie ließen die Kutsche in den Schuppen fahren. . . ., was du den Richter sagen läßt. Der Vorgesetzte läßt ihn rufen. Sie hat ein Buch erscheinen lassen. (lassen — *to cause, have done, get*)

(*b*) Ich lasse meinen Hut zu Hause. (lassen — *to leave behind*)

(*c*) Wir haben den Hund nicht ins Zimmer kommen lassen. (lassen — *to let, allow*)

When " lassen " is used in the sense of " to cause, have done or made ", it is treated like a verb of mood ; in place of the English past participle we use the infinitive, and in the perfect tense this infinitive is followed by " lassen " instead of " gelassen ": Ich lasse mir ein Haus bauen; ich habe mir ein Haus bauen lassen.

II. Some notes on adverbs :

(*a*) Die Wiesen ringsum breiten sich auf das herrlichste aus. Alles war aufs beste eingerichtet. Sein Arbeitszimmer bewegte mich aufs tiefste.

The superlative of the adverb (" am herrlichsten ", " am besten ", " am tiefsten ") is used only when there is a genuine comparison (" more splendid than anything else " etc.). In all other cases we use such phrases as " aufs tiefste ", " tiefstens ", " zutiefst ".

(b) Wir wissen glücklicherweise ziemlich viel von Goethes Ideen und Meinungen. Geht er unvorsichtigerweise ohne Schirm und Regenmantel, . . . Merkwürdigerweise kann das Wort „Weib" sowohl mehr als auch weniger als „Frau" bedeuten.

When an adverb qualifies neither the verb nor any other particular part of the sentence but the whole fact expressed by it, we use adverbial forms such as those given above. In English you often use a different word or phrase :

He did not act strangely — Er handelte nicht merkwürdig. Strangely enough, he did not act — Merkwürdigerweise handelte er nicht.
He fell unfortunately (badly) — Er fiel unglücklich.
Unfortunately, he fell — Unglücklicherweise fiel er.

III. A note on the use of adjectives in the comparative :

Wenn ich in eine größere Stadt komme . . . Er saß an einem Tisch mit zwei älteren Damen. Ich bin schon längere Zeit hier.

The comparative of the adjective is often used to express " ziem= lich " (" fairly big " ; " elderly " ; " a fairly long time ").

Aufgaben

I. Lesen oder erzählen Sie die nachstehende Geschichte in der indirekten Rede!

Schiller erzählte Folgendes : Eben wird an meiner Tür ge= klopft. „Herein!" Und herein tritt eine kleine dürre Figur in weißem Frack und grüngelber Weste, alt und sehr gebückt. „Habe ich nicht das Glück," sagte die Figur, „den Herrn Rat Schiller vor mir zu sehen?" „Der bin ich. Ja." „Ich habe gehört, daß Sie hier wären und hatte den großen Wunsch, den Mann zu sehen, von dessen ‚Don Carlos‘ ich eben komme." „Gehorsamer Diener. Mit wem habe ich die Ehre?" „Ich werde nicht das Glück haben, Ihnen bekannt zu sein. Mein Name ist Vulpius." „Ich bin Ihnen für Ihren Besuch sehr dankbar — bedaure nur, daß ich in diesem Augenblick nicht frei bin und eben (zum Glück war ich angezogen) ausgehen wollte." „Ich bitte sehr um Entschuldigung. Ich bin zufrieden, daß ich Sie gesehen habe." Damit entfernte sich die Figur.

II. Lesen Sie in verschiedenen Zeiten!

Bismarck (arbeiten) als junger Jurist bei einem Berliner Gericht. Eines Tages (müssen) er einen echten Berliner verhören. Der Mann (auftreten) ziemlich unverschämt, und Bismarck (werden) so ärgerlich, daß er (aufspringen) und ihm (zurufen): „Herr, (sein) nicht frech, oder ich (hinauswerfen) Sie!" Der Richter, sein Vorgesetzer, der (sich befinden) in demselben Raum, (sich wenden) zu ihm, (klopfen) ihm freundlich auf die Schulter und (bemerken): „Das Hinauswerfen, lieber Herr Kollege, ist hier meine Sache!" Bismarck (verhören) den Mann weiter. Es (dauern) nicht lange, und der Berliner (geben) ihm wieder

eine unverschämte Antwort. Da (donnern) Bismarck: „(Sich in achtnehmen), oder — ich (hinauswerfen lassen) Sie durch den Herrn Richter!"

III. Erzählen Sie die vorstehende Geschichte in der indirekten
Rede!

IV. Wie muß es heißen?

Für ein— ihr— nächst— gesellig— Abende will ich Ihnen
ein englisch— Spiel erklären, — man auf deutsch etwa
„d— Jagd nach d— Schatz" nennen könnte. D— zu
dies— Spiel unentbehrlich— Spielleiter denkt sich ein—
Anzahl (etwa ein halb— Dutzend) humoristisch— Stich-
worte aus und schreibt immer zwei auf einander folgend—
auf je ein— Zettel, sodaß solch ein Zettel so aussieht: „Ich
bin d— weis— Philosoph. Suchen Sie nun d— rosenrot— Schweinchen." D— nächst— Zettel wird lauten:
„Ich bin d— rosenrot— Schweinchen. Suchen Sie nun
d— hübsch— jung— Mädchen." Von d— besagt—
hübsch— jung— Mädchen geht es dann vielleicht weiter
zu ein— dick— Blutwurst und zu ein— uralt— Denkmal.

Dies— halb— Dutzend Zettel wird auf ebenso-
viel— Spieler verteilt, ohne daß d— ander— Gäst—
etwas merken, — nicht immer ganz leicht ist. D—
sechs Stichwortträger kennen auch einander nicht und
müssen an d— allgemein— Raten teilnehmen. —Anfang
d— Spiel— sagen Sie Ihren Gäst— d— erst— Stichwort
(in unser— Fall: d— weis— Philosoph). Nun müssen all—
Spieler unter ihr— Mitspieler— nach d— weis—
Philosoph— suchen, —ihnen dann d— nächst— Stichwort
sagen wird.

Ein— fragt also nun d— andern: „Sind Sie d— weis—
Philosoph?" und fragt solange, bis er zu d— Richtig—
kommt, d— ihm dann flüsternd d— nächst— Stichwort
sagt: „D— rosenrot— Schweinchen". Da d— ein—
schnell vorwärtskommen und d— ander— langsamer,
so wird d— Fragen immer lauter und lustiger: d—
ein— ist noch bei d— dick— Blutwurst, während ein

ander— schon bei d— uralt— Denkmal angelangt
ist. Wer als Erst— bei d— letzt— Stichwort ankommt,
bekommt ein— Preis.

V. Beantworten Sie so ausführlich wie möglich, und gebrauchen Sie dabei das Verb „lassen"!

Was lassen Sie sich beim Schneider oder bei der Schnei-
derin machen? Was beim Friseur? Beim Photo-
graphen? Bei einem Maler? Bei einem Schuhmacher?
Bei einem Bäcker, einem Hutmacher? Von einem Architekten, einem Fensterputzer, einem Tapezierer, einem
Gärtner, einem Kellner, von Ihrer Köchin, von einem
Pfarrer?

VI. Sprechen Sie über das Kapitel. Erzählen Sie, was
Hebbel und Zelter berichten. Besprechen Sie den Auszug
aus Schillers „Lied an die Freude". Spielen Sie den
letzten Satz der Neunten Symphonie auf Schallplatten.
Welche Philosophen sind mit den verschiedenen Antworten gemeint? Lesen Sie gerne philosophische
Bücher? Haben Sie einen Lieblingsphilosophen? Wie
könnten Sie die Grundzüge Ihrer eigenen Lebensphilosophie oder Weltanschauung kurz schriftlich oder
mündlich zusammenfassen?

VII. Besprechen sie schriftlich und mündlich!

    1. In welchem früheren Jahrhundert hätten Sie leben mögen und wo, und was hätten Sie dann getan?

    2. Würden Sie gern mit einem anderen tauschen, und mit wem?

VIII. Übersetzung!

Extract from Carlyle's " Essay on Schiller " (among his *Critical and Miscellaneous Essays*) (abridged).

Schiller's Life is emphatically a literary one ; that of a man existing only for [1] Contemplation ; guided [2] forward by the pursuit of ideal things, and seeking and finding his true welfare therein. A singular simplicity characterises it ; an aversion to the tumults of business, an indifference to its prizes, grows with [3] him from year to year. He holds no office ; scarcely for a little while a University Professorship ; he covets no promotion ; has no stock of money ; and shows no discontent with these arrangements. Nay, when permanent sickness, continual pain of body, is added to them, he still seems happy : these last fifteen years of his life are, spiritually considered, the clearest and most productive of all.

In forming [4] for ourselves some picture of Schiller as a man, of what [5] may be called his moral character, perhaps the very perfection of his manner of existence tends to diminish our estimate of its merits. What he aimed at he has attained in a singular degree. His life, at least from the period of manhood, is still, unruffled ; of clear, even course. The completeness of the victory hides from us the magnitude of the struggle.

One high enthusiasm takes possession of his whole nature. Herein lies his strength, as well as the task he has to do ; for this he lived, and we may say also he died for it.

---

[1] leben *with dative*   [2] who is guided   [3] *say:* in him
    [4] when we form   [5] of that which

In his life we see not that the social affections played any deep part. As a son, husband, father, friend, he is ever kindly, honest, amiable ; but rarely, if at all, do outward things stimulate him into what [1] can be called passion. . . . It was towards the Ideal not towards the Actual, that Schiller's faith and hope was directed. His highest happiness lay not in outward honour, pleasure, social recreation, perhaps not even in friendly affection, [such] as the world could show it ; but in the realm of Poetry, a city of the mind, where, for him, all that was true and noble had foundation.[2] His habits, accordingly, though far from dissocial, were solitary ; his chief business and chief pleasure lay in silent meditation.

[1] that which　　　[2] *say:* its foundation

Kindermund:

Der kleine Walter wird gefragt, ob er wisse, was eine Braut sei.—

Nach einigem Überlegen antwortet er:

„Eine Braut ist eine Frau, die noch keinen Mann hat, aber schon einen weiß".

Wiederholung des wichtigsten Wortschatzes

der

1. Briefwechsel (—)
2. Einwohner
3. Fehler
4. Hochländer
5. Kunsthändler
6. Künstler
7. Lebenskünstler
8. Nacken
9. Pechvogel
10. Schuppen
11. Skrupel
12. Speisewagen
13. Springbrunnen
14. Teekessel
15. Verräter
16. Zauber

17. Backstein (e)
18. Beruf
19. Brei
20. Effekt
21. Kiesweg
22. Reiz
23. Rost
24. Sandstein
25. Stoff
26. Superlativ
27. Überblick
28. Wert
29. Wettstreit

30. Autobus (se)

31. Acker (")
32. Magen

33. Abhang ("e)

der

34. Anschluß
35. Ausschluß
36. Bund
37. Friedhof
38. Gang
39. Kanal
40. Kloß
41. Lauf
42. Pfahl
43. Sonnenuntergang
44. Unfall
45. Wartesaal (säle)
46. Weisheitszahn
47. Zoll
48. Zwieback

49. Funke (ns, n, n)

50. Fleck (en)

51. Biograph (en, en)
52. Fürst
53. Komponist
54. Lump
55. Paragraph

56. Rabbi (s)
57. Tunnel

58. Abscheu (kein Pl.)
59. Anstand
60. Besitz
61. Betracht
62. Efeu
63. Ruhm
64. Schutz
65. Segen
66. Verdacht

die

67. Abfahrtszeit (en)
68. Abhärtung
69. Abneigung
70. Anhöhe
71. Ankunftszeit
72. Anmaßung
73. Autobahn
74. Autokarte
75. Beförderung
76. Bekanntschaft
77. Besitzung
78. Besprechung
79. Ehe
80. Eigenschaft
81. Einfachheit
82. Entscheidung
83. Erholung
84. Erinnerung
85. Falschheit
86. Fläche
87. Freundschaft
88. Gabelung
89. Gardine
90. Gasse
91. Gefahr
92. Gemeinde
93. Geschwindig=
    keitsgrenze
94. Gesundung
95. Gewalt
96. Gleichgültigkeit
97. Größe
98. Hauptmahlzeit
99. Hauptwache
100. Heiterkeit
101. Hoffnung

1. correspondence
2. inhabitant
3. mistake
4. highlander
5. art dealer
6. artist
7. artist in living
8. neck
9. unlucky fellow
10. shed
11. scruple
12. dining car
13. fountain
14. tea kettle
15. traitor
16. magic

17. brick
18. vocation
19. pudding, porridge
20. effect
21. gravel path
22. charm
23. grate
24. sandstone
25. material
26. superlative
27. general idea
28. value
29. competition

30. omnibus

31. field
32. stomach

33. slope

34. connection (train)
35. expulsion
36. league
37. graveyard
38. passage
39. channel, canal
40. dumpling, lump
41. course
42. pole
43. sunset
44. accident
45. waiting-room
46. wisdom tooth
47. customs
48. rusk

49. spark

50. spot

51. biographer
52. prince
53. composer
54. rascal
55. clause

56. rabbi
57. tunnel

58. detestation
59. propriety
60. seat, possession
61. consideration
62. ivy
63. glory
64. protection
65. blessing
66. suspicion

67. time of departure
68. hardening
69. disinclination
70. slope
71. time of arrival
72. presumption
73. arterial road
74. motoring map
75. promotion
76. acquaintance
77. estate
78. discussion
79. marriage
80. quality
81. simplicity
82. decision
83. recreation
84. memory
85. falsity
86. surface
87. friendship
88. fork (road)
89. curtain
90. narrow street
91. danger
92. congregation
93. speed limit
94. recovery
95. power
96. ˉindifference
97. greatness
98. main meal
99. main police station
100. serenity
101. hope

die	die	das
102. Hölle	143. Unzufriedenheit	178. Gebüsch
103. Individualität	144. Vegetation	179. Gehölz
104. Isolierung	145. Verfolgung	180. Gerät
105. Kathedrale	146. Verfügung	181. Gestell
106. Klarheit	147. Verheiratung	182. Hindernis (se)
107. Kleinigkeit	148. Verlegenheit	183. Ideal
108. Krümmung	149. Vertiefung	184. Paddelboot
109. Lage	150. Verwirrung	185. Segelschiff
110. Leidenschaft	151. Verzweiflung	186. Temperament
111. Limonade	152. Vollkommenheit	187. Verdienst
112. Lösung	153. Vollständigkeit	188. Vorfahrtsrecht
113. Maschinenfabrik	154. Wendeltreppe	189. Vorrecht
114. Mode	155. Windung	190. Regiment (er)
115. Nachahmung	156. Würdigung	191. Trinkgeld
116. Nachwelt	157. Erlaubnis (se)	192. Verkehrslicht
117. Nacktheit	158. Ergebenheit (kein	193. Amt ("er)
118. Neigung	Pl.)	194. Gehalt
119. Neuigkeit	159. Erhaltung	195. Gut
120. Ortschaft	160. Gegenwart	196. Heiligtum
121. Panne	161. Hitze	197. Schuhband
122. Pappel	162. Intoleranz	198. Seitental
123. Philosophie	163. Sanftmut	199. Wachstuch
124. Rolle	164. Toleranz	200. Himmelbett (en)
125. Schattenseite		201. Hühnerauge
126. Schleuse	**das**	202. Insekt
127. Schnitte	165. Adressenbüchlein	203. Oberbett
128. Schwachheit	(—)	204. Dock (s)
129. Seltenheit	166. Deckengemälde	205. Ansehen (kein Pl.)
130. Semmel	167. Gebäude	206. Barock
131. Sonnenseite	168. Gesellschafts-	207. Behagen
132. Steinkohle	zimmer	208. Geschrei
133. Straßenecke	169. Gewissen	209. Judentum
134. Strecke	170. Kopfkissen	210. Kölnische Wasser
135. Taxe	171. Mannesalter	211. Pech
136. Tour	172. Menschenalter	212. Personal
137. Tyrannei	173. Segel	213. Porzellan
138. Übertreibung	174. Ungeheuer	214. Rokoko
139. Überzeugung	175. Zeitalter	215. Schottland
140. Umgebung	176. Dampfschiff (e)	
141. Ungeschicklichkeit	177. Fahrzeug	
142. Unzeit		

102. hell
103. individuality
104. isolation
105. cathedral
106. clarity
107. trifle
108. winding
109. situation
110. passion
111. lemonade
112. solution
113. engineering works
114. fashion
115. imitation
116. posterity
117. nakedness
118. inclination
119. news
120. locality
121. breakdown
122. poplar
123. philosophy
124. roll
125. shady side
126. lock
127. slice
128. weakness
129. rarity
130. dinner roll
131. sunny side
132. hard coal
133. street corner
134. stretch
135. tariff
136. tour
137. tyranny
138. exaggeration
139. conviction
140. surroundings
141. clumsiness
142. wrong time

143. discontent
144. vegetation
145. pursuit
146. decree
147. marriage
148. embarrassment
149. hollow
150. confusion
151. despair
152. perfection
153. completeness
154. spiral staircase
155. twist
156. appreciation

157. permission

158. submission, devotion
159. preservation
160. present
161. heat
162. intolerance
163. gentleness
164. tolerance

165. address book

166. painted ceiling
167. building
168. drawing-room

169. conscience
170. pillow
171. manhood
172. generation
173. sail
174. monster
175. period

176. steamship
177. vehicle

178. bushes
179. copse
180. tool
181. rack
182. obstacle
183. ideal
184. canoe
185. sailing ship
186. temperament
187. merit
188. right to overtake
189. privilege

190. regiment
191. tip
192. traffic light

193. office
194. salary
195. good
196. sanctuary
197. shoe lace
198. tributary valley
199. American cloth

200. four-poster bed
201. corn
202. insect
203. feather bed, quilt

204. dock

205. respect, consideration
206. baroque
207. snugness
208. clamour
209. Jewry
210. Eau-de-Cologne
211. bad luck
212. staff
213. china
214. rococo
215. Scotland

die
216. Kosten (kein Sing.)
217. Siebensachen

218. sich ab'geben
219. ab'kaufen
220. ahnen
221. an'bringen
222. an'klagen
223. an'lachen
224. auf'heben
225. auf'nehmen
226. auf'tischen
227. aus'arbeiten
228. aus'fallen
229. aus'rufen
230. balancieren
231. sich bedienen
232. befördern
233. begehren
234. begeistern
235. beglücken
236. begraben
237. begreifen
238. begünstigen
239. bekleben
240. belehren
241. belohnen
242. beobachten
243. bereiten
244. bestrafen
245. bestreichen
246. betreten
247. beurteilen
248. bewahren
249. bewegen
250. bewohnen
251. bieten
252. dar'stellen
253. decken
254. deuten
255. dulden

256. durchbrechen
257. sich entsinnen
258. sich entziehen
259. erdichten
260. sich erholen
261. erleichtern
262. ernten
263. eröffnen
264. erringen
265. erschüttern

266. ersetzen
267. sich fassen

268. fehlen
269. fest'setzen
270. gebieten
271. geraten
272. sich grämen
273. heim'kehren
274. sich herum'treiben
275. horchen
276. kränken
277. krönen
278. laden
279. landen
280. sich lösen
281. nach'eifern
282. niesen
283. nutzen
284. ordnen
285. prüfen
286. sich rächen

287. rasen
288. rösten
289. schmerzen
290. sich schmiegen
291. schwören
292. siegen
293. stocken
294. täuschen

295. übel'nehmen
296. umarmen
297. umgeben
298. unter'kriegen
299. sich verbergen
300. verdanken
301. verdauen
302. verdecken
303. verdünnen
304. verehren
305. vereinen
306. verfertigen
307. sich vergnügen
308. vergolden
309. sich verkriechen
310. verlängern
311. verlassen
312. vermachen
313. vermeiden
314. vermindern
315. verschaffen
316. verschieben
317. vertrauen
318. verwandeln
319. verzagen
320. verzollen
321. sich vor'kommen
322. vor'spielen
323. wagen
324. weiden
325. weilen
326. zanken
327. zerbrechen
328. zieren
329. zwicken

330. altertümlich
331. augenblicklich
332. äußer
333. bäuerlich
334. bedenklich
335. beträchtlich

II–R

216. cost
217. goods and chattels

218. bother with
219. buy from
220. guess
221. fix
222. accuse
223. smile at
224. pick up
225. accept
226. dish up
227. work out
228. be cancelled
229. call out
230. balance
231. help onself
232. promote
233. covet
234. inspire
235. make happy
236. bury
237. grasp
238. favour
239. stick on
240. instruct
241. reward
242. observe
243. prepare
244. punish
245. spread on
246. enter
247. judge
248. preserve
249. move
250. inhabit
251. offer
252. represent
253. cover, lay (table)
254. point
255. suffer

256. break through
257. remember
258. elude
259. invent
260. recover
261. relieve
262. harvest
263. open
264. attain
265. shake, move deeply
266. replace
267. pull oneself together
268. be lacking
269. stipulate
270. command
271. turn out
272. grieve
273. return home
274. loiter around
275. listen
276. offend
277. crown
278. summon
279. land
280. detach oneself
281. emulate
282. sneeze
283. use
284. arrange
285. test
286. revenge oneself
287. race
288. roast
289. hurt
290. press close
291. swear
292. conquer
293. stop, hesitate
294. deceive

295. be offended
296. embrace
297. surround
298. subdue
299. hide (oneself)
300. owe
301. digest
302. cover
303. thin down
304. honour
305. unite
306. produce
307. enjoy oneself
308. gild
309. creep away
310. lengthen
311. leave
312. bequeathe
313. avoid
314. lessen
315. procure
316. postpone
317. trust
318. transform
319. lose hope
320. declare
321. feel
322. play to somebody
323. risk
324. graze
325. stay
326. quarrel
327. break
328. decorate
329. pinch

330. old-fashioned
331. present
332. outer
333. rustic
334. risky
335. considerable

336. betroffen
337. bewaldet
338. bürgerlich
339. echt
340. eifrig
341. einzigartig
342. empfindlich
343. entbehrlich
344. entsetzlich
345. erfahren
346. ernsthaft
347. fähig
348. fatal
349. faul
350. feierlich
351. feucht
352. freudig
353. fromm
354. furchtlos
355. gebräuchlich
356. gegenwärtig
357. geheim
358. gehorsam
359. geistig
360. gemein
361. gotisch
362. häufig
363. innig
364. jüdisch
365. körperlich
366. kulturell
367. lästig
368. lebhaft
369. liebenswürdig
370. literarisch
371. mannigfaltig
372. merklich
373. minder
374. mißmutig
375. moralisch
376. morsch
377. physisch

378. prächtig
379. romanisch
380. sächsisch
381. schief
382. schottisch
383. schüchtern
384. siegreich
385. sinnlich
386. sorgfältig
387. stählern
388. subjektiv
389. theoretisch
390. treffend
391. tugendhaft
392. umständlich
393. unbeschreiblich
394. unermeßlich
395. ungesalzen
396. ungeschickt
397. ungesellig
398. unmittelbar
399. unschätzbar
400. unterhaltsam
401. ununterbrochen
402. unvermeidlich
403. unvollständig
404. unwiderstehlich
405. üppig
406. uralt
407. verächtlich
408. verwachsen
409. wert
410. wirtschaftlich
411. wohlbeschaffen
412. würdig

413. beisammen
414. demnach
415. dennoch
416. eher
417. einerlei

418. folglich
419. hingegen
420. hinweg
421. teils . . . teils
422. ungern
423. weshalb
424. wiederum
425. wohlan

426. alle Augenblicke
427. auf alle Fälle
428. ausgerechnet ich
429. äußerst gefährlich
430. Besuche machen
431. dacht' ich's doch!
432. desto besser
433. dicke Freunde
434. die nächste Nähe
435. durchaus nicht ungesellig
436. ein Amt bekleiden
437. einen Überblick gewinnen
438. er ging mir über alles
439. er traf die Verfügung
440. es fragt sich
441. es geht schief
442. es war mir behaglich
443. ich geh' euch nicht vom Halse
444. ich habe es im Gefühl
445. ich lese alles untereinander
446. ich pauke drauf los
447. ich will dabei bleiben

336. taken aback
337. wooded
338. middle-class
339. genuine
340. eager
341. unique
342. sensitive
343. dispensable
344. terrible
345. experienced
346. serious
347. capable
348. awkward
349. rotten, lazy
350. solemn
351. damp
352. joyous
353. pious
354. fearless
355. usual
356. present
357. secret
358. obedient
359. mental
360. common
361. gothic
362. frequent
363. intense
364. Jewish
365. physical
366. cultural
367. troublesome
368. lively
369. amiable
370. literary
371. manifold
372. noticeable
373. lesser
374. disgruntled
375. moral
376. rotten
377. physical

378. splendid
379. Norman
380. Saxon
381. lopsided
382. Scottish
383. timid
384. victorious
385. sensual
386. careful
387. steel
388. subjective
389. theoretical
390. telling
391. virtuous
392. ceremonious
393. indescribable
394. immeasurable
395. unsalted
396. awkward, clumsy
397. unsociable
398. immediate
399. invaluable
400. entertaining
401. continuous
402. unavoidable
403. incomplete
404. irresistible
405. luscious
406. ancient
407. contemptuous
408. crippled
409. worthy
410. economic
411. well-made
412. respected

413. together
414. hence
415. yet, all the same
416. rather
417. no matter, all the same

418. consequently
419. on the other hand
420. away
421. partly . . . partly
422. reluctantly
423. for which reason
424. and again
425. well then

426. frequently
427. in any case
428. I of all the world
429. highly dangerous
430. pay calls
431. I thought so !
432. all the better
433. close friends
434. the closest proximity
435. by no means unsociable
436. fill an office

437. get a general idea

438. he meant more to me than anybody else
439. he decreed
440. the question is . . .
441. it goes wrong
442. I felt snug

443. you won't get rid of me
444. I know instinctively
445. I read all sorts of things
446. I strum away
447. I will stick to it

448. in meinen vier Pfählen
449. jung gewohnt, alt getan
450. laß dir von ihm erzählen
451. leider Gottes
452. man nimmt den Kaffee im Stehen
453. mein Lebtag
454. mich verlangt zu hören

455. nun, da Sie schon einmal unterwegs sind
456. sie hatten ihre Ruhe
457. sie laufen einem über den Weg
458. sie vermindern leicht
459. Sie werden es dem Kinde nicht übelnehmen

460. so sehr sie auch
461. um die Wette
462. von Beruf
463. vor grauen Jahren
464. wir nehmen ihn beim Wort
465. wird's?
466. zur Sache
467. zur Stelle schaffen
468. zur Unzeit

448. in my four walls
449. old habits die hard
450. let him tell you
451. unfortunately
452. they take coffee standing
453. all my life
454. I long to hear
455. now that you are on your way
456. they had peace
457. they run across your road
458. they tend to lessen
459. you will not be offended with the child
460. however much they . . .
461. in competition
462. by profession
463. ages ago
464. we take him at his word
465. hurry up !
466. to the point
467. produce on the spot
468. at the wrong time

Wortſchaꜩübungen (Schreibſpiele)

(1) Nennen Sie Subſtantive, die mit Verben zuſammenhängen, wie z.B.: die Hoffnung, das Gefühl.

(2) Nennen Sie Subſtantive, die mit Adjektiven zuſammenhängen, wie z.B.: die Geſundung, die Größe.

(3) Nennen Sie Sammelnamen, die mit „Ge=" beginnen, wie z.B.: das Gebüſch.

(4) Nennen Sie Subſtantive, die mit „Haupt=" beginnen!

(5) Nennen Sie Verben, die mit „be=" und „er=" beginnen. Wie iſt die Konſtruktion?

Sechzehntes Kapitel

Jugenderinnerungen eines deutschen Malers

Je älter man wird, desto lieber geht man in Gedanken zurück in die eigene Vergangenheit. Die Zukunft bietet nicht mehr so viel Neues und Unerwartetes, man lebt nicht mehr in Plänen und Hoffnungen. Die Welt um einen herum verliert an Interesse, und man wendet sich mehr und mehr nach innen und auf seine eigene Geschichte. Man geht den einzelnen Fäden nach, weiter und weiter zurück und sucht nach dem Sinn und Muster des ganzen Gewebes. Und wenn man sich auf das Schreiben versteht, so wird daraus schließlich eine Biographie, eine Selbstbiographie.

Ich habe in der letzten Zeit in vielen Biographien gelesen. Manchmal suche ich mir die Kapitel aus, in denen der Held ebenso alt ist, wie ich jetzt bin, und sehe nach, ob er sich mit ähnlichen Fragen beschäftigt hat, wie sie mich bewegen — Fragen des Berufes, der Liebe, der Freundschaft, der Familie, des Älterwerdens; ob er sich für ähnliche Dinge interessiert hat — für die Natur, für Tiere, für Bücher, Kunst, Musik, und was ihm in all dem gefallen und Eindruck gemacht hat; wie sich seine Ideen und Meinungen geändert und entwickelt haben. Oft auch interessiert es mich, wie weit die Erinnerung zurückgeht, wo die ersten bewußten Eindrücke beginnen. Einer der hübschesten Abschnitte, die solche frühe Jugenderinnerungen beschreiben, ist der Anfang der „Lebenserinnerungen eines deutschen Malers", wie Ludwig Richter seine Selbstbiographie genannt hat.

Ludwig Richter ist der Maler, der das Märchen vom „Fischer und seiner Frau" (Kapitel Vier) — wie die ganzen Grimmschen Märchen — illustriert hat. Er begann seine „Lebenserinnerungen", als er sechsundsechzig Jahre alt war (im

Jahre 1869) und schrieb zehn Jahre daran. Als Motto setzte er ein Wort des plattdeutschen Dichters Fritz Reuter darüber: „Passiren deiht jeden wat, un jeden passirt ok wat Merkwürdiges, un wenn sin Lewenslop ok ganz aufdämmt ward, dat ut den lewigen Strom en stillen See ward; hei möt man daför sorgen, dat sin Water klor bliwt, dat Hewen und Ird sik in em speigeln

kann". Das heißt auf Hochdeutsch: Passieren tut jedem etwas, und jedem passiert auch etwas Merkwürdiges, und wenn sein Lebenslauf auch ganz aufge= dämmt wurde, daß aus dem lebendigen Strom ein stiller See wurde; er muß nur dafür sorgen, daß sein Wasser klar bleibt, daß Himmel und Erde sich darin spiegeln kann.

„Eine meiner frühesten Erinnerun= gen", schreibt Richter, „ist ein Besuch bei Großpapa Müller, der ein kleines Kaufmannslädchen und ein Haus mit sehr großem Garten auf der Schäfer=
straße [1] besaß. Auf dem Wege zu den Großeltern waren wir bei einem Hause vorübergekommen, vor welchem ein schöner Rasenplatz mit vielen blauen Glocken= und weißen Stern= blumen meine Aufmerksamkeit so gefesselt hatte, daß ich kaum von der Stelle zu bringen war. Als ich aber bei den Großeltern angelangt und regaliert worden war und vor dem Hause herum= trippelte — ich zählte damals etwa drei Jahre —, fielen mir die wunderschönen Sternblumen wieder ein, und ich wackelte in gutem Vertrauen fort durch mehrere einsame Gassen und gelangte auch richtig zu dem Gehöfte mit dem schönen Rasenplatz, wo ich denn für Großpapa einen prächtigen Strauß pflückte und wieder fortmarschierte. Da ich aber nur vertrauensvoll meiner Nase nachging, und diese vermutlich damals ein noch zu kleiner

[1] in Dresden

Wegweiser war, so brachte sie mich nach der entgegengesetzten
Richtung auf weiten, weiten Wegen in die Stadt. Ich war sehr
verwundert, daß Großpapas Haus auch garnicht kommen wollte,
trotzdem es Abend wurde. Lebhaft erinnerlich ist mir's, wie ich
kleines Wurm, den Blumenstrauß fest in der Hand, um Mitter=
nacht auf dem im Mondschein ruhenden Altmarkt stand, ein so
winzig kleines Figürchen auf dem großen, öden Platze; da kam
der Rettungsengel in Gestalt eines Ratswächters, den Dreimaster
auf dem Kopfe und den Säbel an der Seite, von dem im Schatten
liegenden Rathause herüber, fragte mich und trug mich zu der in
Todesängsten schwebenden Mutter; denn man hatte das ver=
laufene Kind bereits auf dem Rathause gemeldet, und mein
wirklicher Schutzengel hatte mich glücklich davorgeführt. . . .

„Die Müller=Großeltern wurden oft besucht. Das kleine
Kaufmannslädchen, durch welches man den Eingang in das noch
kleinere und einzige Stübchen nehmen mußte, war ein höchst
interessantes Heiligtum. Das Fenster außen garniert mit
hölzernen, gelb und orange bemalten Kugeln, welche Zitronen
und Apfelsinen vorstellten, die aber in natura niemals vorhanden
waren und bei der armen Kundschaft auch keine Käufer gefun=
den haben würden; dann der große, blanke Messingmond,
vor welchem abends die Lampe angezündet wurde, und der dann
mit seinem wunderbar blendenden Glanze das Lädchen in einen

feenpalast verwandelte; die vielen verschlossenen Kästen, der
anziehende Sirupständer, dessen Inhalt so oft in den schönsten
Spirallinien auf das untergehaltene Dreierbrot sich ergoß, die
Büchsen mit bunten Zucker= und Ingwerplätzchen, Kalmus,
Johannisbrot und schließlich der Duft dieser Atmosphäre: welch
ahnungsvolle Stätte voll Herrlichkeit! Endlich der Kaufherr
selbst, mit baumwollener Zipfelmütze und kaffeebrauner Laden=
schürze geschmückt, wie hastig und eifrig fuhr er in die Kästen,
langte dem Barfüßler für 1 Pfennig Pfeffer, 1 Pfennig Ingwer,
1 Pfennig neue Würze und 3 Pfennige Baumöl freundlichst zu,
und die Klingel an der Tür bimmelte unaufhörlich der ab= und
zugehenden Kundschaft vor und nach.

„Die Großmama, eine phlegmatische, etwas stolze Frau, ging
ab und zu und bewegte sich gemächlich aus dem Stübchen in die
Küche und aus der Küche in das Stübchen, und selten war sie
anderswo zu erblicken; ich kann mich aber nicht erinnern, daß sie
mit mir oder überhaupt viel gesprochen oder das Gesicht einmal
in andere Falten gezogen hätte; deshalb interessierte sie mich
auch nicht. . . .

„Ein Hauptvergnügen verschaffte mir der dicke Stoß Bilder=
bogen, welche im Laden zum Verkauf lagen, und die ich alle mit
Muße betrachten konnte. Außer der ganzen sächsischen Kavallerie
und Infanterie waren da auch ‚die verkehrte Welt‘ mit herrlichen
Reimen darunter, ‚das Gänsespiel, die Kaffeegesellschaft, Jahres=
zeiten‘ u. dgl., alle in derbem Holzschnitt, grell bunt bemalt. . . .

„Endlich der von Nebengebäuden eingeschlossene Hof mit
dem daranstoßenden, sehr großen Garten, welch ein Schauplatz
süßester Freuden! Da wurde mit der Jugend der Nachbarschaft
ein Vogelschießen veranstaltet, am Johannistag um eine hohe
Blumenpyramide von Rosen und weißen Lilien getanzt, oben
die herrlich duftende Vorratskammer besucht, wo die süßen
Zapfenbirnen und anderes frisches und trockenes Obst in Haufen
lagen, unten der Schweinestall mit seinen Insassen rekognosziert,
und welch ein Festtag, wenn das Tier geschlachtet wurde!

. . . „Ein Geruch von süßem Fleisch, kräftigem Pfeffer und Majoran durchwürzte die Luft, und welche Wonne, zu sehen, wie die hellen, langen Leberwürstlein samt den teils schlanken, teils untersetzten oder gar völlig korpulenten Blut= und Magen= würsten in dem Brodeln des großen Kessels auf= und untertauch= ten und endlich herausgefischt und probiert wurden.

„Wie lebendig wurde es dann im Lädchen; die Klingel bimmelte ohne Aufhören, denn ‚Müllers hatten ein Schwein geschlachtet‘ und so kamen die Kinder in Scharen mit Töpfchen und Krügen, und immer wiederholte sich die Bitte: ‚Schenken Sie mir ein bißchen Wurst= brühe, Herr Müller!‘ Der cholerische, sonst gute Herr Müller konnte sich der Scharen garnicht mehr erwehren, die Klingel bim= melte völlig Sturm, mit immer größeren Schritten lief er hinter der Ladentafel schel= tend und polternd einher und glich so wegen  der Kürze des Raums einem im Käfig herumtrabenden gereizten Tiger. Endlich stand die Zipfelmütze bolzengerade in die Höhe, und das Wetter brach los: ‚Ihr Racker, jetzt packt euch alle, sonst kommt die Hetzpeitsche!‘ und im Nu stürzte und purzelte die ganze kleine Bande zur Ladentür hinaus, und der gute alte Müller stand mit der drohenden Hetzpeitsche, wie der Donnergott Zeus, unter der offengebliebenen Tür und schloß diese dann eigenhändig, wenn die Schar sich verlaufen hatte.

„Dies kleine Müllerlädchen mit seiner Kundschaft, die in einem armen Stadtviertel eine recht bunt=charakteristische ist, hat gewiß auf mein künstlerisches Gestalten in späteren Jahren viel Einfluß gehabt; unbewußt tauchten diese Geister alle auf und standen mir Modell.

„Dies waren nun die Eindrücke aus der Menschenwelt; der Garten bot anderes. Noch bis heute berührt mich der Anblick der Blumen, aber nur der bekannten, welche ich in der Jugend sah,

ganz eigentümlich und tief. In der Farbe und Gestalt, im
Geruch und Geschmack mancher Blumen und Früchte liegt für
mich eine Art Poesie, und ich habe die Früchte mindestens eben=
sogern nur gesehen, als gegessen. Der Garten hatte Rosenbüsche
in Unzahl. Wie oft guckte ich lange, lange in das kühle, von der
Sonne durchleuchtete Rot eines solchen Rosenkelches, und der
herausströmende Duft mitsamt der himmlischen Rosenglut
zauberte mich in ein fernes, fernes Paradies, wo alles so rein, so
schön und selig war! Ich wußte freilich nichts von Dante; jetzt
aber meine ich, er habe wohl auch in solche Rosenglut geschaut und
kein besser irdisch Bild für seine Paradiesvision sich erdenken
können, und in den Kelch setzt er die Reinste der Reinen.

„Es stand am Ende des Gartens ein uralter Birnbaum,
zwischen dessen mächtigen Ästen ich mir einen Sitz zurecht=
gemacht hatte. Manche Stunde verbrachte ich träumerisch in
dem grünen Gezweig, um mich die zwitschernden Finken und
Spatzen, mit welch letzteren ich zur Zeit der Reife die Birnen
teilte, die der Baum in Unzahl trug. Von diesem verborgenen
Aufenthalt überblickte man den ganzen Garten mit seinen
Johannis= und Stachelbeersträuchern, den Reihen wild durch=
einander wachsender Rosen, Feuerlilien, brennender Liebe, Lack
und Levkoien, Hortensien und Eisenhut, Nelken und Fuchs=
schwanz — wer nennt alle ihre Namen! Dann zur Seite die
Gemüsebeete, und über die Gartenmauer hinüber die gelben
Kornfelder und die fernen Höhen von Roßtal und Plauen! Das
war nun mein Bereich, wo ich mich einsam oder in Gesellschaft
von Spielgenossen oder tätig beim Begießen der Gurken, des
Kopfsalats, der Zwiebeln und Bohnen beschäftigte. Ob sich bei
solchem Treiben auf einem für das Kindesalter geeigneten
reichen Schauplatze Phantasie und Gemüt nicht noch besser aus=
bilden sollten als in den jetzt beliebten Kleinkindergärten, wo
systematisch gespielt wird, stets mit bildender Belehrung und
von liebevoller Aufsicht umgeben?“

Wortschatz

der Kessel (—), *boiler*
  „ Maler, *painter*
  „ Säbel, *sabre*
  „ Schutzengel, *guardian angel*
  „ Tiger, *tiger*

  „ Anblick (e), *view*
  „ Aufenthalt, *abode, stay*
  „ Festtag, *feast day*
  „ Holzschnitt, *wood-carving*
  „ Inhalt, *content(s)*
  „ Käfig, *cage*
  „ Kelch, *chalice, cup*

  „ Einfluß ("e), *influence*
  „ Geruch, *smell*
  „ Geschmack, *taste*
  „ Krug, *jug*
  „ Schauplatz, *scene*
  „ Schweinestall *pig-sty*
  „ Stoß, *pile*
  „ Verkauf, *sale*

  „ Johannisbeerstrauch ("er), *red-currant bush*
  „ Stachelbeerstrauch, *gooseberry bush*

  „ Fink (en, en), *finch*
  „ Insasse, *inmate*
  „ Spielgenosse, *playmate*

  „ Eisenhut (kein Pl.), *aconite*

der Ingwer, *ginger*
  „ Lack, *wallflower*

die Apfelsine (n), *orange*
  „ Aufmerksamkeit (en), *attention*
  „ Aufsicht (en), *supervision*
  „ Bande (n), *gang*
  „ Belehrung (en), *tuition*
  „ Biographie (n), *biography*
  „ Büchse (n), *tin*
  „ Falte (n), *pleat, fold*
  „ Feuerlilie (n), *lily*
  „ Glockenblume (n), *Canterbury bell*
  „ Herrlichkeit (en), *splendour*
  „ Hortensie (n), *hortensia*
  „ Jahreszeit (en), *season*
  „ Klingel (n), *bell*
  „ Kugel (n), *ball*
  „ Kundschaft (en), *clientele*
  „ Levkóie (n), *stock* (bot.)
  „ Lilie (n), *lily*
  „ Nachbarschaft (en), *neighbourhood*
  „ Nelke (n), *carnation*
  „ Phantasie (n), *imagination*
  „ Schar (en), *horde, drove*
  „ Vorratskammer (n), *larder, storeroom*
  „ Wonne (n), *delight*
  „ Würze (n), *spice*
  „ Zitróne (n), *lemon*
  „ Zwiebel (n), *onion*

die Blutwurst ("e), *black pudding*

„ Leberwurst, *liver sausage*
„ Mitternacht, *midnight*
„ Todesangst, *agony*

„ Infanterie (kein Pl.), *infantry*
„ Kavallerie, *cavalry*
„ Kürze, *shortness*
„ Muße, *leisure*
„ Reife, *maturity, ripeness*
„ Unzahl, *great number*

das Gewebe (—), *fabric*
„ Nebengebäude, *outhouse*
„ Plätzchen, *biscuit*

„ Gehöft (e), *farm*
„ Paradies, *paradise*

„ Kornfeld (er), *cornfield*

„ Fleisch (kein Pl.), *meat*
„ Treiben, *doings*
„ Vertrauen, *confidence*

ab'= und zu'gehen, ging
    ab und zu, ist ab= und
    zugegangen, *come and go*
auf'hören, *cease*
auf'tauchen, *emerge*
aus'suchen, *select*
begießen, begoß, hat be=
    gossen, *water*
berühren, *touch*
blenden, *blind*

drohen, *threaten*
ein'schließen, schloß ein, hat
    eingeschlossen, *enclose*
erblicken, *set eyes on*
fesseln, *fascinate*
gelangen, ist gelangt, *arrive*
gestalten, *create, shape*
gleichen, *resemble*
melden, *report*
sich packen, *get out*
poltern, *rumble*
purzeln, *tumble*
reizen, *irritate*
schlachten, *kill, slaughter*
schmücken, *decorate*
sorgen (für), *take care*
sich spiegeln, *mirror oneself*
stürzen, *dash*
überblicken, *overlook*
unter'tauchen, *dive, submerge*
veranstalten, *arrange, hold*
verbringen, verbrachte, hat
    verbracht, *spend (time)*
verschließen, verschloß, hat
    verschlossen, *close*
vor'stellen, *represent*
wackeln, *waddle*
wiederhólen, *repeat*
zaubern, *charm*
zwitschern, *twitter*

baumwollen, *cotton*
beliebt, *popular*
bewußt, *conscious*

derb, *rough*

eigentümlich, *peculiar*

entgegengesetzt, *opposite*

geeignet, *suitable*

gemächlich, *leisurely*

grell, *gaudy*

hastig, *quick, hasty*

hölzern, *wooden*

künstlerisch, *artistic*

öde, *desolate*

systemátisch, *systematical*

tätig, *active, busy*

träumerisch, *dreamy*

unaufhörlich, *incessant*

unerwartet, *unexpected*

untersetzt, *square-built*

verkehrt, *topsy-turvy*

vermutlich, *presumable*

vertrauensvoll, *trusting*

verwundert, *astonished*

vorhánden, *existing, available*

winzig, *tiny*

bereits, *already*

ein bißchen, *a little*

einhér, *along*

oder gar, *or even*

samt, mitsamt, *together with*

er fuhr in die Kästen, *he dived into the boxes*

es ist mir erinnerlich, *I remember*

ich war kaum von der Stelle zu bringen, *they could hardly get me away*

im Nu, *in no time*

in der letzten Zeit, *lately*

in Unzahl, *in profusion*

Grammatik

Plural of neuter nouns (*cf.* " Heute Abend I ", chapter 4) :
Neuter nouns can be divided into four groups according to
their plural forms :

1. Neuter nouns ending in =er, =el, =en, =chen, and =lein do
   not change for the plural : das Fenster — die Fenster;
   das Kapitel — die Kapitel; das Kissen — die Kissen; das
   Mädchen — die Mädchen; das Fräulein — die Fräulein.

2. Most other neuter nouns add =e in the plural, those ending
   in =nis double the s. Das Pferd — die Pferde; das
   Schiff — die Schiffe; das Hindernis — die Hindernisse
   usw.

3. Another large group of neuter nouns add =er in the plural
   and frequently also modify the stem vowel. To this group

belong, among others, the nouns ending in =tum. Das Bad — die Bäder; das Kind — die Kinder; das Feld — die Felder; das Heiligtum — die Heiligtümer usw.

4. A small group of neuter nouns add =en or =n to form their plural. Here they are brought together in a rhyme:

Es liegt Franz Schmidt in seinem Bett,
die Augen zu, und träumt von Lisett'.
„Mein Herz," so seufzt er, „du mein Juwel,
du bringst mir Leid, du blickst so scheel."
Ein verständnisloses Insekt indessen,
— ganz ohne höhere Interessen —
ist ihm unterm Hemd bis ans Ohr gekrochen
und hat ihn am Ende hineingestochen.
Franz Schmidt erwacht und hat die Nacht
nicht weiter an Lisett' gedacht.

Aufgaben

I. Vervollständigen Sie die nachstehenden Sätze:

Ein Metzger war, ohne (wissen warum und wieso), sehr reich geworden und wollte sich von d— berühmt— Maler Liebermann malen lassen. Er kam zu d— Meister, — schwarzen Hut auf — Kopfe, — schwarzen Frack auf — Leib und ein— neu— seiden— Regenschirm in — Hand. D— Meister stand, — Pinsel in — Hand, vor ein— kürzlich angefangen— Bild. Er sah sein— Besucher einen Augenblick an und erklärte dann, ohne (sich in seiner Arbeit stören lassen), er (zu viel zu tun haben), und (ihn nicht malen können). Der andere aber (sich nicht einschüchtern lassen) und (weiter drängen).

Schließlich (zustimmen) Liebermann scheinbar, (verlangen) aber ein— unglaublich hoh— Betrag. Der Metzger (sich erklären) zu d— Maler— groß— Erstaunen sofort einverstanden und (vorausbezahlen wollen) ein— Teil d— Betrag. — Feder in — Hand und —Scheckbuch aus — Tasche ziehend, (sich erkundigen) bei d— Maler, wann er zur erst— Sitzung (kommen sollen), und wieviele Sitzungen (nötig sein), um das Charakteristische sein— Züge zu treffen? „Oh," (erwidern) Liebermann, ohne (von seiner Arbeit aufsehen), „es (genügen) mir, wenn Sie mir morgen auf ein— halb— Stunde Ihr— schwarz— Frack (schicken)." D— ander— (sich umdrehen), und (marschieren), ohne (ein weiteres Wort verlieren), gereizt aus d— Malers Zimmer. D— nächst— Tag er (sich photographieren lassen).

II. Erzählen Sie die vorstehende Geschichte in der indirekten Rede!

III. Geben Sie die richtigen Endungen!

In d— deutsch— Malerei ist es schon seit alt— Zeit allgemein— Sitte gewesen, auf länger— Zeit nach Italien zu fahren, um dort an bekannt— Mustern italienisch— Kunst zu lernen. D— bekannt— deutsch— Maler Schadow äußerte sich oft in halb— Ernst gegen d— „ewig— Italienmalen" und freute sich immer, wenn es d— ein— oder d— ander— deutsch— Künstler gelungen war, etwas Hübsch— aus d— gar nicht unschön— Gegend um Berlin herum darzustellen. „Ich bin gar nicht so sehr für dies— ewig— Italien," sagte er dann wohl, „und d— italienisch— Bäume gefallen mir schon gar nicht. Immer dies— langweilig— Pinien und Pappeln. Was hat man denn an solch— Baum? D— ein— sieht aus wie ein aufgeklappt— Regenschirm und d— ander— wie ein zugeklappt—!"

IV. Übersetzen Sie die folgende Unterhaltung!

" Good morning, Henry ! But you have changed ! Have you had your nose operated on ? It looks quite different ! "

" Sir, I do not know you ! "

" And you have had your hair cut short, and have grown a moustache [*say :* have let grow] ! "

" Sir, I repeat, I do not know you. Will you please leave me alone ! "

" No, no, I won't let myself be treated like this by an old friend. I well remember your shop in Leipzig, I am still wearing the suits I had made there ! "

" Excuse me, Sir, I have never lived in Leipzig, I have never had a shop, and you have never had any suits made by me ! "

" Of course I had them made by your staff. If you look inside, it says on the collar : Made by Henry Smith & Co., Leipzig."

" But I am not called Henry Smith. My name is Richard Brown."

" So you have had your name changed as well ? "

V. Schreibspiel!

Wie heißen die verschiedenen Künste, und die dazugehörigen Künstler (z.B. Malerei, Maler)? Was für Materialien, Werkzeuge und Instrumente gebrauchen sie?

VI. Sprechen Sie über das Kapitel und erzählen Sie, was Ludwig Richter aus seiner Jugend berichtet!

VII. Erzählen Sie Ihre früheste Jugenderinnerung!

VIII. Schreiben Sie kurz über eines Ihrer Jugenderlebnisse!

IX. Translation.

From *My Diary*, by Elizabeth Cleghorn Gaskell (abridged)

Marianne is now becoming every day more and more interesting. She looks at and tries to take hold of everything. She has pretty good ideas of distance and does not try to catch sunbeams now, as [she did] two months ago. Her sense of sight is much im- proved lately in seeing [1] objects at a distance, and distinguishing them. For instance, I had her in my arms to-day in the drawing-room, and her Papa was going out of the gate, and she evidently knew him ; smiled and kicked. She is extremely fond of her Papa, shouting [2] out his name whenever she hears his footsteps, never mistaking it,[3] and dancing with delight when she hears the bell which is a signal for her to come in after dinner.

She will talk before she walks, I think. She can say pretty plainly, " Papa, dark, stir, ship, lamp, book, tea, sweep ", etc. — leaving [4] poor Mama in the background. She is delighted when we stir the fire or make any commotion in the room.

I am sometimes surprised to find how she understands, and tries to understand, what we say amongst ourselves.

For instance, I was one day speaking of *biscuits*, but fearing [5] if she understood me, her hopes would be excited, I merely described them as " things that were on the breakfast-table this morning " (there were none in the room at the time), when immediately she began to dance in Fanny's arms, saying,[6] " Bis, bis, bis ".

---

[1] and she sees   [2] and shouts   [3] and is never mistaken
        [4] and leaves   [5] as I feared   [6] and said

Kinderreime

aus „Des Knaben Wunderhorn", einer Volksliedersammlung, die in den Jahren 1806–1808 von den beiden romantischen Dichtern Achim von Arnim und Clemens Brentano herausgegeben wurde.

Abendgebet

Abends, wenn ich schlafen geh,
vierzehn Engel bei mir stehn,
zwei zu meiner Rechten,
zwei zu meiner Linken,
zwei zu meinen Häupten,
zwei zu meinen Füßen,
zwei, die mich decken,
zwei, die mich wecken,
zwei, die mich weisen
in das himmlische Paradeischen.[1]

[1] Paradieschen

Guten Abend, gute Nacht,
mit Rosen bedacht,
mit Näglein[1] besteckt,
schlupf[2] unter die Deck',
morgen früh, wenn's Gott will,
wirst du wieder geweckt.

[1] Näglein — Nelken   [2] schlupfen — schlüpfen

Guten Abend, gut' Nacht,
von Englein bewacht,
die zeigen im Traum
dir Christkindleins Baum.
Schlaf' nun selig und süß,
schau im Traum's Paradies!

Wenn das Kind sich wehgetan hat

Heile, heile Segen,
drei Tag' Regen,
drei Tag' Schnee,
und dann tut's nimmer weh.

Kanon für vier Stimmen

Drei Gänf' im Haber = ftroh faßen da und
waren froh; kam der Bauer 'gangen mit der langen
Stangen, ruft: Wer do? Wer do? Wer do? Drei
Gickel = Gackel = Gackel = Gänf' im Haber = ftroh.

Siebzehntes Kapitel

Aus Heines „Harzreise" (1824)
(gekürzt)

Die Stadt Göttingen, berühmt durch ihre Würste und Universität, gehört dem Könige von Hannover und enthält 999 Feuerstellen, diverse Kirchen, eine Entbindungsanstalt, eine Sternwarte, einen Karzer, eine Bibliothek und einen Ratskeller, wo das Bier sehr gut ist. Der vorbeifließende Bach heißt „die Leine" und dient des Sommers zum Baden. Die Stadt selbst ist schön und gefällt einem am besten, wenn man sie mit dem Rücken ansieht. Sie muß schon sehr lange stehen, denn ich erinnere mich, als ich vor fünf Jahren dort immatrikulierte, hatte sie schon dasselbe graue, altkluge Ansehen. . . .

Im allgemeinen werden die Bewohner Göttingens eingeteilt in Studenten, Professoren, Philister und Vieh. Der Viehstand ist der bedeutendste.

Es war noch sehr früh, als ich Göttingen verließ. Hinter Nörten stand die Sonne hoch und glänzend am Himmel. Sie meinte es recht ehrlich mit mir und erwärmte mein Haupt, daß alle unreifen Gedanken darin zur Vollreife kamen. Die liebe Wirtshaussonne in Northeim ist auch nicht zu verachten; ich kehrte hier ein und fand das Mittagessen schon fertig.

Hinter Northeim wird es schon gebirgig, und hie und da treten schöne Anhöhen hervor. In pechdunkler Nacht kam ich an zu Osterode. Es fehlte mir der Appetit zum Essen, und ich legte mich gleich zu Bette. Ich war müde wie ein Hund und schlief wie ein Gott.

Erwachend hörte ich ein freundliches Klingen. Die Herden zogen auf die Weide, und es läuteten ihre Glocken. Die liebe goldene Sonne schien durch das Fenster und beleuchtete die Schildereien an den Wänden des Zimmers. Es waren Bilder aus dem Befreiungskriege, worauf treu dargestellt stand, wie wir alle Helden waren, dann auch Hinrichtungsszenen aus der Revolutionszeit. Ludwig XVI auf der Guillotine und ähnliche Kopfabschneidereien, die man gar nicht ansehen kann, ohne Gott zu danken, daß man ruhig im Bette liegt und guten Kaffee trinkt und den Kopf noch so recht komfortabel auf den Schultern sitzen hat.

Nachdem ich Kaffee getrunken, mich angezogen, die Inschriften auf den Fensterscheiben gelesen und alles im Wirtshause berichtigt hatte, verließ ich Osterode.

Diese Stadt hat so und so viel Häuser, verschiedene Einwohner, worunter auch mehrere Seelen, wie in Gottschalks „Taschenbuch für Harzreisende" genauer nachzulesen ist. Ehe ich die Landstraße einschlug, bestieg ich die Trümmer der uralten Osteroder Burg. Sie bestehen nur noch aus der Hälfte eines großen, dickmauerigen, wie von Krebsschäden angefressenen Turms. Der Weg nach Klausthal führte mich wieder bergauf, und von einer der ersten Höhen schaute ich nochmals hinab in das Tal, wo Osterode mit seinen roten Dächern aus den grünen Tannenwäldern hervorguckt wie eine Moosrose. Die Sonne gab eine gar liebe, kindliche Beleuchtung. Von der erhaltenen Turmhälfte erblickt man hier die imponierende Rückseite.

Es liegen noch viele andere Burgruinen in dieser Gegend. Der Hardenberg bei Nörten ist die schönste.

Die Berge wurden hier noch steiler, die Tannenwälder

wogten unten wie ein grünes Meer, und am blauen Himmel
oben schifften die weißen Wolken. Die Wildheit der Gegend war
durch ihre Einheit und Einfachheit gleichsam gezähmt. Wie
ein guter Dichter liebt die Natur keine schroffen Übergänge.
Eben wie ein guter Dichter weiß die Natur auch mit den wenigsten Mitteln die größten Effekte hervorzubringen. Da sind nur
eine Sonne, Bäume, Blumen, Wasser und Liebe. Freilich, fehlt
letztere im Herzen des Beschauers, so mag das Ganze wohl einen
schlechten Anblick gewähren, und die Sonne hat dann bloß so und
so viel Meilen im Durchmesser, und die Bäume sind gut zum
Einheizen, und die Blumen werden nach den Staubfäden
klassifiziert, und das Wasser ist naß.

In der „Krone" zu Klausthal hielt ich Mittag. Ich bekam
frühlingsgrüne Petersiliensuppe, veilchenblauen Kohl, einen
Kalbsbraten, groß wie der Chimborasso in Miniatur, sowie auch
eine Art geräucherte Heringe, die Bückinge heißen, nach dem
Namen ihres Erfinders, Wilhelm Bücking, der 1447 gestorben und
um jener Erfindung willen von Karl V so verehrt wurde, daß
derselbe Anno 1556 von Middelburg nach Bievlied in Zeeland
reiste, bloß um dort das Grab dieses großen Mannes zu sehen.
Wie herrlich schmeckt doch solch ein Gericht, wenn man die
historischen Notizen dazu weiß und es selbst verzehrt. . . .

Nach Tische macht' ich mich auf den Weg, die Gruben, die
Silberhütten und die Münze zu besuchen.

In den Silberhütten habe ich, wie oft im Leben, den Silberblick verfehlt. In der Münze traf ich es schon besser und konnte
zusehen, wie das Geld gemacht wird. Freilich, weiter hab' ich es
auch nie bringen können. . . .

Den anderen Morgen ging ich nach Goslar. Ich kam dahin,
ohne zu wissen wie. Nur so viel kann ich mich erinnern:
ich schlenderte wieder bergauf, bergab, schaute hinunter in
manches hübsche Wiesental; silberne Wasser brausten, süße
Waldvögel zwitscherten, die Herdenglöckchen läuteten, die
mannigfaltig grünen Bäume wurden von der lieben Sonne

goldig angestrahlt und oben war die blauseidene Decke des
Himmels so durchsichtig, daß man tief hineinschauen konnte.

Der Name Goslar klingt so erfreu=
lich, und es knüpfen sich daran so viele
uralte Kaisererinnerungen, daß ich eine
imposante, stattliche Stadt erwartete.
Aber so geht es, wenn man die Berühm=
ten in der Nähe besieht! Ich fand ein
Nest mit meistens schmalen, labyrinthisch
krummen Straßen, allwo mittendurch
ein kleines Wasser, wahrscheinlich die
Gose, fließt. Der Markt ist klein, in
der Mitte steht ein Springbrunnen,
deß Wasser sich in ein großes Metall=
becken ergießt. Bei Feuersbrünsten
wird einigemal daran geschlagen; es gibt dann einen weit=
schallenden Ton. Man weiß nichts vom Ursprunge dieses
Beckens. Einige sagen, der Teufel habe es einst zur Nachtzeit
dort auf den Markt hingestellt. Damals waren die Leute noch
dumm, und der Teufel war auch dumm, und sie machten sich
wechselseitig Geschenke.

Das Rathaus zu Goslar ist eine weißangestrichene Wachtstube.
Das danebenstehende Gildenhaus hat schon ein besseres Ansehen.
Ungefähr von der Erde und vom Dach gleich weit entfernt stehen
da die Standbilder deutscher Kaiser, räucherig schwarz und zum
Teil vergoldet, in der einen Hand das Zepter, in der andern
die Weltkugel. Einer dieser Kaiser hält ein Schwert, statt des
Zepters. Ich konnte nicht erraten, was dieser Unterschied sagen
will; und es hat doch gewiß seine Bedeutung, da die Deutschen
die merkwürdige Gewohnheit haben, daß sie bei allem, was sie
tun, sich auch etwas denken.

In Gottschalks „Handbuch“ hatte ich von dem uralten Dom
und von dem berühmten Kaiserstuhl zu Goslar viel gelesen. Als
ich aber beides besehen wollte, sagte man mir, der Dom sei

niedergerissen, und der Kaiserstuhl nach Berlin gebracht worden. So wird einst der Wanderer nach Europa kommen und vergebens nach Deutschland fragen.

Von Goslar ging ich den anderen Morgen weiter. Wieder schönes, liebes Sonntagswetter. Ich bestieg Hügel und Berge,

 betrachtete, wie die Sonne den Nebel zu verscheuchen suchte, wanderte freudig durch die schauernden Wälder, und um mein träumendes Haupt klingelten die Glockenblümchen von Goslar.

Die Sonne ging auf. Die Nebel flohen, wie Gespenster beim dritten Hahnenschrei. Ich stieg wieder bergauf und bergab, und vor mir schwebte die schöne Sonne, immer neue Schönheiten beleuchtend. In der Ferne klang's wunderbar geheimnisvoll, wie Glockengeläute einer verlorenen Waldkirche. Man sagt, das seien die Herdenglöckchen, die im Harz so lieblich, klar und rein gestimmt sind.

Nach dem Stande der Sonne war es Mittag, als ich auf eine solche Herde stieß, und der Hirt, ein freundlich blonder junger Mensch, sagte mir, der große Berg, an dessen Fuß ich stünde, sei der alte, weltberühmte Brocken. Viele Stunden ringsum liegt kein Haus, und ich war froh genug, daß mich der junge Mensch einlud, mit ihm zu essen. Wir setzten uns nieder zu einem Déjeuner dinatoire, das aus Käse und Brot bestand. Wir tafelten recht königlich.

Wir nahmen freundschaftlich Abschied, und fröhlich stieg ich den Berg hinauf. Bald empfing mich eine Waldung himmelhoher Tannen, für die ich in jeder Hinsicht Respekt habe. Der Berg ist hier mit vielen großen Granitblöcken übersät, und die meisten Bäume mußten mit ihren Wurzeln diese Steine umranken oder sprengen, und mühsam den Boden suchen, woraus sie Nahrung schöpfen können. Auf den Zweigen der Tannen kletterten Eichhörnchen, und unter denselben spazierten die gelben Hirsche.

Allerliebst schossen die goldenen Sonnenlichter durch das dichte Tannengrün. Eine natürliche Treppe bildeten die Baumwurzeln. Überall schwellende Moosbänke; denn die Steine sind fußhoch von den schönsten Moosarten wie mit halbgrünen Sammetpolstern bewachsen. Liebliche Kühle und träumerisches Quellengemurmel. Hie und da sieht man, wie das Wasser unter den Steinen silberhell hinriefelt und die nackten Baumwurzeln und Fasern bespült. Wenn man sich nach diesem Treiben hinabbeugt, so belauscht man gleichsam die geheime Bildungsgeschichte der Pflanzen und das ruhige Herzklopfen des Berges. An manchen Orten sprudelt das Wasser aus den Steinen und Wurzeln stärker hervor und bildet kleine Kaskaden. Da läßt sich gut sitzen.

Je höher man den Berg hinaufsteigt, desto kürzer, zwerghafter werden die Tannen, sie scheinen immer mehr und mehr zusammenzuschrumpfen, bis nur Heidelbeer- und Rotbeersträucher und Bergkräuter übrig bleiben. Da wird es auch schon fühlbar kälter. Die wunderlichen Gruppen der Granitblöcke werden hier erst recht sichtbar; diese sind oft von erstaunlicher Größe. Das mögen wohl die Spielbälle sein, die sich die bösen Geister einander zuwerfen in der Walpurgisnacht, wenn hier die Hexen auf Besenstielen und Mistgabeln einhergeritten kommen.

In der Tat, wenn man die obere Hälfte des Brockens besteigt, kann man sich nicht erwehren, an die ergötzlichen Blocksberggeschichten zu denken, und besonders an die große, mystische, deutsche Nationaltragödie vom Doktor Faust. Mir war immer, als ob ein Pferdefuß neben mir hinauf klettere und jemand humoristisch Atem schöpfe. Und ich glaube, auch Mephisto muß mit Mühe Atem holen, wenn er seinen Lieblingsberg ersteigt; es ist ein äußerst erschöpfender Weg, und ich war froh, als ich endlich das langersehnte Brockenhaus zu Gesicht bekam.

Ich fand das Haus voller Gäste, und, wie es einem klugen Manne geziemt, dachte ich schon an die Nacht, an die Unbehaglichkeit eines Strohlagers; mit hinsterbender Stimme verlangte ich gleich Tee, und der Herr Brockenwirt war vernünftig genug, einzusehen, daß ich kranker Mensch für die Nacht ein ordentliches Bett haben müsse. Dieses verschaffte er mir in einem engen Zimmerchen, wo schon ein junger Kaufmann sich etabliert hatte.

Nachdem ich mich ziemlich rekreiert, bestieg ich die Turmwarte und fand daselbst einen kleinen Herrn mit zwei Damen, einer jungen und einer ältlichen. Die junge Dame war sehr schön.

Ich suchte gleich die schöne Dame in ein Gespräch zu verflechten; denn Naturschönheiten genießt man erst recht, wenn man sich auf der Stelle darüber aussprechen kann.

Derweil wir sprachen, begann es zu dämmern; die Luft wurde noch kälter, die Sonne neigte sich tiefer, und die Turmplatte füllte sich mit Studenten, Handwerksburschen und einigen ehrsamen Bürgersleuten, samt deren Frauen und Töchtern, die alle den Sonnenuntergang sehen wollten. Es ist ein erhabener Anblick, der die Seele zum Gebet stimmt.

Während ich so in Andacht versunken stehe, höre ich, daß neben mir jemand ausruft: „Wie ist die Natur doch im allgemeinen so schön!" Die Worte kamen aus der gefühlvollen Brust meines Zimmergenossen, des jungen Kaufmanns. Ich gelangte dadurch wieder zu meiner Werktagsstimmung, war jetzt imstande, den Damen über den Sonnenuntergang recht viel Artiges zu sagen und sie ruhig, als wäre nichts passiert, nach ihrem Zimmer zu führen. Sie erlaubten mir auch, sie noch eine Stunde zu unterhalten.

Nach diesem Geschäfte ging ich noch auf dem Brocken spazieren; denn ganz dunkel wird es dort nie. Der Nebel war nicht stark, und ich betrachtete die Umrisse der beiden Hügel, die man den Hexenaltar und die Teufelskanzel nennt. Ich schoß meine Pistolen ab, doch es gab kein Echo. Plötzlich aber höre ich bekannte Stimmen und fühle mich umarmt und geküßt. Es waren meine Landsleute, die Göttingen vier Tage später verlassen hatten und bedeutend erstaunt waren, mich ganz allein auf dem Blocksberge wieder zu finden.

Wortschatz

der Beschauer (—), *spectator*
  „ Bewohner, *inhabitant*
  „ Durchmesser, *diameter*
  „ Erfinder, *inventor*
  „ Rücken, *back*
  „ Teufel, *devil*

  „ Befreiungskrieg (e), *war of liberation*
  „ Besenstiel, *broomstick*
  „ Hering, *herring*
  „ Umriß, *contour*

  „ Kalbsbraten ("), *roast veal*
  „ Staubfaden, *petal*

  „ Granitblock ("e), *block of granite*
  „ Übergang, *transition*
  „ Ursprung, *origin*

der Heidelbeerstrauch   ("er)
    (also : =sträuche), *bilberry bush*
  „ Rotbeerstrauch,   *cranberry bush*

  „ Atem (kein Pl.), *breath*

die Andacht (en), *devotion*
  „ Beleuchtung (en), *illumination*
  „ Einheit (en), *unity*
  „ Faser (n), *fibre*
  „ Herde (n), *herd*
  „ Hexe (n), *witch*
  „ Inschrift (en), *inscription*
  „ Kanzel (n), *pulpit*
  „ Miniatúr (en), *miniature*
  „ Moosrose (n), *moss rose*

die Münze (n), *mint, coin*
„ Notíz (en), *notice*
„ Peterſilienſuppe (n), *parsley soup*
„ Piſtóle (n), *pistol*
„ Rückſeite (n), *back*
„ Silberhütte (n), *silver mine*
„ Sternwarte (n), *observatory*
„ Tat (en), *deed*
„ Unbehaglichkeit (en), *discomfort*
„ Weide (n), *pasture*
„ Weltkugel (n), *globe*

„ Kühle (kein Pl.), *coolness*
„ Nahrung, *nourishment*

das Becken (—), *basin*
„ Eichhörnchen, *squirrel*
„ Mittel, *means*
„ Samtpolſter, *velvet cushion*
„ Strohlager, *straw bedding*

„ Gericht (e), *dish*

„ Geſpenſt (er), *ghost*
„ Neſt, *little place*
„ Schwert, *sword*
„ Standbild, *monument*

„ Wirtshaus ("er), *inn*

„ Gemurmel (kein Pl.), *murmur*

die Trümmer (kein Sing.), *ruins*

an'ſtreichen, ſtrich an, hat angeſtrichen, *colour-wash*
sich aus'ſprechen, ſpricht ſich aus, ſprach ſich aus, hat ſich ausgeſprochen, *speak one's mind*
baden, *bath, bathe*
belauſchen, *overhear*
beleuchten, *illumine*
beſehen, beſieht, beſah, hat beſehen, *inspect*
betrachten, *observe*
dämmern, *grow dusky*
ein'heizen, *heat, light a fire*
ein'ſchlagen, ſchlägt ein, ſchlug ein, hat eingeſchlagen, *take (road)*
ein'ſehen, ſieht ein, ſah ein, hat eingeſehen, *see, understand*
ein'teilen, *divide*
enthalten, enthält, enthielt, hat enthalten, *contain*
erſchöpfen, *exhaust*
imponieren, *impress*
klaſſifizieren, *classify*
klingeln, *ring, tinkle*
nieder'reißen, riß nieder, hat niedergeriſſen, *pull down*
räuchern, *smoke*

rieseln, ist geriefelt, *ripple, trickle*

schlendern, *stroll about, saunter*

schöpfen, *draw*

schwellen, schwillt, schwoll, ist geschwollen, *rise*

sprengen, *burst asunder*

sprudeln, *splutter, spurt*

stimmen, *tune, attune*

tafeln, *dine*

verfehlen, *miss, fail*

verflechten, verflicht, verflocht, hat verflochten, *intertwine, entangle*

verscheuchen, *chase away*

verzehren, *consume*

zähmen, *tame*

zusámmen'schrumpfen, *shrink*

zu'sehen, sieht zu, sah zu, hat zugesehen, *watch*

altklug, *precocious*

ältlich, *elderly*

bedeutend, *significant, great*

bloß, *mere*

durchsichtig, *transparent*

ehrsam, *respectable*

ergötzlich, *amusing*

erhaben, *sublime*

erstaunlich, *astonishing*

freundschaftlich, *friendly*

fühlbar, *noticeable*

gebirgig, *mountainous*

geheimnisvoll, *mysterious*

imposánt, *impressive*

kindlich, *childlike*

königlich, *royal, regal*

langersehnt, *longed-for*

lieblich, *lovely*

ober, *upper*

ordentlich, *proper, tidy*

räucherig, *smoky*

schroff, *steep, abrupt*

sichtbar, *visible*

ungefähr, *approximate*

unreif, *unripe*

wechselseitig, *mutual*

zwerghaft, *dwarf-like*

einst, *at one time, some time*

gleichsam, *as it were*

imstánde, *capable*

mehrere, *several*

mittendurch, *through the middle*

um . . . willen, *for the sake of*

Atem holen, *draw breath*

auf der Stelle, *at once*

da läßt sich gut sitzen, *it is good to sit there*

es fehlte mir der Appetit, *I had no appetite*

ich hielt Mittag, *I had lunch*

ich traf es besser, *I was more fortunate*

in der Tat, *indeed*

mir war immer, *I always felt*

sie meinte es ehrlich mit mir, *she (it) meant well by me*	so geht es, *that's what happens*
sie muß schon lange stehen, *it must have been standing a long time*	weiß angestrichen, *white-washed*
	zu Gesicht bekommen, *set eyes on*

Aus der Grammatik späterer Kapitel

Mir war immer, als ob ein Pferdefuß neben mir hinaufklettere und jemand humoristisch Atem schöpfe........s. Kapitel 18

Grammatik

I. "Werden" expressing assumptions :

Er wird nicht wissen, daß du hier bist.   Er wird nicht gewußt haben, daß du krank bist (warst).

As in English, the future tense can be used to express assumptions.

II. The position of "nicht" in the sentence :

The following rhyme provides examples of the rules governing the position of "nicht":

Ein Mensch ist nicht sehr guter Laune,
Er mag die Hose nicht, die braune.
Das Wasser ist nicht warm zum Bade,
beim Frühstück fehlt die Marmelade.
Er kommt nicht pünktlich ins Geschäft,
er tut auch nicht sehr viel, er schläft.
Sein Mittagessen schmeckt ihm nicht.
Er mag die Sonne nicht, sie sticht.
Seine Sekretärin ist auch nicht hier.
„Ach," seufzt er, „ist es noch nicht vier?"
Seine Frau zu Hause hilft ihm nicht.
„Mach' dich nicht lächerlich", sie spricht.
„Denk' dir nur nicht, du tätst mir leid.
Das Essen ist auch noch nicht so weit.

Willst du nicht dein Baby spazierenschieben?"
„Ach," seufzt er, „ist es noch nicht sieben?
Ist's noch nicht Zeit zum Abendbrot?
Kind, schrei' nicht so!" Sein Kopf ist rot.
Er ißt nicht viel. Er kocht vor Wut.
Er geht zu Bett. Er schläft nicht gut.

Generally speaking, "nicht" precedes the word it negatives.
It follows, however,

(*a*) an accusative, so as not to come between verb and object : er mag die Hose nicht, die braune.

(*b*) an adverb of time : Das Essen ist noch nicht so weit.

(*c*) a simple verb, so as not to become the second idea in the sentence : er schläft nicht.

Note particularly such phrases as : noch nicht, auch nicht, wieder nicht, auch wieder nicht, auch noch nicht.

III. Future (and conditional) perfect :

In drei Jahren werde ich mein Examen hoffentlich gemacht haben. Wenn du aus Deutschland zurück- kommst, wirst du viel gelernt haben. Wenn wir dich wiedersehen, wirst du ein großer Junge geworden sein. Du würdest in Deutschland viel gelernt haben (hättest in Deutschland viel gelernt), *cf.* chapter 9.
Das Haus wird verkauft worden sein. Er wird nicht haben kommen wollen. Sie wird nicht haben schreiben können.

In order to understand these more complicated tenses it is always best to reconstruct them by stages, beginning with a

simple verb in a simple tense, and introducing the various
complications one by one :

Das Haus wird verkauft; das Haus ist verkauft worden;
das Haus wird verkauft worden sein.
Er will nicht kommen. Er hat nicht kommen wollen. Er
wird nicht haben kommen wollen. (Position of " haben ",
cf. chapter 8.)

In a subordinate sentence the order would be as follows :

Ich vermute, daß das Haus wird verkauft worden sein.
Ich denke, daß er wird nicht haben kommen wollen.

i.e. the same as in the main clause, so as to avoid a con-
glomeration of four verbs at the end.

Aufgaben

I. Ergänzen Sie:

Mit d— Brocken, — höchsten Berg d— Harz—, ist die
Sage von d— Walpurgisnacht, — Nacht vom erst— Mai,
schon seit uralt— Zeit— verknüpft. Goethe hat in
sein— Faust, d— „mystisch— deutsch— Nationaltragödie",
wie Heine sie nennt, ein— solch— Walpurgisnacht
beschrieben. Faust ersteigt mit Mephistopheles, sein—
Diener und Helfer, den Brocken. Mephistopheles, —
Herr d— Geister, befiehlt einem Irrlicht, ihnen auf d—
Weg zu leuchten. In brausend— Sturm, — wahr—
Element der Geister, reiten d— Hexen heran, auf
Ziegenböcken und Besenstielen, ihr— gewohnt— Reit=
tieren. Ein Hexenmeister, — Meister d— Hexenchöre,
und eine Halbhexe, — unglücklichst— Kind d— Hexenwelt,
kommen dazu, und endlich erreichen sie d— Ende ihr—
Fahrt, — Gipfel d— Blocksberg—, wo sie sich niederlassen.
Faust läßt sich von Mephistopheles, sein— erfahren—
Führer, d— Treiben d— verschieden— Gruppen erklären.
Von einig— alt— Herren, Typen vergangen— Zeit—,

hören sie, daß mit d— gegenwärtig— Zeit, d— Jugend
von heutzutage, nichts anzufangen sei. Faust tanzt mit
ein— d— Hexen, ein— schön— jung— Person, aber er
trennt sich bald von ihr. Denn in d— Ferne sieht er die
Gestalt Gretchens, sein— unglücklich— Geliebten, d—
ihn mit tot— Augen anzusehen scheint.

Mephistopheles, d— schlau— Teufel, d— möchte, daß
Faust in dies— Nacht Gretchen auf immer vergessen soll,
kommt dies— Erscheinung sehr zur Unzeit. Er läßt als
weiter— Unterhaltung „Oberons und Titanias golden—
Hochzeit“ spielen, ein Stück, d—, wie ein— d— Geister
erklärt, nur von Dilettant— geschrieben wurde und
gespielt wird. Dies— Szene bildet d— Ende d— Walpurgisnacht, d— Frühlingsfest— auf d— Brocken.

II. Lesen Sie die nachstehenden Sätze mit „nicht“:

Wenn das Wetter gut ist, gehe ich gern spazieren. Unsere
Gegend ist gebirgig, und ich steige auf die Berge. Im
Winter kann man hier auch skilaufen; wir haben meistens
viel Schnee, und der See vor der Stadt friert auch oft zu,
sodaß wir auch schlittschuhlaufen können. Im Sommer
können wir auch in dem See schwimmen, denn das Wasser
wird sehr warm. Unsere Sommer hier sind meistens sehr
heiß. Ich habe die Hitze gern, und ich kann sie auch gut
vertragen. Dann arbeite ich auch viel im Garten, und ich
baue viel Gemüse und Obst. Am Sonntagnachmittag
sitze ich oft mit meiner Frau und unseren Freunden in der
Sonne vor dem Haus. Wenn es regnet, freue ich mich
auch, denn der Regen begießt die Tomaten und Gurken,
die ich gepflanzt habe und auch selbst verzehren werde.
Ich esse gern frische Tomaten aus dem Garten, und ich
kann die Pfirsiche von meinem eigenen Baum pflücken.
Ich esse sie sehr gern, wenn sie reif und süß sind. So hilft
mir die Sonne, und der Regen hilft mir auch, und beide
machen mich glücklich.

III. Geben Sie die richtige Form des Verbs:

„(Wiſſen) Sie, ob Meyer heute abend mit ins Theater
(kommen)?" „Er (wiſſen werden) nicht, daß Sie (gehen).
Was (gegeben werden)?" „Sie (ſpielen) Fauſt, das
(intereſſieren werden) ihn ſicher." „Ich (fürchten), Sie
(ſich irren). Er (werden ſehen wollen) ‚Fauſt' nicht, er
(mögen) ihn gar nicht." „Das (ſich vorſtellen können)
ich gar nicht. Sie (ſich täuſchen werden). Wer (mögen
werden) Goethes Fauſt nicht?" „Sie (ſich wundern
werden), aber es (geben) genug Leute, die (ſich langweilen) dabei und nichts damit (anfangen können)."
„Ich (vermuten), es (ſein werden) ſo: ſie (kennen) ‚Fauſt'
nur von der Schule her, damals (werden) ſie ihn nicht
verſtanden haben und (werden) ſich dabei gelangweilt
haben. Und ſeitdem (werden) ſie ihn überhaupt nicht
mehr geleſen oder geſehen haben." „Ja, damit (werden)
Sie wohl recht haben. Ich (ſich denken) ja auch, je älter
man (werden), deſto mehr Freude (machen) einem die
klaſſiſchen Dramen, und man (ſich freuen), wenn ſie
(geſpielt werden)."

IV. Leſen Sie die vorſtehende Aufgabe auch mit „du"!

V. Sprechen Sie über das Kapitel! Erzählen Sie einander,
was Heine bei ſeiner Harzreiſe erlebt hat. Wie gefällt
Ihnen Heines Stil? Was für ein Menſch iſt Heine wohl
geweſen, nach dieſem Abſchnitt zu urteilen?

VI. Beſchreiben Sie ſchriftlich oder mündlich einen Ausflug,
den Sie gemacht haben, wenn möglich eine Berg-
beſteigung.

VII. Leſen Sie in einer Literaturgeſchichte oder in einem
Lexikon über Heine nach und ſchreiben Sie einen kurzen
Aufſatz über ihn.

VIII. Schreibspiel:

Wieviele Adjektive kennen Sie, die auf =lich und =bar enden? Welche Nachsilben entsprechen diesen Silben oft im Englischen?

IX. Übersetzung.

On Getting up on Cold Mornings, by Leigh Hunt (abridged)

Some people say it is a very easy thing to get up of [1] a cold morning. You have only, they tell you, to take the resolution ; and the thing is done. This may be very true ; but we have not at all made up our minds upon it ; and we find it a very pleasant exercise to discuss the matter, candidly, before we get up. On opening [2] my eyes, the first thing that meets them is my own breath rolling forth, as if in the open air, like smoke out of a chimney. Think of this symptom. Then I turn my eyes sideways and see the window all frozen over. Think of that. Then the servant comes in. " It is very cold this morning, is it not ? "—

[1] on   [2] when I open

" Very cold, sir."—" Very cold indeed, isn't it ? "—
" Very cold indeed, sir."—" More than usually [so], isn't
it, even for this weather ? "   " Why, sir, I think it *is*."
(Good creature ! There is not a better or more truth-
telling servant going.[1])   " I must rise, however—
get [2] me some warm water."—Here comes a fine interval
between the departure of the servant and the arrival of the
hot water ; during which, of course, it is of " no use " to
get up. The hot water comes. " Is it quite hot ? "—
" Yes, sir."—" Perhaps too hot for shaving ; I must wait
a little ? " — " No, sir ; it will just do."   " Oh,—
the shirt—you must air my clean shirt ;—linen gets very
damp this weather." [3]—" Yes, sir." Here another delicious
five minutes. A knock at the door. " Oh, the shirt—very
well. My stockings—I think the stockings had better be
aired too." [4]—" Very well, sir." Here another interval.
At length everything is ready, except myself.

[1] *say:* to be had   [2] fetch   [3] in this weather
          [4] the stockings should be aired, too

Etwas zum Lachen:

Was meinte das deutsche Mädchen, das am Ende der
Fahrt zu dem Londoner Taxifahrer sagte: " You are
much dearer to me now than when we were engaged " ?

Achtzehntes Kapitel

Aus Gottfried Kellers „Romeo und Julia auf dem Dorfe"

(der Novelle, die Delius zu seiner Musik
„A Village Romeo and Juliet" angeregt hat).

(Auf einer Anhöhe nicht weit von dem Städtchen
Seldwyla pflügen zwei Bauern.)

. . . So war der lange Morgen zum Teil vergangen, als von
dem Dorfe her ein kleines artiges Fuhrwerklein sich näherte,
welches kaum zu sehen war, als es begann, die gelinde Höhe
heranzukommen. Das war ein grün bemaltes Kinderwägelchen,
in welchem die Kinder der beiden Pflüger, ein Knabe und ein
kleines Ding von Mädchen, gemeinschaftlich den Vormittags=
imbiß heranfuhren. . . . Es war ein Junge von sieben Jahren
und ein Dirnchen von fünfen, beide gesund und munter, und
weiter war nichts Auffälliges an ihnen, als daß beide sehr
hübsche Augen hatten und das Mädchen dazu noch eine bräun=
liche Gesichtsfarbe und ganz krause dunkle Haare, welche ihm
ein feuriges und treuherziges Ansehen gaben. . . .

Die beiden Kinder . . . zogen ihr Fuhrwerk unter den Schutz
der jungen Linden und begaben sich dann auf einen Streifzug in
dem wilden Acker. . . . Nachdem sie in der Mitte dieser grünen
Wildnis einige Zeit hingewandert, Hand in Hand, und sich daran
belustigt, die verschlungenen Hände über die hohen Distelstauden
zu schwingen, ließen sie sich endlich im Schatten einer solchen
nieder und das Mädchen begann seine Puppe mit den langen
Blättern des Wegekrautes zu bekleiden, so daß sie einen schönen
grünen und ausgezackten Rock bekam; eine einsame rote Mohn=

blume, die da noch blühte, wurde ihr als Haube über den Kopf
gezogen und mit einem Grase festgebunden, und nun sah die
kleine Person aus wie eine Zauberfrau, besonders nachdem sie
noch ein Halsband und einen Gürtel von kleinen roten Beerchen
erhalten.   Dann wurde sie hoch in die Stengel der Distel gesetzt
und eine Weile mit vereinten Blicken angeschaut, bis der Knabe
sie genugsam besehen und mit einem Steine herunterwarf.
Dadurch geriet aber ihr Putz in Unordnung und das Mädchen
entkleidete sie schleunigst, um sie auf's Neue zu schmücken; doch
als die Puppe eben wieder nackt und bloß war und nur noch
der roten Haube sich erfreute, entriß der wilde Junge seiner
Gefährtin das Spielzeug und warf es hoch in die Luft.   Das
Mädchen sprang klagend darnach, allein der Knabe fing die
Puppe zuerst wieder auf, warf sie auf's Neue empor, und indem
das Mädchen sich vergeblich sie zu haschen bemühte, neckte er es
auf diese Weise eine gute Zeit.   Unter seinen Händen aber nahm
die fliegende Puppe Schaden und zwar am Knie ihres einzigen
Beines, allwo ein kleines Loch einige Kleiekörner durchsickern
ließ.   Kaum bemerkte der Peiniger dies Loch, so verhielt er sich
mäuschenstill und war mit offenem Munde eifrig beflissen, das
Loch mit seinen Nägeln zu vergrößern und dem Ursprung der

Kleie nachzuspüren.   Seine Stille erschien dem armen Mädchen
höchst verdächtig und es drängte sich herzu und mußte mit
Schrecken sein böses Beginnen gewahren.   „Sieh mal!" rief er
und schlenkerte ihr das Bein vor der Nase herum, daß ihr die
Kleie in's Gesicht flog, und wie sie danach langen wollte und
schrie und flehte, sprang er wieder fort und ruhte nicht eher, bis
das ganze Bein dürr und leer herabhing als eine traurige Hülse.
Dann warf er das mißhandelte Spielzeug hin und stellte sich
höchst frech und gleichgültig, als die Kleine sich weinend auf die
Puppe warf und dieselbe in ihre Schürze hüllte.   Sie nahm sie
aber wieder hervor und betrachtete wehselig die Ärmste, und als
sie das Bein sah, fing sie abermals an laut zu weinen, denn
dasselbe hing an dem Rumpfe nicht anders, denn das Schwänz-
chen an einem Molche.   Als sie gar so unbändig weinte, ward es
dem Missetäter endlich etwas übel zu Mut, und er stand in Angst
und Reue vor der Klagenden, und als sie dies merkte, hörte sie
plötzlich auf und schlug ihn einigemal mit der Puppe, und er tat,
als ob es ihm weh täte und schrie auf so natürlich, daß sie zufrieden war und nun mit ihm gemeinschaftlich die Zerstörung und
Zerlegung fortsetzte.   Sie bohrten Loch auf Loch in den Marterleib und ließen aller Enden die Kleie entströmen, welche sie
sorgfältig auf einem flachen Steine zu einem Häufchen sammelten,
umrührten und aufmerksam betrachteten.   Das einzige Feste, was
noch an der Puppe bestand, war der Kopf und mußte jetzt
vorzüglich die Aufmerksamkeit der Kinder erregen; sie trennten
ihn sorgfältig los von dem ausgequetschten Leichnam und guckten
erstaunt in sein hohles Innere.   Als sie die bedenkliche Höhlung
sahen und auch die Kleie sahen, war es der nächste und natür-
lichste Gedankensprung, den Kopf mit der Kleie auszufüllen, und
so waren die Fingerchen der Kinder nun beschäftigt, um die
Wette Kleie in den Kopf zu tun, so daß zum ersten Mal in seinem
Leben etwas in ihm steckte.   Der Knabe mochte es aber immer
noch für ein totes Wissen halten, weil er plötzlich eine große blaue
Fliege fing und, die summende zwischen beiden hohlen Händen

haltend, dem Mädchen gebot, den Kopf von der Kleie zu ent=
leeren. Hierauf wurde die Fliege hineingesperrt und das Loch
mit Gras verstopft. Die Kinder hielten den Kopf an die Ohren
und setzten ihn dann feierlich auf einen Stein. Da er noch mit
der roten Mohnblume bedeckt war, so glich der Tönende jetzt
einem weissagenden Haupte und die Kinder lauschten in tiefer
Stille seinen Kunden und Märchen, indessen sie sich umschlun=
gen hielten. Aber jeder Prophet erweckt Schrecken und Undank;
das wenige Leben in dem dürftig geformten Bilde erregte die
menschliche Grausamkeit in den Kindern, und es wurde be=
schlossen, das Haupt zu begraben. So machten sie ein Grab und
legten den Kopf, ohne die gefangene Fliege um ihre Meinung
zu befragen, hinein, und errichteten über dem Grabe ein ansehn=
liches Denkmal von Feldsteinen. Dann empfanden sie einiges
Grauen, da sie etwas Geformtes und Belebtes begraben hatten,
und entfernten sich ein gutes Stück von der unheimlichen Stätte.
Auf einem ganz mit grünen Kräutern bedeckten Plätzchen legte
sich das Dirnchen auf den Rücken, da es müde war, und begann in
eintöniger Weise einige Worte zu singen, immer die nämlichen,
und der Junge kauerte daneben und half, indem er nicht wußte,
ob er auch vollends umfallen solle, so lässig und müßig war er.
Die Sonne schien dem singenden Mädchen in den geöffneten
Mund, beleuchtete dessen blendendweiße Zähnchen und durch=
schimmerte die runden Purpurlippen. Der Knabe sah die
Zähne, und dem Mädchen den Kopf haltend und dessen Zähn=
chen neugierig untersuchend, rief er: „Rate, wie viele Zähne hat
man?" Das Mädchen besann sich einen Augenblick, als ob es reif=
lich nachzählte, und sagte dann auf Geratewohl: „Hundert!"
„Nein, zweiunddreißig!" rief er, „wart', ich will einmal zählen!"
Da zählte er die Zähne des Kindes und weil er nicht zweiund=
dreißig herausbrachte, so fing er immer wieder von Neuem an.
Das Mädchen hielt lange still, als aber der eifrige Zähler nicht
zu Ende kam, raffte es sich auf und rief: „Nun will ich Deine
zählen!" Nun legte sich der Bursche hin in's Kraut, das Mädchen

über ihn, umschlang seinen Kopf, er sperrte das Maul auf, und
es zählte: Eins, zwei, sieben, fünf, zwei, eins; denn die kleine
Schöne konnte noch nicht zählen. Der Junge verbesserte sie und
gab ihr Anweisung, wie sie zählen solle, und so fing auch sie
unzählige Mal von Neuem an, und das Spiel schien ihnen am
besten zu gefallen von allem, was sie heut unternommen. End=
lich aber sank das Mädchen ganz auf den kleinen Rechenmeister
nieder und die Kinder schliefen ein in der hellen Mittagssonne.

Wortschatz

der Gürtel (—), *belt*
„ Missetäter, *evildoer*
„ Peiniger, *torturer*
„ Pflüger, *ploughman*
„ Stengel, *stalk*

„ Imbiß (e), *snack*
„ Leichnam, *corpse, body*

„ Schaden ("), *damage*

„ Rumpf ("e), *trunk*
„ Streifzug, *exploration*

der Bursche (n, n), *lad*
„ Prophét, *prophet*

„ Undank (kein Pl.), *ingratitude*

die Anweisung (en), *instruc-
tion, order*
„ Distelstaude (n), *thistle bush*
„ Gefährtin (nen), *companion*
„ Gesichtsfarbe (n), *com-
plexion*
„ Grausamkeit (en), *cruelty*

die Haube (n), *hood, bonnet*
„ Höhlung (en), *cave, hollow*
„ Hülse (n), *shell, pod*
„ Mohnblume (n), *poppy*
„ Unordnung (en), *disorder*
„ Weise (n), *way*
„ Zerlegung (en), *dissection*
„ Zerstörung (en), *destruction*

„ Kunde (kein Pl.), *news*
„ Reue, *repentance*

das Dirnchen (—), *little girl*

„ Fuhrwerk (e), *vehicle*
„ Spielzeug, *toy*

an'regen, *stimulate*
auf'fangen, fängt auf, fing auf, hat aufgefangen, *catch*
sich auf'raffen, *straighten oneself, gather oneself up*
auf'sperren, *open wide*
aus'quetschen, *squeeze empty*
befragen, *consult, question*
beleben, *animate*
sich belustigen, *amuse oneself*
beschließen, beschloß, hat beschlossen, *decide*
bohren, *bore*
entkleiden, *undress*
entleeren, *empty*

entreißen, entriß, hat entrissen, *tear away*
entströmen, *pour out from*
errichten, *erect*
erwecken, *awaken*
fest'binden, band fest, hat festgebunden, *fasten*
flehen, *beseech, beg*
formen, *form*
fort'setzen, *continue*
gewahren, *notice, become aware*
haschen, *catch*
hinein'sperren, *imprison*
kauern, *squat*
lauschen, *listen intently*
los'trennen, *sever*
mißhandeln, *ill-treat*
nach'spüren, *trace*
nach'zählen, *check, count*
necken, *tease*
pflügen, *plough*
schwingen, schwang, hat geschwungen, *swing*
summen, *hum*
um'fallen, fällt um, fiel um, ist umgefallen, *topple over*
um'rühren, *stir*
verbessern, *correct*
vergrößern, *enlarge*
verstopfen, *stop, stuff*
weissagen, *prophesy*

ansehnlich, *sizeable*
auffällig, *conspicuous*

bräunlich, *brownish*

dürftig, *poor*

feurig, *fiery*

gemeinschaftlich, *joint*

gleichgültig, *indifferent*

hohl, *hollow*

mäuschenstill, *quiet as a mouse*

müßig, *lazy, leisurely*

nämlich, *same*

neugierig, *inquisitive*

reiflich, *thorough*

treuherzig, *sincere*

unbändig, *unrestrained*

unheimlich, *weird, uncanny*

unzählig, *countless*

verdächtig, *suspicious*

abermals, *again*

empor, *up*

indem, *while*

vollends, *completely*

aller Enden, *everywhere*

auf diese Weise, *in this fashion*

auf Geratewohl, *haphazardly*

aufs Neue, *anew*

er ruhte nicht eher, bis . . ., *he did not give peace before . . .*

es geriet in Unordnung, *it became untidy*

es ward ihm übel zu Mut, *he felt guilty about it*

schleunigst, *very quickly*

sie nahm Schaden, *she came to harm*

und zwar am Knie, *and that on the knee*

von Neuem, *anew*

Grammatik

I. Use of the verbs of mood without infinitive :

Ich will selber einmal hin.   Du mußt auch mit mir.   Sie können nicht mit.

Kannst du Deutsch?   Er kann gut Französisch.   Sie kann keine Geschichte.

Verbs of mood are often used without an infinitive, when a verb of motion such as " gehen, kommen, fahren " etc. is used in English.

The verb " können " in connection with a noun describing some branch of knowledge acquires the meaning of " to know ".

II. Subjunctive after " als (ob) ":

„Und meine Seele spannte weit ihre Flügel aus,

flog durch die stillen Lande, als flöge sie nach Haus."
(Eichendorff.)

„Es hat vollkommen den Anschein, als sei es wirklich
geschehen." (Thomas Mann.)

„Mir war immer, als ob ein Pferdefuß neben mir hinauf=
klettere und jemand humoristisch Atem schöpfe." (Heine.)
Sie tat, als ob sie uns nicht verstünde. Er tat, als ob er
schliefe.

Er benahm sich, als ob er der Herr im Hause wäre. Sie
taten, als ob sie von nichts wüßten.

After " als (ob) " we use subjunctive. Note the important
idiom " tun, als ob " — *to pretend*.

III. The present subjunctive is used in exclamatory wishes and
petitions, especially in religious language :

Das gebe Gott! Behüt(e) dich Gott! Grüß' (dich) Gott!
Gott helfe uns! Rette sich, wer kann! Es lebe der
König!

It represents a substitute for the imperative of the third
person, for which there is no special form. (*Cf.* also
chapter 20.)

Aufgaben

I. Lesen Sie in verschiedenen Zeiten!

Kathrinchen (sich unterhalten) stundenlang mit ihrem
Lieblingsspiel: „So tun als ob". Dieses Spiel (besitzen)
die vortreffliche Eigenschaft, daß man es überall und mit
allem (spielen können). Morgens schon, ehe wir (auf=
stehen), (sich verstecken) sie unter der Bettdecke und (tun),
als ob sie nicht mehr im Zimmer (sein). Ich (tun müssen),
als ob ich nicht (wissen), wo sie (sein). Ich (sich fragen)
müssen), wo sie wohl (sein können). Ich (tun), als ob ich
sie (suchen), und als ob ich (sich besinnen), wo sie (sich

verstecken): (Sein können) sie hinter dem Schrank, oder
unter dem Bettgestell, oder (sich verbergen) sie vielleicht
im Gang oder sogar draußen im Garten? Erst nachdem
ich (sich stellen) viele solche Fragen mit lauter Stimme,
(einfallen) es mir plötzlich: „Oder vielleicht (stecken) sie
unter der Bettdecke?" Dann (sich regen) die Kleine und
(hervorkriechen) mit lautem Jubel, und ich (tun müssen),
als ob ich (sich wundern) furchtbar.
Manchmal (dauern) ein solches Spiel tagelang. Wir
(tun) zum Beispiel, als ob wir Zigeuner (sein) und in
einem Zelt (wohnen) und den Bauern Pferde (stehlen)
und sie dann für teures Geld (verkaufen). Dann (tun)
wir, als ob wir (sich kaufen) von dem Geld herrliche
bunte Kleider. Kathrinchen (tun), als ob sie mir ein
rotseidenes Kopftuch um den Kopf (binden) und mir einen
grünen Rock (anziehen), und als ob sie mir darauf eine
gelbe Jacke (anziehen) und mir eine blauseidene Schürze
(umbinden).
Dann (sich setzen) wir uns unter den Tisch und (kauern)
da, als (sein) das unser Zelt, und ich (erzählen müssen)
ihr eine lange Geschichte. Ich (sprechen), als ob ich ein
uraltes Zigeunerweib (sein) und als ob Kathrinchen eines
meiner Enkelkinder (sein). Manchmal (tun) ich auch, als
(sein) ich ihre ältere Schwester und als ob wir (sich aus=
denken) gemeinschaftlich unsere nächsten Heldentaten.
Solch ein Spiel (sich erschöpfen) natürlich nicht an einem
Tag. Kathrinchen (einschlafen) als kleines Zigeunerkind
und (aufwachen) auch als solches, und sie (erstaunen) mich
dauernd durch ihre originellen Vorschläge. An solchen
Tagen (brauchen) wir keine Bilderbücher für sie!

II. Setzen Sie die nachstehenden Sätze ins Passiv!

Jedes Frühjahr bestellen wir ein Fuhrwerk voll Sand für
unseren Sandkasten im Garten. Die Kinder erwarten den
Sand immer schon mit großer Sehnsucht, denn den Sand

vom letzten Jahr hat der Regen weggewaschen und
der Wind weggeweht und die Erde verschluckt, so daß
man nicht mehr viel davon sieht. Aber nun bringen
zwei Arbeiter frischen, neuen Sand und werfen ihn in
den Sandkasten. Am selben Tag noch holen unsere
Kinder ihre Schaufeln und Eimer aus dem Spiel=
schrank auf dem Dachboden, und sie suchen ihre Back=
formen hervor.

Zuerst bauen sie natürlich eine Burg. Sie schaufeln
den ganzen Sand in die Mitte und machen einen großen
Haufen. Ringsum machen sie ihn schön glatt und geben
ihm oben einen spitzen Gipfel. Dann ziehen sie eine
Straße in Spirallinien von unten nach oben und be=
festigen die Straße mit Holzstückchen und Steinchen.
Dann bauen sie ein festes Steingebäude auf dem Gipfel,
mit einem dicken Turm und dicken Mauern, und sie nennen
sie die Rotenburg. Um die Burg ziehen sie einen Graben,
und über den Graben bauen sie eine Brücke. Dann
müssen sie den Graben natürlich mit Wasser füllen. Sie
holen in ihren Eimerchen Wasser aus dem großen Wasser=
faß im Gemüsegarten und machen sich ihre Kleider natür=
lich von oben bis unten naß. Leider macht das Wasser den
Sand weich und zerstört die schöne Burg.

Aber das stört die Kinder nicht. Mit dem feuchten
Sand backen sie schöne Kuchen und verkaufen sie in ihrem
Bäckerladen. Sie laden Vater und Mutter zum Kaffee
ein und bieten ihnen die schönsten Obst= und Schokolade=
kuchen an. Wenn der Tag zu Ende ist, sehen sie selbst wie
Schokoladetorten aus (kein Passiv). Wir ziehen ihnen
schnell all ihre Spielkleider aus und stecken sie in die Bade=
wanne. Dann legen wir sie zu Bett, und sie schlafen und
träumen noch von ihren Sandburgen.

III. Lesen oder erzählen Sie die vorstehende Aufgabe im
　　　Aktiv in verschiedenen Zeiten!

IV. Schreibspiel!

Geben Sie die Wortfamilien von „fallen", „sagen", „schließen"!

V. Sprechen Sie über dieses Kapitel! Erzählen Sie, was Keller schreibt. Charakterisieren Sie die Kinder! Vergleichen Sie die Kinder mit denen in Storms „Immensee" (s. Kapitel 4). Vergleichen Sie den Stil der beiden Dichter!

VI. Erzählen Sie schriftlich oder mündlich von einem Kind, das Sie gut kennen, oder von Kinderspielen aus Ihrer Jugendzeit!

VII. Übersetzung!

From a letter written by Dorothy Wordsworth at Grasmere in 1805:

I have many dear and cheerful thoughts, and many melancholy ones in my solitude. . . . — I read — I copy some of my Brother's Poems (a work which he has left me to do) or I write a letter. The Children are now in bed. The evening is very still, and there are no indoor sounds [1] but the ticking of our Family watch which hangs over the chimney piece under the drawing of the Applethwaite Cottage, and a breathing or a beating of one single irregular Flame in my fire. No one  who has not been an Inmate with Children in a *Cottage* can have a notion of the quietness that takes possession of it when they are gone to sleep. The hour before is generally a noisy one, often given up to boisterous efforts

[1] sounds in the house

II–U

to amuse them, and the noise is heard [1] in every corner
of the house — then comes the washing and undressing,
a work of misery,[2] and in ten minutes after, all is stillness and perfect rest. It is at all times a sweet hour to
us,[3] but I can fancy that I have never enjoyed it so much
as now that [4] I am quite alone.

[1] infinitive   [2] a miserable work   [3] for us   [4] wo (da)

Alte Reime zu Kinderspielen

Reiterlied auf des Vaters oder der Mutter Knie

Hoppe, hoppe Reiter,   fällt er in die Hecken,
fällt er hin, so schreit er,   fressen ihn die Schnecken,
fällt er in den Graben,   fällt er in den . . . Sumpf,
fressen ihn die Raben,   macht das Wasser: pflumpf!

Beim Auszählen

Eins, zwei, drei, vier, fünf, sechs, sieben,
Meine Mutter kaufte Rüben,
Meine Mutter kaufte Speck,
eins, zwei, drei, und du bist weg!

(Wer als Letzter übrig bleibt, muß die anderen fangen oder
suchen usw.)

Zungenübungen

Fischers Fritz fischt frische Fische; frische Fische fischt Fischers
Fritz.
Wir Wiener Wäscheweiber wollen weiße Wäsche waschen, wenn
wir wüßten, wo weiße Wäsche wär.

Neunzehntes Kapitel

Deutsche Dichter über Shakespeare
(Hamlet, Akt 1, Szene 4)

Das Interesse an Shakespeare erwachte in Deutschland im
Laufe des achtzehnten Jahrhunderts. Bis dahin hatte man sich
an das Muster des klassischen französischen Dramas und an
falsch verstandene griechische Regeln über das Drama gehalten.
Die Entdeckung Shakespeares kam als eine Befreiung von un-
natürlichem Zwang. Der Mann, der mehr als irgendein
anderer die Deutschen gelehrt hat, Shakespeare zu kennen und
zu verstehen, war Lessing, der in seinen „Literaturbriefen"
und in seiner „Hamburgischen Dramaturgie" unaufhörlich auf
Shakespeare wies.

Am 19. Juni 1767: „. . . Aber ist es denn immer Shakespeare, werden einige meiner Leser fragen, immer Shakespeare,
der alles besser verstanden hat, als die Franzosen? Das ärgert
uns; wir können ihn ja nicht lesen. — Ich ergreife diese Gelegenheit, das Publikum an etwas zu erinnern, das es vorsätzlich
vergessen zu wollen scheint. Wir haben eine Übersetzung vom
Shakespeare. Sie ist noch kaum fertig geworden, und niemand
bekümmert sich schon mehr darum. . . . Das Unternehmen war
schwer; ein jeder anderer als Herr Wieland würde in der Eil'
noch öfter verstoßen, und aus Unwissenheit oder Bequemlichkeit noch mehr überhüpfet haben; aber was er gut gemacht hat,
wird schwerlich jemand besser machen. . . . Wir haben an den
Schönheiten, die es uns liefert, noch lange zu lernen, ehe uns die
Flecken, mit welchen es sie liefert, so beleidigen, daß wir notwendig eine bessere Übersetzung haben müßten."

Fast sechzig Jahre später schreibt Eckermann über ein Gespräch mit Goethe über Shakespeare:

„Sonntag den 25. Dezember 1825.

„Man kann über Shakespeare gar nicht reden, es ist alles unzulänglich. Ich habe in meinem ‚Wilhelm Meister‘ an ihm herumgetupft; allein das will nicht viel heißen. Er ist kein Theaterdichter, an die Bühne hat er nie gedacht, sie war seinem großen Geiste viel zu enge; ja selbst die ganze sichtbare Welt war ihm zu enge. . . .

„Shakespeare“, fuhr Goethe fort, „gibt uns in silbernen Schalen goldene Äpfel. Wir bekommen nun wohl durch das Studium seiner Stücke die silberne Schale, allein wir haben nur Kartoffeln hineinzutun, das ist das Schlimme!“

Lichtenberg, ein Zeitgenosse Lessings, Herders und Wielands, sah auf einer Reise nach London den damals weitberühmten englischen Schauspieler Garrick in der Rolle Hamlets. Er, der alles andere als ein kritikloser Schwärmer war, war von der Kunst Garricks völlig begeistert und überwältigt. Mit schöner Beredsamkeit und Deutlichkeit beschreibt er die Szene, in der dem Prinzen der Geist seines Vaters erscheint:

„Hamlet erscheint in einem schwarzen Kleide, dem einzigen, das leider! noch am ganzen Hofe für seinen armen Vater, der kaum ein paar Monate tot ist, getragen wird. Horazio und Marcellus sind bei ihm und haben Uniform; sie erwarten den Geist; die Arme hat Hamlet hoch untergesteckt, und den Hut in die Augen gedrückt; es ist eine kalte Nacht und eben zwölfe; das Theater ist verdunkelt und die ganze Versammlung von einigen Tausenden wird so stille, und alle Gesichter so unbeweglich, als wären sie an die Wände des Schauplatzes gemalt; man könnte am entferntesten Ende des Theaters eine Nadel fallen hören.

Auf einmal, da Hamlet eben ziemlich tief im Theater, etwas zur
Linken geht, und den Rücken nach der Versammlung kehrt, fährt
Horazio zusammen: Sehen Sie, Mylord, dort kommt's, sagt er,
und deutet nach der Rechten, wo der Geist schon unbeweglich
hingepflanzt steht, ehe man ihn einmal gewahr wird. Garrick,
auf diese Worte, wirft sich plötzlich herum und stürzt in demselben
Augenblicke zwei bis drei Schritte mit zusammenbrechenden
Knien zurück, sein Hut fällt auf die Erde, die beiden Arme,
hauptsächlich der linke, sind fast ausgestreckt, die Hand so hoch als
der Kopf, der rechte Arm ist mehr gebogen und die Hand niedriger,
die Finger stehen aus einander, und der Mund offen, so bleibt er
in einem großen aber anständigen Schritt, wie erstarrt, stehen,
unterstützt von seinen Freunden, die mit der Erscheinung bekannter sind und fürchteten, er würde niederfallen; in seiner
Miene ist das Entsetzen so ausgedrückt, daß mich, noch ehe er zu
sprechen anfing, ein wiederholtes Grausen anwandelte. Die
fast fürchterliche Stille der Versammlung, die vor diesem Auftritt
vorherging und machte, daß man sich kaum sicher glaubte, trug
vermutlich nicht wenig dazu bei. So spricht er endlich, nicht
mit dem Anfange, sondern mit dem Ende eines Atemzugs und
bebender Stimme: Angels and ministers of grace defend us!
Worte, die alles vollenden, was dieser Szene noch fehlen könnte,
sie zu einer der größten und schrecklichsten zu machen, deren vielleicht der Schauplatz fähig ist. Der Geist winkt ihm, da sollten
Sie ihn sich von seinen Freunden, die ihn warnen nicht zu folgen
und festhalten, los arbeiten sehen, immer mit den Augen auf den
Geist, ob er gleich mit seinen Gefährten spricht. Aber endlich, da
sie es ihm zu lange machen, wendet er auch sein Gesicht nach
ihnen, reißt sich mit großer Heftigkeit los, und zieht mit einer
Geschwindigkeit, die einen schaudern macht, den Degen gegen sie:
By heaven I'll make a ghost of him, that lets me, sagt er. Das ist
genug für sie; alsdann legt er den Degen gegen das Gespenst aus:
Go on, I'll follow thee : so geht der Geist ab. Hamlet steht noch
immer still, mit vorgehaltenem Degen, um mehr Entfernung zu

gewinnen, endlich, da der Zuschauer den Geist nicht mehr sieht, fängt er an ihm langsam zu folgen, steht zuweilen still und geht dann weiter, immer mit ausgelegtem Degen, die Augen starr nach dem Geist, mit verwirrtem Haar und noch außer Atem, bis er sich ebenfalls hinter den Szenen verliert. Mit was für einem lauten Beifall dieser Abzug begleitet wird, können Sie sich leicht denken. Er fängt an, so bald der Geist fort ist, und dauert bis Hamlet ebenfalls verschwindet. Was das für ein Triumph ist! Man sollte denken, ein solcher Beifall auf einem der ersten Schauplätze der Welt müßte jeden Funken von Schauspielergenie in einem Zuschauer zu flammen fachen. Allein da sieht man's, so handeln wie Garrick, und so schreiben wie Shakespeare, sind Wirkungen von Ursachen, die sehr tief liegen."

In Goethes Roman „Wilhelm Meister" wird viel über Shakespeare im allgemeinen und Hamlet im besonderen gesprochen — „an ihm herumgetupft", wie Goethe selbst bescheiden sagte. Die Schauspielergruppe, der Wilhelm Meister sich angeschlossen hat, hat eine Aufführung des Hamlet vor, in der Wilhelm die Titelrolle spielen soll. Das gibt Gelegenheit zu ausführlichen Besprechungen über den Sinn des Stückes und der Charaktere. Wilhelm spricht sich ausführlich über Hamlets Charakter und über die Geisterszene aus:

„Denken Sie sich, rief er aus, diesen Jüngling, diesen Fürstensohn recht lebhaft, vergegenwärtigen Sie sich seine Lage, und dann beobachten Sie ihn, wenn er erfährt, die Gestalt seines Vaters erscheine; stehen Sie ihm bei in der schrecklichen Nacht, wenn der ehrwürdige Geist selbst vor ihm auftritt. Ein ungeheures Entsetzen ergreift ihn; er redet die Wundergestalt an; sieht sie winken, folgt und hört. — Die schreckliche Anklage wider seinen Oheim ertönt in seinen Ohren, Aufforderung zur Rache und die dringende wiederholte Bitte: Erinnere dich meiner.

„Und da der Geist verschwunden ist, wen sehen wir vor uns stehen? Einen jungen Helden, der nach Rache schnaubt? Einen geborenen Fürsten, der sich glücklich fühlt, gegen den Usurpator

seiner Krone aufgefordert zu werden? Nein! Staunen und
Trübsinn überfällt den Einsamen; er wird bitter gegen die
lächelnden Bösewichter, schwört, den Abgeschiedenen nicht zu
vergessen, und schließt mit dem bedeutenden Seufzer: Die Zeit
ist aus dem Gelenke; wehe mir, daß ich geboren ward, sie wieder
einzurichten.

„In diesen Worten, dünkt mich, liegt der Schlüssel zu Hamlets
ganzem Betragen, und mir ist deutlich, daß Shakespeare habe
schildern wollen: eine große Tat auf eine Seele gelegt, die der
Tat nicht gewachsen ist. Und in diesem Sinne finde ich das
Stück durchgängig gearbeitet. Hier wird ein Eichbaum in ein
köstliches Gefäß gepflanzt, das nur liebliche Blumen in seinen
Schoß hätte aufnehmen sollen; die Wurzeln dehnen sich aus, das
Gefäß wird zernichtet.

„Ein schönes, reines, edles, höchst moralisches Wesen, ohne die
sinnliche Stärke, die den Helden macht, geht unter einer Last zu
Grunde, die es weder tragen noch abwerfen kann; jede Pflicht ist
ihm heilig, diese zu schwer. Das Unmögliche wird von ihm
gefordert, nicht das Unmögliche an sich, sondern das, was ihm
unmöglich ist. Wie er sich windet, dreht, ängstigt, vor und
zurück tritt, immer erinnert wird, sich immer erinnert und zuletzt
fast seinen Zweck aus dem Sinne verliert, ohne doch jemals
wieder froh zu werden.“

Und nun folgt ein Teil ebendieser Szene aus der Shake-
speare=Übersetzung von A. W. Schlegel und Ludwig Tieck, —
der Übersetzung, die seit ihrem Erscheinen vor mehr als hundert
Jahren als einzigartig gegolten hat und heute noch meistens
gelesen und auf der Bühne benützt wird, obgleich es verschie=
dene modernere Übersetzungen gibt. Die Übersetzung Hamlets
stammt von A. W. Schlegel, der selbst einer der bedeutendsten
Vertreter der romantischen Periode der deutschen Literatur war.

Hamlet, Prinz von Dänemark

Erster Aufzug: 4. Szene

Die Terrasse

Hamlet, Horatio und Marcellus treten auf.

Hamlet.	Die Luft geht scharf, es ist entsetzlich kalt.
Horatio.	's ist eine schneidende und strenge Luft.
Hamlet.	Was ist die Uhr?
Horatio.	Ich denke, nah an zwölf.
Marcellus.	Nicht doch, es hat geschlagen.
Horatio.	Wirklich schon?

Ich hört' es nicht; so rückt heran die Stunde,
Worin der Geist gewohnt ist umzugehn. . . .

Der Geist kommt.

Horatio.	O seht, mein Prinz, es kommt!
Hamlet.	Engel und Boten Gottes steht uns bei!

Sei du ein Geist des Segens, sei ein Kobold,
Bring' Himmelslüfte oder Dampf der Hölle,
Sei dein Beginnen boshaft oder liebreich,
Du kommst in so fragwürdiger Gestalt,
Ich rede doch mit dir; ich nenn' dich, Hamlet,
Fürst, Vater, Dänenkönig: o gib Antwort!
Laß mich in Blindheit nicht vergehn! Nein, sag:
Warum dein fromm Gebein, verwahrt im Tode,
Die Leinen hat gesprengt? warum die Gruft,
Worin wir ruhig eingeurnt dich sahn,
Geöffnet ihre schweren Marmorkiefern,

Dich wieder auszuwerfen? Was bedeutet's,
Daß, toter Leichnam, du, in vollem Stahl
Aufs neu des Mondes Dämmerschein besuchst,
Die Nacht entstellend; daß wir Narren der Natur
So furchtbarlich uns schütteln mit Gedanken,
Die unsre Seele nicht erreichen kann?
Was ist dies? Sag! Warum? was sollen wir?

Horatio.   Es winket Euch, mit ihm hinwegzugehn,
Als ob es eine Mitteilung verlangte
Mit Euch allein. Geht aber nicht mit ihm.

Marcellus.   Nein, keineswegs.

Hamlet.   Es will mich sprechen: wohl, so folg' ich ihm.

Horatio.   Tut's nicht, mein Prinz.

Hamlet.   Was wäre da zu fürchten?
Mein Leben acht' ich keine Nadel wert,
Und meine Seele, kann es der was tun,
Die ein unsterblich Ding ist, wie es selbst?
Es winkt mir wieder fort, ich folg' ihm nach.

Horatio.   Wie, wenn es hin zur Flut Euch lockt, mein Prinz,
Vielleicht zum grausen Gipfel jenes Felsens,
Der in die See nickt über seinen Fuß?
Und dort in andre Schreckgestalt sich kleidet,
Die der Vernunft die Herrschaft rauben könnte,
Und Euch zum Wahnsinn treiben? O bedenkt!
Der Ort an sich bringt Grillen der Verzweiflung
Auch ohne weitern Grund in jedes Hirn,
Das so viel Klafter niederschaut zur See,
Und hört sie unten brüllen.

Hamlet.   Immer winkt es:
Geh nur! ich folge dir.

Marcellus.   Ihr dürft nicht gehn, mein Prinz.

Hamlet.   Die Hände weg!

Horatio.   Hört uns, Ihr dürft nicht gehn.

Hamlet.   Mein Schicksal ruft,

Und macht die kleinste Ader dieses Leibes
So fest als Sehnen des Nemeer Löwen.

Der Geist winkt.

Es winkt mir immerfort: laßt los! Beim Himmel!

Reißt sich los.

Den mach' ich zum Gespenst, der mich zurückhält!
Ich sage, fort! — Voran! ich folge dir.

Der Geist und Hamlet ab.

Horatio.	Er kommt ganz außer sich vor Einbildung.
Marcellus.	Ihm nach! Wir dürfen ihm nicht so gehorchen.
Horatio.	Kommt, folgen wir! Welch Ende wird dies nehmen?
Marcellus.	Etwas ist faul im Staate Dänemarks.
Horatio.	Der Himmel wird es lenken.
Marcellus.	Laßt uns folgen.

Wortschatz

der Kiefer (—), *jaw*
  „ Schauspieler, *actor*
  „ Schwärmer, *enthusiast*
  „ Vertreter, *representative*

  „ Auftritt (e), *scene*

der Abzug ("e), *exit*
  „ Atemzug, *breath*
  „ Aufzug, *act*
  „ Dampf, *steam*
  „ Schoß, *lap*
  „ Stahl, *steel*

der Bote (n, n), *messenger*
„ Verstorbene, *deceased*
„ Zeitgenosse, *contemporary*

„ Beifall (kein Pl.), *applause*
„ Trübsinn, *melancholy, depression*
„ Wahnsinn, *madness*
„ Zwang, *compulsion*

die Ader (n), *vein*
„ Anklage (n), *accusation*
„ Aufforderung (en), *challenge*
„ Aufführung (en), *performance*
„ Blindheit (en), *blindness*
„ Deutlichkeit (en), *distinctness*
„ Einbildung (en), *imagination*
„ Entdeckung (en), *discovery*
„ Entfernung (en), *distance*
„ Erscheinung (en), *apparition, appearance*
„ Heftigkeit (en), *violence*
„ Herrschaft (en), *dominion*
„ Last (en), *burden*
„ Schale (n), *bowl*
„ Sehne (n), *sinew*
„ Unwissenheit (en), *ignorance*
„ Versammlung (en), *gathering*

die Beredsamkeit (kein Pl.), *eloquence*
„ Rache, *revenge*
„ Vernunft, *reason*

das Leinen (—), *linen sheet*
„ Unternehmen, *enterprise, undertaking*

„ Gefäß (e), *vessel*
„ Gelenk, *joint*
„ Hirn, *brain*

„ Genie (s), *genius*

„ Betragen (kein Pl.), *behaviour*
Dänemark (neut.), *Denmark*
das Publikum, *public, audience*

achten, *esteem, deem*
an'beten, *worship*
sich ängstigen, *be frightened*
sich an'schließen (an + acc.), schloß sich an, hat sich angeschlossen, *join*
auf'fordern, *challenge*
sich aus'dehnen, *spread*
aus'strecken, *stretch out*
bei'tragen, trägt bei, trug bei, hat beigetragen, *contribute*
sich bekümmern (um + acc.), *care, bother about*
beleidigen, *insult*

brüllen, *roar*

entstellen, *disfigure*

erfahren, erfährt, erfuhr, hat erfahren, *learn, discover*

ergreifen, ergriff, hat ergriffen, *seize*

erstarren, ist erstarrt, *stiffen*

ertönen, ist ertönt, *resound*

fordern, *challenge, demand*

fürchten, *fear*

gehorchen, *obey*

(sich) kleiden, *clothe (oneself)*

lehren, *teach*

liefern, *supply*

rauben, *rob*

unterstützen, *support*

verdunkeln, *darken, black out*

sich vergegenwärtigen, *visualize*

verwahren, *guard, keep*

warnen, *warn*

zusámmen'brechen, bricht zusammen, brach zusammen, ist zusammengebrochen, *collapse, falter*

zusámmen'fahren, fährt zusammen, fuhr zusammen, ist zusammengefahren, *start, be startled*

anständig, *decent, seemly*

boshaft, *malicious, wicked*

dringend, *urgent*

ehrwürdig, *venerable*

fragwürdig, *questionable*

fürchterlich, *frightful*

gewachsen (+ Dat.), *equal, adequate to*

liebreich, *loving*

notwendig, *necessary*

unbeweglich, *motionless*

unmöglich, *impossible*

unstérblich, *immortal*

unzulänglich, *unsatisfactory, inadequate*

vorsätzlich, *intentional*

auseinánder, *apart*

immerfort, *continually*

jemals, *ever*

schwerlich, *hardly*

vorán, *ahead*

wider, *against*

zuwéilen, *at times*

alles andere als, *anything but*

außer Atem, *out of breath*

bis dahin, *until then*

da sie es ihm zu lange machen, *as they are too long over it for him*

er kommt ganz außer sich, *he is quite beside himself*

er schnaubt nach Rache, *he thirsts for vengeance*

es geht zu Grunde, *it comes to wreck and ruin*

nicht doch, *not at all*

zur Linken, *on the left*

Grammatik

I. Declension of masculine nouns (*cf.* " Heute Abend I ", chapter 4) :

1. The great majority of masculine nouns form the genitive singular by adding ⸗s and the dative plural by adding ⸗n. Among these we can distinguish four groups according to their plural formations :

(*a*) All masculine nouns ending in ⸗er, ⸗el and ⸗en do not change in the plural except that some modify the stem vowel : der Lehrer — die Lehrer; der Vogel — die Vögel; der Garten — die Gärten uſw.

(*b*) Most masculine nouns add ⸗e to the stem to form their plural, and many modify the stem vowel as well : der Stein — die Steine; der Stuhl — die Stühle uſw.

(*c*) A small group of masculine nouns take an Umlaut and add ⸗er. Here they are gathered together in a rhyme :
Es geht ein Mann am Rande der Wälder.
Er ſtolpert im Irrtum, ſchon ſtürzt er, ſchon fällt er.
„Ihr Götter und guten Geiſter!" ſo ſchreit er.
Dann ſchweigt ſein Mund. Er kann nicht mehr weiter.
Was hilft ihm ſein Reichtum? Sein Leib iſt vergeſſen.
Zwei Würmer haben ihn aufgefreſſen.

(*d*) Another small group of masculine nouns add ⸗en (or ⸗n) in the plural :
Mein Vetter hat einen Dorn im Zeh,[1]
da kommt der Doktor[2] über den See;
— in den Sonnenſtrahlen lehnt er am Maſt —
„Ja," ſagt er, „der Muskel und Nerv ſind erfaßt.
Kein Wunder, daß ſie Schmerzen haben!"
Bald drauf hat man den Vetter begraben.

[1] auch: die Zehe (⸗n)
[2] *This stands for all masculine nouns ending in* ⸗or.

Der Doktor hat weder Geld noch Zins bekommen,
denn der Staat hat alles, was blieb, genommen.

2. A second fairly large group of masculine nouns add -en
(or -n) in all cases of the singular (except the nominative)
as well as the plural. Among them we can distinguish
four groups :

(*a*) Nouns ending in -e (Junge). Exception : der Käse
— die Käse.

(*b*) Nouns describing masculine beings (Mensch, Herr,
Fürst).

(*c*) Words of foreign origin, often denoting professions,
ending in -nt (Student), -om (Astronom), -oph (Philosoph), -aph (Biograph), -ist (Polizist), -et (Prophet), -at
(Potentat).

(*d*) A few names of animals and birds.

Here they are grouped in a rhyme, endings in **black type**
being representative of all masculine nouns of that ending.

Ich bitt' Sie, Herr Nachbar,[1] was ist nur passiert?
So viele Menschen kommen vorbeimarschiert!
Einen Poli**zisten** haben sie vorne dran,
zwei Herren,[2] einen Helden, einen Hirten und dann
einen Grafen, zwei Prinzen, drei Fürsten, einen
Narren,
und einen Toren auf einem Karren.
Drei Philos**ophen** und vier Astron**omen**
streiten sich mit einem Nationalökon**omen**.
Ein Proph**et** beschimpft seinen Biogr**aphen**,
und ein Dilett**ant** einen Photogr**aphen**.
Einen Stud**enten** seh' ich mit Kamer**aden**,
sie telefonieren in einem Autom**aten**.

[1] auch oft ohne -n im Singular: Nachbars, Bauers; den Nachbar,
Bauer usw.
[2] Singular: Herr, Herrn

Und sehen Sie dort den Anarchisten
Arm in Arm mit dem guten Christen?
Einen Bauern[1] kann ich auch erblicken,
und zwei Kommunisten mit drei Katholiken!
Einen Elefanten mit Ochsen zu beiden Seiten,
und einen Bären, auf dem Spatzen und Finken
    reiten!
Ganz hinten laufen zwei kleine Jungen,[2]
die haben laut und gräßlich gesungen.

A third very small group of masculine nouns combine the two previous sets of endings in the following manner:

N.	der Name	die Namen
A.	den Namen	die Namen
G.	des Namens	der Namen
D.	dem Namen	den Namen

They are all included in the following rhyme (which also includes the neuter noun das Herz, as it is the only neuter noun which follows this declension):

Das Genie spricht:

    Mein Herz, hast du den Frieden gern,
    so bleib' dem Haufen, dem Drachen, fern.
    Was sie mir auch für Namen geben,
    ich will nach meinem Willen leben.
    Ich hab' Gedanken, ich hab' Glauben.
    Ich lass' den Funken mir nicht rauben.
    So mancher Same ward erstickt,
    wenn er in Buchstaben erdrückt!

II. A note on " bis " — *until, as far as.*

Ich will bis Weihnachten in Deutschland bleiben. Er fuhr bis Berlin. Ich will bis zum Heiligen Abend bleiben. Er fuhr bis an die Grenze.

" Bis " can only be used as an independent preposition

[1] Siehe Seite 310, erste Anmerkung!
[2] oft im Plural: die Jungens durchaus (gesprächsweise)

when it precedes a noun used without the article.　In other cases it is usually joined by a second preposition such as zu, an, in, nach, according to the meaning of the phrase.

Er kam erst um fünf Uhr.　He did not come until five o'clock.

Note that the English " not until " is usually expressed by " erst ".

Aufgaben

I. Geben Sie die richtigen Endungen!

Garrick, d— groß— englisch— Schauspieler, hatte sich nicht nur unter sein— englisch— Zeitgenoss— ein— groß— Name— gemacht, und er war nicht nur bei sein— englisch— Landsleute— beliebt und bekannt. Auch in d— Deutschland d— achtzehnt— Jahrhundert— kannte man sein— Name—. Dies zeigt, welch groß— Einfluß gut— Schauspieler auf d— Geist— ihr— Zeit haben können. Sie mögen d— groß— Haufe— unbekannt sein, aber durch ihr— Einfluß auf d— Gedanke— und Gefühl— führend— Männer in Kunst und der schön— Literatur breiten sie d— Same— aus, welch— d— Dichter durch d— Held— sein— Schauspiel— gesät hat. Sie fachen d— Funke— an, welch— d— Herz— d— Mensch— mit neu— Glaube— erfüllt und ihr— Wille— zu neu— Tat— ermutigt.

Ein gut— Schauspieler muß nicht nur sein— Muskel— und Nerv— in voll— Gewalt haben. Er muß aus d— inner— Reichtum sein— Herz— heraus handeln und muß von d— Gedanke— d— Dichtung ganz erfüllt sein, ganz gleich, ob sie sein— eigen— Natur gemäß ist, und ob d— ihm gegeben— Rolle sein— augenblicklich— Stimmung entspricht oder nicht.

Das ist ein— d— bedeutendst— Unterschied— zwischen ein— Dilettant— und ein— wirklich— Schauspieler: d— Dilettant wird mit d— ein— oder d—

ander— Rolle einig— Glück haben, wenn sie sein—
Temperament und sein— augenblicklich— Stimmung
gemäß ist. D— geboren— Schauspieler aber ist von
sein— eigen— Charakter, von natürlich— Temperament, und von persönlich— Stimmung freier. Er kann
sich selbst vergessen, und er wird
handelnd zum Ausdruck d— Ge-
dank— d— Dichter— in d—
Dram—, in den— er auftritt.

II. Setzen Sie die vorstehende Aufgabe in die indirekte Rede! man
sagt . . .

III. Geben Sie die richtige Form des
Verbs in verschiedenen Zeiten!

An einem deutschen Theater
(auftreten) ein beliebter Schau-
spieler, der (sich erfreuen) einer stattlichen, um nicht zu
sagen: korpulenten Figur, was aber den ihm gebrachten
Beifall keineswegs (vermindern), im Gegenteil, eher noch
dazu (beitragen). Eines Abends (spielen) er, wie schon
seit längerer Zeit, die Titelrolle in einem Trauerspiel, in
dem er am Schluß (sterben). Er (darstellen) das Abscheiden
des Helden so gut, daß es die Zuschauer (schaudern).
Besonders die Herzen der Damen (erschüttern) er aufs
Tiefste. Er (zusammenbrechen), (stürzen) auf den Boden,
(sich winden) und endlich (erstarren) er. Die Zuschauer
(beben) und (zittern) und (schweigen) in tiefer Bewegung.
Seine Freunde auf der Bühne (ergreifen) den Toten und
(versuchen), ihn von der Bühne zu tragen.
Aber der Abgeschiedene (sein) so schwer, daß sie ihn nicht
von der Stelle (bewegen können). Das Publikum
(erfassen) die Situation bald, und ein allgemeines, leises
Lachen (ertönen) im Zuschauerraum, bis endlich einer der

Zuschauer (ausrufen): „Nun (sehen) bloß den fetten
Sack!" Der Abgeschiedene aber (sich zeigen) der Situation gewachsen. Langsam (sich aufrichten) er vom Fußboden, und mit hohler Grabesstimme (ertönen) es von
der Bühne: „Ehrfurcht vor den Toten!" Und so (erringen) er den größten Triumph seines Lebens. Die
Zuschauer (sich winden) vor Lachen, und der Beifall (nicht
enden wollen), während man ihn so schnell wie möglich
und nicht sehr feierlich von der Bühne (schieben).

IV. Sprechen Sie über das Kapitel. Diskutieren Sie schriftlich
oder mündlich solche Fragen wie:
Welche Stücke Shakespeares sind Ihnen am liebsten?
Gehen Sie überhaupt gerne ins Theater? Welche
Schauspieler sind Ihnen am liebsten, sowohl im Theater
wie im Film? Welche Rollen gefallen ihnen am besten?
Was sind die hauptsächlichsten Unterschiede zwischen
einem Schauspiel und einem Film, zwischen dem Theater
und dem Kino, und zwischen einem Filmschauspieler und
einem Bühnenschauspieler? Wenn Sie wählen könnten,
und wählen müßten, welche Rolle würden Sie am liebsten
— oder am wenigsten ungern — spielen? Finden Sie es
richtig, daß Dilettanten Schauspiele aufführen?
Sind Sie mit Wilhelm Meisters Gedanken über Hamlets
Charakter einverstanden? Vergleichen Sie die Schlegelsche Übersetzung mit dem Original. Ist die Übersetzung
Ihrer Meinung nach dem Sinn des Originals gemäß?

V. Sprechen Sie kurz über eines Ihrer Lieblingsstücke!

VI. Erzählen Sie kurz von einem Besuch eines englischen oder
ausländischen Theaters!

VII. Schreibspiel!
Wieviele Wörter und Ausdrücke kennen Sie, die mit
Theater, Drama und Film zusammenhängen?

VIII. Translation.

From Boswell's *Life of Samuel Johnson*:
(Johnson in a conversation with the famous actress Mrs. Siddons) . . . " Garrick, Madam, was no declaimer; there was not one of his own scene-shifters who could not have spoken *To be, or not to be,* better than he [did]; yet he was the only actor I ever saw, whom I could call a master both in tragedy and comedy; though I liked him best in comedy. A true conception of character, and natural expression of it, were his distinguished excellences." Having expatiated, with his usual force and eloquence, on Mr. Garrick's extraordinary eminence as [an] actor, he concluded with this compliment to [1] his social talents; " And after all, Madam, I thought him less to be envied on the stage than at the head of a table ".
Johnson, indeed, had thought more upon the subject of acting than might be generally supposed. Talking of it one day to Mr. Kemble, he said, " Are you, Sir, one of those enthusiasts who believe yourself transformed into the very [2] character you represent? " Upon Mr. Kemble's answering — that he had never felt so strong a persuasion himself: " To be sure not, Sir (said Johnson); the thing is impossible. And if Garrick really believed [himself] to be that monster, Richard the Third, he deserved to be hanged every time [3] he performed it."

[1] about [2] the character itself [3] when he

Voltaire und Shakeſpeare

Voltaire und Shakeſpeare: der eine iſt,
was der andere ſcheint;
Meiſter Arouet ſagt: ich weine—
und Shakeſpeare weint!

Matthias Claudius

Zwanzigstes Kapitel

„Mozart auf der Reise nach Prag"

Ein Auszug aus Mörikes Novelle

Im Herbst des Jahres 1787 unternahm Mozart in Begleitung
seiner Frau eine Reise nach Prag, um Don Juan daselbst zur
Aufführung zu bringen.

Am dritten Reisetag, den vierzehnten September gegen elf
Uhr morgens, fuhr das wohlgelaunte Ehepaar, noch nicht viel
über dreißig Stunden Wegs von Wien entfernt, in nordwest=
licher Richtung, jenseits vom Mannhardsberg und der deutschen
Thaya, bei Schrems, wo man das schöne Mährische Gebirg bald
vollends überschritten hat. . . .

Man war eine sanft ansteigende Höhe zwischen fruchtbaren
Feldern, welche hie und da die ausgedehnte Waldung unter=
brachen, gemachsam hinauf und jetzt am Waldsaum ange=
kommen.

„Durch wie viel Wälder", sagte Mozart, „sind wir nicht heute,
gestern und ehegestern schon passiert! — Ich dachte nichts dabei,
geschweige daß mir eingefallen wäre, den Fuß hineinzusetzen.
Wir steigen einmal aus da, Herzenskind, und holen von den
blauen Glocken, die dort so hübsch im Schatten stehen.   Deine
Tiere, Schwager, mögen ein bißchen verschnaufen." . . .

Sie stiegen Arm in Arm über den Graben an der Straße und
sofort tiefer in die Tannendunkelheit hinein, die, sehr bald zur
Finsternis verdichtet, nur hin und wieder von einem Streifen
Sonne auf sammetnem [1] Moosboden grell durchbrochen ward.
Die erquickliche Frische, im plötzlichen Wechsel gegen die außer=
halb herrschende Glut, hätte dem sorglosen Mann ohne die

[1] meist: samtenem

316

Vorsicht der Begleiterin gefährlich werden können. Mit Mühe drang sie ihm das in Bereitschaft gehaltene Kleidungsstück auf. — „Gott, welche Herrlichkeit!" rief er, an den hohen Stämmen hinaufblickend, aus; „man ist als wie in einer Kirche! Mir deucht, ich war niemals in einem Wald, und besinne mich jetzt erst, was es doch heißt, ein ganzes Volk von Bäumen beieinander! Keine Menschenhand hat sie gepflanzt, sind alle selbst gekommen, und stehen so, nur eben weil es lustig ist, beisammen wohnen und wirtschaften. Siehst du, mit jungen Jahren fuhr ich doch in halb Europa hin und her, habe die Alpen gesehn und das Meer, das Größeste und Schönste, was erschaffen ist: jetzt steht von ungefähr der Gimpel in einem ordinären Tannenwald an der böhmischen Grenze, verwundert und verzückt, daß solches Wesen irgend existiert, nicht etwa nur so una finzione di poeti [1] ist, wie ihre Nymphen, Faune und dergleichen mehr, auch kein Komödienwald, nein, aus dem Erdboden heraus gewachsen, von Feuchtigkeit und Wärmelicht der Sonne groß gezogen! Hier ist zu Haus der Hirsch, mit seinem wundersamen, zackigen Gestäude auf der Stirn, das possierliche Eichhorn, der Auerhahn, der Häher." — Er bückte sich, brach einen Pilz und pries die prächtige hochrote Farbe des Schirms, die zarten weißlichen Lamellen an dessen unterer Seite, auch steckte er verschiedene Tannenzapfen ein.

„Man könnte denken," sagte die Frau, „du habest noch nicht zwanzig Schritte hinein in den Prater [2] gesehen, der solche Raritäten doch auch wohl aufzuweisen hat."

„Was Prater! Sapperlot, wie du nur das Wort hier nennen magst! Vor lauter Karossen, Staatsdegen, Roben und Fächern, Musik und allem Spektakel der Welt, wer sieht denn da noch sonst etwas? Und selbst die Bäume dort, so breit sie sich auch machen, ich weiß nicht — Bucheckern und Eicheln, am Boden verstreut, sehn halter [3] aus als wie Geschwisterkind mit der

[1] Erfindung des Dichters
[2] Der Prater ist ein berühmter Vergnügungspark bei Wien.
[3] halter (häufiger: halt) ist ein süddeutsches Wort, das sehr schwer zu übersetzen ist. Am nächsten kommt ihm das Wort „eben".

Unzahl verbrauchter Korkstöpsel darunter. Zwei Stunden weit riecht das Gehölz nach Kellnern und nach Saucen."

„O unerhört!" rief sie, „so redet nun der Mann, dem gar nichts über das Vergnügen geht, Backhähnl [1] im Prater zu speisen!"

Als beide wieder in dem Wagen saßen und sich die Straße etzt nach einer kurzen Strecke ebenen Wegs allmählich abwärts

senkte, wo eine lachende Gegend sich bis an die entfernteren Berge verlor, fing unser Meister, nachdem er eine Zeitlang still gewesen, wieder an: „Die Erde ist wahrhaftig schön, und keinem zu verdenken, wenn er so lang wie möglich darauf bleiben will. Gott sei's gedankt, ich fühle mich so frisch und wohl wie je und wäre bald zu tausend Dingen aufgelegt, die denn auch alle nacheinander an die Reihe kommen sollen, wie nur mein neues Werk vollendet und aufgeführt sein wird. Wie viel ist draußen in der Welt, und wie viel daheim, Merk=

würdiges und Schönes, das ich noch gar nicht kenne, an Wunderwerken der Natur, an Wissenschaften, Künsten und nützlichen Gewerben! Der schwarze Köhlerbube dort bei seinem Meiler weiß dir von manchen Sachen auf ein Haar so viel Bescheid wie ich, da doch ein Sinn und ein Verlangen in mir wäre, auch einen Blick in dies und jens [2] zu tun, das eben nicht zu meinem nächsten Kram gehört."

„Mir kam", versetzte sie, „in diesen Tagen dein alter Sack= kalender in die Hände von Anno fünfundachtzig; da hast du hin= ten angemerkt drei bis vier Notabene. Zum ersten steht: Mitte Oktober gießet man die großen Löwen in kaiserlicher Erzgieße=

---

[1] wienerisch für Backhähnlein, d.h. ein gebackenes Hähnchen
[2] hochdeutsch: jenes

rei; fürs zweite, doppelt angestrichen: Professor Gattner zu besuchen. Wer ist der?"

„O recht, ich weiß — auf dem Observatorio[1] der gute alte Herr, der mich von Zeit zu Zeit dahin einlädt. Ich wollte längst einmal den Mond und's Mandl[2] drin mit dir betrachten. Sie haben jetzt ein mächtig großes Fernrohr oben; da soll man auf der ungeheuern Scheibe hell und deutlich bis zum Greifen Gebirge, Täler, Klüfte sehen, und von der Seite, wo die Sonne nicht hinfällt, den Schatten, den die Berge werfen. Schon seit zwei Jahren schlag ich's an, den Gang zu tun, und komme nicht dazu, elender- und schändlicherweise!"

„Nun," sagte sie, „der Mond entläuft uns nicht. Wir holen manches nach."

Nach einer Pause fuhr er fort: „Und geht es nicht mit allem so? O pfui, ich darf nicht daran denken, was man verpaßt, verschiebt und hängen läßt! — von Pflichten gegen Gott und Menschen nicht zu reden — ich sage von purem Genuß, von den kleinen unschuldigen Freuden, die einem jeden täglich vor den Füßen liegen."

Madame Mozart konnte oder wollte von der Richtung, die sein leichtbewegliches Gefühl hier mehr und mehr nahm, auf keine Weise ablenken, und leider konnte sie ihm nur von ganzem Herzen recht geben, indem er mit steigendem Eifer fortfuhr: „Ward ich denn je nur meiner Kinder ein volles Stündchen froh? Wie halb ist das bei mir, und immer en passant! Die Buben einmal rittlings auf das Knie gesetzt, mich zwei Minuten mit ihnen durchs Zimmer gejagt, und damit basta, wieder abgeschüttelt! Es denkt mir nicht, daß wir uns auf dem Lande zusammen einen schönen Tag gemacht hätten, an Ostern oder Pfingsten, in einem Garten oder Wäldel,[3] auf der Wiese, wir unter uns allein, bei Kinderscherz und Blumenspiel, um selber einmal wieder Kind zu werden. Allmittelst geht und rennt und

[1] in modernem Deutsch: Observatorium
[2] wienerisch (und auch bayerisch) für Männlein
[3] wienerisch (und bayerisch) für Wäldlein

saust das Leben hin — Herr Gott! bedenkt man's recht, es möcht
einem der Angstschweiß ausbrechen!"

... Hier drängt sich uns voraus die schmerzliche Betrachtung
auf, daß dieser feurige, für jeden Reiz der Welt und für das
Höchste, was dem ahnenden Gemüt erreichbar ist, unglaublich
empfängliche Mensch, so viel er auch in seiner kurzen Spanne
Zeit erlebt, genossen und aus sich hervorgebracht, ein stetiges
und rein befriedigtes Gefühl seiner selbst doch lebenslang ent-
behrte. ...

Des Mannes Bedürfnisse waren sehr vielfach, seine Neigung
zumal für gesellige Freuden außerordentlich groß. Von den
vornehmsten Häusern der Stadt als unvergleichliches Talent
gewürdigt und gesucht, verschmähte er Einladungen zu Festen,
Zirkeln und Partien selten oder nie. Dabei tat er der eigenen
Gastfreundschaft innerhalb seiner näheren Kreise gleichfalls
genug. Einen längst hergebrachten musikalischen Abend am
Sonntag bei ihm, ein ungezwungenes Mittagsmahl an seinem
wohlbestellten Tisch mit ein paar Freunden und Bekannten,
zwei-, dreimal in der Woche, das wollte er nicht missen.
Bisweilen brachte er die Gäste, zum Schrecken der Frau, unangekündigt von der Straße weg ins Haus, Leute von sehr un-
gleichem Wert, Liebhaber, Kunstgenossen, Sänger und Poeten.
Der müßige Schmarotzer, dessen ganzes Verdienst in einer
immer aufgeweckten Laune, in Witz und Spaß, und zwar vom
gröberen Korn bestand, kam so gut wie der geistvolle Kenner
und der treffliche Spieler erwünscht. Den größten Teil seiner
Erholung indes pflegte Mozart außer dem eigenen Hause zu
suchen. Man konnte ihn nach Tisch einen Tag wie den andern
am Billard im Kaffeehaus und so auch manchen Abend im Gasthof
finden. Er fuhr und ritt sehr gerne in Gesellschaft über Land,
besuchte als ein ausgemachter Tänzer Bälle und Redouten und
machte sich des Jahrs einige Male einen Hauptspaß an Volks-
festen, vor allen am Brigitten-Kirchtag im Freien, wo er als
Pierrot maskiert erschien. ...

Genießend oder schaffend kannte Mozart gleich wenig Maß und Ziel. Ein Teil der Nacht war stets der Komposition gewidmet. Morgens früh, oft lange noch im Bett, ward ausgearbeitet. Dann machte er, von zehn Uhr an, zu Fuß oder im Wagen abgeholt, die Runde seiner Lektionen, die in der Regel noch einige Nachmittagsstunden wegnahmen. „Wir plagen uns wohl auch rechtschaffen," so schreibt er selber einmal einem Gönner, „und es hält öfter schwer nicht die Geduld zu verlieren." ... Und wenn er nun durch diese und andere Berufsarbeiten, Akademien, Proben und dergleichen abgemüdet, nach frischem Atem schmachtete, war den erschlafften Nerven häufig nur in neuer Aufregung eine scheinbare Stärkung vergönnt. Seine Gesundheit wurde heimlich angegriffen, ein je und je wiederkehrender Zustand von Schwermut wurde, wo nicht erzeugt, doch sicherlich genährt an eben diesem Punkt, und so die Ahnung eines frühzeitigen Todes, die ihn zuletzt auf Schritt und Tritt begleitete, unvermeidlich  erfüllt. Gram aller Art und Farbe, das Gefühl der Reue nicht ausgenommen, war er als eine herbe Würze jeder Lust auf seinen Teil gewöhnt. Doch wissen wir, auch diese Schmerzen rannen aufgeklärt und rein in jenem tiefen Quell zusammen, der, aus hundert goldenen Röhren springend, im Wechsel seiner Melodien unerschöpflich alle Qual und alle Seligkeit der Menschenbrust ausströmte.

Soweit Mörike.

Viele Jahre später sagte Goethe zu Eckermann: Montag den 11. Dezember 1826.

„. . . Ein Talent wird nicht geboren, um sich selbst überlassen zu bleiben, sondern sich zur Kunst und guten Meistern zu wenden, die denn etwas aus ihm machen. Ich habe dieser Tage einen Brief von Mozart gelesen, wo er einem Baron, der ihm Kom-

positionen zugesendet hatte, etwa folgendes schreibt: ‚Euch
Dilettanten muß man schelten, denn es finden bei euch gewöhn=
lich zwei Dinge statt: entweder ihr habt keine eigenen Gedanken,
und da nehmt ihr fremde; oder wenn ihr eigene Gedanken habt,
so wißt ihr nicht damit umzugehen‘. Ist das nicht himmlisch?
Und gilt dieses große Wort, was Mozart von der Musik sagt, nicht
von allen übrigen Künsten?“

Der um vierundzwanzig Jahre ältere Freund Mozarts,
Joseph Haydn, hat einmal einen Brief über Mozart geschrieben,
der mit einem erschütternden Abschnitt endet:

„. . . Denn könnt ich jedem Musikfreunde, besonders aber
den Großen, die unnachahmlichen Arbeiten Mozarts so tief und
mit einem solchen musikalischen Verstande, mit einer so großen
Empfindung in die Seele prägen, als ich sie begreife und emp=
finde: so würden die Nationen wetteifern, ein solches Kleinod
in ihren Ringmauern zu besitzen. Prag soll den teuern Mann
festhalten — aber auch belohnen; denn ohne dieses ist die Ge=
schichte großer Genien traurig und gibt der Nachwelt wenig
Aufmunterung zum fernern Bestreben; weswegen leider so
viel hoffnungsvolle Geister darnieder liegen. Mich zürnet es,
daß dieser einzige Mozart noch nicht bei einem kaiserlichen oder
königlichen Hofe engagiert ist! Verzeihen Sie, wenn ich aus
dem Geleise komme: ich habe den Mann zu lieb.

„Joseph Haydn.“

Wortschatz

der Fächer (—), *fan*
„ Gönner, *patron*
„ Häher, *jay*
„ Kenner, *connoisseur*
„ Liebhaber, *amateur*
„ Meiler, *kiln*
„ Sänger, *singer*
„ Schmarotzer, *parasite*
„ Tannenzapfen, *fir cone*
„ Tänzer, *dancer*
„ Wechsel, *change*

„ Pilz (e), *mushroom, fungus*
„ Scherz, *joke*

„ Auerhahn ("e), *mountain
   cock*
„ Gang, *errand*
„ Gasthof, *inn*
„ Spaß, *fun, joke*
„ Waldsaum, *edge of the
   wood*

„ Angstschweiß (kein Pl.),
   cold sweat
„ Eifer, *zeal, eagerness*
„ Gram, *grief*
„ Kram, *wares, chattels*
„ Verstand, *understanding*

die Ahnung (en), *premonition*
„ Akademie (n), *academy*
„ Aufmunterung (en), *en-
   couragement*

die Aufregung (en), *excitement*
„ Begleiterin (nen), *com-
   panion*
„ Betrachtung (en), *considera-
   tion*
„ Buchecker (n), *beechnut*
„ Empfindung (en), *feeling*
„ Probe (n), *rehearsal*
„ Qual (en), *torture*
„ Röhre (n), *pipe*
„ Scheibe (n), *slice, disc*
„ Seligkeit (en), *bliss*
„ Spanne (n), *span*
„ Stärkung (en), *refreshment*
„ Vorsicht (en), *precaution,
   caution*
„ Wissenschaft (en), *science,
   learning*

„ Kluft ("e), *ravine*

„ Bereitschaft (kein Pl.),
   readiness
„ Frische, *freshness, coolness*
„ Gastfreundschaft, *hospitality*
„ Schwermut, *depression*

das Gebirge (—), *mountain
   range*
„ Geleise, *rail*
„ Gewerbe, *trade*
„ Pfingsten, *Whitsuntide*

das Fernrohr (e), *telescope*
„ Maß, *measure*
„ Ziel, *goal, aim*

„ Bedürfnis (se), *need*

„ Bestreben (kein Pl.), *striv-ing, endeavour*

ab'lenken, *divert*
an'greifen, griff an, hat angegriffen, *attack*
an'merken, *note, annotate*
auf'drängen, *press on*
auf'weisen, wies auf, hat aufgewiesen, *show*
ein'stecken, *put in one's pocket*
erschaffen, erschuf, hat er-schaffen, *create*
erschlaffen, ist erschlafft, *slacken, tire*
(sich) jagen, *chase (one another)*
missen, *miss*
nach'holen, *make up*
nähren, *feed, nourish*
sich plagen, *take pains*
rennen, rannte, ist ge-rannt, *run*
sausen, *race*
sich senken, *lower, go down*
statt'finden, fand statt, hat stattgefunden, *take place*
überschreiten, überschritt, hat überschritten, *cross*

unterbréchen, *interrupt*
verdenken, verdachte, hat verdacht, *blame*
verdichten, *thicken*
vergönnen, *grant*
verpassen, *miss* [breath
verschnaufen, *rest, get one's*
verstreuen, *scatter*
wetteifern, *complete*
wieder'kehren, ist wieder-gekehrt, *return*
wirtschaften, *keep house*

allmählich, *gradual*
aufgeweckt, *alert*
ausgedehnt, *extensive*
elend, *miserable*
empfänglich, *receptive*
erquicklich, *refreshing*
erreichbar, *accessible*
erwünscht, *desirable, welcome*
geistvoll, *brilliant*
hergebracht, *traditional*
kaiserlich, *imperial*
nordwéstlich, *north-westerly*
rechtschaffen, *honest*
schändlich, *scandalous*
schmerzlich, *painful*
stetig, *steady*
unerhört, *unheard-of, incredible*
unerschöpflich, *inexhaustible*
ungezwungen, *informal*
ungleich, *uneven*
unnachahmlich, *inimitable*
unschuldig, *innocent*

verzückt, *rapt*
vielfach, *frequent, manifold*
wahrhaftig, *true*
zackig, *pronged*
zart, *delicate*

abwärts, *down*
beieinánder, *together*
daheim, *at home*
geschweige (daß), *let alone (that)*
hin und wieder, *now and again*
innerhalb, *inside*
irgend, *at all*
jenseits, *beyond*
rittlings, *astride*
sapperlot! *my goodness!*
sofort, *at once*
weswegen, *on account of which*
zumál, *especially*

auf Schritt und Tritt be=
   gleiten, *dog one's steps*
aus dem Geleise kommen, *to go
   off the rails*
deutlich bis zum Greifen, *so
   clear that you think you can
   touch it*
dieser Tage, *lately*
er kam erwünscht, *he was welcome*
er machte sich einen Hauptspaß,
   he enjoyed it hugely

er weiß dir auf ein Haar so viel
   Bescheid wie ich, *he knows
   exactly as much about it as I
   do*
es hält schwer, *it is difficult*
Gott sei's gedankt, *heaven be
   thanked*
groß gezogen, *reared*
ich dachte nichts dabei, *I thought
   nothing of it*
ich wäre aufgelegt dazu, *I am
   in the mood for it*
ich wollte längst einmal, *I have
   long wanted to*
mit jungen Jahren, *in my
   young years*
mit Maß und Ziel, *within
   reason*
sonst etwas, *anything else*
unter uns, *among ourselves*
vom gröberen Korn, *of the
   cruder kind*
von ganzem Herzen, *with all
   my heart*
von ungefähr, *perchance*
vor lauter Karossen, *with all
   the carriages*
wo nicht erzeugt, doch . . ., *if
   not produced, yet . . .*
zum ersten, *firstly*
zur Aufführung bringen, *produce, perform*

Grammatik

The imperative and its substitutes:

1. The different forms of the imperative are as follows (*cf* " Heute Abend I ", chapters 2, 6, and 11) :

du	ihr	Sie
sag(e)!	sagt!	sagen Sie!
schlaf(e) gut!	schlaft gut!	schlafen Sie gut!
gib es mir!	gebt es mir!	geben Sie es mir!
sieh einmal her!	seht einmal her!	sehen Sie einmal her!
sei vorsichtig!	seid vorsichtig!	seien Sie vorsichtig!
hab(e) Geduld!	habt Geduld!	haben Sie Geduld

Note particularly that the imperative of the du-form shares the vowel changes of the third person from e to i or ie (geben, sehen), but no other modifications (schlafen).

The e in the du-form is commonly omitted in speaking ; in writing it is usually replaced by an apostrophe : komm'! but even that is often left out.

2. There are various substitutes for the imperative :

(*a*) Aufpassen! Hersehen! Nicht hinauslehnen! Nicht auf den Boden spucken! Kurz fassen! Aufgepaßt! Hergesehen!

The infinitive or past participle is often used in commands given in school, in the army, etc. This form is by no means polite and, while you have to understand it, you had better not use it.

(*b*) Man beachte die Gebrauchsanweisungen! Man nehme drei Eier, ein halbes Pfund Butter, ein Pfund Mehl usw. usw.

The present subjunctive of " man " is usual in prescriptions and recipes.

(c) Blumen pflücken während der Fahrt verboten![1] Ein=
tritt verboten! Rauchen verboten!

In public notices the word "verboten" usually replaces the
negative of the imperative.

(d) Achtung! Vorsicht! Ruhe! Vorwärts! Halt!
Isolated words are commonly used instead of imperative
verbs. You can add "bitte" to soften the blow.

Aufgaben

I. Setzen Sie ins Passiv:

In seiner Mozartnovelle zeigt uns Mörike die beiden
Mozarts als Menschen, die ihre österreichische Umgebung
gebildet und geformt hat. Er drückt dies nicht nur in
Bemerkungen über das Wiener Leben aus — wie zum
Beispiel dadurch, daß er von dem Prater, von den
berühmten Wiener Backhähndln und dem Brigitten=
Kirchtag spricht — sondern auch dadurch, daß er den
Wiener Dialekt andeutet.

Nun spricht man natürlich in jeder deutschen Gegend
einen charakteristischen Dialekt. In Hamburg und
Hannover, zum Beispiel, „sch=pricht" man nicht, sondern
man „s=pricht", und man s=pringt über S=tock und S=tein.
In Norddeutschland geht man „nach Hause", und in
Süddeutschland geht man „heim"; in Norddeutschland
gebraucht man den Ausdruck „zu Hause", in Süd=
deutschland sagt man dafür öfter „daheim". In
Schwaben nennt man die Mädchen die „Mädle", und
man wohnt in einem „Häusle". Auch die Doppelvokale
wie au, eu und ei spricht man dort etwas anders aus.

In Wien aber geht man noch weiter. Man gebraucht
zum Teil ganz andere Wörter als in den übrigen
deutschen Ländern. So zum Beispiel hängt man dort die
Kleider nicht in einen Schrank sondern in einen „Kasten",

---

[1] Anschlag in einem Bummelzug

man trinkt seinen Kaffee nicht aus einer Tasse sondern aus einer „Schale", man schrubbt den Fußboden nicht, sondern man „reibt" ihn; nachmittags trinkt man nicht seinen Nachmittagskaffee, sondern man „hält" eine „Jause". All das muß man beachten, damit einen die Leute nicht falsch verstehen.

Noch viel schwerer macht man es Ihnen aber in Nord= westdeutschland, wo die Leute plattdeutsch sprechen. Die meisten Deutschen können plattdeutsch auch nicht ohne weiteres verstehen, und wenn wir plattdeutsche Dichter wie Fritz Reuter lesen, so benützen wir Aus= gaben, in denen man die plattdeutschen Ausdrücke erklärt. Fast in jedem deutschen Land glaubt man natürlich, daß man dort das beste Deutsch spricht. Ja, viele glauben sogar, daß alle anderen Dialekt sprechen, nur sie nicht!

II. Lesen Sie die folgenden kleinen Anekdoten in verschie= denen Zeiten und erzählen Sie sie in der indirekten Rede!

Heinrich von Kleist erzählt diese kleine Geschichte von Johann Sebastian Bach: Als seine Frau (sterben), (sollen) Bach Befehle zum Begräbnis geben. Der arme Mann (sein) aber gewohnt, daß seine Frau alles derartige (erledigen). Als ein alter Bedienter zu ihm (treten) und ihn (bitten), ihm Geld zu geben, damit er Blumen (ein= kaufen können), (erwidern) Bach unter stillen Tränen, den Kopf auf einen Tisch gestützt: „(Sagen) es meiner Frau".

Zelter erzählt folgende Anekdote über Beethoven. Kürz= lich (gehen) Beethoven in ein Kaffeehaus. Er (sich setzen) an einen Tisch, (versinken) in seine Arbeit. Nach einer Stunde (rufen) er den Kellner: „Was (machen) die Rechnung?" Der Kellner (versetzen): „Sie (essen) noch nichts. Was (sollen) ich bringen?" Beethoven (erwidern) ungeduldig: „(Bringen), was du (wollen), aber (lassen) mich in Ruhe!"

III. Geben Sie die richtigen Endungen!

Brahms war als ein sehr grob— und unhöflich— Mensch
bekannt. Er ließ sein— gut— wie sein bös— Launen
frei— Lauf, und es machte kein— Unterschied, ob er in
sein— eigen— vier Wänd— oder in fremd— Gesellschaft
war. Ein— Abends, als er bei ein— sein— Freund—
eingeladen war, kam ein— lebhaft— und geistreich—
Unterhaltung in Fluß und Brahms zeigte sich von sein—
liebenswürdigst— Seite. Als er sich am spät— Abend
verabschiedete, sagte er zu d— erleichtert— Gastgeber
unter freundschaftlich— Händeschütteln: „. . . und entschuldigen Sie vielmals, wenn ich heut kein— ihr— Gäste
beleidigt haben sollte!"

Ein— sein— Freunde jedoch war d— bös— Zunge d—
groß— Komponist— gewachsen, nämlich sein gut— Freund
Haas, ein witzig— und aufgeweckt— Wiener. Ein—
Tag— geht er mit d— Komponist— Arm in Arm durch
d— Wien— Stadtpark. An jed— Ecke dies— Stadtpark— steht ein mehr oder weniger schön— Denkmal
ein— mehr oder weniger berühmt— Mann—. Vor ein—
d— wenig— frei— Plätze bleibt Haas stehen und sagt:
„Sehen Sie, lieb— Meister, hier wird sich nach viel—

hundert Jahr— auch Ihr marmorn— Denkmal erheben. Und viel— Tausend— von staunend— Menschen werden davor stehen wie wir und . . ." D— Meister will ihn mit geschmeichelt— Lächeln dankend unterbrechen. Aber d— unerbittlich— Freund läßt sich nicht stören und fährt mit d— ruhigst— Stimme d— Welt fort: „. . . und werden fragen: ‚Wer war denn das?' "

IV. Geben Sie die richtige Form des Verbs!

Buttermilchplinsen (sein) ein berühmtes sächsisches Gericht, von dem Joseph Huber in München schon oft (hören). Als er einmal eine sächsische Köchin (engagieren), (sich bestellen) er sofort bei ihr die berühmten Plinsen. Nach fünf Minuten (zurückkehren) die Köchin aus der Küche. „(Sehen), Herr Huber, hier im Kochbuch (stehen): ‚Man (nehmen) sechs Eier'. Sie (besitzen) aber keine." „Dann (machen) sie halt nicht so leicht. (Machen) sie ohne Eier." „Und dann, (sehen), (stehen) hier: ‚Man (nehmen) Buttermilch', und die (besitzen) wir auch nicht." „Dann (gebrauchen) Sie halt in Gottes Namen gewöhnliche Milch, das (machen) doch keinen Unterschied." „Weiter (stehen) da: ‚Man (nehmen) Weizenmehl', und wir (besitzen) nur Roggenmehl." „Dann (kochen) sie halt mit Roggenmehl." „Und die Butter (genügen) auch nicht." „Wozu (müssen) Sie Butter haben? (Nehmen) Margarine!" Die Köchin (verfertigen) Buttermilchplinsen aus Roggenmehl, ohne Buttermilch, ohne Eier, mit Margarine. Sie (auftischen) sie zum Mittagessen. Joseph Huber (versuchen) einmal, er (probieren) noch einmal. Dann (sich zurücklehnen) er im Stuhl, (schütteln) den Kopf und (bemerken): „Ich (wissen) nicht, was die Leute mit ihren Buttermilchplinsen (haben). Ich (können) mir etwas Besseres denken."

V. Erzählen Sie die vorstehenden Geschichten in der indirekten Rede!

VI. Sprechen Sie über das Kapitel. Erzählen Sie es und fragen Sie einander darüber. Spielen Sie die Szene!

VII. Charakterisieren Sie die beiden Mozarts auf Grund des Auszugs!

VIII. Geben Sie ein kurzes Lebensbild eines Komponisten, Malers, Schriftstellers, Dichters usw., den Sie sehr schätzen!

IX. Übersetzung!
Jane W. Carlyle to Mrs. Walsh, describing a journey in a Mail Coach:

Chelsea : Sept. 5, 1836.

. . . We breakfasted at Lichfield, at five in the morning. . . . At two there was another stop of ten minutes, that might be employed in lunching [1] or otherwise. Feeling myself more fevered than hungry, I determined on spending the time in combing [2] my hair and washing my face and hands with vinegar. In the midst of this solacing operation I heard what seemed to be the Mail running its rapid course, and quick as lightning it flashed on me, " There it goes ! and my luggage is on the top of it, and my purse is in the pocket of it, and here am I stranded on an unknown beach, without so much as [3] a sixpence in my pocket to pay for the vinegar I have already consumed ! " Without my bonnet, my hair hanging down my back, my face half dried, and the towel, with which I was drying it, firmly grasped in my hand, I dashed out — along down, opening wrong doors, stumbling over steps, cursing the day [4] I was born, still more the day on which I took a notion to travel, and arrived finally at the bar of the Inn, in a state of excitement bordering on lunacy. The bar-

---

[1] zum Mittagessen   [2] damit daß . . .   [3] ohne auch nur
[4] the day on which

maids looked at me " with wonder and amazement ".
" Is the coach gone ? " I gasped out. " The coach ?
Yes ! " " Oh ! and you have let it away without me ! Oh !
stop it, cannot you stop it ? " and out I rushed into the
street, with streaming hair and streaming towel, and almost
brained myself against — the Mail ! which was standing
there in all stillness, without so much as [1] a horse in it !
What I had heard was a heavy coach. And now, having
descended like a maniac, I ascended again like a fool, and
dried the other half of my face, and put on my bonnet, and
came back " a sadder and a wiser woman ".

[1] ohne auch nur

Rezept für Wiener Schnitzel

Man nehme Kalbs- oder Schweinsschnitzel, etwa so dick wie
der kleine Finger, salze sie und drehe sie in Mehl um. Dann
tauche man sie in Wasser, das mit ein paar Tropfen Essig
vermischt ist, und bedecke sie dann mit Semmelbröseln.
Inzwischen lasse man soviel Butter in der Pfanne heiß werden,
daß der Boden der Pfanne gut bedeckt ist, und backe sie auf
beiden Seiten schön goldgelb, wobei man die Pfanne öfters
schüttle, damit sie immer Fett haben. Man garniere sie mit
Zitronenscheiben und gebe Salat oder Gemüse dazu.

Wiederholung des wichtigsten Wortschatzes

der

1. Bewohner (—)
2. Durchmesser
3. Fächer
4. Gönner
5. Gürtel
6. Kenner
7. Liebhaber
8. Maler
9. Missetäter
10. Pflüger
11. Sänger
12. Schauspieler
13. Stengel
14. Tannenzapfen
15. Tänzer
16. Teufel
17. Wechsel

18. Anblick (e)
19. Aufenthalt
20. Auftritt
21. Besenstiel
22. Festtag
23. Hering
24. Holzschnitt
25. Imbiß
26. Inhalt
27. Käfig
28. Kelch
29. Leichnam
30. Pilz
31. Scherz
32. Umriß

33. Kalbsbraten (")
34. Schaden
35. Staubfaden

der

36. Atemzug ("e)
37. Auszug
38. Dampf
39. Einfluß
40. Gang
41. Gasthof
42. Geruch
43. Geschmack
44. Rumpf
45. Schauplatz
46. Schoß
47. Stahl
48. Stoß
49. Streifzug
50. Übergang
51. Ursprung
52. Verkauf
53. Heidelbeerstrauch ("er)
54. Johannisbeer-strauch
55. Rotbeerstrauch
56. Stachelbeerstrauch

57. Nerv (en)
58. Professor
59. Strahl

60. Bote (n, n)
61. Bursche
62. Fink
63. Insasse
64. Prophet
65. Spielgenosse
66. Angstschweiß (kein Pl.)

der

67. Beifall
68. Eifer
69. Eisenhut
70. Gram
71. Ingwer
72. Kram
73. Lack
74. Trübsinn
75. Undank
76. Verstand
77. Wahnsinn
78. Zwang

die

79. Ader (n)
80. Akademie
81. Andacht
82. Anklage
83. Anweisung
84. Apfelsine
85. Aufforderung
86. Aufführung
87. Aufmerksamkeit
88. Aufmunterung
89. Aufregung
90. Bande
91. Befreiung
92. Begleiterin
93. Beleuchtung
94. Biographie
95. Blindheit
96. Büchse
97. Distel
98. Einbildung
99. Einheit
100. Entdeckung
101. Erscheinung

1. inhabitant
2. diameter
3. fan
4. patron
5. belt
6. connoisseur
7. amateur
8. painter
9. evildoer
10. ploughman
11. singer
12. actor
13. stalk
14. fir cone
15. dancer
16. devil
17. change

18. sight
19. stay
20. scene
21. broomstick
22. holiday
23. herring
24. woodcut
25. snack
26. content
27. cage
28. cup, chalice
29. corpse
30. mushroom
31. joke, jest
32. contour, outline

33. roast veal
34. damage
35. petal

36. breath
37. excerpt
38. steam
39. influence
40. errand
41. inn
42. smell
43. taste
44. trunk
45. scene
46. lap
47. steel
48. pile
49. exploration
50. transition
51. origin
52. sale

53. blueberry bush

54. redcurrant bush

55. cranberry bush
56. gooseberry bush

57. nerve
58. professor
59. beam

60. messenger
61. lad
62. finch
63. inmate
64. prophet
65. playmate

66. cold sweat

67. applause
68. eagerness
69. aconite
70. grief
71. ginger
72. wares
73. wallflower
74. melancholy
75. ingratitude
76. understanding
77. madness
78. force

79. vein
80. academy
81. devotion
82. accusation
83. order
84. orange
85. challenge
86. performance
87. attention
88. encouragement
89. excitement
90. gang
91. liberation
92. companion
93. illumination
94. biography
95. blindness
96. tin
97. thistle
98. imagination
99. unity
100. discovery
101. appearance

die

102. Falte
103. Faser
104. Gefährtin
105. Gesichtsfarbe
106. Glockenblume
107. Grausamkeit
108. Grube
109. Haube
110. Heftigkeit
111. Herde
112. Herrlichkeit
113. Herrschaft
114. Hexe
115. Höhlung
116. Hortensie
117. Hülse
118. Inschrift
119. Kanzel
120. Klingel
121. Kugel
122. Kundschaft
123. Last
124. Levkoie
125. Lilie
126. Mitteilung
127. Mohnblume
128. Münze
129. Nachbarschaft
130. Nelke
131. Notiz
132. Pflicht
133. Pistole
134. Probe
135. Qual
136. Rache
137. Röhre
138. Rückseite
139. Schale
140. Schar
141. Scheibe

die

142. Sehne
143. Selbstbiographie
144. Silberhütte
145. Situation
146. Spanne
147. Stärkung
148. Sternwarte
149. Unbehaglichkeit
150. Unordnung
151. Unwissenheit
152. Vorratskammer
153. Vorsicht
154. Weide
155. Weltkugel
156. Wissenschaft
157. Würze
158. Zerlegung
159. Zerstörung
160. Zitrone

161. Blutwurst ("e)
162. Kluft
163. Todesangst

164. Beredsamkeit
     (kein Pl.)
165. Frische
166. Gastfreundschaft
167. Infanterie
168. Kavallerie
169. Kühle
170. Kunde
171. Kürze
172. Muße
173. Nahrung
174. Petersilie
175. Reife
176. Reue
177. Schwermut
178. Vernunft

das

179. Becken (—)
180. Eichhörnchen
181. Geleise
182. Gewerbe
183. Mittel
184. Nebengebäude
185. Pfingsten
186. Plätzchen
187. Samtpolster
188. Strohlager
189. Unternehmen

190. Ehepaar (e)
191. Fernrohr
192. Fuhrwerk
193. Gefäß
194. Gelenk
195. Gericht
196. Kleidungsstück
197. Maß
198. Modell
199. Paradies
200. Talent
201. Volksfest
202. Ziel

203. Bedürfnis (se)

204. Gespenst (er)
205. Nest
206. Standbild

207. Korn ("er)
208. Wirtshaus

209. Bestreben (kein
     Pl.)
210. Dänemark
211. Gemurmel
212. Publikum

102. pleat
103. fibre
104. companion
105. complexion
106. Canterbury
bell
107. cruelty
108. pit
109. bonnet
110. violence
111. herd
112. splendour
113. rule
114. witch
115. hollow
116. hortensia
117. pod
118. inscription
119. pulpit
120. bell
121. ball
122. clientele
123. burden
124. stock
125. lily
126. communication
127. poppy
128. coin, mint
129. neighbour-
hood
130. carnation
131. notice
132. duty
133. pistol
134. rehearsal
135. torture
136. revenge
137. pipe, tube
138. back
139. bowl
140. horde
141. slice, disc

142. sinew
143. autobiography
144. silver mine
145. situation
146. span
147. strengthening
148. observatory
149. discomfort
150. disorder
151. ignorance
152. larder, store room
153. caution
154. pasture
155. globe
156. learning
157. spice
158. dissection
159. destruction
160. lemon

161. black pudding
162. ravine
163. agony

164. eloquence

165. freshness
166. hospitality
167. infantry
168. cavalry
169. coolness
170. news
171. shortness
172. leisure
173. food
174. parsley
175. maturity
176. repentance
177. melancholy
178. reason

179. basin
180. squirrel
181. rail
182. trade
183. means
184. outbuilding
185. Whitsuntide
186. biscuit
187. velvet cushion
188. straw bedding
189. undertaking

190. married couple
191. telescope
192. vehicle
193. vessel
194. joint
195. dish
196. piece of clothing
197. measure
198. model
199. paradise
200. talent
201. popular holiday
202. goal

203. need

204. ghost
205. nest, small place
206. statue

207. corn
208. inn

209. endeavour

210. Denmark
211. murmur
212. public, audience

das

213. Treiben
214. Vertrauen
215. Wissen

die

216. Trümmer (kein Sing.)
217. ab'lenken
218. an'greifen
219. sich ängstigen
220. an'merken
221. sich an'schließen
222. an'streichen
223. an'ziehen
224. auf'drängen
225. auf'fangen
226. sich auf'raffen
227. auf'sperren
228. auf'tauchen
229. auf'weisen
230. sich aus'dehnen
231. baden
232. bedenken
233. bei'tragen
234. sich bekümmern
235. belauschen
236. beleben
237. beleidigen
238. beleuchten
239. belustigen
240. berühren
241. beschließen
242. blenden
243. bohren
244. brüllen
245. dämmern
246. ein'heizen
247. ein'schlagen
248. ein'sehen
249. ein'stecken
250. ein'teilen

251. entkleiden
252. entleeren
253. entreißen
254. entstellen
255. entströmen
256. erblicken
257. erfahren
258. ergreifen
259. errichten
260. erschaffen
261. erschlaffen
262. erstarren
263. ertönen
264. erwecken
265. existieren
266. fesseln
267. fest'binden
268. flehen
269. fordern
270. fort'setzen
271. fürchten
272. gehorchen
273. gewahren
274. gleichen
275. sich jagen
276. kauern
277. klassifizieren
278. klingeln
279. langen
280. lauschen
281. lehren
282. los'trennen
283. melden
284. missen
285. mißhandeln
286. nach'holen
287. nach'spüren
288. necken
289. sich neigen
290. sich packen
291. pflügen
292. sich plagen

293. rauben
294. räuchern
295. reizen
296. schallen
297. schlachten
298. schlendern
299. schwingen
300. sich senken
301. sich spiegeln
302. sprengen
303. sprudeln
304. statt'finden
305. stimmen
306. stürzen
307. summen
308. tafeln
309. tun
310. überblicken
311. überschreiten
312. um'rühren
313. unterschreiben
314. unterstützen
315. unter'tauchen
316. veranstalten
317. verbessern
318. verbringen
319. verdichten
320. verdunkeln
321. verfehlen
322. verflechten
323. sich vergegenwärtigen
324. vergönnen
325. vergrößern
326. verpassen
327. verscheuchen
328. verschnaufen
329. versinken
330. verstopfen
331. verwahren
332. verzehren
333. vor'stellen

213. doings
214. confidence
215. knowledge

216. ruins

217. divert
218. attack
219. worry
220. annotate
221. join
222. mark, paint
223. attract
224. obtrude
225. catch
226. straighten oneself
227. open wide
228. emerge
229. show
230. stretch
231. bath, bathe
232. consider
233. contribute
234. bother, worry
235. overhear
236. animate
237. insult
238. illumine
239. amuse
240. touch
241. decide
242. blind
243. bore
244. roar
245. dawn
246. light a fire
247. take (road)
248. see, understand
249. put in one's pocket
250. divide

251. undress
252. empty
253. tear away
254. disfigure
255. pour out
256. set eyes on
257. learn
258. seize
259. erect
260. create
261. tire, slacken
262. stiffen
263. sound
264. awaken
265. exist
266. fascinate
267. tie
268. plead, beseech
269. demand
270. continue
271. fear
272. obey
273. notice
274. resemble
275. chase one another
276. squat
277. classify
278. ring, tinkle
279. reach, pass
280. listen
281. teach
282. sever
283. report
284. miss
285. ill-treat
286. make up
287. trace
288. tease
289. incline, bow
290. clear out
291. plough
292. try hard

293. rob
294. smoke
295. irritate, lure
296. resound
297. slaughter
298. amble
299. swing
300. lower oneself
301. mirror oneself
302. burst
303. splutter
304. take place
305. attune
306. dash
307. hum
308. dine
309. put
310. survey
311. traverse
312. stir
313. sign
314. support
315. dive
316. arrange
317. correct
318. spend time
319. thicken
320. darken
321. miss
322. intertwine
323. imagine

324. not begrudge
325. enlarge
326. miss
327. chase away
328. take a breath
329. sink down, set
330. stop up
331. preserve
332. consume
333. represent

334. vorüber'kommen
335. weissagen
336. wetteifern
337. wirtschaften
338. zähmen
339. zaubern
340. ziehen
341. zusammen'brechen
342. zusammen'fahren
343. zusammen= schrumpfen
344. zwitschern

345. altklug
346. ältlich
347. ansehnlich
348. anständig
349. auffällig
350. aufgeweckt
351. ausgedehnt
352. baumwollen
353. bedeutend
354. bloß
355. boshaft
356. bräunlich
357. derb
358. dringend
359. durchsichtig
360. dürftig
361. ehrsam
362. ehrwürdig
363. eigentümlich
364. elend
365. empfänglich
366. entfernt
367. entgegengesetzt
368. ergötzlich
369. erhaben
370. erquicklich
371. erreichbar
372. erwünscht
373. fragwürdig

374. freundschaftlich
375. fühlbar
376. fürchterlich
377. gebirgig
378. geeignet
379. geheimnisvoll
380. geistvoll
381. gemächlich
382. gemeinschaftlich
383. gleichgültig
384. grell
385. häufig
386. hergebracht
387. hohl
388. hölzern
389. imposant
390. kaiserlich
391. kindlich
392. königlich
393. langersehnt
394. liebreich
395. mäuschen= still
396. müßig
397. nämlich
398. nordwestlich
399. notwendig
400. ober
401. öde
402. räucherig
403. rechtschaffen
404. reichlich
405. schändlich
406. schmerzlich
407. schroff
408. systematisch
409. tätig
410. träumerisch
411. unaufhörlich
412. unbeweglich
413. unerhört
414. unerschöpflich

415. ungefähr
416. ungezwungen
417. ungleich
418. unheimlich
419. unnachahmlich
420. unsterblich
421. unzählig
422. unzulänglich
423. verdächtig
424. verkehrt
425. vertrauensvoll
426. verwundert
427. vielfach
428. vorhanden
429. vorsätzlich
430. wahrhaftig
431. wechselseitig
432. winzig
433. zackig
434. zwerghaft
435. abermals
436. abwärts
437. auseinander
438. beieinander
439. bereits
440. ein bißchen
441. einher
442. empor
443. gleichsam
444. hervor
445. immerfort
446. imstande
447. innerhalb
448. irgend
449. jemals
450. jenseits
451. oder gar
452. rittlings
453. samt, mitsamt
454. sapperlot!

334. go, come past
335. prophesy
336. compete
337. keep house
338. tame
339. charm
340. rear
341. collapse
342. start, be startled
343. shrink
344. twitter

345. precocious
346. elderly
347. considerable
348. decent
349. conspicuous
350. alert
351. extensive
352. cotton
353. significant
354. mere
355. malicious
356. brownish
357. crude
358. urgent
359. transparent
360. meagre, poor
361. honourable
362. venerable
363. peculiar
364. miserable
365. receptive
366. distant
367. opposite
368. delectable
369. sublime
370. refreshing
371. accessible
372. welcome
373. questionable

374. cordial
375. noticeable
376. frightful
377. mountainous
378. suitable
379. mysterious
380. witty, thoughtful
381. leisurely
382. joint
383. indifferent
384. gaudy, glaring
385. frequent
386. traditional
387. hollow
388. wooden
389. impressive
390. imperial
391. childlike
392. royal, regal
393. longed-for
394. affectionate
395. quiet as a
      mouse
396. leisurely, lazy
397. same
398. north-westerly
399. necessary
400. upper
401. waste, desolate
402. smoky
403. honest
404. abundant
405. scandalous
406. painful
407. harsh
408. systematical
409. active
410. dreamy
411. incessant
412. motionless
413. unheard-of
414. inexhaustible

415. rough, approxi-
      mate
416. informal
417. unequal
418. uncanny
419. inimitable
420. immortal
421. countless
422. insufficient
423. suspicious
424. upside-down
425. trusting
426. astonished
427. manifold
428. existing
429. intentional
430. truthful
431. mutual
432. tiny
433. jagged
434. dwarfed

435. again
436. downward
437. apart
438. together
439. already
440. a little
441. along
442. up
443. as it were
444. forth
445. all the time
446. capable
447. inside
448. at all
449. ever
450. beyond
451. or even
452. astride
453. together with
454. my goodness !

455. schwerlich
456. sicherlich
457. sofort
458. sowie
459. trotzdem

460. um . . . willen
461. weswegen
462. zumal

463. aller Enden
464. Atem holen, schöpfen
465. auf der Stelle
466. auf Geratewohl
467. auf Schritt und Tritt
468. aufs Neue
469. aus dem Geleise kommen
470. außer Atem
471. bis dahin
472. da sie es ihm zu lange machen
473. deutlich bis zum Greifen
474. er fuhr in die Kästen
475. er kam erwünscht

476. er machte sich einen Hauptspaß
477. er ruhte nicht eher, bis . . .
478. es fehlte mir der Appetit
479. es geht zu Grunde

480. es geriet in Unordnung
481. es hält schwer
482. es ist mir erinnerlich
483. es wurde ihm übel zu Mut
484. Gott sei's gedankt
485. groß gezogen
486. ich hielt Mittag
487. ich traf es besser
488. ich war kaum von der Stelle zu bringen
489. ich wäre aufgelegt
490. ich wollte längst einmal
491. im Nu
492. mir war immer
493. mit jungen Jahren

494. mit Maß und Ziel
495. nach Rache schnauben
496. nicht doch
497. schleunigst
498. sie meinte es ehrlich mit mir
499. sie muß schon lange stehen
500. sie nahm Schaden
501. so geht es
502. sonst etwas
503. unter uns
504. vom gröberen Korn
505. von ungefähr
506. vor lauter Karossen
507. was man hängen läßt
508. weiß angestrichen
509. wo nicht erzeugt, doch . . .
510. zu Gesicht bekommen
511. zum Ersten
512. zur Aufführung bringen
513. zur Linken

455. hardly
456. surely
457. at once
458. as well as
459. yet, in spite of it
460. for . . . sake
461. on whose account
462. especially

463. everywhere
464. breathe deeply
465. at once, on the spot
466. haphazardly
467. at every turn

468. anew
469. go off the rails
470. out of breath
471. until then
472. as they take too long over it for him
473. so distinct that you thought you could touch it
474. he dived into the boxes
475. he was welcome

476. he enjoyed himself hugely
477. he did not give peace until . . .
478. I had no appetite
479. it goes to wreck and ruin
480. it got into disorder
481. it is difficult
482. I remember

483. he felt bad

484. thank God
485. brought up
486. I had lunch
487. I was more fortunate
488. they could hardly get me away
489. I feel in the mood
490. I have wanted to for a long time
491. in no time
492. I always felt
493. in (my) young years

494. within reason
495. thirst for revenge

496. by no means
497. very quickly
498. she meant well by me
499. it must have been standing a long time
500. it was damaged
501. that's what happens
502. anything else
503. between ourselves
504. of the cruder kind
505. perchance
506. for all the cabs
507. what you put off
508. white-washed
509. if not produced, yet . . .
510. set eyes on

511. firstly
512. produce, perform
513. on the left

Wortſchaßübungen (Schreibſpiele)

(1) Nennen Sie Subſtantive auf ‑el, ‑en, ‑er mit Plural!

(2) Bilden Sie Wortfamilien von: teilen, treten, ſchauen, fließen, bilden, bauen, liegen, ſchließen!

(3) Welcher Wortſchaß fällt Ihnen zu „Theater“ ein?

(4) Unbeweglich — beweglich; nennen Sie ähnliche Gegenſäße!

(5) Sapperlot! Gott ſei Dank! Nennen Sie andere Ausrufe!

(6) Nennen Sie Berufe und geben Sie dazupaſſende Verben: der Profeſſor lehrt uſw.!

GRAMMATICAL TABLES FOR REVISION

I. Declensions

(1) The Article

	Masc.	Fem.	Neut.	Plur.		Masc.	Fem.	Neut.	Plur.
Nom.	der	die	das	die		dieser,	diese,	dieses,	diese
Acc.	den	die	das	die		diesen,	diese,	dieses,	diese
Gen.	des	der	des	der		dieses,	dieser,	dieses,	dieser
Dat.	dem	der	dem	den		diesem,	dieser,	diesem,	diesen

Also : jeder, welcher, jener

	Masc.	Fem.	Neut.	Plur.		Masc.	Fem.	Neut.
Nom.	kein	keine	kein	keine		ein,	eine,	ein
Acc.	keinen	keine	kein	keine		einen,	eine,	ein
Gen.	keines	keiner	keines	keiner		eines,	einer,	eines
Dat.	keinem	keiner	keinem	keinen		einem,	einer,	einem

Also : mein, sein, ihr, unser, Ihr, dein, euer

(2) The Noun

	Masc.	Fem.	Neut.		Plur.		
Nom.	der Tag	die Frau	das Fenster		die Tage,	Frauen,	Fenster
Acc.	den Tag	die Frau	das Fenster		die Tage,	Frauen,	Fenster
Gen.	des Tag(e)s	der Frau	des Fensters		der Tage,	Frauen,	Fenster
Dat.	dem Tag(e)	der Frau	dem Fenster		den Tagen,	Frauen,	Fenstern

(3) The Adjective

Der-declension (also used with: dieser, jeder, welcher, jener)

	Masc.	Fem.	Neut.	Plur.
Nom.	der schöne Tag	die junge Frau	das offene Fenster	die jungen Männer
Acc.	den schönen Tag	die junge Frau	das offene Fenster	die jungen Männer
Gen.	des schönen Tag(e)s	der jungen Frau	des offenen Fensters	der jungen Männer
Dat.	dem schönen Tag(e)	der jungen Frau	dem offenen Fenster	den jungen Männern

Ein-declension (also used with: kein, mein, sein, unser, ihr, Ihr, dein, euer in the singular)

	Masc.	Fem.	Neut.	Plur.
Nom.	ein schöner Tag	eine junge Frau	ein offenes Fenster	junge Männer
Acc.	einen schönen Tag	eine junge Frau	ein offenes Fenster	junge Männer
Gen.	eines schönen Tag(e)s	einer jungen Frau	eines offenen Fensters	junger Männer
Dat.	einem schönen Tag(e)	einer jungen Frau	einem offenen Fenster	jungen Männern

Declension without the Article

	Masc.	Fem.	Neut.	Plur.
Nom.	starker Regen	frische Milch	kaltes Wasser	junge Männer
Acc.	starken Regen	frische Milch	kaltes Wasser	junge Männer
Gen.	starken Regens	frischer Milch	kalten Wassers	junger Männer
Dat.	starkem Regen	frischer Milch	kaltem Wasser	jungen Männern

II. COMPARISON OF ADJECTIVES AND ADVERBS (*cf.* Chapter 15)

(1) klein   kleiner   kleinst   am kleinsten
     modern   moderner   modernst   am modernsten

(2) with Umlaut
alt, arg, arm, bang, dumm, gesund, grob, hart, jung, kalt, klug, krank, kurz, lang, oft, rot, scharf, schwach, schwarz, statt, warm

(3) Adjectives ending in the following letters add =est in the superlative when the stress is on the last syllable : =d, =t, =ß, =ft, =sch, =z. Adjectives ending in a vowel may add =est instead of =st.

Thus :
bunt   buntest;   rund   rundest;   treu   treu(e)st

(4) Irregular

gern   lieber   liebst   am liebsten
groß   größer   größt   am größten
gut   besser   best   am besten
hoch   höher   höchst   am höchsten
nah(e)   näher   nächst   am nächsten
viel   mehr   meist   am meisten

III. Pronouns

(1) Personal Pronouns

	Sing.					*Plur.*		
	1st	*2nd*	*3rd M.*	*3rd F.*	*3rd N.*	*1st*	*2nd*	*3rd*
Nom.	ich	du, Sie	er	fie	es	wir	ihr, Sie	fie
Acc.	mich	dich, Sie	ihn	fie	es	uns	euch, Sie	fie
Dat.	mir	dir, Ihnen	ihm	ihr	ihm	uns	euch, Ihnen	ihnen

(2) Possessive Pronouns

	Sing.					*Plur.*		
	1st	*2nd*	*3rd M.*	*3rd F.*	*3rd N.*	*1st*	*2nd*	*3rd*
Masc. and Neut.	mein	dein, Ihr	fein	ihr	fein	unfer	euer, Ihr	ihr
Fem. and Plural	meine	deine, Ihre	feine	ihre	feine	unfere	euere, Ihre	ihre

(3) Interrogative Pronouns

	People	*Things*
Nom.	wer?	was?
Acc.	wen?	was?
Gen.	weffen?	weffen?
Dat.	wem?	—

Dative and Accusative with a preposition when referring to things:

wodurch? wofür? worin? wonit? wovon? wozu? etc.

woraus?

IV. Prepositions

(1) Always with accusative :

bis, durch, entlang, für, gegen, ohne, um, wider

(2) Always with dative :

aus, außer, bei, entgegen, gegenüber, mit, nach, samt, seit,
von, zu

(3) Always with genitive .

(an)statt, außerhalb, diesseits, innerhalb, jenseits, trotz, während,
wegen, um ... willen

(4) With accusative if indicating motion to a place, with dative if indicating rest or motion within
a place :

an, auf, hinter, in, neben, über, unter, vor, zwischen

V. The Verb
Weak Verb

Present

ich	sage
du	sagst
Sie	sagen
er	sagt
sie	sagt
es	sagt
wir	sagen
ihr	sagt
Sie	sagen
sie	sagen

Imperfect

ich	sagte
du	sagtest
Sie	sagten
er	sagte
sie	sagte
es	sagte
wir	sagten
ihr	sagtet
Sie	sagten
sie	sagten

Perfect

ich	habe	gesagt
du	hast	gesagt
Sie	haben	gesagt
er	hat	gesagt
sie	hat	gesagt
es	hat	gesagt
wir	haben	gesagt
ihr	habt	gesagt
Sie	haben	gesagt
sie	haben	gesagt

Future

ich	werde	sagen
du	wirst	sagen
Sie	werden	sagen
er	wird	sagen
sie	wird	sagen
es	wird	sagen
wir	werden	sagen
ihr	werdet	sagen
Sie	werden	sagen
sie	werden	sagen

Future Perfect

ich	werde	gesagt	haben
du	wirst	gesagt	haben
Sie	werden	gesagt	haben
er	wird	gesagt	haben
sie	wird	gesagt	haben
es	wird	gesagt	haben
wir	werden	gesagt	haben
ihr	werdet	gesagt	haben
Sie	werden	gesagt	haben
sie	werden	gesagt	haben

Conditional Perfect

ich	würde	gesagt	haben
du	würdest	gesagt	haben
Sie	würden	gesagt	haben
er	würde	gesagt	haben
sie	würde	gesagt	haben
es	würde	gesagt	haben
wir	würden	gesagt	haben
ihr	würdet	gesagt	haben
Sie	würden	gesagt	haben
sie	würden	gesagt	haben

Weak Verb (continued)

Present Subjunctive	Past Subjunctive
ich sage	ich sagte
du sagest	du sagtest
Sie sagen	Sie sagten
er sage	er sagte
sie sage	sie sagte
es sage	es sagte
wir sagen	wir sagten
ihr saget	ihr sagtet
Sie sagen	Sie sagten
sie sagen	sie sagten

Strong Verb

Present	Imperfect	Future	Perfect
ich gebe	ich gab	ich habe gegeben	ich werde geben
du gibst	du gabst	du hast gegeben	du wirst geben
Sie geben	Sie gaben	Sie haben gegeben	Sie werden geben
er gibt	er gab	er hat gegeben	er wird geben
sie gibt	sie gab	sie hat gegeben	sie wird geben
es gibt	es gab	es hat gegeben	es wird geben
wir geben	wir gaben	wir haben gegeben	wir werden geben
ihr gebt	ihr gabt	ihr habt gegeben	ihr werdet geben
Sie geben	Sie gaben	Sie haben gegeben	Sie werden geben
sie geben	sie gaben	sie haben gegeben	sie werden geben

Strong Verb (continued)

Future Perfect

ich werde gegeben haben
du wirst gegeben haben
Sie werden gegeben haben
er wird gegeben haben
sie wird gegeben haben
es wird gegeben haben
wir werden gegeben haben
ihr werdet gegeben haben
Sie werden gegeben haben
sie werden gegeben haben

Conditional Perfect

ich würde gegeben haben
du würdest gegeben haben
Sie würden gegeben haben
er würde gegeben haben
sie würde gegeben haben
es würde gegeben haben
wir würden gegeben haben
ihr würdet gegeben haben
Sie würden gegeben haben
sie würden gegeben haben

Present Subjunctive

ich gebe
du gebest
Sie geben
er gebe
sie gebe
es gebe
wir geben
ihr gebet
Sie geben
sie geben

Past Subjunctive

ich gäbe
du gäbest
Sie gäben
er gäbe
sie gäbe
es gäbe
wir gäben
ihr gäbet
Sie gäben
sie gäben

The Imperative

1st person	fagen wir!	geben wir!
2nd person (Sie form)	fagen Sie!	geben Sie!
(du form)	fag(e)!	gib (gebe)!
(ihr form)	fagt!	gebt!

Irregular: fein

1st person	feien wir!
2nd person (Sie form)	feien Sie!
(du form)	fei!
(ihr form)	feid!

The Interrogative

fagt er?	fagen Sie?	fagen fie?	etc.
gibt er?	geben Sie?	geben fie?	etc.
fagen wir?			
geben wir?			

The Negation

ich fage nicht	ich gebe nicht
er fagt nicht	er gibt nicht
wir fagen nicht	wir geben nicht
Sie fagen nicht, etc.	Sie geben nicht, etc.

The verb *to be*: sein

Present	Imperfect	Perfect	Future
ich bin	ich war	ich bin gewesen	ich werde sein
du bist	du warst	du bist gewesen	du wirst sein
Sie sind	Sie waren	Sie sind gewesen	Sie werden sein
er ist	er war	er ist gewesen	er wird sein
sie ist	sie war	sie ist gewesen	sie wird sein
es ist	es war	usw.	usw.
wir sind	wir waren		
ihr seid	ihr wart		
Sie sind	Sie waren		
sie sind	sie waren		

The verb *to have*: haben

Present	Imperfect	Perfect	Future
ich habe	ich hatte	ich habe gehabt	ich werde haben
du hast	du hattest	du hast gehabt	du wirst haben
Sie haben	Sie hatten	Sie haben gehabt	Sie werden haben
er hat	er hatte	usw.	usw.
sie hat	sie hatte		
es hat	es hatte		
wir haben	wir hatten		
ihr habt	ihr hattet		
Sie haben	Sie hatten		
sie haben	sie hatten		

The verbs of mood, and wissen and werden

Present									
ich	kann	muß	will	soll	darf	mag	weiß	werde
du	kannst	mußt	willst	sollst	darfst	magst	weißt	wirst
Sie	können	müssen	wollen	sollen	dürfen	mögen	wissen	werden
er	kann	muß	will	soll	darf	mag	weiß	wird
sie	kann	muß	will	soll	darf	mag	weiß	wird
es	kann	muß	will	soll	darf	mag	weiß	wird
wir	können	müssen	wollen	sollen	dürfen	mögen	wissen	werden
ihr	könnt	müßt	wollt	sollt	dürft	mögt	wißt	werdet
Sie	können	müssen	wollen	sollen	dürfen	mögen	wissen	werden
sie	können	müssen	wollen	sollen	dürfen	mögen	wissen	werden

Imperfect									
ich	konnte	mußte	wollte	sollte	durfte	mochte	wußte	wurde
du	konntest	mußtest	wolltest	solltest	durftest	mochtest	wußtest	wurdest
Sie	konnten	mußten	wollten	sollten	durften	mochten	wußten	wurden
er	konnte	mußte	wollte	sollte	durfte	mochte	wußte	wurde
sie	konnte	mußte	wollte	sollte	durfte	mochte	wußte	wurde
es	konnte	mußte	wollte	sollte	durfte	mochte	wußte	wurde
wir	konnten	mußten	wollten	sollten	durften	mochten	wußten	wurden
ihr	konntet	mußtet	wolltet	solltet	durftet	mochtet	wußtet	wurdet
Sie	konnten	mußten	wollten	sollten	durften	mochten	wußten	wurden
sie	konnten	mußten	wollten	sollten	durften	mochten	wußten	wurden

The verbs of mood, and wiſſen and werden (*continued*)

Perfect:

ich habe	gekonnt	gemußt	gewollt	geſollt	gedurft	gemocht	gewußt
du haſt	gekonnt	gemußt	gewollt	geſollt	gedurft	gemocht	gewußt
Sie haben	gekonnt	gemußt	gewollt	geſollt	gedurft	gemocht	gewußt
er, ſie, es hat	gekonnt	gemußt	gewollt	geſollt	gedurft	gemocht	gewußt
wir haben	gekonnt	gemußt	gewollt	geſollt	gedurft	gemocht	gewußt
ihr habt	gekonnt	gemußt	gewollt	geſollt	gedurft	gemocht	gewußt
Sie haben	gekonnt	gemußt	gewollt	geſollt	gedurft	gemocht	gewußt
ſie haben	gekonnt	gemußt	gewollt	geſollt	gedurft	gemocht	gewußt

ich bin geworden, du biſt geworden, Sie ſind geworden uſw.

Future: ich werde können, müſſen, wollen, ſollen, dürfen, mögen, wiſſen, werden
du wirſt können, müſſen, uſw.
Sie werden, uſw.
uſw.

Future Perfect: ich werde gekonnt haben, uſw.

Conditional Perfect: ich würde gekonnt haben, uſw.

Present Subjunctive: ich könne, müſſe, wolle, ſolle, dürfe, möge, wiſſe, werde

Past Subjunctive: ich könnte, müßte, wollte, ſollte, dürfte, möchte, wüßte, würde

Irregular Imperfect Subjunctive Forms

befehlen	beföhle	auch: (befähle)
beginnen	begönne	(begänne)
bersten	börste	(bärste)
brennen	brennte	
empfehlen	empföhle	(empfähle)
gelten	gölte	(gälte)
helfen	hülfe	(hälfe)
kennen	kennte	
nennen	nennte	
rennen	rennte	
schelten	schölte	(schälte)
schwimmen	schwömme	(schwämme)
schwören	schwüre	(schwöre)
senden	sendete	
sinnen	sönne	(sänne)
spinnen	spönne	(spänne)
stehen	stünde	(stände)
sterben	stürbe	
wenden	wendete	
werben	würbe	
werfen	würfe	

N.B.—These forms are also used with the compounds of these verbs : verstünde, verbrennte, etc.

List of Verbs which are Reflexive in German only

1. Accusative

fich ab'geben, *bother*
 „ ändern, *change*
 „ ängftigen, *worry*
 „ an'halten, *hold tight*
 „ an'kleiden, *dress*
 „ an'fchließen, *join*
 „ an'ziehen, *dress*
 „ ärgern, *be annoyed*
 „ auf'regen, *get excited*
 „ aus'dehnen, *spread*
 „ aus'ruhen, *rest*
 „ äußern, *speak*
 „ aus'fprechen, *speak one's mind*
 „ aus'ziehen, *undress*
 „ baden, *bath, bathe*
 „ beeilen, *hurry*
 „ befinden, *be, feel*
 „ beklagen, *complain*
 „ bekümmern, *bother, worry*
 „ bemühen, *take trouble*
 „ benehmen, *behave*
 „ befinnen, *ponder*
 „ betragen, *behave*
 „ bücken, *stoop*
 „ dehnen, *stretch, spread*
 „ drücken, *shirk*
 „ eilen, *hurry*
 „ empören, *revolt*

fich entfcheiden, *decide*
 „ entfchließen, *make up one's mind*
 „ entfchuldigen, *apologize*
 „ entfinnen, *remember*
 „ entwickeln, *develop*
 „ entziehen, *withdraw*
 „ erbarmen, *take pity*
 „ ereignen, *happen*
 „ erholen, *recover*
 „ erinnern, *remember*
 „ erkälten, *catch cold*
 „ erkundigen, *enquire*
 „ erregen, *get excited*
 „ fragen, *wonder*
 „ freuen (gen.), *enjoy*
 „ freuen auf, *look forward to*
 „ freuen über, *be pleased about*
 „ fühlen, *feel*
 „ fürchten, *be afraid*
 „ gewöhnen, *get used*
 „ grämen, *grieve*
 „ herab'laffen, *condescend*
 „ heraus'reden, *make excuses*
 „ herum'treiben, *loiter*
 „ hin'legen, *lie down*
 „ hin'fetzen, *sit down*
 „ intereffieren, *be interested*

sich irren, *be mistaken*
 „ kleiden, *dress*
 „ kümmern, *bother, worry*
 „ langweilen, *be bored*
 „ legen, *lie down*
 „ lehnen, *lean*
 „ melden, *report*
 „ nähern, *approach*
 „ neigen, *incline*
 „ plagen, *work hard*
 „ rasieren, *shave*
 „ regen, *stir*
 „ schämen, *be ashamed*
 „ sehnen, *long*
 „ setzen, *sit down*
 „ sonnen, *sunbathe*
 „ sorgen, *worry*
 „ spiegeln, *be reflected*
 „ stellen, *stand*

sich strecken, *stretch*
 „ streiten, *quarrel*
 „ stützen, *lean*
 „ teilen, *divide, share*
 „ treffen, *meet*
 „ trennen, *part*
 „ üben, *practise*
 „ um'sehen, *look round*
 „ um'ziehen, *change*
 „ unterhalten, *talk*
 „ verirren, *lose one's way*
 „ verlassen, *depend*
 „ verlieben, *fall in love*
 „ verstecken, *hide*
 „ waschen, *wash*
 „ weigern, *refuse*
 „ wenden, *turn*
 „ wundern, *be surprised*
 „ zeigen, *appear*

2. Dative

sich ein'bilden, *imagine*
 „ erlauben, *take the liberty*
 „ leisten, *afford*
 „ merken, *remember*

sich überlegen, *ponder*
 „ vor'nehmen, *plan*
 „ vor'stellen, *imagine*

LIST OF STRONG AND MIXED VERBS

Compounds formed from these verbs are not given unless they are conjugated differently. Less common alternative forms are shown in brackets. The vowel of the Imperfect Subjunctive is not given unless it is irregular. Verbs conjugated with fein are marked *. Even these take haben when they are transitive.

Infinitive	Present Indicative (3rd pers. sing.)	Imperfect Indicative (1st pers. sing.)	Past Participle	Imperative	Imp. Subj.	Meaning
1 backen	bäckt	buf	gebacken	backe		bake
2 befehlen	befiehlt	befahl	befohlen	befiehl	ö	command
beginnen	beginnt	begann	begonnen	beginne	ö (ü)	begin
beißen	beißt	biß	gebissen	beiße		bite
bergen	birgt	barg	geborgen	birg		save
*bersten	birft	barft (o)	geborsten	birft	ö (ä)	burst
betrügen	betrügt	betrog	betrogen	betrüge		deceive
biegen	biegt	bog	gebogen	biege		bend
bieten	bietet	bot	geboten	biete		offer
binden	bindet	band	gebunden	binde		bind
bitten	bittet	bat	gebeten	bitte		ask, request
blasen	bläst	blies	geblasen	blafe		blow
*bleiben	bleibt	blieb	geblieben	bleibe		remain
braten	brät	briet	gebraten	brate		roast
brechen	bricht	brach	gebrochen	brich		break
brennen	brennt	brannte	gebrannt	brenne	brennte	burn
bringen	bringt	brachte	gebracht	bringe		bring

1 In conversation, backen, backt, backte, gebacken are usual.
2 (Verfehlen, to miss, is weak.)

Infinitive	Present Indicative (3rd pers. sing.)	Imperfect Indicative (1st pers. sing.)	Past Participle	Imperative	Imp. Subj.	Meaning
denken	denkt	dachte	gedacht	denke		think
*dringen	dringt	drang	gedrungen	dringe		pierce
dürfen	darf	durfte	gedurft	—		be allowed
[1] empfehlen	empfiehlt	empfahl	empfohlen	empfiehl	ö	recommend
[2] erlöschen	erlischt	erlosch	erloschen	erlisch		be extinguished
[3] erschrecken	erschrickt	erschrak	erschrocken	erschrick		be frightened
essen	ißt	aß	gegessen	iß		eat
[4] fahren	fährt	fuhr	gefahren	fahre		go (by vehicle)
*fallen	fällt	fiel	gefallen	falle		fall
fangen	fängt	fing	gefangen	fange		catch
finden	findet	fand	gefunden	finde		find
flechten	flicht	flocht	geflochten	flicht		plait
*fliegen	fliegt	flog	geflogen	fliege		fly
*fliehen	flieht	floh	geflohen	fliehe		flee
*fließen	fließt	floß	geflossen	fließe		flow
fressen	frißt	fraß	gefressen	friß		eat (of animals)
*frieren	friert	fror	gefroren	friere		freeze
geben	gibt	gab	gegeben	gib		give

[1] (Der)fehlen, to miss, is weak.
[2] (Er)löschen, to extinguish, is weak.
[3] Erschrecken, to frighten, is weak.
[4] Willfahren, to comply with, is weak.

Infinitive	Present Indicative (3rd pers. sing.)	Imperfect Indicative (1st pers. sing.)	Past Participle	Imperative	Imp. Subj.	Meaning
*gehen	geht	ging	gegangen	gehe		go
*gelingen	gelingt	gelang	gelungen	es gelinge	ö (ä)	succeed (impers.)
gelten	gilt	galt	gegolten	gilt		be worth
genießen	genießt	genoß	genossen	genieße		enjoy
*geschehen	geschieht	geschah	geschehen	es geschehe		happen (impers.)
gewinnen	gewinnt	gewann	gewonnen	gewinne	ö (ä)	win
gießen	gießt	goß	gegossen	gieße		pour
gleichen	gleicht	glich	geglichen	gleiche		resemble
*¹gleiten	gleitet	glitt	geglitten	gleite		glide
graben	gräbt	grub	gegraben	grabe		dig
greifen	greift	griff	gegriffen	greife		grasp
²haben	hat	hatte	gehabt	habe		have
halten [arch.]	hält	hielt	gehalten	halte [arch.]		hold
hängen (hangen,	hängt	hing	gehangen	hänge (hange,		hang
heben	hebt	hob	gehoben	hebe		lift
heißen	heißt	hieß	geheißen	heiße		be called
helfen	hilft	half	geholfen	hilf	ü (ä)	help
kennen	kennt	kannte	gekannt	kenne	kennte	know
klingen	klingt	klang	geklungen	klinge		sound
kneifen	kneift	kniff	gekniffen	kneife		pinch
*kommen	kommt	kam	gekommen	komme		come

¹ Begleiten, to accompany, is weak.   ² Handhaben, to handle, is weak.

Infinitive	Present Indicative (3rd pers. sing.)	Imperfect Indicative (1st pers. sing.)	Past Participle	Imperative	Imp. Subj.	Meaning
Können	fann	fonnte	gefonnt	—		be able
*friechen	friecht	frodh	gefrochen	friedhe		creep
¹laden	lädt	lud	geladen	lade		load
²laffen	läßt	ließ	gelaffen	laß		let
*laufen	läuft	lief	gelaufen	laufe		run
³leiden	leidet	litt	gelitten	leide		suffer
leihen	leiht	lieh	geliehen	leihe		lend
lefen	lieft	las	gelefen	lies		read
liegen	liegt	lag	gelegen	liege		lie
lügen	lügt	log	gelogen	lüge		tell a lie
meiden	meidet	mied	gemieden	meide		shun
meffen	mißt	maß	gemeffen	miß		measure
mögen	mag	mochte	gemocht	—		like
müffen	muß	mußte	gemußt	—		be obliged
nehmen	nimmt	nahm	genommen	nimm		take
nennen	nennt	nannte	genannt	nenne	nennte	name
pfeifen	pfeift	pfiff	gepfiffen	pfeife		whistle
preifen	preift	pries	gepriefen	preife		praise

¹ Laden, *to invite*, may form ladet in the present. ² Veranlaffen, *to cause*, is weak.
³ Benitleiden, *to pity*, is weak.

Infinitive	Present Indicative (3rd pers. sing.)	Imperfect Indicative (1st pers. sing.)	Past Participle	Imperative	Imp. Subj.	Meaning
*quellen	quillt	quoll	gequollen	quill		gush out
raten	rät	riet	geraten	rate		advise
reiben	reibt	rieb	gerieben	reibe		rub
reißen	reißt	riß	gerissen	reiße		tear
¹reiten	reitet	ritt	geritten	reite		ride
*rennen	rennt	rannte	gerannt	renne	rennte	run
riechen	riecht	roch	gerochen	rieche		smell
*rinnen	rinnt	rann	geronnen	rinne	ö (ä)	flow
rufen	ruft	rief	gerufen	rufe		call
saugen	saugt	sog	gesogen	sauge		suck
²schaffen	schafft	schuf	geschaffen	schaffe		create
³schallen	schallt	scholl	geschollen	schalle		resound
*scheiden	scheidet	schied	geschieden	scheide		part, depart
scheinen	scheint	schien	geschienen	scheine		shine, seem
schelten	schilt	schalt	gescholten	schilt		scold
schieben	schiebt	schob	geschoben	schiebe		push
schießen	schießt	schoß	geschossen	schieße		shoot
schlafen	schläft	schlief	geschlafen	schlafe	ö (ä)	sleep
⁴schlagen	schlägt	schlug	geschlagen	schlage		strike

¹ Bereiten and vorbereiten, *to prepare*, are weak.

² Weak with other meanings (*e.g.*, *to be occupied*, or verschaffen, *to procure*)

³ Also weak

⁴ Ratschlagen, *to deliberate*, and veranschlagen, *to estimate*, are weak.

Infinitive	Present Indicative (3rd pers. sing.)	Imperfect Indicative (1st pers. sing.)	Past Participle	Imperative	Imp. Subj.	Meaning
*ſchleichen	ſchleicht	ſchlich	geſchlichen	ſchleiche		creep
ſchließen	ſchließt	ſchloß	geſchloſſen	ſchließe		shut
ſchlingen	ſchlingt	ſchlang	geſchlungen	ſchlinge		sling
*¹ſchmelzen	ſchmilzt	ſchmolz	geſchmolzen	ſchmilz		melt
ſchneiden	ſchneidet	ſchnitt	geſchnitten	ſchneide		write
ſchreiben	ſchreibt	ſchrieb	geſchrieben	ſchreibe		write
ſchreien	ſchreit	ſchrie	geſchrie(e)n	ſchreie		scream
*ſchreiten	ſchreitet	ſchritt	geſchritten	ſchreite		stride
ſchweigen	ſchweigt	ſchwieg	geſchwiegen	ſchweige		be silent
*¹ſchwellen	ſchwillſt	ſchwoll	geſchwollen	ſchwill		swell
*ſchwimmen	ſchwimmt	ſchwamm	geſchwommen	ſchwimme	ö (ä)	swim
ſchwingen	ſchwingt	ſchwang	geſchwungen	ſchwinge		swing
ſchwören	ſchwört	ſchwor (u)	geſchworen	ſchwöre	ü (ö)	swear
²ſehen	ſieht	ſah	geſehen	ſieh		see
*ſein	iſt	war	geweſen	ſei		be
³ſenden	ſendet	ſandte	geſandt	ſende	ſendete	send
ſingen	ſingt	ſang	geſungen	ſinge		sing
*ſinken	ſinkt	ſank	geſunken	ſinke		sink
ſinnen	ſinnt	ſann	geſonnen	ſinne	ö (ä)	meditate
ſitzen	ſitzt	ſaß	geſeſſen	ſitze		sit
ſollen	ſoll	ſollte	geſollt	—	ſollte	owe
ſpinnen	ſpinnt	ſpann	geſponnen	ſpinne	ö (ä)	spin

¹ Weak when transitive   ² Imperative also ſiehe   ³ Also weak

Infinitive	Present Indicative (3rd pers. sing.)	Imperfect Indicative (1st pers. sing.)	Past Participle	Imperative	Imp. Subj.	Meaning
ſprechen	ſpricht	ſprach	geſprochen	ſprich		speak
*ſprießen	ſprießt	ſproß	geſproſſen	ſprieße		sprout
*ſpringen	ſpringt	ſprang	geſprungen	ſpringe		jump
ſtechen	ſticht	ſtach	geſtochen	ſtich		sting
ſtehen	ſteht	ſtand	geſtanden	ſtehe		stand
1 ſtehlen	ſtiehlt	ſtahl	geſtohlen	ſtiehl	ä (ii)	steal
*ſteigen	ſteigt	ſtieg	geſtiegen	ſteige		mount
*ſterben	ſtirbt	ſtarb	geſtorben	ſtirb		die
ſtoßen	ſtößt	ſtieß	geſtoßen	ſtoße	ü	push
ſtreichen	ſtreicht	ſtrich	geſtrichen	ſtreiche		stroke
ſtreiten	ſtreitet	ſtritt	geſtritten	ſtreite		quarrel
2 tragen	trägt	trug	getragen	trage		carry
treffen	trifft	traf	getroffen	triff		meet, hit
treiben	treibt	trieb	getrieben	treibe		drive
*treten	tritt	trat	getreten	tritt		step
trinken	trinkt	trank	getrunken	trinke		drink
3 tun	tut	tat	getan	tue		do
verbergen	verbirgt	verbarg	verborgen	verbirg		hide
*verderben	verdirbt	verdarb	verdorben	verdirb	ü	spoil
verdrießen	verdrießt	verdroß	verdroſſen	verdrieße		vex
vergeſſen	vergißt	vergaß	vergeſſen	vergiß		forget

1 *To steal* in the sense of *to move quietly* is ſ. ſtehlen. 2 *Beauftragen, to commission,* is weak.
3 Present participle : tuend 4 Generally weak when transitive

Infinitive	Present Indicative (3rd pers. sing.)	Imperfect Indicative (1st pers. sing.)	Past Participle	Imperative	Imp. Subj.	Meaning
verlieren	verliert	verlor	verloren	verliere		lose
verschwinden	verschwindet	verschwand	verschwunden	verschwinde		disappear
verzeihen	verzeiht	verzieh	verziehen	verzeihe		pardon
*wachsen	wächst	wuchs	gewachsen	wachse		grow
waschen	wäscht	wusch	gewaschen	wasche		wash
1 weben	webt	wob	gewoben	webe		weave
*2 weichen	weicht	wich	gewichen	weiche		give away
weisen	weist	wies	gewiesen	weise		show
1 wenden	wendet	wandte	gewandt	wende	wendete	turn
werben	wirbt	warb	geworben	wirb		woo
*werden	wird	wurde (ward)	geworden	werde	ü	become
werfen	wirft	warf	geworfen	wirf	ü	throw
wiegen	wiegt	wog	gewogen	wiege		weigh
winden	windet	wand	gewunden	winde		wind
wissen	weiß	wußte	gewußt	wisse		know
wollen	will	wollte	gewollt	wolle	wollte	wish
ziehen	zieht	zog	gezogen	ziehe		pull, move
zwingen	zwingt	zwang	gezwungen	zwinge		force

1 Also weak   2 Weichen, to soften, is weak.

Biographische Notizen

Allmers, Hermann; 1821–1902; Dichter.

Arnim, Achim von; 1781–1831; Dichter aus der Zeit der Romantik. Er gab mit seinem Freunde Brentano eine Sammlung deutscher Volkslieder heraus, die sie „Des Knaben Wunderhorn" nannten.

Bach, Johann Sebastian; 1685–1750; Komponist. Er wurde in Eisenach geboren, war Hoforganist in Weimar, und kam 1723 als Kantor an die Thomaskirche in Leipzig. Er schrieb Orgelmusik, Konzerte für Kammerorchester, Klavierwerke („Präludien und Fugen"), Kantaten, Motetten und Oratorien („Matthäuspassion", „Johannispassion", „Weihnachtsoratorium") usw.

Beethoven, Ludwig van; 1770–1827; Komponist. Er wurde in Bonn geboren, lebte die meiste Zeit seines Lebens in Wien. Er schrieb 9 Symphonien, eine Oper („Fidelio"), viel Kammermusik, Klaviersonaten, Klavierkonzerte, ein Violinkonzert, Messen usw.

Bierbaum, Otto Julius; 1865–1910; Dichter und Schriftsteller.

Bismarck, Otto von; 1815–1898; erster Reichskanzler des 1871 gegründeten deutschen Reiches. Er schrieb eine Selbstbiographie „Gedanken und Erinnerungen".

Brahms, Johannes; 1833–1897; Komponist. Er lebte den größten Teil seines Lebens in Wien. Er schrieb vier Symphonien, Kammermusik, Klavierwerke, Chorwerke („Deutsches Requiem"), viele Lieder usw. Brahms war mit Robert und Klara Schumann eng befreundet.

Brentano, Klemens; 1778–1842; Dichter. Mitherausgeber der Sammlung deutscher Volkslieder „Des Knaben Wunderhorn".

Busch, Wilhelm; 1832–1908; humoristischer Dichter, der seine gereimten Erzählungen selbst illustrierte.

Claudius, Matthias; 1740–1815; volkstümlicher Dichter. Er lebte in Wandsbeck und nannte sich „Der Wandsbecker Bote".

Clementi, Muzio; 1752–1832; italienischer Klaviervirtuose, der meist in England lebte und viele Sonaten und Etüden schrieb.

Eckermann, Peter; 1792–1854; Schriftsteller, der Goethe in den letzten Jahren seines Lebens bei der Herausgabe seiner Werke half und später seine „Gespräche mit Goethe" herausgab.

Eichendorff, Joſeph, Freiherr von; 1788–1857; Dichter der ſpäteren Romantik. Seine bekannteſte Novelle iſt „Aus dem Leben eines Tauge=nichts". Viele ſeiner ſchönſten Gedichte ſind vertont worden.

Fontane, Theodor; 1819–1898; Dichter aus der Zeit des Realismus. Schrieb eine Anzahl Romane („Effi Brieſt"), autobiographiſche Schriften, Gedichte und Balladen.

Fontenelle, Bernard le Bovyer de; 1657–1757; Vorläufer der franzö=ſiſchen Aufklärung.

Friedrich der Zweite, der Große; 1712–1786; König von Preußen; Kriege gegen Öſterreich, Rußland und Sachſen; großes Intereſſe für Kunſt, Muſik und Literatur; ſprach und ſchrieb meiſtens franzöſiſch und war lange Jahre mit Voltaire befreundet. Spielte ſelbſt die Flöte.

Gellert, Chriſtian Fürchtegott; 1715–1769; Dichter. Lebte in Leipzig, ſchrieb Fabeln, geiſtliche Lieder und Proſaſchriften.

Goethe, Johann Wolfgang von; 1749–1832; er wurde in Frankfurt am Main geboren, ſtudierte in Leipzig und Straßburg, arbeitete als junger Juriſt in Wetzlar, und wurde bald nach Weimar berufen, wo er viele Jahre ſeines Lebens als Staatsminiſter im öffentlichen Leben ſtand. Seine frühen Dramen und Romane („Goetz von Berlichingen mit der eiſernen Fauſt", „Werthers Leiden") machten ihn raſch berühmt. In „Egmont" ſchildert er eine Phaſe des niederländiſchen Freiheits=kampfes. Spätere Werke, die nach einer Reiſe nach Italien entſtanden, ſind „Iphigenie" und „Torquato Taſſo". Am „Fauſt" arbeitete er ſein ganzes Leben lang, und die endgültige Faſſung kam erſt im Jahre 1831 heraus. Seine bekannteſten Romane ſind „Wilhelm Meiſter" und „Die Wahlverwandtſchaften". Durch ſeine Freundſchaft mit Schiller wurde er zu neuem dichteriſchen Schaffen angeregt und ſchrieb viele ſeiner Balladen und ſein Epos „Hermann und Dorothea" in dieſen Jahren. Später veröffentlichte er einen Rückblick auf ſein Leben unter dem Titel „Dichtung und Wahrheit". Seine ſämtlichen Werke umfaſſen etwa 60 Bände.

Goethe, Katharina Eliſabeth, geborene Textor, Goethes Mutter, ver=heiratet mit dem kaiſerlichen Rat Johann Kaſpar Goethe in Frank=furt.

Grimm, Jakob, 1785–1863, und Grimm, Wilhelm, 1786–1859; Philo=logen, lebten in Kaſſel und Göttingen, und arbeiteten eng zuſammen. Sammelten die „Kinder= und Hausmärchen", die erſte deutſche Märchen=ſammlung echter Volksmärchen; ſchrieben eine „Deutſche Grammatik", ein „Deutſches Wörterbuch" und eine „Geſchichte der deutſchen

Sprache". Als sie 1837 gegen die Aufhebung der hannoverschen Ver=
fassung protestierten, wurden sie mit 5 anderen Professoren ("die
Göttinger Sieben") aus dem Amt entlassen.

Haydn, Joseph; 1732–1809; Komponist. Lebte und arbeitete in Wien,
schrieb viele Symphonien, Streichquartette, Kirchenwerke, Oratorien
("Die Schöpfung" und "Die Jahreszeiten"), Kammermusik usw.

Hebbel, Friedrich; 1813–1863; Dichter. Lebte in Hamburg und Wien,
schrieb viele Gedichte und Dramen ("Herodes und Mariamne", "Die
Nibelungen", "Agnes Bernauer"). Seine Tagebücher sind umfang=
und aufschlußreich.

Heine, Heinrich; 1797–1856; Dichter. Nach 1831 lebte er als politischer
Emigrant in Paris. Er schrieb viele satirische Schriften. Am bekann=
testen ist er uns heute durch seine lyrischen Gedichte.

Herder, Johann Gottfried; 1744–1803; Dichter und Philosoph. Stammt
aus Ostpreußen und lebte lange Jahre in Weimar. Er übte einen
starken Einfluß auf den jungen Goethe aus. Er sammelte Volkslieder
aus aller Welt in seinen "Stimmen der Völker in Liedern", und schrieb
über den Ursprung der Sprache, über Literatur und Kunst.

Kant, Immanuel; 1724–1804; Philosoph. Lebte und lehrte in Königs=
berg in Ostpreußen. Einige seine Hauptwerke sind "Kritik der reinen
Vernunft", "Kritik der praktischen Vernunft", "Kritik der Urteils=
kraft".

Karl V, deutscher Kaiser; 1500–1558. Führte vier Kriege gegen Frank=
reich, berief den Reichstag zu Worms, auf dem Luther seine Lehre
verteidigte und gewährte den Protestanten im Jahre 1552 Religions=
freiheit. Verbrachte die letzten zwei Jahre seines Lebens im Kloster
San Nuste.

Keller, Gottfried; 1819–1890; schweizerischer Dichter aus der Zeit des
Realismus. Seine Novelle "Romeo und Julia auf dem Dorfe" ist Teil
seines größeren Novellenkreises "Die Leute von Seldwyla". "Der
Grüne Heinrich" ist eine Selbstbiographie in der Form eines Romanes.
Andere Novellenzyklen: "Das Sinngedicht", "Züricher Novellen",
"Sieben Legenden".

Kleist, Heinrich von; 1777–1811; Dichter der Romantik, vor allem
Dramatiker. Er schrieb eine der wenigen überhaupt existierenden
deutschen Komödien: "Der zerbrochene Krug", und eine der klassischen
deutschen Novellen: "Michael Kohlhaas". Seine bekanntesten Dramen
sind "Käthchen von Heilbronn", "Penthesilea", "Prinz Friedrich von
Homburg".

Lessing, Gotthold Ephraim; 1729–1781; Dramatiker und Kritiker. Lebte in Braunschweig, Wolfenbüttel und Hamburg, wo er Dramaturg des Nationaltheaters war. Seine bekannteste Schrift über Kunstwissenschaft ist „Laokoon", über dramatische Dichtung die „Hamburger Dramaturgie". Er selbst schrieb ein Lustspiel „Minna von Barnhelm", eine Tragödie „Emilia Galotti", und ein dramatisches Gedicht „Nathan der Weise".

Lichtenberg, Georg Christoph; 1742–1799; Satiriker. Herausgeber des „Göttinger Taschenkalenders" von 1778–1799.

Liebermann, Max; Maler der Zeit des Impressionismus.

Liliencron, Detlev, Freiherr von; 1844–1909; Dichter. Besonders bekannt durch seine Gedichte aus seiner Soldatenzeit.

Luther, Martin; 1483–1546; deutscher Reformator. Geboren in Eisleben, Thüringen, als Sohn eines Bergmannes, studierte die Rechte in Erfurt, wurde Augustinermönch und Professor der Theologie in Wittenberg. Verfaßte und veröffentlichte 1517 seine „95 Thesen" über den Ablaß, die den ersten Anstoß zur Trennung von der katholischen und Gründung der lutherischen Kirche gaben. Übersetzte die Bibel ins Deutsche und schuf damit eine einheitliche deutsche Schriftsprache, schrieb viele geistliche Lieder („Ein' feste Burg ist unser Gott") und Schriften.

Mann, Thomas; 1875–1958; einer der bedeutendsten modernen deutschen Schriftsteller. Wanderte aus politischen Gründen nach Amerika aus. Seine bekanntesten Romane: „Buddenbrooks", „Der Zauberberg", „Charlotte in Weimar", „Dr. Faustus", „Felix Krull". Novellen: „Unruhe und frühes Leid", „Tonio Kröger" usw.

Mendelssohn, Moses; 1729–1786; jüdischer Philosoph, Berlin.

Mendelssohn-Bartholdy, Felix; 1809–1847; Komponist; schon in jungen Jahren berühmt und erfolgreich. „Sommernachtstraum", Symphonien, Kammermusik, Oratorien („Paulus", „Elias"), Klavier- und Orgelwerke, Chormusik, Lieder.

Mörike, Eduard; 1804–1875; Dichter. Gehört zum schwäbischen spätromantischen Dichterkreis. Er ist einer der bedeutendsten deutschen Lyriker. Roman: „Maler Nolten". Von seinen Novellen ist die bekannteste „Mozart auf der Reise nach Prag".

Pufendorf, Samuel, Freiherr von; 1632–1694; deutscher Rechtshistoriker und Jurist.

Reuter, Fritz; 1810–1874; Dichter. Er schrieb plattdeutsch, und seine Romane sind zum Teil sehr humoristisch. „Ut mine festungstid", „Ut de franzosentid", „Ut mine Stromtid".

Richter, Jean Paul Friedrich („Jean Paul"); 1763–1825; romantischer Dichter. Bekannteste seiner Novellen: „Leben des vergnügten Schulmeisterleins Maria Wuz", „Leben des Quintus Firlein", „Flegeljahre", „Des Feldpredigers Schmelzle Reise nach Flätz".

Richter, Ludwig; 1803–1884; Maler. Lebte meist in Dresden. Hat viele deutsche Familien= und Hausbücher illustriert, unter anderen die Grimm'schen „Kinder= und Hausmärchen".

Rothschild; Bankhaus gegründet in Frankfurt von Mayer Anselm Rothschild, 1743–1812. Seine fünf Söhne gründeten Geschäfte in Wien, Paris, London und Neapel.

Rückert, Friedrich; 1788–1866; Dichter lyrischer und lehrhafter Gedichte. Schrieb vortreffliche Nachdichtungen orientalischer Dichtung.

Schadow, Johann Gottfried; 1764–1850; Bildhauer, Berlin, Klassizist.

Schiller, Friedrich von; 1759–1805; von Geburt ein Schwabe, lebte lange Jahre in Jena und Weimar. Früh durch sein Schauspiel „Die Räuber" berühmt geworden. Geschichtsprofessor in Jena. Historische Schriften: „Geschichte des Abfalls der Niederlande", „Geschichte des Dreißigjährigen Krieges". Stark beeinflußt von Kant'scher Philosophie. Ästhetische und philosophische Schriften: „Über die ästhetische Erziehung des Menschengeschlechtes" usw. Balladen, Gedankenlyrik, Dramen: „Kabale und Liebe", „Don Carlos", „Maria Stuart", „Wallenstein", „Jungfrau von Orleans", „Braut von Messina", „Wilhelm Tell". Durch seine enge Freundschaft mit Goethe in den letzten 15 Jahren seines Lebens angeregt und bereichert. Lungenkrank.

Schlegel, August Wilhelm; 1767–1845; Philosoph und Schriftsteller. Übersetzte mit August Wilhelm Tieck die Dramen Shakespeares.

Schopenhauer, Arthur; 1788–1860; Philosoph des Pessimismus, Berlin. „Die Welt als Wille und Vorstellung."

Schubert, Franz; 1797–1828; Komponist. Lebte in Wien, schuf das moderne deutsche Lied; schrieb Symphonien, Kammermusik, Klavierwerke, Messen und Kirchenmusik.

Schumann, Robert; 1810–1856; romantischer Komponist und Musikkritiker. Leipzig, Dresden, Düsseldorf. Begründer und Herausgeber der „Neuen Zeitschrift für Musik"; einer der größten Meister des deutschen Liedes. Schrieb Klavierwerke, ein Klavierkonzert, Symphonien, Chorwerke, Kammermusik.

Storm, Theodor; 1817–1888; Lyriker und Novellist. Geboren in Husum, Schleswig=Holstein; Dichter seiner norddeutschen Heimat. Viele lyrische Gedichte. Einige seiner Novellen: „Immensee", „Pole Poppenspäler", „Der Schimmelreiter", „Aquis submersus", „Psyche".

Strauß, Richard; 1864–1949; Komponist. Führend in der modernen Programmusik: „Don Quixote", „Tod und Verklärung", „Don Juan"; Opern: „Der Rosenkavalier", „Salome", „Elektra"; Lieder, Chormusik, Kammermusik.

Tieck, Ludwig; 1773–1853; romantischer Dichter; Freund der Gebrüder Schlegel, und Leiter der gemeinsamen Shakespeare=Übersetzung.

Uhland, Ludwig; 1787–1862; Dichter. 1848 Abgeordneter der National= versammlung, Liberaler. Volkstümliche Lieder, Balladen, und Romanzen.

Wieck, Klara; 1819–1896; Pianistin. Gattin Robert Schumanns, dessen Klavierkonzert für sie geschrieben ist. Befreundet mit Brahms.

Wolf, Hugo; 1860–1903; Komponist, Wien. Lieder, Kammermusik, Orchesterwerke. „Goethelieder."

Zelter, Karl Friedrich; 1758–1832; Vokalkomponist. Befreundet mit Goethe und Schiller; „Briefwechsel" mit Goethe.

Aachen (neut.), Aix-la-Chapelle
Aachener, Aix-la-Chapelle (adj.)
ab, off, down ; von seinem Mannesalter ab, from his manhood
ab= und zu'gehen, ging ab und zu, ist ab= und zugegangen, come and go
der Abdruck ("e), copy
der Abend (e), evening ; eines Abends, one evening
das Abendbrot (e), supper
das Abendessen (—), supper
der Abendkurs (e), evening class
abends, in the evening
aber, but, however
abermals, again
ab'fahren, fährt ab, fuhr ab, ist abgefahren, depart, leave
die Abfahrt (en), departure
die Abfahrtszeit (en), time of departure
der Abfall ("e), revolt
der Abgang ("e), leave, exit, departure
sich ab'geben mit, gibt sich ab, gab sich ab, hat sich ab'gegeben, bother with
ab'gehen, ging ab, ist abgegangen, go off stage
der Abgeordnete (n, n), deputy
der Abhang ("e), slope, scar
ab'hängen, hing ab, hat abgehangen (auch : abgehängt) von (dat.), depend on
die Abhärtung (en), hardening
ab'holen, meet (at station), fetch, call for
ab'kaufen, buy off, from
die Abkürzung (en), abbreviation

der Ablaß ("e), indulgence
ab'lenken, divert, distract
ab'messen, mißt ab, maß ab, hat abgemessen, measure
ab'müden, müdet ab, tire out
die Abneigung (en), aversion
ab'pflücken, pick, pluck
ab'schaffen, do away with
ab'scheiden, scheidet ab, schied ab, ist abgeschieden, depart, die, pass on
der Abscheu, distaste, detestation
der Abschied (e), leave, farewell, dismissal (army) ; den Abschied geben, dismiss ; den Abschied nehmen, part, take leave
der Abschiedsbrief (e), farewell letter
ab'schießen, schoß ab, hat abgeschossen, fire
sich ab'schneiden, schneidet sich ab, schnitt sich ab, hat sich abgeschnitten, be set off, outlined
der Abschnitt (e), paragraph, part, section
ab'schreiben, schrieb ab, hat abgeschrieben, copy
ab'schütteln, shake off
der Absender (—), sender
sich ab'sprechen, spricht sich ab, sprach sich ab, hat sich abgesprochen, dispute (to) oneself ; er sprach sich alles Verdienst ab, he denied himself all merit
die Abstammung (en), descent
der Abt ("), abbot
das Ab'teil (e), compartment
ab'trocknen, dry (trans.)

abwärts, down(ward)

die Abwechslung (en), change, variety ; zur Abwechslung, for a change

ab'werfen, wirft ab, warf ab, hat abgeworfen, throw off

der Abzug ("e), exit

ach, oh, ah

acht, eight ; acht Tage, a week

die Acht, care, heed ; (sich) in acht nehmen, nimmt (sich) in acht, nahm (sich) in acht, hat (sich) in acht genommen, heed, take care

der (die, das) achte, eighth

achten, achtet (gen.), heed ; (acc.), esteem, deem

die Achtung, respect, attention

achtzehn, eighteen

der (die, das) achtzehnte, eighteenth

der Acker ("), field

der Ackermann ("er), farmer, husbandman

die Ader (n), vein

adieu, goodbye

das Adjektiv (e), adjective

die Adresse (n), address

das Adressenbüchlein (—), address book

der Affe (n, n), ape, monkey

ahnen, guess, divine

ähnlich, similar

die Ahnung (en), idea, presentiment, premonition

ahnungsvoll, full of foreboding, suggestive

die Ähre (n), ear (corn)

die Akademie (n), academy

der Akkusativ (e), accusative

der Akt (e), act

die Aktentasche (n), attache case

das Aktiv (auch : masc.), active voice

all (das), all (that) ; vor allem, above all

alle, all, everybody ; alle Tage, every day ; alle sind sich klar, everybody is clear about it

die Allee (n), avenue

alleh! go !

allein, alone, however, only

allemal, every time

allerdings, it is true, admittedly

allerlei, all kinds of

allerliebst, sweet, darling

alles, everything ; vor allem, above all ; alles andere als, anything but

allgemein, general ; im Allgemeinen, in general

allgültig, all-valid

allhier, in this very place, right here

allmählich, gradual

allmittelst, in the meantime

alltäglich, everyday

allwo, where

allzu, all too

die Alpen (pl.), Alps

als, when, as, than, except ; ich als Unbekannter, I as a stranger ; es gibt kein Ding als mich selber, there is no object except myself ; als ob, as if ; als wie, as if

alsdann, then

also, therefore, thus

alt, old

der Altar ("e), altar

das Alter (—), age

altertümlich, antique, ancient, old-fashioned

altklug, precocious

ältlich, elderly

der Altmarkt ("e), old market

die Altstadt ("e), city, old part of town

der Alumnus (Alumni), boarder

Amerika (neut.), America

der Amerikaner (—), American

das Amt ("er), office

an (acc. and dat.), at, on, by, to ; an sich, in itself

der Anarchist (en, en), anarchist

an'beißen, biß an, hat ange= bissen, bite (into)

an'bieten, bietet an, bot an, hat angeboten, offer

der Anblick (e), sight

an'blicken, look at

an'bringen, brachte an, hat an= gebracht, fix, arrange

die Andacht (en), devotion, wor- ship

ander, other, different, else ; am andern Morgen, next morning ; anderen Tages, the next day ; alles andere, everything else ; unter an= derem, among other things ; ein andermal, another time

ändern, change (trans.)

sich ändern, change

anders, different, else, other- wise ; anders als, different from ; niemand anders als, nobody but

anderswo, elsewhere

die Änderung (en), alteration

an'deuten, deutet an, hint (at)

die Anekdote (n), anecdote

an'erkennen, erkannte an, hat anerkannt, acknowledge

an'fachen, fan, kindle

der Anfang ("e), beginning ; am Anfang, in the beginning ; von Anfang an, from the be- ginning

an'fangen, fängt an, fing an, hat angefangen, begin, do ; sie können nichts mit ihm an= fangen, they can do nothing with him

der Anfänger (—), beginner

der Anfängerkurs (e), beginners' class

der Anfangsbuchstabe (n, n), initial

an'fressen, frißt an, fraß an, hat angefressen, eat into

angeboren, innate

angeln, fish

angenehm, agreeable

das Angesicht (er), countenance

an'greifen, griff an, hat ange= griffen, attack

der Angst ("e), fear

der Angstschweiß, cold sweat

an'haben, hat an, hatte an, hat angehabt, wear, have on

an'halten, hält an, hielt an, hat angehalten, stop

sich an'halten, hält sich an, hielt sich an, hat sich angehalten, hold on

an'heimeln, make one feel at home

die Anhöhe (n), slope, hill

die Anklage (n), accusation

an'klagen, accuse

an'kleiden, kleidet an, dress

an'knöpfen, button on

an'kommen, kam an, ist ange= kommen, arrive ; an'kom= men auf (acc.), depend ; es kommt darauf an, it depends

an'kündigen, announce

die Ankunft ("e), arrival

die Ankunftszeit (en), time of ar- rival

an'lachen, laugh (up)on, at

an'langen, ist angelangt, arrive

an'legen, lay out

die Anmaßung (en), pretension, presumption

an'merken, note, annotate

die Anmerkung (en), note, foot- note

anmutig, graceful

anno, in the year

die Anrede (n), address

an'reden, redet an, address

an'regen, stimulate

an'richten, richtet an, cause, perform

an'schauen, look at

der Anschein, appearance ; allem Anschein nach, by all appearances

an'schlagen, schlägt an, schlug an, hat angeschlagen, plan, intend

sich an'schließen (an, acc.), schloß sich an, hat sich angeschlossen, join, attach oneself to

der Anschluß ("e), connection

an'schüren, make up the fire

an'sehen, sieht an, sah an, hat angesehen, look at

das Ansehen, reputation, consideration, appearance, look

ansehnlich, handsome, sizeable

anspruchsvoll, exacting, particular, greedy

der Anstand, propriety

anständig, decent, seemly

anstatt (gen.), instead of

an'steigen, stieg an, ist angestiegen, rise

der Anstoß ("e), stimulus, cause

an'stoßen, stößt an, stieß an, hat (ist) angestoßen, adjoin, knock against

an'strahlen, beam on, shine on

an'streichen, strich an, hat angestrichen, colour-wash; underline, mark ; weiß angestrichen, white-washed

das Antlitz (e), countenance

die Antwort (en), answer

antworten, antwortet, answer

an'wandeln, overcome, attack

die Anweisung (en), instruction, order

anwesend, present

die Anzahl (en), number

an'ziehen, zog an, hat angezogen, dress, put on ; attract

sich an'ziehen, zog sich an, hat sich angezogen, dress

die Anziehungskraft ("e), attraction

der Anzug ("e), suit, clothing, dress

an'zünden, zündet an, light, kindle

der Apfelbaum ("e), apple tree

die Apfelsine (n), orange

der Apfelstrudel (—), Viennese apple pastry

der Apfelwein (e), cider

der Appetit, appetite

apport! retrieve, fetch !

apportieren, retrieve

die Arbeit (en), work ; er ging an die Arbeit, he set to work

arbeiten, arbeitet, work

der Arbeiter (—), worker, workman

die Arbeitsbedingung (en), condition of work

das Arbeitszimmer (—), study

der Architekt (en, en), architect

arg, bad

ärgerlich, angry, annoying

ärgern, annoy

sich ärgern, be annoyed

argwohnen, suspect

die Arie (n), aria

arm, poor ; Sie Armste ! you poor thing !

der Arm (e), arm

die Art (en), kind ; way ; auf diese Art, in this way

artig, well-behaved, polite, neat, fitting

der Artikel (—), article

der Arzt ("e), doctor

assimilieren, assimilate

der Ast ("e), branch

die Aster (n), aster

ästhetisch, aesthetic

der Astronom (en, en), astronomer

der Atem, breath ; außer Atem, out of breath ; Atem holen, schöpfen, draw a breath der Atemzug ("e), breath

die Atmosphäre (n), atmosphere

auch, also, too ; auch da, there, too ; auch nicht, not either ; auch noch nicht, not yet either ; das auch noch, that as well, even that

der Auerhahn ("e), mountain cock

auf (acc. and dat.), on, at ; auf und ab, up and down ; auf einmal, all at once ; auf vierzehn Tage, for a fortnight ; auf Deutsch, in German ; auf das Land, into the country ; auf mich zu, up to me ; auf immer, for ever

auf= und ab'gehen, ging auf und ab, ist auf= und abgegangen, go to and fro

auf'atmen, atmet auf, heave a sigh

auf'dämmen, bank up

auf'drängen (auch: drang auf, hat aufgedrungen), press on, obtrude

der Aufenthalt (e), sojourn, abode, stop

auf'essen, ißt auf, aß auf, hat aufgegessen, eat up

auf'fallen, fällt auf, fiel auf, ist aufgefallen, strike ; es fällt Ihnen auf, it strikes you

auffällig, conspicuous

auf'fangen, fängt auf, fing auf, hat aufgefangen, catch

die Auffassung (en), comprehension, conception

auf'fordern, challenge, ask

die Aufforderung (en), challenge

auf'fressen, frißt auf, fraß auf, hat aufgefressen, eat up

auf'führen, erect, perform

die Aufführung (en), performance ; zur Aufführung bringen, stage, produce

die Aufgabe (n), exercise, task

auf'geben, gibt auf, gab auf, hat aufgegeben, give up

auf'gehen, ging auf, ist aufgegangen, rise, sprout

aufgelegt, in the mood ; ich wäre aufgelegt, I should like

aufgeweckt, alert, wide awake

auf'halten, hält auf, hielt auf, hat aufgehalten, hold up, delay

auf'hängen, hang up

auf'heben, hob auf, hat aufgehoben, pick up ; keep

die Aufhebung (en), abolition

auf'hören, stop, cease, desist

auf'klappen, open with a bang

auf'klären, clear (up)

die Aufklärung, age of rationalism

auf'knöpfen, unbutton

auf'lösen, dissolve, disband

auf'machen, open

auf'marschieren, line up

aufmerksam, attentive

die Aufmerksamkeit (en), attention

die Aufmunterung (en), encouragement

auf'nehmen, nimmt auf, nahm auf, hat aufgenommen, accept

auf'passen, watch, pay attention

sich auf'raffen, gather oneself up

aufrecht, upright

sich auf'regen, get excited

aufregend, exciting

die Aufregung (en), excitement

auf'reißen, riß auf, hat aufgerissen, tear open, throw open

(sich) auf'richten, richtet sich auf, raise (oneself)

der Aufsatz ("e), essay

aufschlußreich, revealing

auf'schreiben, schrieb auf, hat aufgeschrieben, write down

auf'schreien, schrie auf, hat aufgeschrien, scream suddenly

auf′sehen, sieht auf, sah auf, hat aufgesehen, look up

die Aufsicht (en), supervision

auf′sperren, open wide

auf′springen, sprang auf, ist aufgesprungen, jump up

auf′stehen, stand auf, ist aufgestanden, get up

auf′steigen, stieg auf, ist aufgestiegen, rise, climb up

auf′stellen, erect

auf′tauchen, ist aufgetaucht, emerge

auf′tischen, dish up, serve

auf′treten, tritt auf, trat auf, ist aufgetreten, act, appear, behave

das Auftreten, behaviour

der Auftritt (e), scene

auf′tun, tat auf, hat aufgetan, open

auf′wachen, ist aufgewacht, wake up

auf′wachsen, wächst auf, wuchs auf, ist aufgewachsen, grow up

auf′weisen, wies auf, hat aufgewiesen, show, offer

der Aufzug ("e), act

das Auge (n), eye

der Augenblick (e), moment ; alle Augenblicke, every moment, at every turn

augenblicklich, at this moment, present, at once

das Augenzelt (e), tabernacle of one′s eye

aus (dat.), out (of), from, of ; es ist alles aus, it is all finished

aus′arbeiten, arbeitet aus, elaborate

aus′bilden, bildet aus, train, develop

aus′brechen, bricht aus, brach aus, ist ausgebrochen, break out

(sich) aus′breiten, breitet (sich) aus, spread, scatter

aus′brennen, brannte aus, ist ausgebrannt, burn down, out

sich aus′dehnen, spread

sich (dat.) aus′denken, dachte sich aus, hat sich ausgedacht, invent, think up

der Ausdruck ("e), expression, idiom

aus′drücken, express

auseinander, apart

aus′fallen, fällt aus, fiel aus, ist ausgefallen, be cancelled

aus′finden, findet aus, fand aus, hat ausgefunden, find out

der Ausflug ("e), excursion

ausführlich, in detail, at length

aus′füllen, fill up, fill

die Ausgabe (n), edition

ausgeben, gibt aus, gab aus, hat ausgegeben, give out, cease, fail

ausgedehnt, extensive

aus′gehen, ging aus, ist ausgegangen, go out

ausgelassen, unrestrained, boisterous

ausgemacht, expert, first-rate

ausgenommen, excepted

ausgerechnet, exactly ; ausgerechnet ich, I of all people ; ausgerechnet an diesem Abend, on this very evening

ausgezackt, jagged, zigzag

ausgezeichnet, excellent

aus′halten, hält aus, hielt aus, hat ausgehalten, bear, endure

aus′hauchen, breathe out, exhale ; sein Leben aushauchen, breathe one′s last

sich aus′helfen, hilft sich aus, half sich aus, hat sich ausgeholfen, make do, help oneself, with

aus'kommen, kam aus, ist aus=
gekommen, manage

das Ausland, foreign parts ; im
Ausland, abroad

ausländisch, foreign

aus'legen (rapier), stand upon
guard

die Ausnahme (n), exception

aus'nehmen, nimmt aus, nahm
aus, hat ausgenommen, ex-
cept

sich aus'nehmen, nimmt sich aus,
hat sich ausgenommen, look,
appear

aus'quetschen, squeeze empty

aus'recken, stretch out

aus'reiben, rieb aus, hat aus=
gerieben, rub (out)

der Ausruf (e), exclamation

aus'rufen, rief aus, hat aus=
gerufen, call out, exclaim

sich aus'ruhen, rest

aus'schicken, send out

aus'schlagen, schlägt aus, schlug
aus, hat ausgeschlagen, sprout

der Ausschluß ("e), expulsion

aussehen, sieht aus, sah aus, hat
ausgesehen, look, appear

außen, outside

außer (dat.), apart from

äußer, outward ; äußerst ge=
fährlich, extremely dangerous

außerdem, besides, moreover

außerhalb (gen.), outside

sich äußern, utter, pronounce an
opinion, show forth, expatiate

außerordentlich, extraordinary

die Aussicht (en), view

aus'spannen, spread out

die Aussprache (n), pronunciation

aus'sprechen, spricht aus, sprach
aus, hat ausgesprochen, pronounce, utter, say

sich aus'sprechen, spricht sich aus,
sprach sich aus, hat sich aus=
gesprochen, speak one's mind

aus'steigen, stieg aus, ist aus=
gestiegen, alight

aus'stellen, exhibit

aus'strecken, stretch out

aus'streuen, sprinkle

aus'strömen, pour out

aus'suchen, select

aus'tauschen, exchange

aus'treiben, trieb aus, hat aus=
getrieben, drive out

aus'üben, exercise

aus'wandern, emigrate

aus'wärmen, warm

auswendig, by heart ; in= und
auswendig, inside out, thoroughly

aus'werfen, wirft aus, warf
aus, hat ausgeworfen, throw
out

aus'zählen, count, tell

aus'ziehen, zog aus, hat aus=
gezogen, take off, undress ;
ist ausgezogen, move

sich aus'ziehen, zog sich aus, hat sich
ausgezogen, undress

der Auszug ("e), excerpt

das Auto (s), motor car

die Autobahn (en), arterial road

der Autobus (se), omnibus

die Autokarte (n), motoring map

der Automat (en, en), slot machine

der Bach ("e), stream

backen, bäckt (auch : backt), buk,
hat gebacken, bake

der Bäcker (—), baker

der Bäckerladen ("), baker's shop

die Backform (en), baking tin

das Backhähnlein (—), roast cock-
erel

der Backstein (e), brick

der Backsteinbau (ten), brick building

das Bad ("er), bath, bathe, water-
ing place

(sich) baden, badet (sich), bathe, bath

die Badewanne (n), bath (tub)
die Bahn (en), railway, road, track
der Bahnhof ("e), station
die Bahnlinie (n), railway line
der Bahnsteig (e), platform
balancieren, balance
bald(e), soon ; bald . . . bald,
    now . . . then ; so bald, as
    soon as
baldig, imminent
der Ball ("e), ball
die Ballade (n), ballad, narrative
    poem
das Band ("er), ribbon, band
der Band ("e), volume, tome
die Bande (n), gang, band
bang, frightened ; dem Mann
    war bang, the man was
    frightened ; er macht mich
    nicht bang, he does not
    frighten me
die Bank ("e), seat, bench
die Bank (en), bank
das Bankhaus ("er), bank
der Bär (en, en), bear
der Barfüßler (—), barefooted child
das Barock, baroque
der Baron (e), baron
der Bart ("e), beard
basta, enough
bauen, build, grow
der Bauer (n, auch : n, n), farmer
bäuerlich, rustic, peasant
der Baukasten ("), building set
der Baum ("e), tree
das Baumöl (e), olive oil
baumwollen, cotton
die Baumwurzel (n), tree-root
bayrisch, Bavarian
beachten, beachtet, observe
der Beamte (n, n), civil servant,
    official
beantworten, beantwortet, ans-
    wer
beben, tremble, shake
das Becken (—), basin

bedacht auf (acc.), concerned for
sich bedanken bei jemandem für
    etwas, thank someone for
    something
bedauern, regret
bedecken, cover
bedenken, bedachte, hat bedacht,
    consider ; provide
bedenklich, risky, critical, awk-
    ward
bedeuten, bedeutet, mean, sig-
    nify
bedeutend, significant, distin-
    guished
die Bedeutung (en), meaning, sig-
    nificance, import, eminence
sich bedienen (gen.), make use of
der Bediente (n, n), servant
bedrückt, depressed
das Bedürfnis (se), need
das Beefsteak (s), beefsteak
sich beeilen, hurry
die Beere (n), berry
der Befehl (e), command
befehlen, order ; sie haben dir
    nichts zu befehlen, they can-
    not give you any orders
befestigen, strengthen, fortify
sich befestigen, establish, ground
    oneself
sich befinden, befindet sich, befand
    sich, hat sich befunden, be,
    abide ; wie befinden Sie sich?
    how are you ?
beflissen, intent
befördern, promote
die Beförderung (en), promotion
befragen, consult, question
die Befreiung (en), liberation
der Befreiungskrieg (e), war of li-
    beration
befreundet sein mit, be the
    friend of
befriedigen, satisfy
begabt, talented
sich begeben, begibt sich, begab sich,

hat sich begeben, betake oneself ; happen
begegnen, meet ; happen
begehren, covet
begeistern, inspire
begießen, begoß, hat begossen,
water
beginnen, begann, hat begon=
nen, begin
das Beginnen, doings
begleiten, begleitet, accompany, attend
die Begleiterin (nen), companion,
accompanist
die Begleitung (en), accompaniment
beglücken, favour, make happy
begraben, begräbt, begrub, hat
begraben, bury
das Begräbnis (se), burial
begreifen, begriff, hat begriffen,
grasp, understand
der Begründer (—), originator
begrüßen, greet
begünstigen, favour
behagen, gratify, please
das Behagen, smugness, comfort,
enjoyment
behaglich, comfortable, good-
natured ; es ist mir behag=
lich, I am snug
behalten, behält, behielt, hat
behalten, keep
behandeln, treat, handle
behaupten, behauptet, maintain
behüten, behütet, watch over,
protect
bei (dat.), with, at, near, by ; bei
uns, with us ; beim Weg=
gehen, on leaving ; hast du
Geld bei dir? have you any
money on you ?
beide, both
beieinander, together
der Beifall, applause
beim = bei dem

das Bein (e), leg
beinahe, almost
beisammen, together
das Beispiel (e), example ; zum
Beispiel, for example
beißen, biß, hat gebissen, bite
bei'stehen, stand bei, hat beige=
standen, assist
bei'tragen, trägt bei, trug bei,
hat beigetragen, contribute
bei'wohnen, be associated with
bekannt, well-known
der Bekannte (n, n), acquaintance,
friend
die Bekanntschaft (en), acquaintance
sich beklagen, complain
bekleben, stick over
bekleiden, bekleidet, clothe ; ein
Amt bekleiden, hold an office
bekommen, bekam, hat bekom=
men, receive ; suit
sich bekümmern um, trouble, bother
about
beladen, belädt, belud, hat be=
laden, burden, load
belästigen, beset, pester
belauschen, overhear
beleben, animate
belegen, cover, reserve
belehren, inform
die Belehrung (en), instruction
beleidigen, offend, insult
beleuchten, beleuchtet, illumine,
light up
die Beleuchtung (en), illumination
beliebt, popular
belohnen, reward
sich (be)lohnen, pay
(sich) belustigen, amuse (oneself)
bemalen, paint
bemerken, remark, notice
die Bemerkung (en), remark
sich bemühen, take pains, try hard
die Bemühung (en), endeavour,
effort

sich benehmen, benimmt sich, benahm sich, hat sich benommen, behave

das Benehmen, behaviour

der Bengel (—), rascal, lout

benutzen (auch : benützen), use

beobachten, watch

bequem, comfortable, at ease

sich bequemen, adapt, accommodate oneself

die Bequemlichkeit (en), comfort ; laziness

berauschen, intoxicate

die Beredsamkeit, eloquence

der Bereich (e) (auch : neut.), realm, sphere

bereichert, enriched

bereit (zu, dat.), ready (for)

bereiten, bereitet, prepare

bereits, already

die Bereitschaft (en), readiness

der Berg (e), mountain

bergab, downhill

der Bergabhang ("e), mountain slope

bergauf, uphill

das Bergkraut ("er), mountain herb

der Bergmann (leute), miner

der Bergrücken (—), mountain ridge

der Bericht (e), report

berichten, berichtet, report, record

berichtigen, settle (accounts)

bersten, birst, barst, ist geborsten, burst

der Beruf (e), profession ; vocation ; von Beruf, by profession, trade

berufen, called

die Berufsarbeit (en), professional work, trade

beruhigen, reassure

sich beruhigen, calm down

berühmt, famous

berühren, touch

besagt, said, above-mentioned

sich besamen, bear seed

(sich) beschäftigen, employ, occupy, busy (oneself)

der Beschauer (—), spectator

der Bescheid (e), information ; Bescheid wissen über (acc.), know all about something ; er weiß dir auf ein Haar so viel Bescheid wie ich, he can tell you exactly as much as I can

bescheiden, humble, modest, diffident

beschimpfen, insult

beschlafen, beschläft, beschlief, hat beschlafen, sleep on (it)

beschließen, beschloß, hat beschlossen, resolve ; enclose

beschreiben, beschrieb, hat beschrieben, describe

die Beschreibung (en), description

besehen, besieht, besah, hat besehen, inspect

der Besenstiel (e), broomstick

besichtigen, view

sich besinnen, besann sich, hat sich besonnen auf (acc.), think of, remember ; über (acc.), think over, ponder

der Besitz, possession ; Besitz ergreifen, take possession

die Besitzung (en), seat, property

besonder, special ; im Besonderen, in particular

besonders, particularly

besprechen, bespricht, besprach, hat besprochen, discuss

die Besprechung (en), discussion

bespülen, wash over, around

best, best ; am besten, best ; er hat uns zum besten, he pulls our legs ; mein Bester, my dear fellow ; aufs beste, in the very best manner

bestaubt, dusty

bestehen, bestand, hat bestanden,
exist ; aus (dat.), consist of

besteigen, bestieg, hat bestiegen,
climb

die Besteigung (en), climb, ascent

bestellen, order ; cultivate, till

bestimmen, determine, fix

bestimmt, certain(ly)

bestrafen, punish

das Bestreben, striving, endeavour

bestreichen, bestrich, hat be=
strichen, spread

der Besuch (e), visit, visitor(s) ; ich
mache Besuch, I go visiting ;
ich bin zu Besuch, I am
visiting

besuchen, visit, attend

sich beteiligen an (dat.), take part in

beteuern, assure, protest

betonen, stress

der Betracht, respect, consideration

betrachten, betrachtet, consider,
observe

beträchtlich, considerable

die Betrachtung (en), contemplation, consideration

der Betrag ("e), amount

sich betragen, beträgt sich, betrug
sich, hat sich betragen, behave

das Betragen, behaviour

betrauern, mourn

betreffen, betrifft, betraf, hat
betroffen, concern ; was das
betrifft, as far as that is concerned

betreten, betritt, betrat, hat be=
treten, enter

sich betrinken, betrank sich, hat sich
betrunken, get drunk

betroffen, struck, taken aback

das Bett (en), bed

die Bettdecke (n), bed-cover, blanket

die Bettelleute (pl.), beggar folk

das Bettgestell (e), bedstead

der Bettrand ("er), edge of the bed

beurteilen, judge

der Beutel (—), pouch, bag

bewachen, guard

bewachsen, bewächst, bewuchs,
hat bewachsen, grow over

bewahren, preserve

bewaldet, wooded, woody

bewandert, expert, knowledge-
able

(sich) bewegen, move

die Bewegung (en), movement,
gesture, commotion, motion,
emotion

sich (dat.) Bewegung machen,
stretch one's legs, take exercise

beweisen, bewies, hat bewiesen,
prove

bewohnen, inhabit

der Bewohner (—), inhabitant

bewundern, admire

bewußt, conscious

das Bewußtsein, consciousness

bezahlen, pay

bezweifeln, doubt

die Bibel (n), bible

die Bibliographie (n), bibliography

die Bibliothek (en), library

biblisch, biblical

biegen, bog, hat gebogen, bend

das Bier (e), beer

der Bierkrug ("e), beer mug

bieten, bietet, bot, hat geboten,
offer

das Bild (er), image, picture

bilden, bildet, educate, shape,
form ; bildende Kunst, visual
arts

der Bilderbogen (—), picture sheet

das Bilderbuch ("er), picture book

die Bildfläche (n), scene

der Bildhauer (—), sculptor

die Bildung, education

die Bildungsgeschichte (n), evolu-
tion

das Billard (s), billiards
billig, cheap
bimmeln, tinkle
die Binde (n), tie
binden, bindet, band, hat ge=
bunden, bind, tie
der Bindfaden ("), cotton thread ;
sie zog sie auf Bindfäden,
she threaded them on
cotton
der Biograph (en, en), biographer
die Biographie (n), biography
biographisch, biographical
die Biologie, biology
der Birnbaum ("e), pear tree
die Birne (n), pear
birschen, stalk, hunt
bis, until ; bis auf den heutigen
Tag, to this day ; bis auf
eines, except for one thing ;
vom Dampfschiff bis zu den
Segelschiffen, from the
steamship to the sailing
boats ; drei bis vier, three or
four ; bis dahin, until then
bisher, up to now, then
ein bißchen, a little
der Bissen (—), morsel
bisweilen, sometimes
die Bitte (n), request, petition ;
bitte, please
bitten, bittet, bat, hat gebeten
um (acc.), ask for, request,
beseech
bitter, bitter
die Bitterkeit (en), acerbity, bitterness
die Blase (n), bubble
blaß, pale
das Blatt ("er), leaf, sheet
das Blau, blue
blau, blue
blauseiden, of blue silk
die Blechtrompete (n), tin trumpet
bleiben, blieb, ist geblieben,
stay on, remain ; bleiben Sie

bei einfachen Dingen, stick
to simple things ; bleibe
recht gesund, take care of
yourself ; wo ist der Herr
geblieben? where has the
gentleman gone ? ich will
dabei bleiben, I will carry on
like that
bleich, pale
der Bleistift (e), pencil
blenden, blendet, blind
blendendweiß, shining white
der Blick (e), glance ; einen Blick
tun, glance at, cast a glance
blicken, glance, look
blind, blind
die Blindheit (en), blindness
blinken, sparkle, shine
blitzen, flash ; es blitzt, there is
lightning
die Blocksberggeschichte (n), story
of the Blocksberg (Brocken)
blond, fair, blond
bloß, mere(ly), bare ; nun seht
bloß, just look
blühen, flower, bloom
die Blume (n), flower
das Blumenspiel (e), flower game
das Blut, blood
die Blüte (n), blossom, bloom
der Blütenschimmer, glimmer of
bloom
die Blutwurst ("e), black pudding
der Boden ("), soil, bottom,
ground
böhmisch, Bohemian ; böh=
mische Dörfer, double Dutch
die Bohne (n), bean
bohren, bore
bolzengerade, bolt upright
das Boot (e), boat
borgen, borrow
bösartig, malicious, vicious, ma-
lignant
böse, wicked, vicious ; an nichts
Böses denken, think no harm

der Bösewicht (er), scoundrel, evil-doer

boshaft, malicious, wicked

die Bosheit (en), malice

die Botanik, botany

der Bote (n, n), messenger

braten, brät, briet, hat ge=braten, fry, roast

der Braten ("), roast (meat, fowl)

brauchbar, useful, serviceable

brauchen, need

braun, brown

bräunlich, brownish

brausen, roar, sing (kettle)

die Braut ("e), bride, fiancée

brav, good, respectable, worthy

brechen, bricht, brach, hat (ist) gebrochen, break

der Brei (e), porridge, (milk) pud-ding

breitschultrig, square

brennen, brannte, hat ge=brannt, burn

die Brennende Liebe, scarlet lychnis

das Brett (er), board, tray

der Brief (e), letter

die Briefpost (en), letter post

der Briefträger (—), postman

der Briefwechsel (—), correspon-dence

die Brille (n), spectacles

bringen, brachte, hat gebracht, bring; zu Bett bringen, put to bed ; zum Reden bringen, get someone to talk ; weiter habe ich es nie bringen können, I have never managed to get further than that

die Brise (n), breeze

das Brisenfrühstück (e), snack lunch

der Brocken (—), lump ; Brocken

das Brockenhaus ("er), hotel on the Brocken

brodeln, simmer, broil

das Brot (e), bread ; sein Brot ver=dienen, earn one's living

die Brücke (n), bridge

der Bruder ("), brother

brüderlich, brotherly, fair

brüllen, roar

brummen, growl

der Brunnen (—), fountain, well

die Brust ("e), breast, chest

der Bube (n, n), boy, lad

das Buch ("er), book

die Buche (n), beech

die Buchecker (n), beech-nut

die Buchhandlung (en), bookshop

die Büchse (n), tin

der Buchstabe (ns, n, n), letter

der Buckel (—), hump, hunchback

(sich) bücken, stoop

bucklig, hunch-backed

der Bück(l)ing (e), pickled herring

die Bühne (n), stage

der Bühnenschauspieler (—), stage actor

der Bummelzug ("e), stopping train

der Bund ("e), league

bunt, many-coloured

der Buntstift (e), crayon

die Burg (en), castle

der Bürger (—), citizen

bürgerlich, bourgeois, middle-class, hum-drum

der Bürgersmann (leute), citizen, burgher

die Burgruine (n), castle ruin

das Büro (s), office

der Bursche (n, n), lad

bürsten, bürstet, brush

der Busch ("e), bush

der Busen (—), bosom

der Butt (e), flounder

die Butter, butter

die Buttermilch, butter milk

die Buttermilchplinsen, dish made with buttermilk (Saxonian)

das Cabriolet (s), cab

das Café (s), café

der Charakter (e), character
charakterisieren, characterize
charakteristisch, characteristic
der Charme, charm
der Cherub (s), cherub
der Chinese (n, n), Chinese
cholerisch, choleric
der Chor ("e), choir, chorus
die Chormusik, choral music
das Chorwerk (e), choral work
der Christ (en, en), Christian
das Christkind, Christ child ; Christ=
kindleins Baum, Christmas
tree
die Courage, courage

da, there, then ; when, as
dabei, with it, at the same
time
das Dach ("er), roof
der Dachboden ("), attic, loft
der Dachdecker (—), slater, tiler
die Dachrinne (n), gutter
dagegen, against that, on the
other hand
daheim, at home
daher, hence ; daher kommt es,
that is why
daher'kommen, kam daher, ist
dahergekommen, come along
dahin, thither, there(to) ; bis
dahin, until then
dahin'fließen, floß dahin, ist
dahingeflossen, flow along
dahinten, behind there
damals, at that time
die Dame (n), lady
damit, with it ; so that
das Dämmergrau, grey of dusk
dämmern, grow dusky, dawn
der Dämmerschein, dim light
die Dämmerung, dusk, twilight
der Dampf ("e), steam, vapour
dampfen, steam
der Dampfer (—), steamer
das Dampfschiff (e), steamship

der Dampfschornstein (e), steamship's funnel
daneben'stehen, stand daneben,
hat danebengestanden, ad-
join, stand near, next-door
Dänemark (neut.), Denmark
der Dänenkönig (e), king of Denmark
dankbar, grateful
die Dankbarkeit, gratitude
der Dankbrief (e), letter of thanks
danken, thank ; Gott sei's ge=
dankt, thank goodness; dan=
ke (schön), thank you (very
much)
dann, then ; dann und wann,
now and then
daran'stoßen, stößt daran, stieß
daran, hat daran'gestoßen,
adjoin
darauf, thereupon
dar'bieten, bietet dar, bot dar,
hat dargeboten, offer
darnieder'liegen, lag darnieder,
hat darniedergelegen, be
downcast
dar'stellen, represent
darum, therefore ; darum, daß
. . ., because
das, the, this, that, which
daselbst, there
daß, that
der Dativ (e), dative
die Dauer, duration
dauern, last ; es dauerte nicht
lange und . . ., it was not
long before . . .
dauernd, lasting, continual
davon'laufen, läuft davon, lief
davon, ist davongelaufen, run
away
davorn, there in front
dazu, in addition
dazu'bekommen, bekam dazu,
hat dazubekommen, have
added to

dazu'geben, gibt dazu, gab dazu, hat dazugegeben, add, serve with

dazu'gehören, belong to, be part of it

dazugehörig, respective, belonging to it

dazu'kommen, kam dazu, ist dazugekommen, join

die Decke (n), ceiling, blanket, cover

decken, lay, set (table)

das Deckengemälde (—), painted ceiling

der Degen (—), rapier, sword

sich dehnen, stretch

dein (e), thy, thine

déjeuner dinatoire, lunch

die Deklination (en), declension

demnach, therefore, hence

denken, dachte, hat gedacht (an, acc.), think of ; ich dachte nichts dabei, I thought nothing of it ; es denkt mir nicht, I don't remember ; dacht' ich's doch! I thought so!

sich (dat.) denken, dachte sich, hat sich gedacht, imagine

der Denker (—), thinker

das Denkmal ("er), monument

denn, for, because, then ; nicht anders denn, no different from

dennoch, yet, all the same

der, the, who, which, that

derartig, of such kind

derb, rough, crude

dereinst, later on

dergleichen (dgl.), the like

der= (die=, das=) selbe, the same

derweil(en), (mean)while

deshalb, therefore

des(sen), of that, whose

desto, all the ; desto besser, all the better, so much the better

deucht (3rd person of dünken); mir deucht, methinks

deuten, deutet, point, interpret

deutlich, distinct, plain

die Deutlichkeit (en), distinctness, plainness

deutsch, German ; auf Deutsch, in German

das Deutsch, German (language)

der Deutsche (n, n), German

Deutschland (neut.), Germany

dgl., dergleichen, the like

der Dialekt (e), dialect

der Diamant (en, en), diamond

dicht, close, thick

der Dichter (—), poet

dichterisch, poetical

die Dichtung (en), poem, poetry, fiction

dick, thick ; dicke Freunde, close friends

dickmauerig, thick-walled

die, the, which, who, that

die Diele (n), hall, entrance hall

dienen, serve

der Diener (—), servant

dienstbeflissen, eager to serve

das Dienstmädchen (—), maid

dies, this, that ; dies und jenes, this and that

dieser, diese, dieses, this

diesmal, this time

diesseits (gen.), this side of

der Dilettant (en, en), amateur, dilettant

das Ding (e), thing ; vor allen Dingen, above all things ; seien Sie guter Dinge, be of good cheer ; die armen Dingerchen, the poor little things

der Dirigent (en, en), conductor

das Dirnchen (—), little girl

diskutieren, discuss

die Distel (n), thistle

die Distelstaude (n), thistle bush

divers, diverse

doch, yet, after all, yes, surely, in any case ; nicht doch, by no means, not at all ; geh doch, do go ; das weiß doch jedes Kind, surely every child knows that

das Dock (s), dock

der Doktor (en), doctor

der Dolmetscher (—), interpreter

der Dom (e), cathedral

der Donnergott ("er), god of thunder

donnern, thunder ; es donnerte und blitzte, there was thunder and lightning

der Donnerstag (e), Thursday

doppelt, twice, double ; doppelt so alt, twice as old

der Doppelvokal (e), diphthong

das Dorf ("er), village ; böhmische Dörfer, double Dutch

die Dorflinde (n), village lime tree

der Dorn (en), thorn

dort, there

dorther, hence

dorthin, thither, there(to)

der Drache (ns, n, n), dragon

das Drama (Dramen), drama

der Dramatiker (—), dramatist

dramatisch, dramatic

der Dramaturg (en, en), producer

die Dramaturgie (n), dramatic theory

drängen, prompt, urge, push, press ; es drängt Sie zum Vergleichen, you cannot help comparing

draußen, outside, out there

(sich) drehen, turn

drei, three

das Dreierbrot (e), penny bun

dreijährig, three-year-old

der Dreimaster (—), three-cornered hat

dreißig, thirty

dreiviertel, threequarters

der, die, das dreizehnte, thirteenth

Dresden (neut.), Dresden

Dresdner, Dresden (adj.)

dringend, urgent

drin(nen), inside, in there

der, die, das dritte, third

drittens, thirdly

droben, up there

drohen, threaten

drüben, over there

drucken, print ; gesperrt gedruckt, spaced print

drücken, press, subdue, oppress

sich drücken, shirk

drunten, down there

du, you, thou

der Duft ("e), fragrance, smell

duften, duftet, smell sweet

dulden, duldet, suffer

dumm, stupid

dunkel, dark

dunkeläugig, dark-eyed

dunkelblau, dark-blue, navy-blue

dunkelhaarig, dark-haired

die Dunkelheit (en), darkness

dünken (auch : deucht), seem, appear ; mir dünkt (deucht), it seems to me

dünn, thin

durch, through

durch'arbeiten, arbeitet durch, work through

durchaus, absolutely, emphatically, throughout ; durchaus nicht, far from

durchbrechen, durchbricht, durchbrach, hat durchbrochen, break through

durchbrochen, filigrane, latticed

durchdenken, durchdachte, hat durchdacht, think out

durcheinander, muddled, untidy

durchgängig, throughout

durchleuchten, durchleuchtet, shine through

der Durchmesser (—), diameter

die Durchreise (n), transit

durch´reisen (auch : durchreisen), travel through

durchs = durch das

durch´schimmern, shine through

durchschneiden, durchschneidet, durchschnitt, hat durchschnitten, traverse

die Durchsicht (en), vista

durchsichtig, transparent

durch´sickern, trickle through

durchwürzen, season through

dürfen, darf, durfte, hat gedurft, be allowed, may

dürftig, poor, wretched, miserable

dürr, dry, lean

durstig, thirsty

düster, gloomy

das Dutzend (e), dozen

eben, just, only, even

ebendieser, just this (one)

ebenfalls, likewise

ebenso, just as

ebensogut, just as good, well

das Echo (s), echo

echt, genuine

die Ecke (n), corner

das Eckhaus ("er), corner house

edel, noble

der Edelstein (e), gem

der Efeu, ivy

der Effekt (e), effect

ehe, before

die Ehe (n), marriage

ehegestern, day before yesterday

das Ehepaar (e), married couple

eher, rather, sooner ; ich weiß schon eher Bescheid, I know a little more about it ; er

ruhte nicht eher, bis . . ., he did not give peace until . . .

die Ehre (n), honour, glory

ehren, honour ; sehr geehrtes Fräulein X., dear Miss X.

die Ehrfurcht, awe, veneration, respect

ehrlich, honest, candid ; ehrlich gesagt, to be honest ; es geht ehrlich zu, things are done in an honest way ; sie meint es ehrlich mit mir, she means well towards me

ehrsam, respectable

ehrwürdig, venerable

das Ei (er), egg

der Eichbaum ("e), oak tree

die Eiche (n), oak

die Eichel (n), acorn

das Eichhorn ("er), squirrel

der Eidam (e), son-in-law

der Eifer, zeal, eagerness

eifrig, eager, zealous

eigen, own, peculiar

eigenhändig, with one's own hands

die Eigenschaft (en), quality, characteristic

eigentlich, real, actual

eigentümlich, peculiar

die Eigentümlichkeit (en), peculiarity

die Eile, hurry ; in aller Eile, hurriedly

(sich) eilen, hurry

eilig, hurried ; er hat es eilig, he is in a hurry

der Eimer (—), bucket, pail

ein (e), a, one ; einander, one another

sich (dat.) einbilden, bildet sich ein, imagine

die Einbildung (en), imagination, conceit

eindreiviertel, one and three quarters

der Eindruck ("e), impression
einerlei, all the same
einesteils, partly
einfach, simple
die Einfachheit (en), simplicity
ein'fallen, fällt ein, fiel ein, ist
eingefallen, occur ; es fiel
mir ein, it occurred to me, I
remembered it
einfältig, stupid, simple
der Einfluß ("e), influence
ein'führen, introduce
die Einführung (en), introduction
der Eingang ("e), entrance
ein'gehen, ging ein, ist einge=
gangen, enter
ein'handeln, purchase
einheimisch, native
die Einheit (en), unity
einheitlich, uniform, homoge-
neous
ein'heizen, make a fire
einher, along
einher'reiten, reitet einher, ritt
einher, ist einhergeritten, ride
along
einige, a few, some ; vor
einiger Zeit, some time ago ;
Einiges über Schiller, something about Schiller ; einige=
mal, a few times
ein'kehren, enter, make house
die Einkommensteuer (n), income
tax
ein'laden, lädt ein, lud ein, hat
eingeladen, invite
die Einladung (en), invitation
einmal, once, sometime ; noch
einmal, once again ; auf ein=
mal, all at once ; nicht ein=
mal, not even ; es war ein=
mal, once upon a time ;
einmal muß es ja sein, it's
got to be some time
ein'mischen, mingle
ein'nehmen, nimmt ein, nahm

ein, hat eingenommen, oc-
cupy
ein'richten, richtet ein, arrange,
set, put right
sich ein'richten, richtet sich ein,
settle, establish oneself
die Einrichtung (en), institution,
organization
einsam, lonely
die Einsamkeit (en), solitude
ein'schlafen, schläft ein, schlief
ein, ist eingeschlafen, go to
sleep
ein'schlagen, schlägt ein, schlug
ein, hat eingeschlagen, take
(road)
ein'schließen, schloß ein, hat ein=
geschlossen, enclose
ein'schüchtern, intimidate
ein'sehen, sieht ein, sah ein, hat
eingesehen, see, understand
einsilbig, monosyllabic
einst, at one time, some time
ein'stecken, put in one's pocket
ein'steigen, stieg ein, ist ein=
gestiegen (acc.), get into,
board
ein'teilen, divide
eintönig, monotonous
der Eintritte (e), entrance
ein'urnen, enclose in an urn,
bury
einverstanden, agreed ; sind
Sie einverstanden? do you
agree ?
der Einwohner (—), inhabitant
einzeln, one by one, single
einzig, single, only
einzigartig, unique
der Eisenhut, aconite
die Eisenhütte (n), iron foundry
der Elefant (en, en), elephant
elegant, elegant
elektrisch, electric
das Element (e), element
elend, miserable

elenderweise, for shame

elf, eleven

der, die, das elfte, eleventh

der Ell(en)bogen (—), elbow

die Eltern (pl.), parents

das Elyſium, Elysium

der Emigrant (en, en), emigrant

emigrieren, emigrate

empfangen, empfängt, empfing, hat empfangen, receive

empfänglich, receptive

empfehlen, empfiehlt, empfahl, hat empfohlen, recommend

empfinden, empfindet, empfand, hat empfunden, feel, sense

empfindlich, sensitive

die Empfindſamkeit, sensibility, sensitivity

die Empfindung (en), feeling, sensation

empor, up, aloft

ſich empören, revolt

ſich empor'richten, richtet ſich empor, straighten oneself

empor'werfen, wirft empor, warf empor, hat emporgeworfen, throw up

en paſſant, in passing

das Ende (n), end ; zu Ende, at an end, finished ; komm' zu Ende, come to an end ; ich bin zu Ende, I have finished ; aller Enden, everywhere ; er kam nicht zu Ende, he could not get finished

enden, endet, end

endgültig, final, conclusive

endlich, at last

die Endung (en), ending

energiſch, energetic

eng(e), narrow, tight, close, small

engagieren, engage

der Engel (—), angel

England (neut.), England

der Engländer (—), Englishman

engliſch, English ; im Engliſchen, in the English language

der Enkel (—), grandson

das Enkelkind (er), grandchild

entbehren, miss, do without

entbehrlich, dispensable

die Entbindungsanſtalt, maternity home

ſich entbrechen, entbricht ſich, entbrach ſich, hat ſich entbrochen, abstain ; er konnte ſich nicht entbrechen, he could not but

entdecken, discover

die Entdeckung (en), discovery

die Ente (n), duck

(ſich) entfernen, remove (oneself) ; leave

entfernt, distant

die Entfernung (en), distance

entgegen, towards

entgegengeſetzt, opposite

entgegen'ſchlagen, ſchlägt entgegen, ſchlug entgegen, hat entgegengeſchlagen, meet

entgehen, entging, iſt entgangen, escape

enthalten, enthält, enthielt, hat enthalten, contain

entkleiden, entkleidet, undress

entlang (acc.), along

entlaſſen, entläßt, entließ, hat entlaſſen, dismiss

entlaufen, entläuft, entlief, iſt entlaufen, run away, escape

entleeren, empty

entreißen, entriß, hat entriſſen, tear from

(ſich) entſcheiden, entſcheidet (ſich), entſchied (ſich), hat (ſich) entſchieden, decide

die Entſcheidung (en), decision

ſich entſchließen, entſchloß ſich, hat ſich entſchloſſen, decide, make up one's mind

ſich entſchuldigen, apologize

die Entschuldigung (en), apology ; ich bitte Sie um Entschuldigung, daß . . ., I apologize to you for . . .

das Entsetzen, horror

entsetzlich, frightful

sich entsinnen, entsann sich, hat sich entsonnen, remember

entsprechen, entspricht, entsprach, hat entsprochen, correspond

entstehen, entstand, ist entstanden, originate

entstellen, disfigure

entströmen, pour out

entweder, either ; entweder . . . oder, either . . . or

entwerfen, entwirft, entwarf, hat entworfen, design, draft

(sich) entwickeln, develop

die Entwicklung (en), development

sich entziehen, entzog sich, hat sich entzogen, withdraw, elude

entzwei, in pieces

die Epidemie (n), epidemic

die Epistel (n), epistle

das Epos (Epen), epic poem

sich erbarmen, take pity

erbaulich, edifying

das Erbe, heritage

erblicken, set eyes on ; ich erblicke es, it meets my eye

die Erbse (n), pea

der Erdboden ("), earth, soil

die Erde (n), earth

sich (dat.) erdenken, erdachte sich, hat sich erdacht, imagine, invent

das Erdenrund (e), globe

der Erdkreis (e), globe

erdrücken, smother

sich ereignen, happen

das Ereignis (se), incident

erfahren, erfährt, erfuhr, hat erfahren, learn, experience

erfahren, expert

erfassen, grasp

erfinden, erfindet, erfand, hat erfunden, invent

der Erfinder (—), inventor

die Erfindung (en), invention

erfolgreich, successful

sich erfreuen (gen.), enjoy, boast

erfreulich, pleasing

erfrischen, refresh

erfüllen, fill, pervade, fulfil

ergänzen, complete

die Ergebenheit, devotion, resignation

sich ergießen, ergoß sich, hat sich ergossen, overflow, pour out

ergötzlich, delectable, amusing

ergreifen, ergriff, hat ergriffen, grasp, seize

erhaben, sublime

erhalten, erhält, erhielt, hat erhalten, receive, retain, preserve

die Erhaltung, retention, preservation

sich erheben, erhob sich, hat sich erhoben, rise

erhellen, light(en), illumine

sich erhellen, brighten

sich erholen, recover, recuperate

die Erholung, recreation, relaxation

erinnerlich, in one's memory ; es ist mir erinnerlich, I remember

erinnern an (acc.), remind of

sich erinnern an (acc.), remember

die Erinnerung (en), memory

sich erkälten, erkältet sich, catch cold

erkennen, erkannte, hat erkannt, recognize

erklären, explain, declare

erklecklich, profitable, considerable

sich erkundigen nach etwas (dat.) bei jemandem, enquire about something from someone

erlangen, attain

erlauben, allow ; erlauben Sie, allow me

sich (dat.) erlauben, take the liberty, afford ; ich kann es mir erlauben, I can afford it

die Erlaubnis (se), permission

erleben, experience

erledigen, settle, get done

erleichtern, relieve, ease ; man atmet erleichtert auf, you heave a sigh of relief

die Erlernung, learning

erleuchten, erleuchtet, light up

ermorden, ermordet, murder

ermutigen, encourage

ernst, serious

der Ernst, seriousness, earnest

ernsthaft, earnest, grave, serious

ernten, erntet, harvest, reap

eröffnen, open

erquicklich, delicious, refreshing

erraten, errät, erriet, hat erraten, guess

erregen, excite

sich erregen, bestir oneself, get excited

erreichbar, accessible

erreichen, reach, catch (train)

errichten, errichtet, erect

erringen, errang, hat errungen, attain, obtain with difficulty

erschaffen, erschuf, hat erschaffen, create

erschallen, erscholl, ist erschollen, resound (auch : schwach)

erscheinen, erschien, ist erschienen, appear

das Erscheinen, appearance, publication

die Erscheinung (en), apparition, appearance

erschlaffen, ist erschlafft, relax, slacken

sich erschließen, erschloß sich, hat sich erschlossen, open up

(sich) erschöpfen, exhaust (oneself)

erschrecken, erschrickt, erschrak, ist erschrocken, be frightened

erschrecken, frighten

erschüttern, move deeply, shake

ersetzen, replace

erst, first, only, not until ; sein Erstes war . . ., the first thing he did was . . . ; zum Ersten, firstly

erstarren, ist erstarrt, stiffen

erstaunen, astonish

das Erstaunen, astonishment, wonder

erstaunlich, astonishing

erstaunt, astonished

ersteigen, erstieg, hat erstiegen, climb

erstens, first(ly) ; zum Ersten, first(ly)

ersticken, choke, smother

ersuchen, request

ertönen, resound

ertragen, erträgt, ertrug, hat ertragen, bear

ertreten, ertritt, ertrat, hat ertreten, tread on, kill

erwachen, ist erwacht, awake

der Erwachsene (n, n), grown-up person

erwärmen, warm

erwarten, erwartet, expect

erwecken, awaken

sich erwehren (gen.), defend oneself against ; man kann sich nicht erwehren, you cannot but . . .

erweislich, to be proved

erweitern, extend

sich erweitern, widen, grow large

erwidern, reply

erwünscht, desirable ; er kam erwünscht, he found a welcome

das Erz (e), ore

erzählen, tell, relate

die Erzählung (en), story

erzeugen, produce
die Erzgießerei (en), brass foundry
die Erziehung (en), education
es, it ; es war einmal, once upon a time
essen, ißt, aß, hat gegessen, eat ; beim Essen, in (with) eating
das Essen, food
der Essig, vinegar
sich etablieren, establish oneself
die Etüde (n), study
etwa, perhaps, possibly, about, by chance
etwa so, something like this
etwas, something, somewhat
euch, you (acc. and dat.)
euer (e), your, yours
Europa (neut.), Europe
ewig, eternal ; auf ewig, for ever ; auf immer und ewig, for ever and ever
das Examen (Examina), examination
existieren, exist
das Experiment (e), experiment
die Exportfirma (firmen), export firm

die Fabel (n), fable, tale
die Fabrik (en), factory
fachen, kindle, fan
der Fächer (—), fan
der Faden ("), thread
fähig, capable
fahren, fährt, fuhr, ist gefahren, drive, ride, go ; er fuhr in die Kästen, he dived into the boxes ; Heu fahren, lead hay
fahren lassen, läßt fahren, ließ fahren, hat fahren lassen, let go
das Fahrgeld (er), fare
die Fahrkarte (n), ticket
die Fahrt (en), drive, journey
das Fahrzeug (e), vessel, vehicle
der Fall ("e), case ; auf alle Fälle,

in any case ; gesetzt den Fall, let us assume, assuming
fallen, fällt, fiel, ist gefallen, fall ; schwer fallen, prove difficult ; sie fiel ihm um den Hals, she fell on his neck
fällig, due
falsch, wrong, false ; falsch verstehen, misunderstand ; ich mache es falsch, I make a mistake
die Falschheit (en), falsehood
die Falte (n), fold, pleat
falten, faltet, fold
die Familie (n), family
das Familienereignis (se), family incident
die Familiennachricht (en), family news
familienweise, in families
famos, grand, capital ; ein famoses Haus, a capital fellow
fangen, fängt, fing, hat gefangen, catch
die Farbe (n), colour
die Farbenlehre (n), theory of colours, chromatics
die Faser (n), fibre
das Faß ("er), barrel
fassen, grasp, touch, hold
sich fassen, pull oneself together ; sich kurz fassen, be brief
die Fassung (n), version
fast, almost
fatal, awkward, disagreeable
faul, rotten, lazy, decayed
der Faulpelz (e), lazybones
der Faun (e), faun, satyr
die Faust ("e), fist
die Feder (n), feather, pen
der Federhalter (—), penholder
der Federhut ("e), feather hat
das Federvieh, fowls, poultry
der Feenpalast ("e), fairies' palace
fegen, sweep, scrub

fehlen, be lacking ; es fehlte mir der Appetit, I had no appetite ; es fehlt nicht an Wasser, there is no lack of water

der Fehler (—), mistake

feierlich, solemn

feiern, celebrate

fein, fine, beautiful, refined

die Feinheit (en), subtlety

das Feld (er), field

die Feldeinsamkeit, solitude in the open

der Feldprediger (—), army chaplain

der Feldstein (e), field stone

der Felsen (—), rock

das Felsenstück (e), piece of rock

die Felsinsel (n), rocky island

das Fenster (—), window

der Fensterputzer (—), window cleaner

die Fensterscheibe (n), window pane

das (auch : der) Fenstersims (e), window sill

die Ferien (pl.), holidays

fern(e), distant ; von fern(e), from a distance

die Ferne (n), distance

das Fernrohr (e), telescope

fertig, ready, finished ; wir werden damit fertig, we overcome it, tackle it

fesseln, attract, fascinate, fetter

fest, firm ; er schlief fest, he was fast asleep

das Fest (e), festival

die Feste (n), firmament

festhalten, hält fest, hielt fest, hat festgehalten, hold fast, keep (back)

der Festkuchen (—), festive cake

festlich, festive

festsetzen, fix, stipulate

der Festtag (e), festival

die Festung (en), fortress

das Fett (e), fat

feucht, damp

die Feuchtigkeit (en), dampness

das Feuer (—), fire

die Feuerlilie (n), scarlet lily

die Feuersbrunst ("e), fire, conflagration

die Feuerstelle (n), fireplace, hearth, habitable house

feuertrunken, intoxicated as by fire

feurig, fiery

fieberfrostig, feverish and frosty

die Figur (en), figure

der Film (e), film

der Filzhut ("e), felt hat

finden, findet, fand, hat gefunden, find, think

sich finden, findet sich, fand sich, hat sich gefunden in (acc.), resign oneself to

der Finger (—), finger ; was einem in die Finger kommt, what you touch

der Fink (en, en), finch

finster, dark

die Finsternis (se), darkness

die Firma (Firmen), firm

der Firnewein (e), old wine

der Fisch (e), fish

fischen, fish

der Fischer (—), fisherman

die Fischerhütte (n), fisherman's cottage

flach, flat

die Fläche (n), surface, width, plain

die Flamme (n), flame

die Flasche (n), bottle

flattern, flutter

der Flausrock ("e), fleecy coat

der Fleck (en), auch : Flecken (—), spot, blemish

die Flegeljahre, years of indiscretion, adolescence

flehen, beseech

das Fleisch, meat

fleißig, industrious
die Fliege (n), fly
fliegen, flog, ist geflogen, fly
fliehen, floh, ist geflohen, flee
fließen, floß, ist geflossen, flow
fließend, fluent
flink, quick
die Flöte (n), flute
der Flügel (—), wing ; grand piano
der Fluß ("e), river ; es kam in
     Fluß, it got going, developed
flüstern, whisper
die Flut (en), flood, flow
die Folge (n), consequence
folgen (dat.), ist gefolgt, follow
folgend, following
folglich, consequently
fordern, demand, challenge
die Form (en), form, shape
formen, form, shape
fort, away, forth ; brauche sie
     fort, go on using it
fort'fahren, fährt fort, fuhr
     fort, (hat) fortgefahren, con-
     tinue
fort'gehen, ging fort, ist fort-
     gegangen, go away
fort'pflanzen, propagate, trans-
     mit
fort'setzen, continue
fort'spielen, go on playing
der Frack ("e), frock coat
die Frage (n), question
fragen, ask, question ; es fragt
     sich, the question is ; wir
     fragen uns, we wonder
fragwürdig, questionable
der Franziskaner (—), Franciscan
der Franzose (n, n), Frenchman
französisch, French
die Frau (en), woman, wife, Mrs.
die Frauenkirche (n), church of
     Our Lady
das Fräulein (—), Miss
frech, cheeky, insolent
frei, free, vacant ; wir haben

frei, we have a holiday ; freie
     Reichsstadt, Free City ; im
     Freien, in the open
die Freiheit (en), freedom, liberty
der Freiheitskampf ("e), war of in-
     dependence
der Freiherr (n, en), baron
freilich, indeed, admittedly
der Freitag (e), Friday
freiwillig, voluntary
fremd, strange ; eine fremde
     Sprache, a foreign language
der Fremde (n, n), visitor, stranger
die Fremde, abroad, strange land
der Fremdenführer (—), guide
fressen, frißt, fraß, hat gefressen,
     eat (of animals)
die Freude (n), joy ; es macht ihnen
     Freude, it gives them joy ; er
     hat Freude an (acc.), he finds
     joy in
freudestrahlend, beaming with
     joy
freudig, joyful
sich freuen (gen.), enjoy
sich freuen auf (acc.), look forward
     to ; über (acc.), be pleased
     about
der Freund (e), friend ; ein Freund
     von ihm, a friend of his
der Freundeskreis (e), friendly circle
die Freundin (nen), friend (fem.)
freundlich, kind
die Freundlichkeit (en), kindness
die Freundschaft (en), friendship
freundschaftlich, friendly, as
     friends, cordial
der Friede (ns, n, n), peace
der Friedhof ("e), graveyard
frieren, fror, hat gefroren, be
     cold (ist gefroren, freeze)
frisch, fresh
die Frische, freshness
der Friseur (e), hairdresser
die Frisur (en), hair style
froh, glad

fröhlich, cheerful
fromm, pious, religious
die Frucht ("e), fruit
fruchtbar, fruitful, fertile, productive, profitable
früh, early ; früher, former
das Frühjahr (e), spring
der Frühling (e), spring
das Frühlingsfest (e), spring festival
frühlingsgrün, green as spring
das Frühstück (e), breakfast, morning snack
der Frühstückstee, breakfast tea
frühzeitig, betimes, early
die Fuchsjagd (en), foxhunt ; sie gehen auf die Fuchsjagd, they go foxhunting
die Fügsamkeit, suppleness, adaptability, docility
fühlbar, perceptible, noticeable
fühlen, feel
führen, lead, conduct ; ein Gespräch führen, have a talk
der Führer (—), guide, leader
das Fuhrwerk (e), carriage, cart
(sich) füllen, fill
fünf, five
der (die, das) fünfte, fifth
fünfunddreißig, thirty-five
der fünfzehnte, fifteenth
fünfzig, fifty
der Funke (ns, n, n), spark
funkelnd, sparkling
für (acc.), for ; es hat viel für sich, there is a lot to be said for it ; für's zweite, secondly
furchtbar, frightful
furchtbarlich, frightful(ly)
fürchten, fürchtet, fear
sich fürchten, fürchtet sich, be afraid
fürchterlich, frightful
furchtlos, fearless
der Fürst (en, en), prince, ruler
die Fürstengruft ("e), princes' crypt
der Fürstensohn ("e), son of a prince

der Fuß ("e), foot ; zu meinen Füßen, at my feet ; zu Fuß, on foot
der Fußboden ("), floor
fußhoch, foot-high
der Fußweg (e), foot-path

die Gabe (n), gift, talent
die Gabel (n), fork
die Gabelung (en), road fork
gähnen, yawn
der Gang ("e), path, passage, corridor, errand
die Gans ("e), goose
die Gänsehaut ("e), "gooseflesh"
das Gänsespiel ("e), goose game (a table game)
ganz, quite, whole ; die ganzen Zettel, all the slips ; ganz und gar nicht, not at all ; im Ganzen, on the whole
gar, at all, all too, even ; gar nicht, not at all ; gar so einsam, so very lonely ; gar zu eng, far too small ; das esse ich gar zu gern, I'm terribly fond of it ; gar leicht, all too easy ; ein gar anmutiges Wesen, a very lovely creature ; oder gar, or even
die Gardine (n), curtain
garnieren, decorate, garnish
der Garten ("), garden
die Gartenmauer (n), garden wall
der Gartentisch (e), garden table
der Gärtner (—), gardener
die Gasse (n), narrow street, alley
der Gast ("e), guest
die Gastfreundschaft, hospitality
der Gastgeber (—), host
das Gasthaus ("er), hotel, inn
der Gasthof ("e), inn
die Gattin (en), wife
das Gebäude (—), building
das Gebein (e), bones
geben, gibt, gab, hat gegeben,

give ; es gibt, there is, are ; was wird gegeben? what play are they doing ?

das Gebet (e), prayer

das Gebiet (e), province, sphere

gebieten, gebietet (auch : gebeut), gebot, hat geboten, order, command

gebildet, educated, cultured

das Gebirge (—), mountain range

gebirgig, mountainous

geboren, born

der Gebrauch ("e), use

gebrauchen, use

gebräuchlich, usual

die Gebrauchsanweisung (en), instruction

die Gebrüder, brothers

die Geburt (en), birth

der Geburtstag (e), birthday

das Gebüsch (e), bush(es)

der Gedanke (ns, n, n), thought

die Gedankenlyrik, philosophical poetry

der Gedankensprung ("e), train of thought, association

gedankenvoll, thoughtful

die Gedankenwelt (en), world of thought

gedenken, gedachte, hat gedacht, think, remember

das Gedicht (e), poem

die Geduld, patience

geduldig, patient

geeignet, suitable

die Gefahr (en), danger

gefährlich, dangerous

der Gefährte (n, n), companion

die Gefährtin (nen), companion

gefallen, gefällt, gefiel, hat gefallen, please ; es gefällt Ihnen, you like it

das Gefäß (e), vessel

das Gefieder (—), fowls, feathers

gefiedert, feathered

das Gefühl (e), feeling ; ich habe

es im Gefühl, I sense it, know it instinctively

gefühlvoll, feeling

gegen (acc.), against, towards ; gegen Ende seines Lebens, towards the end of his life

die Gegend (en), district

gegenseitig, mutual

der Gegenstand ("e), article, object

das Gegenteil (e), opposite

gegenüber (dat.), opposite ; ihm gegenüber, opposite him

die Gegenwart, present

gegenwärtig, present

das Gehalt ("er), salary

geheim, secret

geheimnisvoll, mysterious

gehen, ging, ist gegangen, go ; in sich gehen, repent ; wenn es nach Ihnen ginge, if you had your way ; Schiller ging mir über alles, S. meant more to me than anything else ; es geht bei uns alles dahin, with us everything tends to . . . ; so geht es, that's what happens ; er ging an die Arbeit, he set to work ; es geht drunter und drüber, things are upside down ; es geht zurück, we go back

das Gehöft (e), farm

das Gehölz (e), wood, copse

gehorchen, obey

gehören, belong

sich gehören, be decent, seemly ; es gehört sich, it is done ; wie es sich gehört, as is proper

gehörig, proper, seemly

gehorsam, obedient ; gehorsamer Diener, at your service

der Geist (er), spirit, ghost

die Geisterszene (n), ghost scene

geistig, spiritual, mental

geistlich, religious

geiſtreich, brilliant

geiſtvoll, brilliant, thoughtful

gelangen, iſt gelangt, arrive, attain

gelb, yellow

das Geld (er), money

die Gelegenheit (en), opportunity, occasion ; bei jeder Gelegenheit, on every occasion, at every opportunity

das Geleiſe (—), track, rail ; aus dem Geleiſe kommen, go off the rails, lose one's temper

das Gelenk (e), joint

der (die) Geliebte (n), beloved, sweetheart

gelind, gentle

gelingen, gelang, iſt gelungen, succeed ; es gelingt dir, you succeed

gelten, gilt, galt, hat gegolten, be thought of, valid, true, meant for

gemächlich, leisurely

gemachſam, leisurely

gemäß, suited to, congenial

gemein, common ; der gemeine Mann, the man-in-the-street

die Gemeinde (n), parish, congregation, community

die Gemeindekaſſe (n), parish funds

gemeinſam, joint ; ein gemeinſamer Freund, a mutual friend

gemeinſchaftlich, joint

das Gemurmel, murmur

das Gemüſe (—), vegetable(s)

das Gemüſebeet (e), vegetable bed

der Gemüſegarten ("), vegetable garden

das Gemüt (er), mind, heart, soul

gemütlich, comfortable, homely, snug

genau, exact, accurate

genehm, pleasing

der General ("e), general

das Genie (s, auch : Genien), genius

genießen, genoß, hat genoſſen, enjoy

der Genitiv (e), genitive

genug, enough ; genug tun, do justice ; er tat der Gaſtfreundſchaft genug, he was very hospitable

genügen, suffice

genugſam, sufficient, enough

der Genuß ("e), enjoyment

geographiſch, geographical

die Geologie, geology

das Gepäck, luggage

das Geplauder, chatter, chat

gerade, just, straight, even (number) ; gerade ſo gut, just as well ; gerade die Ruhe, the very peace ; gerade unſer Barock, our baroque particularly

geradezu, straightway, almost

das Gerät (e), tool(s), set

geraten, gerät, geriet, iſt geraten, turn out ; es geriet in Unordnung, it got into disorder ; aufs Geratewohl, haphazardly, hoping for the best

das Geräuſch (e), sound

geräuſchvoll, noisy

das Gericht (e), court ; dish

gern, gladly ; ich habe gern, mag gern, I like

der Geruch ("e), smell

der Geſang ("e), singing, song

das Geſchäft (e), business

geſchäftig, (over)busy

geſchäftlich, on business

der Geſchäftsbrief (e), business letter

geſchehen, geſchieht, geſchah, iſt geſchehen, happen

geſcheit, intelligent

das Geschenk (e), present
die Geschichte (n), story, history
das Geschichtenbuch ("er), story
    book
    geschichtlich, historical
    geschickt, clever
das Geschirr, crockery
der Geschmack ("e), taste
das Geschrei, shouting, clamour
    geschweige (denn, daß), let alone
    geschwind, quick
die Geschwindigkeit (en), speed
die Geschwindigkeitsgrenze   (n),
    speed limit
die Geschwister (pl.), brothers and
    sisters
das Geschwisterkind (er), first cousin
    gesellig, social, sociable
die Gesellschaft (en), party, society,
    company
    gesellschaftlich, social
das Gesellschaftszimmer (—), draw-
    ing room
das Gesicht (er), face ; zu Gesicht be=
    kommen, set eyes on
die Gesichtsfarbe (n), complexion
das Gespenst (er), ghost
das Gespräch (e), conversation
    gesprächsweise, colloquial(ly)
die Gestalt (en), figure, shape
    gestalten, gestaltet, create, shape
das Gestäude (—), antlers
das Gestell (e), rack, frame
    gestern, yesterday
    gesucht, unnatural, affected
    gesund, healthy
die Gesundheit, health
der Gesundheitsstand ("e), state of
    health
die Gesundung (en), recovery
das Getier (e), animals
das Getränk (e), beverage
    getreu, faithful
das Gevögel (—), birds
    gewachsen, equal to, adequate
    gewahr, aware

gewahren, become aware of
    gewähren, afford
die Gewalt (en), power, control
das Gewebe (—), tissue, fabric, web
das Gewerbe (—), craft, trade
das Gewicht (e), weight
der Gewinn (e), profit, gain ; Ge=
    winn bringen, profit, benefit
    gewinnen, gewann, hat ge=
    wonnen, gain, win
    gewiß, certain, sure ; das tut er
    gewiß, he is sure to do that
das Gewissen (—), conscience
der Gewissensskrupel (—), con-
    science scruple
    sich gewöhnen an (acc.), get used
    to ; jung gewohnt, alt getan,
    early habits die hard
die Gewohnheit (en), habit ; aus
    Gewohnheit, from habit, ha-
    bitually
    gewöhnlich, usual, ordinary
    gewohnt, customary, wont
    gewöhnt an (acc.), used to
das Gewürm (e), worms, reptiles
    geziemen, behove
das Gezweig (e),   network   of
    branches
die Gicht, gout
    gießen, goß, hat gegossen,
    pour, cast (metal)
das Gildenhaus ("er), guild house
der Gimpel (—), silly fellow
der Gipfel (—), summit, peak
der Glanz, radiance, brilliance
    glänzen, shine
    glänzend, brilliant
das Glas ("er), glass
    glatt, smooth
der Glaube (ns, n), faith
    glauben, believe
    gleich, at once ; same ; equal ;
    similar ; gleich als ein Held,
    like unto a hero ; es ist ihnen
    ziemlich gleich, it hardly makes
    any difference to them ; ich

habe es dir gleich gesagt, I told you so ; ganz gleich, no matter

gleich = obgleich, although

gleichaltrig, of the same age, contemporary

gleichen, resemble

gleichfalls, likewise

gleichgültig, indifferent

die Gleichgültigkeit, indifference

gleichsam, as it were

gleiten, gleitet, glitt, ist geglitten, glide

die Glocke (n), bell

die Glockenblume (n), Canterbury bell

das Glockengeläute, ringing of bells, chimes

das Glück, luck, happiness ; zum Glück, fortunately

glücklich, happy

glücklicherweise, fortunately

das Glückskind (er), lucky person

die Glückssache (n), matter of luck

gluh = glühend, aglow

glühen, glow

die Glut (en), glow

die Gnade (n), grace

gnädig, gracious

Goethe : das Goethesche Haus, Goethe's house

das Gold, gold

golden, golden

goldgelb, golden brown

goldig, charming, golden

der Gönner (—), patron

gotisch, Gothic

der Gott ("er), god, God ; lieber Gott, dear Lord ; der liebe Gott, our Lord ; Gott sei's gedankt, thank heaven

der Götterfunke (ns, n, n), divine spark

göttlich, divine

der Götzenpriester (—), heathen priest

das Grab ("er), grave

graben, gräbt, grub, hat gegraben, dig

der Graben ("), moat, ditch

die Grabesstimme (n), sepulchral voice

der Graf (en, en), count

die Gräfin (nen), countess

der Gram, grief

sich grämen, grieve, worry

die Grammatik (en), grammar

grandios, grandiose

der Granitblock ("e), block of granite

das Gras ("er), grass

gräßlich, ghastly, appalling

gratulieren, congratulate

grau, grey ; vor grauen Jahren, ages ago

graubraun, greyish brown

das Grauen, horror

der Graus, horror

graus, horrible

die Grausamkeit (en), cruelty

das Grausen, horror

greifen, griff, hat gegriffen, grasp, touch ; deutlich bis zum Greifen, so clear that you think you can touch it

grell, glaring

die Grenze (n), boundary, frontier

griechisch, Greek

die Grille (n), grasshopper ; disturbing thought, freak

grob, crude, rough, rude

groß, large, big, great, tall, grown-up

die Größe (n), size, greatness

die Großeltern (pl.), grandparents

die Großmama (s), grandmama

die Großmutter ("), grandmother

der Großpapa (s), grandpapa

die Großstadt ("e), large town, city

größtenteils, for the most part

grotesk, grotesque

die Grube (n), pit, hole

die Gruft ("e), vault, crypt
das Grün, green
    grün, green ; im Grünen, in
    the open country
    grünblau, greenish-blue
der Grund ("e), ground, reason,
    bottom ; im Grunde, fun-
    damentally ; es geht zu
    Grunde, it goes to rack and
    ruin ; auf Grund deren...,
    on whose account . . .; die
    Angel ging auf den Grund,
    the line went to the bottom
die Grundlegung (en), (laying the)
    foundation
    gründlich, thorough
die Gründung (en), foundation
der Grundzug ("e), fundamental
    feature, trait
    grüngelb, greenish yellow
die Gruppe (n), group
der Gruß ("e), greeting ; mit
    freundlichen Grüßen, with
    kind regards ; mit herz=
    lichen Grüßen, with very
    kind regards
    grüßen, greet, salute
    gucken, look, peep
die Guillotine (n), guillotine
die Guitarre (n), guitar
    günstig, favourable
die Gurke (n), cucumber
der Gürtel (—), belt
    gut, good, well ; gut, daß
    ich . . ., a good job that
    I . . .
das Gut ("er), good
die Güte, goodness, kindness
    gutmütig, good-natured

das Haar (e), hair
die Haarbürste (n), hair brush
der Haarknoten (—), bun
    haben, hat, hatte, hat gehabt,
    have ; es hat viel für sich,
    there's a lot to be said for it

der Haber (Hafer), oats
das Haberstroh, oats straw
    hacken, chop, hack
    hadern, quarrel
der Hafen ("), harbour
der Häher (—), jay
der Hahn ("e), cock
der Hahnenschrei (e), cock's crow
    halb, half ; halbgrün, half
    green ; ein halbes Dutzend,
    half a dozen
die Halbheit (en), incompleteness,
    halfheartedness
die Halbhexe (n), half-witch
    halbwahr, half-true
die Hälfte (n), half
die Halle (n), hall
der Hals ("e), throat, neck ; sie fiel
    ihm um den Hals, she fell on
    his neck ; ich geh' euch nicht
    vom Halse, you won't get rid
    of me
das Halsband ("er), necklace
der Halt, backing, support ; halt!
    stop !
    halten, hält, hielt, hat gehalten,
    hold, keep ; für (acc.), con-
    sider ; ich hielt Mittag, I had
    lunch ; es hält schwer, it is
    difficult ; Wort halten, keep
    one's word ; sich halten für,
    think, consider oneself
    sich halten, hält sich, hielt sich,
    hat sich gehalten an (acc.),
    zu (dat.), keep to, stick to
die Haltung (en), attitude
    Hamburg (neut.), Hamburg
    Hamburgisch, Hamburg (adj.)
der Hammer ("), hammer
die Hand ("e), hand ; es liegt auf
    der Hand, it is obvious ; es
    ist bei der Hand, it is handy,
    at hand
das Handbuch ("er), handbook, re-
    ference book
    handeln, deal, act ; handeln

von, deal with, be about ; es handelt von, it is about

das Händeſchütteln, handshake

der Handſchuh (e), glove

der Handwerksburſche (n, n), journeyman

hängen (hangen, *arch.*), hängt, hing, hat gehangen, hang ; hängen (hangen) bleiben, be caught

hängen, hang (trans.) ; hängen laſſen, neglect, let slide

die Hanſaſtadt ("e), Hanse town

die Harmonie (n), harmony

harren, tarry, wait

hart, hard

die Harzreiſe (n), journey through the Harz mountains

der Harzreiſende (n, n), Harz traveller

haſchen, catch

der Haſe (n, n), hare

häßlich, ugly

haſtig, hasty

die Haube (n), bonnet, hood

der Hauch, breath

das Häufchen (—), little pile

der Haufe (ns, n, n), heap, crowd

haufenweiſe, in clusters, heaps

häufig, frequent

das Haupt ("er), head ; zu meinen Häupten, by my head

der Hauptbahnhof ("e), central station   [actor

der Hauptdarſteller (—), leading

die Hauptmahlzeit (en), main meal

die Hauptſache (n), main thing

hauptſächlich, chief(ly)

der Hauptſatz ("e), main clause

der Hauptſpaß ("e), capital fun ; er machte ſich einen Hauptſpaß, he enjoyed himself thoroughly

die Hauptſtadt ("e), capital

die Hauptſtraße (n), main road

das Hauptſtück (e), most important feature

das Hauptvergnügen (—), chief pleasure

die Hauptwache (n), police station, central guard station

das Hauptwerk (e), principal work

das Haus ("er), house ; nach Hauſ(e), (towards) home ; zu Hauſ(e), at home ; Haus und Hof, home, property ; ein famoſes Haus, a capital fellow

die Hausaufgabe (n), homework

das Häuschen (—), cottage

die Hausfrau (en), landlady, housewife

das Hauskreuz (e), house crucifix

die Haustür (en), front door

der Hausvater ("), householder, head of the house

die Haut ("e), skin ; Gänſehaut, " gooseflesh "

der Hautarzt ("e), skin specialist

heben, hob, hat gehoben, lift

die Hebriden (pl.), Hebrides

die Hebridenouvertüre, Hebrides overture

die Hecke (n), hedge

das Heer (e), army, host

heftig, violent, boisterous

die Heftigkeit (en), violence

die Heide (n), moor, heath, heather

der Heidelbeerſtrauch ("er, auch: "e), blueberry bush

das Heidenröslein (—), rose on the heath

das Heil, salvation

heilen, heal

heilig, holy, sacred ; der Heilige Abend, Christmas Eve

heiligen, sanctify

das Heiligtum ("er), sanctuary

das Heim (e), home

heim, (towards) home

die Heimat (en), home (country)

die Heimatstadt ("e), home town

heim′fahren, fährt heim, fuhr heim, ist heimgefahren, go (drive) home

heim′kehren, ist heimgekehrt, return home

der Heimweg (e), way home

das Heimweh, homesickness

die Heirat (en), marriage

heiraten, heiratet, marry

heiß, hot

heißen, hieß, hat geheißen, be called, mean, bid ; das heißt (d.h.), that is ; es heißt, it is said ; wie muß es heißen? how should it go ?

heiter, serene, genial

die Heiterkeit, serenity

der Held (en, en), hero

die Heldentat (en), exploit

helfen (dat.), hilft, half, hat geholfen, help ; was hilft dir′s? what good would it be to you ?

der Helfer (—), helper

hell, bright

das Hemd (en), shirt

die Henne (n), hen

her, hither ; um ihr her, round about him ; die Wiese her, across the meadow

herab, down (here)

herab′fahren, fährt herab, fuhr herab, ist herabgefahren, drive down (here)

herab′hängen, hang down

herab′kommen, kam herab, ist herabgekommen, come down

sich herab′lassen, läßt sich herab, ließ sich herab, hat sich herabgelassen, condescend

heran′fahren, fährt heran, fuhr heran, ist herangefahren, push, drive near

heran′kommen, kam heran, ist herangekommen, come near

heran′rücken, move, near, approach

herauf, upward

herauf′holen, bring up

herauf′kommen, kam herauf, ist heraufgekommen, come up

heraus, out

heraus′bringen, brachte heraus, hat herausgebracht, bring out ; er brachte nicht zweiunddreißig heraus, he did not arrive at 32

heraus′fahren, fährt heraus, fuhr heraus, ist herausgefahren, drive out (here)

heraus′finden, findet heraus, fand heraus, hat herausgefunden, find out

heraus′fischen, fish out

heraus′geben, gibt heraus, gab heraus, hat herausgegeben, edit

heraus′kommen, kam heraus, ist herausgekommen, come out ; es kommt heraus, the result is

sich heraus′reden, redet sich heraus, make excuses

heraus′schreiben, schrieb heraus, hat herausgeschrieben, extract

heraußen, out here

heraus′strömen, pour out

herb, harsh, bleak

herbei′führen, bring near, lead along

der Herbst (e), autumn, harvest

der Herd (e), stove

die Herde (n), herd, flock

die Herdenglocke (n), cow bell, sheep bell

herein, in, inside ; herein! come in !

herein′brechen, bricht herein, brach herein, ist hereingebrochen, break in, descend (night) herein′fahren, fährt herein, fuhr herein, ist hereingefahren, drive in

herein′kommen, kam herein, ist hereingekommen, come in

her′fahren, fährt her, fuhr her, ist hergefahren, drive here, hither

hergebracht, traditional

der Hering (e), herring

herinnen, in here

herje, herjemineh! goodness gracious!

her′kommen, kam her, ist her= gekommen, come (hither)

heroben, up here

der Herr (n, en), gentleman, Mr, master, Lord ; Herr Gott, good Lord

herrlich, splendid, magnificent

die Herrlichkeit (en), splendour

herrschen, rule, reign, prevail

her′sehen, sieht her, sah her, hat hergesehen, look here

herüben, over here

herüber, over here (hither)

herüber′fahren, fährt herüber, fuhr herüber, ist herüberge= fahren, drive across (hither)

herüber′kommen, kam herüber, ist herübergekommen, come over

herum, around

herum′führen, show round

herum′schlenkern, dangle about

herum′traben, ist herumgetrabt, trot around

sich herum′treiben, trieb sich herum, hat sich herumgetrieben, loiter, roam

herum′trippeln, toddle around

herum′tupfen, dab

sich herum′werfen, wirft sich herum, warf sich herum, hat sich herumgeworfen, turn round violently

herunter, down (hither)

herunter′fahren, fährt her= unter, ist heruntergefahren, drive down (hither)

herunter′fallen, fällt herunter, fiel herunter, ist herunterge= fallen, fall down

herunter′hängen, hang down

herunter′kommen, kam her= unter, ist heruntergekommen, come down

herunter′werfen, wirft her= unter, warf herunter, hat her= untergeworfen, throw down

hervor, forth

hervor′bringen, brachte hervor, hat hervorgebracht, bring forth, produce

hervor′gucken, peep out

hervor′kriechen, kroch hervor, ist hervorgekrochen, crawl out

hervor′nehmen, nimmt hervor, nahm hervor, hat hervor= genommen, take out

hervor′treten, tritt hervor, trat hervor, ist hervorgetreten, come forward, stand out

das Herz (ens, en), heart ; von (ganzem) Herzen, with all my heart ; dem Mann war das Herz so schwer, the man had a heavy heart

das Herzenskind (er), darling child

herzig, darling, sweet, endearing

das Herzklopfen, palpitation, heart- beat

herzlich, warm-hearted, heart- felt ; herzlichst, most sin- cere(ly)

die Herzlichkeit, warm-heartedness

der Herzog ("e), duke

herzu, along, near, hither

sich herzu′drängen, press close

der Heß, fellow (coll.) ; der blinde Heß, blind fellow

heten, harass, chase
die Hetzpeitsche (n), whip
das Heu, hay ; Heu fahren, lead hay
heute, today
heutig, of today
heutzutage, nowadays
die Hexe (n), witch
der Hexenaltar ("e), witches' altar
der Hexenchor ("e), witches' choir
der Hexenmeister (—), master sorcerer
die Hexenwelt (en), witches' world
hie und da, here and there
hier, here
hierauf, hereupon
hierher, hither
hierhin, thither
hierhinten, behind here
hierin, in this, herein
das Hiersein, presence, stay
hiervon, of this
hiervorn, here in front
die Hilfe (n), help ; zu Hilfe kommen, come to one's aid ; zu Hilfe rufen, call for help
der Himbeerkuchen (—), raspberry cake
der Himmel (—), heaven, sky ; du lieber Himmel, good heavens; am Himmel, in the sky
das Himmelbett (en), fourposter bed
himmelhoch, sky-high
die Himmelsbläue, blue of the sky
die Himmelsluft ("e), breath of heaven
himmlisch, heavenly
hin, thither, there ; hin und her, to and fro
hin und wieder, now and then
hinab, down
sich hinab beugen, bend down
hinab fahren, fährt hinab, fuhr hinab, ist hinabgefahren, drive down

hinab gehen, ging hinab, ist hinabgegangen, go down
hinauf, up
hinauf blicken, look up
hinauf führen, lead up
hinauf gehen, ging hinauf, ist hinaufgegangen, go up
hinaus, out ; hinaus! out with you !
hinaus fahren, fährt hinaus, fuhr hinaus, ist hinausgefahren, drive out
hinaus gehen, ging hinaus, ist hinausgegangen, go outside, walk out ; es geht darüber hinaus, it goes beyond it
hinaus jagen, drive, chase out
hinaus lehnen, lean out
hinaus sehen, sieht hinaus, sah hinaus, hat hinausgesehen, look out
hinaus werfen, wirft hinaus, warf hinaus, hat hinausgeworfen, throw out
hin bringen, brachte hin, hat hingebracht, spend (time)
das Hindernis (se), obstacle
sich hindurch schlängeln, meander through
hinein, inside, into it
hinein fahren, fährt hinein, fuhr hinein, ist hineingefahren, drive in
hinein gehen, ging hinein, ist hineingegangen, go inside
hinein schauen, look inside
hinein sehen, sieht hinein, sah hinein, hat hineingesehen, look in
hinein setzen, set in ; den Fuß hineinsetzen, set foot in
hinein sperren, imprison
hin fahren, fährt hin, fuhr hin, ist hingefahren, travel there
hin fallen, fällt hin, fiel hin, ist

hingefallen, fall down ; die
Sonne fällt nicht hin, the sun
does not reach it

hingegen, on the other hand

hin'gehen, ging hin, ist hin=
gegangen, go there

hingepflanzt, rooted (to the
ground)

hinlänglich, sufficient

sich hin'legen, lie down

hin'nehmen, nimmt hin, nahm
hin, hat hingenommen, accept

hinnen, hence, thither ; von
hinnen, away from here

die Hinrichtungs=szene (n), scene of
execution

hin'rieseln, ripple, trickle past

sich hin'schlängeln, meander along

sich hin'setzen, sit down

die Hinsicht (en), respect ; in jeder
Hinsicht, from every point of
view

hin'stellen, place

sich hin'stellen, stand, place oneself

hin'sterben, stirbt hin, starb hin,
ist hingestorben, die away,
fade

hin'tanzen, dance, trot along

hinten, behind ; nach hinten,
backwards

hintenhin, to the back

hinter (acc. and dat.), behind

der Hintritt (e), decease

hinüber, across

hinüber'fahren, fährt hinüber,
fuhr hinüber, ist hinüberge=
fahren, drive across

hinüber'gehen, ging hinüber, ist
hinübergegangen, go across

hinüber'nehmen, nimmt hinü=
ber, nahm hinüber, hat hin=
übergenommen, take across

hinunter, down

hinunter'fahren, fährt hinun=
ter, fuhr hinunter, ist hin=
untergefahren, drive down

hinunter'gehen, ging hinunter,
ist hinuntergegangen, go
down

hin'wandern, stroll along

hinweg, across, away

hinweg'gehen, ging hinweg, ist
hinweggegangen, go away

(sich) hin'werfen, wirft (sich) hin,
warf (sich) hin, hat (sich) hin=
geworfen, throw (oneself)
down

hinzu'fügen, add

das Hirn (e), brain

der Hirsch (e), stag

der Hirt (en, en), (auch : Hirte,
n, n), shepherd, cowherd

historisch, historical

die Hitze, heat

hoch (hoh), high ; höchst mo=
dern, highly modern

hochdeutsch, standard German

der Hochländer (—), highlander

hochrot, bright red

höchstens, at most

die Hochzeit (en), wedding

der Hof ("e), courtyard

das Hofbräuhaus ("er), court brew-
ery

die Hofdame (n), lady-in-waiting

hoffen auf (acc.), hope for

hoffentlich, it is to be hoped

die Hoffnung (en), hope

hoffnungsvoll, hopeful

höflich, polite, civil

der Hoforganist (en), court-orga-
nist

der Hofstaat (en), court, retinue

hoh, high

die Höhe (n), height ; in die Höhe,
upwards

der Höhepunkt (e), climax

hohl, hollow

die Höhlung (en), hollow, cave

hold, graceful, lovely, gentle

holen, fetch ; Atem holen,
draw breath

die Hölle, hell
  höllisch, hellish
das Holz ("er), wood, timber
  hölzern, wooden
  holzgeschnitzt, carved (of wood)
der Holzschnitt (e), woodcut
das Holzstück (e), piece of wood
der Honig, honey
  hoppe, — hoppla, whoops!
  horchen, listen hard
  hören, hear
die Hortensie (n), hortensia
die Hose (n), pair of trousers
das Hotel (s), hotel
die Hotelrechnung (en), hotel bill
  hübsch, pretty, attractive, nice,
    handsome
der Hügel (—), hill
das Huhn ("er), hen, chicken
das Hühnerauge (n), corn
die Hühnerjagd (en), fowl shoot-
    ing ; er geht auf die Hühner=
    jagd, he goes fowl shooting
  hüllen, wrap
die Hülse (n), shell, pod
der Humor, humour ; der Humor
    der Sache, the funny side of
    the affair
  humoristisch, humorous
der Hund (e), dog ; ich locke keinen
    Hund aus dem Ofen, I cut
    no ice
  hundert, hundred
der Hunger, appetite, hunger
  hungrig, hungry
der Hut ("e), hat
der Hutmacher (—), hatter
die Hütte (n), hut, cottage

  ich, I
das Ideal (e), ideal
die Idee (n), idea
  ihm, (to) him
  ihn, him
  ihnen, (to) them
  ihr, you

  Ihr (e), your
  ihr (e), her ; their
  ihretwegen, on their (her) ac-
    count
  ihrig, hers, theirs
  illustrieren, illustrate
  im = in dem
der Imbiß (e), snack
  immatrikulieren, enrol (univer-
    sity)
  immens, immense
  immer, always, ever ; immer
    noch, still ; immer wieder,
    again and again ; immer
    komplizierter, more and more
    complicated
  immerfort, all the time
  immerhin, nevertheless, at any
    rate
das Imperfekt (e), imperfect tense
  imponieren, impress ; impo=
    nierend, impressive
  imposant, imposing, impressive
der Impressionismus, impression-
    ism
  imstande, able, capable
  in (dat. and acc.), in, into
  indem, while, the while
der Inder (—), Indian
  indes(sen), (mean)while, how-
    ever
  Indien (neut.), India
  indigniert, indignant
  indirekt, indirect
die Individualität (en), individual-
    ity
die Industriestadt ("e), industrial
    town
die Infanterie, infantry
der Ingenieuroffizier (e), officer in
    the engineers
der Ingwer, ginger
der Inhalt (e), content(s)
  innen, inside
  inner, inner, inward, interior,
    inside

innerhalb (gen.), inside (of)
innig, deep, intense
ins = in das
der Insasse (n, n), inmate
insbesondere, specially
die Inschrift (en), inscription
das Insekt (en), insect
insgeheim, secretly
das Instrument (e), instrument
der Insulaner (—), islander
interessant, interesting
das Interesse (n), interest ; sie
    haben Interesse an (acc.),
    they are interested in
interessieren, interest
sich interessieren für (acc.), be in-
    terested in
die Intoleranz, intolerance
inzwischen, meanwhile
irdisch, earthly
der Ire (n, n), Irishman
irgend, at all ; irgendein (e),
    some . . . or other, any ;
    irgendwo, somewhere (or
    other)
sich irren, be mistaken
das Irrlicht (er), will-o'-the-wisp
der Irrtum ("er), error, mistake
die Isolierung (en), isolation
Italien (neut.), Italy
der Italiener (—), Italian
italienisch, Italian

ja, yes, aye, after all ; ja?
    really ? is that so ?
die Jacke (n), jacket, coat
die Jagd (en), hunt
(sich) jagen, chase (one another)
das Jahr (e), year ; mit jungen
    Jahren, in the years of one's
    youth
jahrelang, for years
die Jahreszeit (en), season
die Jahresziffer (n), date, year
das Jahrhundert (e), century ; jahr=
    hundertelang, for centuries

der Jammer, misery
der Januar (e), January
der Japaner (—), Japanese
der Jasmin, syringa
die Jause (n), afternoon coffee
je, ever, each ; je . . . desto,
    the . . . the ; zwei auf je
    einen Zettel, two on each
    paper
jedenfalls, in any case
jeder, jede, jedes, every, each ;
    ohne jede Unzufriedenheit,
    without any discontent ; ein
    jeder, each one
jedesmal(ig), every time, re-
    spective
jedoch, however, but
jeglich, each
jeher, ever ; von jeher, always
je(mals), ever
jemand, someone
jener, jene, jenes, that, yonder
jenseits (gen.), beyond
jetzig, present
jetzt, now ; jetzt erst, only now ;
    jetzt noch, still
der Johannisbeerstrauch ("er, auch
    "e), redcurrant bush
das Johannisbrot (e), carob-bean,
    locust bean
der Johannistag (e), midsummer's
    day (24th June)
Jove (gen. : Jovis), Jupiter,
    Jove
der Jubel, exultation, shouts of joy
jubeln, shout for joy, rejoice
der Jude (n, n), Jew
der Judenjunge (n, n), Jewish boy
das Judentum, Jewry
jüdisch, Jewish
die Jugend, youth
die Jugenderinnerung (en), mem-
    ory of youth
die Jugendherberge (n), youth
    hostel
jung, young

der Junge (n, n), boy
die Jungfrau (en), maid
der Jüngling (e), young man
der Junker (—), squire
der Jurist (en, en), jurist, legal
　man
just, just, exactly
das Juwel (en), jewel
der Juwelier (e), jeweller

die Kabale (n), intrigue
die Kabine (n), cabin
der Kaffee (s), coffee
kaffeebraun, coffee-brown
die Kaffeegesellschaft (en), coffee
　party
das Kaffeehaus ("er), coffee house
der Käfig (e), cage
kahl, bare
der Kahn ("e), barge
der Kaiser (—), emperor
die Kaisererinnerung (en), memor-
　ies of the emperors
die Kaiserin (nen), empress
kaiserlich, imperial
der Kaiserstuhl ("e), emperor's seat
der Kalbsbraten ("), roast veal
das Kalbsschnitzel (—), veal cutlet
der Kalender (—), diary, calender
der Kalmus, calamus
kalt, cold
die Kälte, cold
die Kamera (s), camera
der Kamerad (en, en), comrade,
　pal
der Kamin (e), fire-place
das Kaminfeuer (—), open fire
der (auch: das) Kaminsins (e), chim-
　ney piece
der Kamm ("e), comb
kämmen, comb
die Kammer (n), chamber
die Kammermusik, chamber mu-
　sic
das Kammerorchester (—), cham-
　ber orchestra

der Kampf ("e), struggle
der Kanal ("e), channel, Channel,
　canal
der Kanon (s), round
die Kantate (n), cantata
der Kantor (en), choirmaster, pre-
　centor
die Kanzel (n), pulpit
die Kapelle (n), chapel, band
das Kapital (ien), capital, stock of
　money
das Kapitel (—), chapter
die Kappe (n), cap
die Karosse (n), carriage
der Karren (—), cart
karriert, checked, chequered
die Karte (n), card, ticket
das Kartenspiel (e), card game
die Kartoffel (n), potato
der Kartoffelbrei, mashed potatoes
der Karzer (—), school or univer-
　sity prison, cell
der Käse (—), cheese
die Kaskade (n), cascade
die Kasse (n), cash, funds
der Kasten ("), box, cupboard
der Kater (—), tom cat
die Kathedrale (n), cathedral
der Katholik (en, en), catholic
kauen, chew
kauern, squat, huddle
kaufen, buy
der Käufer (—), customer
der Kaufherr (n, en), merchant
der Kaufmann (leute), merchant
der Kaufmannsladen ("), grocer's
　shop
kaum, scarcely
die Kavallerie, cavalry
kein (e), no, not a
keineswegs, by no means
der Kelch (e), cup, chalice
der Keller (—), cellar
der Kellner (—), waiter
die Kellnerin (nen), waitress
kennen, kannte, hat gekannt,

know; wie ich Sie kenne, if I know you

kennen lernen, meet, get to know

der Kenner (—), expert, connoisseur

die Kenntnis (se), knowledge

der Kerl (e), fellow

der Kern (e), kernel, stone, essence

die Kerze (n), candle

der Kessel (—), boiler

die Kette (n), chain, necklace

die Ketzerei (en), heresy

der Kiefer (—), jaw

der Kiesweg (e), gravel path

das Kind (er), child

der Kinderbrief (e), child's letter

die Kinderei (en), childish things

der Kinderreim (e), nursery rhyme

der Kinderscherz (e), children's merry pranks

das Kinderspiel (e), children's game, child's play

die Kinderstimme (n), child's voice

der Kinderwagen (—), perambulator

die Kinderzeit (en), childhood

das Kindesalter (—), childhood

das Kindeskind (er), grandchild

die Kindheit (en), childhood

kindlich, childlike

das Kino (s), cinema

die Kirche (n), church

das Kirchendach ("er), church roof

der Kirchtag (e), church anniversary

der Kirchturm ("e), steeple, church tower

das Kissen (—), pillow, cushion

das Klafter (—), fathom

die Klage (n), complaint, wail

klagen, complain; er klagt ihm sein Leid, he pours out his troubles to him

kläglich, miserable

klar, clear

die Klarheit (en), clarity, lucidity

die Klasse (n), class

das Klassenzimmer (—), class-room

klassifizieren, classify

klassisch, classical

der Klassizist (en, en), classicist

die Klatschbase (n), gossip

das Klavier (e), piano

das Klavierwerk (e), piano work

klecksen, blot

das Kleid (er), dress, piece of clothing

(sich) kleiden, kleidet (sich), clothe (oneself)

das Kleidungsstück (e), garment, piece of clothing

die Kleie, bran

das Kleiekorn ("er), grain of bran

klein, small; ein klein wenig, a little bit

die Kleinigkeit (en), trifle

der (Klein)kindergarten ("), nursery school

das Kleinod (ien), gem, jewel

klettern, ist geklettert, climb

das Klima (s), climate

die Klingel (n), bell

klingeln, ring, tinkle

klingen, klang, hat geklungen, ring, sound

klopfen, knock; es klopft, there's a knock; er klopft ihm auf die Schulter, he pats him on the back

der Kloß ("e), dumpling

das Kloster ("), monastery

die Kluft ("e), ravine, abyss, cleft

klug, clever, wise, intelligent

der Knabe (n, n), boy

knallen, crack

das Knie (—, auch: e), knee

der Knirps (e), nipper, tot, toddler

der Knopf ("e), button; auf den Knopf drücken, press a button

knorrig (knorricht), knobbly, knotty

die Knospe (n), bud
der Knoten ("), knot
knüpfen, knot, tie together, attach
der Kobold (e), evil spirit
das Kochbuch ("er), cookery book
kochen, cook, boil
die Kocherei, cooking
die Köchin (nen), cook
der Kochtopf ("e), saucepan
der Koffer (—), suitcase
der Kohl, cabbage
die Kohle (n), coal
die Kohlenzeche (n), coal mine
der Köhlerbube (n, n), charcoal-burner's lad
der Kollege (n, n), colleague
Köln (neut.), Cologne ; Kölnisches Wasser, Eau de Cologne
komfortabel, comfortable
komisch, funny, peculiar
das Kommandowort (e), word of command
kommen, kam, ist gekommen, come ; das kommt davon, daß (daher, daß) . . ., the reason is that . . . ; er kam angeschwommen, he came swimming along ; wie es ihnen in den Kopf kommt, just as it enters their heads ; kommen Sie dazu? do you find time for it ? ich komme nicht dazu, I cannot find time ; wie es auch kommt, whatever happens ; er kommt außer sich, he is beside himself
der Kommunist (en, en), communist
die Komödie (n), comedy
das Komödienspiel (e), comedy play
der Komödienwald ("er), comedy wood
komplett, complete
kompliziert, complicated

komponieren, compose
der Komponist (en, en), composer
die Komposition (en), composition
der Konditionalsatz ("e), conditional clause
konfus, confused
der König (e), king
die Königin (nen), queen
königlich, royal, regal
der Konjunktiv (e), subjunctive
können, kann, konnte, hat gekonnt, can, be able to ; sie konnte Deutsch, she knew German, could speak German
die Konsequenz (en), consequence
die Konstruktion (en), construction
die Konsulin (nen), consul's wife
das Kontor (s), office
das Konzert (e), concert
die Konzertkasse (n), concert booking-office
das Konzertprogramm (e), concert programme
der Kopf ("e), head
die Kopfabschneiderei (en), beheading
das Kopfkissen (—), pillow
der Kopfsalat (e), lettuce
das Kopftuch ("er), kerchief, scarf
die Koralle (n), coral
der Korb ("e), basket
der Korkstöpsel (—), cork stopper
das Korn ("er), corn, grain ; vom gröberen Korn, of the cruder variety
das Kornfeld (er), cornfield
körperlich, physical, bodily
der Körperteil (e), part of the body
korpulent, stout
kosten, kostet, cost
die Kosten (pl.), cost
köstlich, precious, delicious
die Kostprobe (n), sample (to taste)
das Kostüm (e), costume

die Kraft ("e), strength, power; in Kraft allein des Rings, on the strength of the ring alone

kräftig, strong, vigorous

krähen, crow

die Kralle (n), claw

der Kram, business, chattels

krank, ill

kränken, offend

die Krankheit (en), illness

kraus, curly, ruffled, uneven

das Kraut ("er), herb

der Krebsschaden ("), cancerous sore

der Kreis (e), circle, round

der Kreu(t)zer (—), penny

das Kreuz (e), cross, crucifix; in die Kreuz und in die Quere, in all directions

die Kreuzung (en), crossing

kriechen, kroch, ist gekrochen, crawl, creep

der Krieg (e), war

kriegen, get, receive

der Kriminalroman (e), thriller

kristallen, crystal

die Kritik (en), criticism

kritiklos, uncritical

der Kritikus ("se), critic

die Krone (n), crown

krönen, crown

der Kronleuchter (—), chandelier

der Krug ("e), jug

krumm, crooked

die Krümmung (en), bend, twist

die Küche (n), kitchen

der Kuchen (—), cake

die Kugel (n), ball, globe

die Kuh ("e), cow

kühl, cool

die Kühle, coolness

kühlen, cool

der Kuhstall ("e), cow-byre

kulturell, cultural

sich kümmern um (acc.), bother about

die Kunde, news

die Kundschaft (en), clientele

die Kunst ("e), art; bildende Kunst, visual arts

der Kunstgenosse (n, n), fellow artist

der Kunsthändler (—), art dealer

der Künstler (—), artist

künstlerisch, artistic

künstlich, artificial

die Kunstwissenschaft (n), aesthetics

der Kurs (e), course, class

kurz, short; vor Kurzem, a little while ago

die Kürze, shortness, brevity

kürzen, shorten, abridge, abbreviate

kürzlich, lately

der Kuß ("sse), kiss

küssen, kiss

die Kutsche (n), coach

labyrinthisch, like a maze

lächeln, smile

das Lächeln, smile

lachen, laugh

lächerlich, ridiculous; mach' dich nicht lächerlich, don't be ridiculous!

der Lack, wall-flower(s)

das Lädchen (—), little shop

laden, lädt, lud, hat geladen, summon

der Laden ("), shop

die Ladenschürze (n), shop apron

die Ladentafel (n), counter

die Ladentür (en), shop door

die Lage (n), situation

die Lamelle (n), lamina

die Lampe (n), lamp

das Land ("er, auch: ─e, poet.), country, land

landen, landet, ist (hat) gelandet, land

die Landeshauptstadt ("e), capital

das Landhaus ("er), country house

der Landsmann (leute), fellow-countryman

die Landstraße (n), high-road

lang (e), long ; das ist schon lange her, that was a long time ago ; längere Zeit, a fairly long time ; sie machen es ihm zu lange, they take too long over it for his liking ; einige Jahre lang, for some years ; ihr Leben lang, all her life

langen, reach, pass

langersehnt, longed-for

langsam, slow

längst : ich wollte längst einmal, I have wanted to for a long time ; nachdem die Teilung längst geschehen, after the distribution had long been finished

langweilen, bore ; sich langweilen, be bored

langweilig, dull

lassen, läßt, ließ, hat gelassen, let, allow, cause, leave, suit ; es ließ ihr hübsch zu den braunen Augen, it suited her well with her brown eyes ; es ließ die Briefe mich zusammenlegen, it made me fold up the letters ; er ließe sein Blut, he would give his blood ; da läßt sich gut sitzen, it is good to sit there

lässig, relaxed, lazy

die Last (en), burden

lästig, troublesome

das Latein, Latin (language)

lateinisch, Latin

der Lauf ("e), course ; im Lauf der Jahre, in the course of the years ; freien Lauf lassen, give free rein

laufen, läuft, lief, ist gelaufen, run

die Laune (n), mood, temper ; er ist guter Laune, he is in a good temper

lauschen, listen, harken

laut, aloud

lauten, lautet, run, sound

läuten, läutet, ring

lauter, pure, sheer, nothing but ; vor lauter Karossen, what with all the carriages

leben, live ; lebt wohl, farewell

das Leben (—), life ; im Leben nicht, not on my (your) life ; so ist es im Leben, such is life

lebendig, alive, living

die Lebensart (en), way of life, manners

das Lebensbild (er), life, biography

die Lebenserinnerung (en), reminiscence

die Lebensgefahr (en), danger, risk of life, fatal risk

lebensgroß, life-size

das Lebensideal (e), ideal for life

der Lebenskünstler (—), artist in living

die Lebenskünstlerin (nen), artist in living

lebenslang, lifelong

der Lebenslauf ("e), course of life

die Lebensphilosophie (n), philosophy of life

der Lebensstil (e), style of living

die Lebensweise (n), way of living, manner of existence

die Lebensweisheit (en), worldly wisdom

die Leberwurst ("e), liver sausage

lebhaft, alert, vivid

der Lebkuchen (—), honey cake

das Lebtag, life ; mein (Leb)tag, all my life

das Leder (—), leather

die Lederhose (n), leather shorts

ledern, leather

leer, empty

leeren, empty

legen, lay ; an den Tag legen, bring to light

sich legen, lie down

die Legende (n), legend

das Lehen (—), loan, feudal tenure

lehnen, lean

sich lehnen, lean back, against

das Lehrbuch ("er), textbook

die Lehre (n), teaching

lehren, teach

der Lehrer (—), teacher

lehrhaft, instructive, schoolmasterly

der Lehrling (e), apprentice

der Leib (er), body

das Leibrößlein (—), favourite horse

der Leichnam (e), corpse

leicht, easy, light

leichtbeweglich, changeable, mobile

die Leichtigkeit, ease, felicity

das Leid (en), grief, suffering ; er klagt ihm sein Leid, he pours out his troubles to him

leid : es tut mir leid, I am sorry ; du tust mir leid, I'm sorry for you

leiden, leidet, litt, hat gelitten, suffer

die Leidenschaft (en), passion

leidenschaftlich, passionate

der Leidenstag (e), day of woe

leider, unfortunately ; leider Gottes, unfortunately

die Leihbibliothek (en), lending library

leihen, lieh, hat geliehen, lend

der Leim (e), glue, bird-lime

das Leinen, linen

leise, soft, gentle

sich (dat.) leisten, leistet sich, afford

der Leiter (—), leader

die Lektion (en), lesson

sich lenken, direct oneself, turn

lernen, learn

lesen, liest, las, hat gelesen, read ; pick, gather ; beim Lesen, in reading ; das Geles(e)ne, that which has been read

der Leser (—), reader

sich letzen, relish, delight in

letzt, last ; in der letzten Zeit, lately

letzter, latter

leuchten, leuchtet, shine, light (the way)

leugnen, deny

die Leute (pl.), people

die Levkoie (n), stock

das Lexikon (Lexika), encyclopaedia

liberal, liberal

das Licht (er), light ; es geht einem ein Licht auf, the penny drops

lieb, dear ; ich habe ihn zu lieb, I am exceedingly fond of him

das Liebchen (—), sweetheart

die Liebe, love ; die Brennende Liebe, scarlet lychnis

liebenswürdig, amiable

die Liebenswürdigkeit (en), amiability

lieber, rather, preferable ; es ist mir lieber, I prefer it

liebevoll, tender, affectionate

der Liebhaber (—), amateur, lover

lieblich, lovely

Lieblings=, favourite

der Lieblingsberg (e), favourite mountain

das Lieblingslied (er), favourite song

das Lieblingsspiel (e), favourite game

das Lieblingsstück (e), favourite play

liebreich, tender, affectionate

das Lied (er), song

das Liederbuch ("er), song book
der Liederkreis (e), song cycle
liefern, supply
liegen, lag, hat gelegen, lie
die Lilie (n), lily
die Limonade (n), lemonade
die Linde (n), lime tree
der Lindenbaum ("e), lime tree
die Linie (n), line
link, left
die Linke (n), left ; zu meiner
    Linken, on, to my left
literarisch, literary
die Literatur (en), literature ;
    „ Literaturbriefe ", " Letters
    on Literature " ; die Litera=
    turgeschichte (n), history of
    literature
das Loch ("er), hole
die Locke (n), curl
locken, entice, attract
lodern, flicker
der Löffel (—), spoon
der Logiker (—), logician
der Lohnbediente (n, n), paid ser-
    vant
sich lohnen, pay, be worth it
die Lokomotive (n), railway engine
London (neut.), London
Londoner, London (adj.), Lon-
    doner
das Los (e), lottery, prize
los, loose ; was ist los? what is
    the matter ?
sich los'arbeiten, arbeitet sich los,
    struggle to get free
löschen, extinguish, remove a
    blot
lösen, solve
sich lösen, detach oneself
los'lassen, läßt los, ließ los,
    hat losgelassen, let go
sich los'reißen, riß sich los, hat sich
    losgerissen, tear oneself from
los'trennen, separate, sever
die Lösung (en), solution

der Löwe (n, n), lion
die Löwengrube (n), lions' den
die Luft ("e), air
lügen, log, hat gelogen, lie
der Lump (en, en), ragged fellow,
    down-and-out
der Lumpen (—), rag
lungenkrank, suffering from
    disease of the lungs
die Lust ("e), joy, pleasure, desire ;
    Lust haben auf (acc.), feel
    like, fancy
lustig, merry
das Lustspiel (e), comedy
lutherisch, lutheran
der Lyriker (—), lyric poet
lyrisch, lyrical

machen, make, do, cost ; es
    wird Ihnen Vergnügen
    machen, it will give you
    pleasure ; ich mache mich an
    die Arbeit, I set to work ;
    ich mache mir etwas (nichts)
    daraus, I (don't) care for it,
    like it ; ich machte mich auf
    den Weg, I set off ; sie
    machen es ihm zu lange, they
    take too long over it for
    him
die Macht ("e), power, might ;
    keine Macht der Welt, no
    power on earth
mächtig, mighty
die Madame (n), madam, Mrs.
das Mädchen (—), girl
die Magd ("e), maid
der Magen ("), stomach
die Magenwurst ("e), black pud-
    ding
die Mahlzeit (en), meal
das Majoran, marjoram
mal = einmal ; hör' mal, listen,
    look here ; schreibe mal, just
    write ; sieh mal, just look
das Mal (e), time

das Malbuch ("er), painting book

malen, paint

der Maler (—), painter

die Malerei (en), painting

malerisch, picturesque

die Malve (n), hollyhock, mallow

die Mama (s), mamma

die Mamsell (s), mademoiselle, Miss

man, one, you, people ; wie man Deutsch lernt, how to learn German

manch, some

mancherlei, all kinds, sorts

manchmal, sometimes

der Mann ("er), man, husband

der Männerchor ("e), male voice choir

das Mannesalter (—), manhood

mannigfaltig, manifold

männlich, male, masculine

mannshoch, tall as a man

die Manschette (n), cuff

der Mantel ("), coat

die Manufaktur (en), factory

das Manuskript (e), manuscript

das Märchen (—), fairy tale

die Margarine, margarine

die Mark, Mark

die Marke (n), stamp

der Markt ("e), market

der Marktplatz ("e), market-place

die Marmelade (n), jam, marmalade

der Marmor, marble

der Marmorkiefer (—), marble jaw

marmorn, marble

marschieren, march

der Marterleib (er), martyred body

der März (e), March ; der Märzhase (n), March Hare

die Maschinenfabrik (en), engineering works

maskieren, disguise, masquerade, dress up

das Maß (e), measure ; (mit) Maß und Ziel, (within) reason, reasonable bounds

der Mast (en), mast

der Mastbaum ("e), mast

materiell, material

matt, withered, lifeless; sie hat es matt gedrückt, she has squeezed the life out of it

die Mauer (n), wall (outside)

die Maus ("e), mouse

mäuschenstill, quiet as a mouse

meditieren, meditate

das Meer (e), ocean, sea

das Mehl (e), flour

mehr, more ; mehr als, more than ; nicht mehr, no longer

sich mehren, multiply, increase

mehrere, several

die Meile (n), mile

der Meiler (—), kiln

mein (e), my, mine

meinen, think, mean, remark

die Meinung (en), opinion ; meiner Meinung nach, in my opinion

meist, most ; die meisten von uns, most of us ; am meisten, most of all

meistens, mostly

der Meister (—), master ; ich konnte meiner Bewegung kaum Meister werden, I could hardly control my feelings

das Meisterwerk (e), masterpiece

der Mekkanobaukasten ("), Meccano set

melden, meldet, report

sich melden, meldet sich, report (one's arrival)

die Melodie (n), melody

die Menge (n), crowd, lot, quantity

der Mensch (en, en), human being, man

das Menschenalter (—), generation

das Menschengeschlecht (er), human race

die Menschenhand ("e), human hand

die Menschenwelt (en), world of men

menschlich, human

merken, realize, notice

sich (dat.) merken, remember

merklich, noticeable

merkwürdig, remarkable

die Messe (en), mass

das Messer (—), knife

der Messingmond (e), brass moon

das Metall (e), metal

das Metallbecken (—), metal basin

die Metallbranche (n), metal line, branch

die Metaphysik, metaphysics

das Meter (—), meter

der Metzger (—), butcher

mich, me, myself

die Miene (n), mien, face, expression

die Milch, milk

mild, mild, gentle

die Milde, mildness, gentleness

die Million (en), million

der Millionär (e), millionaire

minder, less, lesser

mindest, least

mindestens, at least

mineralogisch, mineralogical

die Miniatur (en), miniature

das Minimum (Minima), minimum

mir, (to) me ; mir war immer, I always felt

mischen, mingle, mix

miserabel, miserable, pitiful

missen, miss

der Missetäter (—), evildoer, culprit

mißhandeln, ill-treat

mißmutig, disgruntled

die Mistgabel (n), pitch-fork

mit (dat.), with

das Mitglied (er), member

mit'helfen, hilft mit, half mit, hat mitgeholfen, assist

der Mitherausgeber (—), co-editor

mithin, hence, therefore

mitleidig, sympathetic

mit'nehmen, nimmt mit, nahm mit, hat mitgenommen, take along

mitsamt, together with

der Mitspieler (—), fellow-player

der Mittag (e), noon ; zu Mittag essen, have lunch, dinner

das Mittagessen (—), lunch

das Mittagsmahl ("er), midday meal

die Mittagssonne (n), midday sun

die Mitte (n), middle, centre ; Mitte Oktober, in the middle of October

die Mitteilung (en), communication

das Mittel (—), means

der Mittelpunkt (e), centre

mitten (in, auf, acc. and dat.), in the middle (of)

mittendurch, through the middle

die Mitternacht ("e), midnight

mittlerweile, meanwhile

mitunter, at times

das Möbel (—), furniture

möchte (see mögen); ich möchte, I should like

die Mode (n), fashion

das Modell (e), model ; sie standen mir Modell, they served me as models

modern, modern

mögen, mag, mochte, hat gemocht, may, like ; wie du das Wort hier nennen magst! how you can bear to use that word here !

möglich, possible ; alle möglichen Geschenke, all kinds of presents ; alles Mögliche, all kinds of things ; möglichst, if possible

die Mohnblume (n), poppy

der Molch (e), salamander

der Moment (e), moment
der Monat (e), month
der Mönch (e), monk
der Mond (e), moon ; hinter dem
    Mond, at the back of beyond
der Mondschein, moonlight
die Moosart (en), variety of moss
der Moosboden ("), mossy ground
die Moosrose (n), moss rose
moralisch, moral
der Morgen (—), morning ; eines
    Morgens, one (fine) morning
morgen, tomorrow
der Morgennebel (—), morning
    fog, mist
das Morgenrot ("en), red sky in the
    morning
morgens, in the morning
morsch, rotten, worm-eaten
das Motto (s), motto
müde, tired
die Mühe (n), trouble ; mancher
    gibt sich viel(e) Mühe, some
    take great pains ; mit Mühe,
    with difficulty
mühsam, laborious, tedious
München (neut.), Munich
Münch(e)ner, Munich (adj.);
    (—), people of Munich
der Mund ("er), mouth
mündlich, by word of mouth
munter, alert, lively
die Münze (n), mint, coin
der Musenkalender (—), literary
    calendar
das Museum (Museen), museum
die Musik, music
musikalisch, musical
der Musiker (—), musician
der Musikfreund (e), music lover
die Musikkapelle (n), band
der Muskel (n), muscle
die Muße, leisure
müssen, muß, mußte, hat ge=
    mußt, must, have to, be
    obliged to

müßig, idle, leisurely
das Muster (—), sample, model,
    pattern
das Musterstück (e), sample
der Mut, courage ; es wurde ihm
    übel zu Mut, he felt bad
    (about it)
die Mutter ("), mother
mystisch, mystical

na (ja), (oh) well
der Nabel (—), navel
nach (dat.), towards, after, past,
    to ; nach und nach, by-and-
    by ; nach links (rechts), to
    the left (right)
die Nachahmung (en), imitation
der Nachbar (n, n), neighbour
die Nachbarschaft (en), neighbour-
    hood, neighbours
das Nachbarskind (er), neighbour's
    child
nachdem, after
die Nachdichtung (en), imitation,
    translation
nach'eifern (dat.), emulate,
    strive after
nach'folgen (dat.), follow
nach'gehen (dat.), ging nach, ist
    nachgegangen, follow up ;
    be slow (watch)
das Nachhausegehen, walking home
nachher, afterwards
nach'holen, make up for
der Nachkomme (n, n), descendant
nach'lesen, liest nach, las nach,
    hat nachgelesen, look up,
    read up
der Nachmittag (e), afternoon
nachmittags, in the afternoon
der Nachmittagskaffee, afternoon
    coffee
die Nachmittagsstunde (n), after-
    noon hour
die Nachricht (en), news
die Nachschrift (en), postscript

nach'sehen, sieht nach, sah nach, hat nachgesehen, look up, check

die Nachsilbe (n), suffix

nach'spüren, trace

nächst, next, nearest

nachstehend, following

die Nacht ("e), night

das Nachtbrot (e), supper

das Nachthemd (en), night-dress

die Nachtigall (en), nightingale

der Nachtisch (e), dessert

das Nachtlied (er), song at night

nachts, at night

die Nachtzeit (en), night time ; zur Nachtzeit, at night time

die Nachwelt (en), posterity

nach'zählen, check

der Nacken (—), neck

nackt, naked

die Nacktheit, barrenness, nakedness

die Nadel (n), needle

der Nagel ("), nail

nah(e), near ; der Kleinen kam das Weinen nahe, the little one was almost crying

die Nähe (n), neighbourhood ; die nächste Nähe, close proximity ; in der Nähe, at close quarters

nahen, ist genaht, approach

nähen, sew

sich nähern, approach

nähren, feed, nourish

die Nahrung (en), nourishment

der Name (ns, n, n), name ; in Gottes Namen, in heaven's name

namens, called

nämlich, same ; namely, that is to say

der Narr (en, en), fool, idiot ; man hat Sie zum Narren, they make a fool of you

die Narrenposse (n), foolish prank

närrisch, foolish, mad

die Nase (n), nose ; was mir eben unter die Nase kam, whatever I caught sight of

naß, wet

die Nation (en), nation

die Nationalität (en), nationality

der Nationalökonom (en, en), economist

das Nationaltheater (—), national theatre

die Nationaltragödie (n), national tragedy

die Natur (en), nature ; von Natur aus, by nature, constitutionally ; in natura, in kind, the real thing

natürlich, natural(ly), of course

die Naturschönheit (en), beauty of scenery

der Nebel (—), fog, mist

neben (acc. and dat.), beside, next to

nebenan, next door

das Nebengebäude (—), out-building

der Nebensatz ("e), subordinate clause

die Nebenstraße (n), secondary road, side street

das Nebenzimmer (—), adjoining room

neblig, foggy, misty

necken, tease

negativ, negative

nehmen, nimmt, nahm, hat genommen, take

neigen, incline

sich neigen, bend, stoop

die Neigung (en), affection, inclination

die Nelke (n), carnation

nennen, nannte, hat genannt, call, name

der Nerv (s, en), nerve

das Nest (er), nest, little place

nett, nice, pleasant

neu, new ; aufs Neue, von Neuem, anew

neugierig, inquisitive, curious

die Neuigkeit (en), news

neulich, recently

neun, nine ; der neunte, ninth

neunzehn, nineteen ; der neunzehnte, nineteenth

nicht, not ; nicht mehr, no longer ; nicht doch, not at all

nichts, nothing ; nichts als, nothing but

nicken, nod

nie(mals), never

nieder, low, down ; auf und nieder, up and down

nieder'fallen, fällt nieder, fiel nieder, ist niedergefallen, fall down

nieder'lassen, läßt nieder, ließ nieder, hat niedergelassen, lower

sich nieder'lassen, läßt sich nieder, ließ sich nieder, hat sich niedergelassen, settle down

nieder'reißen, riß nieder, hat niedergerissen, pull down

nieder'schauen, look down

nieder'sinken, sank nieder, ist niedergesunken, sink down

niedrig, low

niemand, nobody

niesen, sneeze

nimmer (nie mehr), no longer

noch, yet, still ; noch nicht, not yet ; noch immer, still

nochmals, once again

norddeutsch, North German

Norddeutschland (neut.), North Germany

Nordwestdeutschland (neut.), North-West Germany

nordwestlich, north-westerly

die Not ("e), need, want ; das Eine was not, the one thing needful

notabene, N.B.

der Notfall ("e), emergency ; im Notfall, if the worst comes to the worst

nötig, necessary

die Notiz (en), notice

notwendig, necessary

die Novelle (n), short story

der Novellist (en, en), short-story writer

das Novemberwetter (—), November weather

das Nu, trice ; im Nu, in a trice

nun, now, now then ; nun gut, very well (then)

nur, only, just ; geh nur hin, just you go there

die Nuß ("sse), nut

nutschen, suck

nutzen, use, utilize

nützlich, useful

die Nymphe (n), nymph

ob, whether, if ; ob es Löwen gibt! are there lions ! und ob! and how ! als ob, as if, though ; ob . . . gleich, although

oben, up(stairs), above ; nach oben, (going) up(stairs) ; von oben bis unten, from top to bottom

ober, upper

das Oberbett (en), feather-bed

oberflächlich, superficial

obgleich, although

das Observatorium (-ien), observatory

das Obst, fruit

der Obstkuchen (—), fruit flan

der Ochs (en, en), ox

öde, desolate

oder, or ; oder auch, or else ; oder gar, or even

der Ofen ("), stove
offen, open
offenbar, evident, obvious
offengeblieben, left open
öffentlich, public
öffnen, open
oft, often ; fo oft du kommst,
as often as you come ; öfter,
frequent ; öfters, frequently
der Oheim (e), uncle
ohne (acc.), without
das Ohr (en), ear ; bis über die
Ohren, up to his ears
olivenfarben, olive coloured
der Omnibus (fe), omnibus
der Onkel (s, auch : —), uncle
der Opal (e), opal
die Oper (n), opera
die Orange (n), orange
das Oratorium (ien), oratorio
das Orchesterwerk (e), orchestral
work
ordentlich, decent, tidy
ordinär, common
ordnen, arrange
die Ordnung (en), order
das Orgelwerk (e), organ work
orientalisch, oriental
die Originalität (en), originality
originell, original
der Ort (e, auch : "er), place ; an
manchen Orten, in some
places
die Ortschaft (en), locality
der Osten, east
Ostern (—) (neut.), Easter
Österreich (neut.), Austria
österreichisch, Austrian
der Osterspaziergang ("e), Easter
walk
Ostpreußen (neut.), East Prussia
die Ouvertüre, overture

das Paar (e), pair, couple ; ein
paar, a few
das Päckchen (—), small parcel

packen, pack
sich packen, clear out
das Paddelboot (e), canoe
die Paddelbootfahrt (en), canoe
trip
das Paket (e), parcel
der Palast ("e), palace
die Panne (n), breakdown
das Panorama (Panoramen), panorama
der Papa (s), papa
das Papier (e), paper
die Papillote (n), curler
die Pappel (n), poplar
das Paradies (e), paradise
die Paradiesvision (en), vision of
paradise
der Paragraph (en, en), clause,
paragraph
parieren, obey
der Park (s), park
die Partie (n), party, outing
der Paß ("e), passport
passen, fit, suit
passieren, happen, pass
das Passiv, passive voice
der Pate (n, n), godfather
das Patenkind (er), godchild
der Patient (en, en), patient
die Pauke (n), kettle-drum
pauken, drum, strum ; ich
pauke drauf los, I strum to
my heart's content
die Pause (n), interval, break, play-
time
das Pech, bad luck, pitch
pechdunkel, pitch-dark
pechschwarz, pitch-black
der Pechvogel ("), unlucky fellow
der Peiniger (—), torturer
peinlich, awkward ; das ist mir
peinlich, that's very awkward for me
die Peitsche (n), whip
das Perfekt, perfect tense
die Periode (n), period

die Perſon (en), person
das Perſonal (e), staff
personlich, personal
die Perſönlichkeit (en), personality
das Perspektiv (e), telescope
der Peſſimiſt (en, en), pessimist
die Peterſilie, parsley
die Peterſilienſuppe (n), parsley soup
der Pfahl ("e), pole ; in meinen vier Pfählen, in my own four walls
die Pfanne (n), frying-pan
der Pfarrer (—), parson
der Pfeffer, pepper
die Pfeife (n), pipe
pfeifen, whistle
der Pfennig (e), pfennig
das Pferd (e), horse
der Pferdefuß ("e), horse's foot, cloven foot
der Pferdeſtall ("e), stable
der Pfiff (e), whistle, trick
pfiffig, clever, ingenious
Pfingſten (—) (neut.), Whitsuntide
der Pfirſich (e), peach
die Pflanze (n), plant
pflanzen, plant
pflegen, be used to (doing) ; Sie pflegten zu ſagen, you used to say ; wie es zu gehen pflegt, as usually happens ; wo er zu ſein pflegt, where he usually is
die Pflicht (en), duty
pflücken, pick
pflügen, plough
der Pflüger (—), ploughman
die Pforte (n), porch, gate
das Pfühl (e), bolster, pillow
pfui! shame !
das Pfund (e), pound
die Phantaſie (n), imagination
der Philiſter (—), philistine

der Philologe (n, n), philologist
der Philoſoph (en, en), philosopher
die Philoſophie (n), philosophy
philoſophiſch, philosophical
phlegmatiſch, phlegmatic
der Photograph (en, en), photographer
photographieren, take photographs
phyſiſch, physical
das Pianoforte (s), piano
der Pierrot (s), pierrot
der Pilz (e), mushroom, fungus
die Pinie (n), pine
der Pinſel (—), brush
die Piſtole (n), pistol
ſich plagen, work hard, slave
der Plan (e), awning, expanse, plane
der Plan ("e), plan
planen, plan
plattdeutſch, low German
der Platz ("e), place, square, seat
das Plätzchen (—), biscuit
plaudern, chat
pleite, bankrupt ; pleite machen, go bankrupt
das Plenum (s), full assembly ; in pleno, in full numbers, quorum
plötzlich, sudden
der Plural (e), plural
pochen, knock, tap
die Poeſie (n), poetry
der Poet (en, en), poet
Pole Poppenſpäler, Paul der Puppenſpieler (—), Paul the puppet-player
polieren, polish
die Politik, politics
politiſch, political
politiſieren, talk politics
die Polizei, police
der Polizeidiener (—), policeman
der Poliziſt (en, en), policeman

die Polka (s), polka
das Polster (—), bolster, cushion
poltern, rumble
die Pomeranze (n), orange
das Porträt (s), portrait
das Porzellan, porcelain, china
die Porzellanmanufaktur (en), china factory
die Porzellanware (n), porcelain ware
die Possession (en), possession
possierlich, droll, comic
die Post (en), post
der Potentat (en, en), potentate
prächtig, splendid
Prag (neut.), Prague
prägen, coin, impress
praktisch, useful, convenient, practical
der Präsident (en, en), president
das Preisausschreiben (—), contest, prize competition
der Preis (e), price, prize
preisen, praise
pretiös, precious, affected
Preußen (neut.), Prussia
der Prinz (en, en), prince
die Prinzessin (en), princess
das Prinzip (ien), principle ; aus Prinzip, on principle
die Probe (n), rehearsal
probieren, try
das Problem (e), problem
der Professor (en), professor
das Programm (e), programme
prompt, prompt
der Prophet (en, en), prophet
die Prosa, prose
der Prosastil (e), prose style
der Protestant (en, en), protestant
protestieren, protest
die Provinzstadt ("e), provincial town
die Provinzzeitung (en), provincial paper

prüfen, test
die Psyche (n), psyche
das Publikum (s), audience, public
der Pudel (—), poodle
das Pult (e), desk
der Punkt (e), point, full-stop, dot ; ein toter Punkt, a dead end
pünktlich, punctual
die Puppe (n), doll
die Puppenküche (n), doll's kitchen
der Puppenwagen (—), doll's pram
pur, pure
die Purpurlippe (n), crimson lip
purzeln, scurry, topple over
der Putz, finery, attire
putzen, dress, trim, groom, clean
die Pyramide (n), pyramid

die Quadriga (en), quadriga
die Qual (en), agony, pain
die Quaste (n), tassel
die Quelle (n, auch : der Quell, en), source, spring
das Quellengemurmel, murmur of springs
die Quere, cross ways ; in die Quere, crossways
quinquilieren, twitter

der Rabbi (s), rabbi
der Rabe (n, n), raven
die Rache, revenge
sich rächen, take revenge
der Racker (—), rascal
das Radio (s), wireless, wireless set
der Rand ("er), edge
rar, rare
die Rarität (en), rarity
rasch, quick
rasen, ist gerast, dash, race
der Rasen (—), lawn, green
die Rasenfläche (n), expanse of lawn
der Rasenplatz ("e), lawn
das Rasenstück (e), sod (of lawn)

(ſich) raſieren, shave
der Raſierpinſel (—), shaving-brush
der Rat ("e), councillor ; (Rat=
ſchläge), advice, counsel
raten, rät, riet, hat geraten,
advise, guess ; ſie rät ihm
dazu, she advises him to do it
das Rathaus ("er), town hall
das Rätſel (—), riddle ; Rätſel auf=
geben, pose riddles ; Rätſel
löſen, solve riddles
der Ratskeller (—), town-hall restaurant
der Ratswächter (—), town guard
rauben, rob
der Räuber (—), robber
der Rauch, smoke
rauchen, smoke
räucherig, smoky
räuchern, smoke, cure
der Raum ("e), space, room
rauſchen, rustle, murmur
ſich räuſpern, clear one's throat
real, real
der Realismus, realism
der Realiſt (en, en), realist
realiſtiſch, realist(ic)
die Rebe (n), vine-branch
der Rechenmeiſter (—), arithmetic
master
die Rechentafel (n), slate
rechnen, calculate, do arithmetic
die Rechnung (en), bill
das Recht (e), right ; mit Recht,
rightly, justly so ; ich habe
Recht, I am right ; ich gebe
ihm Recht, I agree with him
recht, proper, right, fair ; er
wollte nicht recht, he didn't
really like to ; zu meiner
Rechten, on my right
rechts, on the right
rechtſchaffen, honourable, honest
die Rechtsfrage (n), legal question

der Rechtshiſtoriker (—), legal his-
torian
ſich recken, stretch
die Rede (n), speech
reden, redet, talk
die Redewendung (en), idiomatic
phrase
die Redlichkeit, honesty
der Redner (—), speaker, orator
die Redoute (n), masked ball
der Reformator (en), reformer
regalieren, regale
die Regel (n), rule ; in der Regel,
as a rule
regelmäßig, regular
ſich regen, stir
der Regen (Regenfälle), rain
der Regenmantel ("), raincoat
der Regenſchirm (e), umbrella
regieren, govern, rule
das Regiment (er), regiment
die Region (en), region
das Regiſter (—), stop (organ,
clavichord)
regnen, rain
das Reh (e), deer, roe
reiben, rieb, hat gerieben, rub,
scrub
das Reich (e), kingdom, realm,
empire
reich, rich
reichlich, liberal, plentiful, gen-
erous
der Reichskanzler (—), imperial
chancellor
die Reichsſtadt ("e), Free City
der Reichstag (e), Imperial Diet,
German Parliament
der Reichtum ("er), wealth, riches
reif, ripe
die Reife, ripeness
reiflich, thorough
die Reihe (n), row, series ; der
Reihe nach, in turn ; ſie
kommen an die Reihe, they
get their turn

der Reim (e), rhyme
reimen, rhyme
rein, pure
die Reise (n), journey
das Reisebild (er), travel scene
der Reiseführer (—), guide (book)
reisen, ist gereist, travel
der Reisende (n, n), traveller
der Reisescheck (s),   travellers'
cheque
der Reisetag (e), travelling day
die Reiseunterhaltung (en), travel
conversation
die Reiseversicherung (en), travel
insurance
reißen, riß, hat (ist) gerissen,
tear
reiten, reitet, ritt, ist (hat) ge=
ritten, ride
der Reiter (—), rider
das Reiterlied (er), rider's song
das Reittier (e), mount
der Reiz (e), charm
reizen, irritate, anger, lure
reizend, charming
rekognoszieren, reconnoitre
sich rekreiren, recover
das Relativpronomen (pronomina),
relative pronoun
der Relativsatz ("e), relative sentence
die Religion (en), religion
religiös, religious
rennen, rannte, ist gerannt,
run
reparieren, repair
das Repertoire (s), repertory
reservieren, reserve
der Respekt, respect
der Rest (e), remainder, left-over
das Restaurant (s), restaurant, café
(sich) retten, rettet (sich), save (oneself)
der Rettungsengel (—),   saving
angel
die Reue, attrition, repentance

die Revolutionszeit (en), revolu-
tionary time
das Rezept (e), recipe
der Rheinwein (e), Rhine wine
der Rheumatismus, rheumatism
richten, richtet (auf, acc.), direct
to, turn to ; judge ; die
Haare richten sich zu Berge,
one's hair stands on end
der Richter (—), judge
richtig, correct, right, proper,
right enough
die Richtung (en), direction
riechen, roch, hat gerochen
(nach), smell (of)
rieseln, ist gerieselt, trickle, run,
ripple
der Ring (e), ring
das Ringelchen (—), ringlet
ringförmig, ring-shaped
die Ringmauer (n), town wall
ringsherum,   around,   round
about
rings(umher), round about
rinnen, rann, ist geronnen, run,
flow
die Rippe (n), rib
rittlings, astride
die Robe (n), gown, dress
der Rock ("e), coat, skirt
das Roggenmehl, rye flour
die Röhre (n), pipe
der Röhrenschornstein (e), funnel
das Rokoko, rococo
die Rolle (n), roll, part, role
rollen, roll
der Roman (e), novel
romanisch, Norman
romantisch, romantic
die Romanze (n), romance
die Rose (n), rose
der Rosenbusch ("e), rose-bush
rosenfarb(ig), rose-coloured
die Rosenglut (en), glow of the
rose
der Rosenkelch (e), cup of the rose

rofenrot, red as a rose, rosy
die Rosenspur (en), path strewn
    with roses
das Roß ("er), horse
der Rost (e), grate
    röften, röftet, roast, toast, fry
    rot, red
der Rotbeerstrauch ("er, auch : "e),
    cranberry bush
das Rotkehlchen (—), robin red-
    breast
    rotseiden, of red silk
die Rübe (n), root vegetable, tur-
    nip
der Rückblick (e), retrospect
    rücken, move up or down
der Rücken (—), back
die Rückkehr, return
die Rückseite (n), back
der Ruf (e), call, cry
    rufen, rief, hat gerufen, cry,
        call, shout ; es rief, someone
        called
die Ruhe, rest, peace, calm, quiet ;
    sie hatten (ihre) Ruhe, they
    were left in peace
    ruhen, rest ; er ruhte nicht
        eher, bis . . ., he did not
        give peace until . . .
    ruhig, quiet ; keine ruhige
        Stunde mehr, no peace any
        longer
der Ruhm, glory, fame
    rühmen, glorify
die Ruine (n), ruin
der Rumpf ("e), trunk
    rund, round
die Runde (n), round
der Russe (n, n), Russian

der Saal (Säle), hall, large room
der Säbel (—), sabre
die Sache (n), matter, cause, affair ;
    die Sache gefällt mir nicht,
    I have my suspicions ; zur
    Sache, to the point

der Sachse (n, n), Saxonian
die Sächsin (nen), Saxonian
    sächsisch, Saxonian
    sacht, gentle
der Sack ("e), sack
der Sackkalender (—), pocket diary
die Sackpfeife (n), bagpipe
    säen, sow
die Sage (n), legend
    sagen, say, tell ; wie gesagt, as
        I have said ; sag' mal, tell
        me
der Salat (e), salad, lettuce
das Salz (e), salt
    salzen, salt
    salzig, salty
der Same (ns, n, n), seed
    sammeln, collect
    sich sammeln, collect, gather one-
        self
der Sammelname (ns, n, n), col-
    lective term
das Sam(me)tpolster (—), velvet
    cushion
die Sammlung (en), collection
der Samstag (e), Saturday
    samt (mitsamt), together with
    samten, velvet
    sämtlich, complete
der Sand, sand
die Sandburg (en), sand castle
der Sandkasten ("), sand pit
der Sandstein (e), sandstone
der Sandsteinbau (ten), sandstone
    building
    sanft, gentle
die Sanftmut, gentleness
der Sänger (—), singer
    sapperlot! my goodness !
der Satan (e), satan
der Satiriker (—), satirist
    satirisch, satirical
    satt, satisfied
der Satz ("e), sentence
die Sauce (n), sauce
    sauer, sour

säumen, hem
sausen, race
das Schach, chess
die Schachtel (n), box
schade, pity; es ist schade, it is a pity
der Schaden ("), damage; es nahm Schaden, it came to grief
der Schäfer (—), shepherd
die Schäferin (nen), shepherdess
das Schaffen, creation
schaffen, schuf, hat geschaffen, create; zur Stelle schaffen, procure
der Schaffner (—), conductor
die Schale (n), bowl, cup
der Schall, sound
schallen, scholl, hat geschollen (auch: schwach), resound
die Schallplatte (n), gramophone record
sich schämen, be ashamed
schändlich, shameful; schändlicherweise, for shame
die Schar (en), swarm, drove
scharf, sharp, keen
die Schärfe, acidity, sharpness
scharmant, charming
der Schatten (—), shade, shadow
die Schattenseite (n), shady side, drawback
der Schatz ("e), treasure, sweetheart
schätzen, esteem, appreciate highly
der Schauder, shudder
schaudern, shudder
schauen, look, see
schauern, shiver, shudder
die Schaufel (n), shovel, spade
schaufeln, shovel
das Schaukelpferd (e), rocking horse
die Schaumkrone (n), white horse, sea foam

der Schauplatz ("e), stage, scene
das Schauspiel (e), play
der Schauspieler (—), actor
das Schauspielergenie (s), genius for acting
die Schauspielergruppe (n), group of actors
die Schauspielerin (nen), actress
das Scheckbuch ("er), cheque book
scheel, askance, awry
die Scheibe (n), disc, slice
scheiden, scheidet, schied, ist (hat) geschieden, separate, part, divide
der Schein, appearance, light
scheinbar, apparently
scheinen, schien, hat geschienen, appear, seem, shine; mir scheint, it seems to me
scheingotisch, pseudo-gothic
schelten, schilt, schalt, hat gescholten, scold
schenken, give, present
sich scheren um (acc.), bother about
der Scherz (e), joke
scheu, shy
schicken, send
das Schicksal (e), fate
schieben, schob, hat geschoben, push
schief, lopsided, crooked; es geht schief, it goes wrong
die Schiefheit (en), crookedness
schießen, schoß, hat geschossen, shoot
das Schiff (e), ship
schiffen, ship, sail
die Schilderei (en), pictures
schildern, describe, picture
die Schildwacht (en), sentry
Schiller: das Schillersche Haus, Schiller's house
der Schimmelreiter (—), rider on a white horse
der Schimmer, gleam, lustre
schimpfen, scold, grumble

der Schirm (e), umbrella ; mushroom top
schlachten, schlachtet, slaughter,
kill
der Schlaf, sleep
schlafen, schläft, schlief, hat
geschlafen, sleep
schlaftrunken, drowsy
das Schlafzimmer (—), bedroom
der Schlag ("e), stroke, chime ;
Schlag zwölf, on the stroke
of twelve
schlagen, schlägt, schlug, hat ge=
schlagen, beat, strike
schlagend, telling, striking
schlank, slim
schlau, cunning
schlecht, bad ; es wird mir
schlecht, I get sick
Schlegel : die Schlegelsche
Übersetzung, Schlegel's translation
schleichen, schlich, ist geschlichen,
slink, steal
schlendern, ist geschlendert, stroll
schlenkern, swing, dangle
schleunig, hasty ; schleunigst,
very quickly
die Schleuse (n), lock
schließen, schloß, hat geschlossen,
close, conclude ; die Tür
schließt sich, the door is
closed
schließlich, at length, at last,
after all ; schließlich und end=
lich, when all is said and
done
schlimm, bad ; das Schlimme
ist, the worst of it is
der Schlitten (—), sledge
schlitten fahren, fährt schlit=
ten, fuhr schlitten, ist schlit=
tengefahren (auch : Schlitten
durchaus), toboggan
schlittschuh laufen, läuft schlitt=
schuh, lief schlittschuh, ist

schlittschuhgelaufen (auch :
Schlittschuh durchaus), skate
das Schloß ("er), castle, château
die Schloßwarte (n), watch tower,
castle lookout
schlucken, swallow
schlüpfen, ist geschlüpft, slip
schluppdiwupp, in no time
der Schluß ("e), conclusion, end ;
zum Schluß, in conclusion ;
am Schluß, at the end
der Schlüssel (—), key
schmachten, schmachtet, lan-
guish
schmal, narrow
der Schmarotzer (—), parasite,
sponge
schmecken, taste ; ich würde dir
nicht schmecken, you would
not like the taste of me
schmeicheln, flatter
der Schmerz (en), pain
schmerzen, hurt
schmerzlich, painful
schmerzlos, painless
sich schmiegen, cuddle, cling, press
close
der Schmuck, ornament, decoration
schmücken, decorate
schnappen, snatch
schnauben, snort ; nach Rache
schnauben, thirst for vengeance
die Schnecke (n), snail
der Schnee (Schneefälle), snow
schneeweiß, white as snow
schneiden, schneidet, schnitt, hat
geschnitten, cut
der Schneider (—), tailor
die Schneider (innen), dressmaker
schnell, quick
der Schnellzug ("e), express train
die Schnitte (n), slice
das Schnitzel (—), chop, cutlet
schnitzen, carve
die Schokolade (n), chocolate

der Schokoladekuchen (—), chocolate cake
die Schokoladetorte (n), chocolate
gâteau
schon, already ; er kann das
schon tun, he can do that all
right ; schon gut, all right,
very well ; schon gar nicht,
least of all ; schon bei dem
Gedanken, at the very
thought
schön, beautiful, nice
das Schöne, beauty, beautiful
die Schönheit (en), beauty
schöpfen, dip into, draw
der Schöpfer (—), creator
die Schöpfung (en), creation
die Schöpfungsgeschichte (n), Ge-
nesis
der Schöpfungstag (e), day of creation
der Schornstein (e), chimney
der Schoß ("e), lap, womb
der Schotte (n, n), Scot
schottisch, Scottish
Schottland (neut.), Scotland
der Schrank ("e), cupboard, ward-
robe
der Schrecken, shock, horror
die Schreckgestalt (en), phantom of
horror
schrecklich, terrible
schreiben, schrieb, hat geschrieben, write
der Schreiber (—), clerk
das Schreibspiel (e), paper-and-
pencil game
der Schreibtisch (e), writing desk
schreien, schrie, hat geschrien,
scream
die Schrift (en), writing
schriftlich, in writing
der Schriftsteller (—), writer, author
der Schritt (e), step, stride ; drei
Schritte weit, three yards
away ; auf Schritt und Tritt

begleiten, dog one's steps ;
eilenden Schrittes, stepping
out briskly
schroff, harsh
schrubben, scrub
die Schublade (n), drawer
schüchtern, shy, timid
der Schuh (e), shoe
das Schuhband ("er), shoelace
der Schuhmacher (—), shoe-maker,
cobbler
die Schuld, guilt ; (=en), debt
die Schule (n), school
der Schüler (—), pupil, schoolboy
der Schulhof ("e), playground
der Schuljunge (n, n), schoolboy
der Schulmeister (—), schoolmaster
die Schulter (n), shoulder
die Schuppen (—), shed
die Schürze (n), apron
die Schüssel (n), basin, dish
schütteln, shake
sich schütteln, tremble, shudder
der Schutz, protection
der Schutzengel (—), guardian
angel
der Schutzmann (leute), policeman
Schwaben (neut.), Swabia
schwach, weak
die Schwachheit (en), weakness
der Schwager ("), brother-in-law
der Schwanz ("e), tail
der Schwärmer (—), enthusiast
schwarz, black
schwarzgrau, black and grey
schweben, ist (hat) geschwebt,
hover, be suspended
schweigen, schwieg, hat ge-
schwiegen, be silent
das Schwein (e), pig
der Schweinestall ("e), pig-sty
das Schweinsschnitzel (—), pork
slice, chop
der Schweizer (—), Swiss
schwellen, schwillt, schwoll, ist
geschwollen, swell, rise

(ſich) ſchwenken, swing
ſchwer, difficult, heavy
die Schwerhörigkeit, deafness
ſchwerlich, hardly, scarcely
die Schwermut, melancholy, depression
das Schwert (er), sword
die Schweſter (n), sister [in-law
die Schwiegertochter ("), daughter-
die Schwierigkeit (en), difficulty
ſchwimmen, ſchwamm, iſt geſchwommen, swim
ſchwingen, ſchwang, hat (iſt) geſchwungen, sway, swing
ſchwören, ſchwur (ſchwor), hat geſchworen, swear
ſechs, six ; der ſechſte, sixth
ſechzehn, sixteen ; der ſechzehnte, sixteenth
der See (n), lake
die See (n), sea
die Seele (n), soul
das Segel (—), sail
das Segelſchiff (e), sailing boat
der Segen (—), blessing, charm
ſegnen, bless
ſehen, ſieht, ſah, hat geſehen, see, look ; ſieh da! lo and behold !
ſehenswürdig, worth seeing
die Sehenswürdigkeit (en), sight
die Sehne (n), sinew
ſich ſehnen, long, yearn
die Sehnſucht ("e), longing
ſehr, very
ſeiden, silk(en)
die Seife (n), soap
ſein, iſt, war, iſt geweſen, be
ſein (e), his, its
ſeinig, his, belonging to him
ſeit (dat.), since ; for ; ich bin ſeit einem Jahr dabei, I have been at it for a year ; ſeit alter Zeit, since old times
die Seite (n), page, side ; zur Seite, at, by the side ; es

hat ihm nichts an die Seite zu ſetzen, it has nothing to equal him
das Seitental ("er), tributary valley
ſeitwärts, aside, sideways
die Sekretärin (nen), secretary
der Sekundaner (—), fifth form pupil
ſelb, same ; der- (die-, das-) ſelbe, the same
ſelber, -self, -selves
das Selbſt (e), self
ſelbſt, self, even, by oneself ; Sie ſelbſt, you yourself ; von ſelbſt, by itself, yourself, etc. ; ſelbſt Fontane, even Fontane
ſelbſtbewußt, self-confident
die Selbſtbiographie (n), autobiography
die Selbſtkritik (en), self-criticism
ſelbſtſicher, self-assured
die Selbſtverſtändlichkeit (en), matter-of-factness
ſelig, blissful
die Seligkeit (en), bliss
ſelten, rare, seldom
die Seltenheit (en), rarity
ſeltſam, strange
die Semmel (n), roll, bun
das Semmelbröſel (—), breadcrumb
ſenden, ſendet, ſandte, hat geſandt (auch : ſchwach), send
(ſich) ſenken, lower (oneself)
ſentimental, sentimental
der September (—), September
ſetzen, set, put, assume, postulate ; geſetzt den Fall, assuming ; ' . . . der auch was ſetzt, . . . which is effective
ſich ſetzen, sit down
ſeufzen, sigh
der Seufzer (—), sigh
ſich, oneself, yourself, etc.

ſicher, sure ; um ſicher zu ge=
  hen, to be on the safe side
ſicherlich, surely
ſichtbar, visible
ſichtlich, visible
Sie, you
ſie, she, they, her, them
ſieben, seven ; der ſiebente,
  seventh
ſiebenjährig, seven years old
die Siebenſachen (pl.), goods and
  chattels
  ſiebzehn, seventeen ; der ſieb=
    zehnte, seventeenth ; ſieb=
    zehnjährig, seventeen years
    old
ſieden, ſiedet, boil
ſiegen, conquer
ſiegreich, victorious
das Silber, silver
der Silberblick (e), gleam of silver
  ſilberhell, bright as silver
die Silberhütte (n), silver mine
  ſilbern, silver
  ſingen, ſang, hat geſungen, sing
  ſinken, ſank, iſt geſunken, sink
der Sinn (e), mind, sense, under-
    standing, meaning ; aus
    dem Sinn verlieren, lose
    sight of, forget
  ſinnen, ſann, hat geſonnen,
    ponder
das Sinngedicht (e), epigram
  ſinnlich, physical, sensuous,
    sensual
der Sirupſtänder (—), syrup stand
die Sitte (n), custom
die Situation (en), situation
der Sitz (e), seat
  ſitzen, ſaß, hat geſeſſen, sit
die Sitzung (en), sitting
  ſkandalös, scandalous
  ſki ʹlaufen, läuft ſki, lief ſki, iſt
    ſkigelaufen (auch : Ski durch=
    aus), go skiing
der Skrupel (—), scruple

ſo, so, thus, then ; ſo . . .
  wie, as . . . as ; es gibt
  ſo'ne und ſo'ne, it takes many
  sorts to make a world ; ſo
  ging das, it went on like
  that ; ſo ſehr auch, however
  much ; ſo was, such a
  thing ; ſo wie, just as ; ſo
  breit ſie ſich machen, however big they try to look
die Soda, soda
das Sodawaſſer (—), soda water
das Sofa (s), sofa
  ſofort, at once
  ſogar, even
  ſogleich, at once
der Sohn ("e), son
  ſolch, such
der Soldat (en, en), soldier
die Soldatenbraut ("e), soldier's
  fiancée, bride
die Soldatenzeit (en), time in the
  army
der Soliſt (en, en), soloist
  ſollen, ſoll, shall, be to ; ſo ſoll
  es bleiben, let it remain like
  that ; es ſoll Leute geben,
  they say there are people
der Sommer (—), summer ; des
  Sommers, in summer
die Sonate (n), sonata
  ſonderbar, strange
  ſondern, but (on the contrary)
die Sonne (n), sun
  ſich ſonnen, sunbathe
das Sonnenlicht (er), sunlight,
  shaft of sun
der Sonnenſchein, sunshine
die Sonnenſeite (n), sunny side
der Sonnenſtrahl (en), sunbeam
der Sonnenuntergang ("e), sunset
der Sonntagnachmittag (e), Sunday afternoon
das Sonntagskleid (er), Sunday
  frock

das Sonntagswetter, Sunday weather
sonst, else, otherwise, usually ; sonst etwas, anything else
die Sorge (n), care, worry ; sich Sorgen machen, worry
sorgen für, take care of, see to
sich sorgen um, worry about
sorgfältig, careful
sorglos, careless, unconcerned, carefree
sowie, as well as
sowieso, anyway
sowohl als (auch), sowohl . . . wie, as well as
der Spanier (—), Spaniard
spanisch, Spanish
die Spanne (n), span
spannen, harness, yoke
sparen, save, spare
der Spaß ("e), fun, joke
spät, late
der Spatz (en, en), sparrow
spazieren, strut, stride, walk
spazieren'gehen, ging spazieren, ist spazierengegangen, go for a walk
spazieren'schieben, schob spazieren, hat spazieren geschoben, push around
der Spaziergang ("e), (short) walk
der Spaziergänger (—), walker
der Speck (e), bacon
der Speicher (—), store house
die Speise (n), dish, nourishment
die Speisekammer (n), larder
speisen, dine
der Speisewagen (—), dining car
der Spektakel (—), noise
die Spekulation (en), speculation
sperren, stretch asunder ; bar, close
der Spiegel (—), mirror
sich spiegeln, be reflected
das Spiel (e), game, play
der Spielball ("e), play-ball

spielen, play, act on the stage
der Spieler (—), player
der Spielgenosse (n, n), playmate
das Spielkleid (er), play-suit, -dress
der Spielleiter (—), leader of a game
der Spielschrank ("e), toy cupboard
das Spielzeug (e), toy
der Spießer (—), philistine
spinnen, spann, hat gesponnen, spin
die Spinnfrau (en), spinner
das Spinnrad ("er), spinning wheel
die Spirallinie (n), spiral line
spitz(ig), pointed
sich spitzen auf (acc.), look forward to
der Sport (e), sport
der Sportbericht (e), sports report
die Sprache (n), language
sprachlos, speechless
sprechen, spricht, sprach, hat gesprochen, speak, call ; er läßt sich ungern sprechen, he is difficult to see ; er will mich sprechen, he wants to speak to me
das Sprechzimmer (—), consulting room
sprengen, burst asunder
das Sprichwort ("er), proverb
der Springbrunnen (—), fountain
springen, sprang, ist gesprungen, run, bounce, jump
spritzen, splash
sprudeln, splutter, bubble
spucken, spit
die Spur (en), trace, track
spüren, feel, sense
der Staat (en), state
der Staatsdegen (—), ceremonial sword
der Staatsmann ("er), statesman
der Staatsminister (—), minister of the state
der Stachelbeerstrauch ("er, auch: "e), gooseberry bush

die Stadt ("e), town
die Stadtgeschichte (n), town gossip
der Stadtpark (s), municipal park
das Stadtviertel (—), quarter of the town
der Stahl ("e), steel
stählern, steel
der Stall ("e), stable
der Stamm ("e), stem, root, tribe, trunk
stammen, hail, come from
der Stammtisch (e), table of " regulars "
der Stand ("e), estate, position, stand ; zu Stande bringen, achieve, complete
das Standbild (er), statue, monument
die Stange (n), pole, stick
stark, strong
die Stärke, strength
stärken, strengthen
die Stärkung (en), refreshment, strengthening
starr, rigid, fixed, stiff ; sie sah ihm starr ins Gesicht, she stared in his face
statt (gen.), instead (of) ; statt dessen, instead of that
die Stätte (n), place
statten : zustatten kommen, come in useful
stattfinden, findet statt, fand statt, hat stattgefunden, take place
stattlich, handsome, imposing
der Staub, dust
der Staubfaden ("), stamen
staunen, be astonished
das Staunen, astonishment
stechen, sticht, stach, hat gestochen, sting
stecken, pin, stick, put ; er mußte es stecken lassen, he had to abandon it ; es

steckte etwas darin, there was something in it
stehen, stand, hat gestanden, stand, suit ; was in der Zeitung steht, what the paper says ; es steht dir gut, it suits you well ; wie es bei uns steht, how things are with us ; im Stehen, standing
stehen bleiben, blieb stehen, ist stehengeblieben, stop (walking)
stehlen, stiehlt, stahl, hat gestohlen, steal
sich stehlen, stiehlt sich, stahl sich, hat sich gestohlen, steal (away)
steif, stiff
steigen, stieg, ist gestiegen, climb, rise
steil, steep
der Stein (e), stone
steinern, (of) stone
das Steingebäude (—), stone building
steinig, stony
die Steinkohle (n), coal, hard coal
das Steinkohlenfeuer (—), coal fire
die Stelle (n), place, stead, passage ; an seine(r) Stelle, in its place ; ich war kaum von der Stelle zu bringen, they could hardly get me away ; auf der Stelle, on the spot, at once
stellen, put ; eine Aufgabe stellen, set a task ; eine Frage stellen, put a question
sich stellen, pretend to be ; stand
der Stengel (—), stalk
sterben, stirbt, starb, ist gestorben, die ; es kam zum Sterben, he came to die
der Stern (e), star
die Sternblume (n), China aster

das Sternenzelt (e), firmament
sternklar, starlit
die Sternwarte (n), observatory
stetig, steady
stets, always
das Stichwort ("er), cue, clue
sticken, embroider
der Stiefel (—), boot
der Stil (e), style
still, quiet ; still ; im Stillen, secretly
die Stille, quiet
stillen, appease, satisfy
still halten, hält still, hielt still, hat stillgehalten, keep still
stillschweigend, silent, tacit
die Stimme (n), voice
stimmen, be correct ; tune, attune
die Stimmung (en), atmosphere, mood
die Stirn (en, auch : Stirne, n), forehead, brow
der Stock ("e), stick
stocken, stop, cease, be interrupted
der Stöffel (—), clumsy fellow, mut
stöhnen, groan, moan
stolpern, stumble
stolz, proud
der Stolz, pride ; sie setzten ihren Stolz darein, they prided themselves on it
stören, disturb
der Stoß ("e), pile ; kick
stoßen, stößt, stieß, hat gestoßen, hit, kick, knock ; gestoßener Pfeffer, ground pepper ; ich stieß auf eine Herde, I came upon a herd
der Strahl (en), beam
die Straße (n), street, road
die Straßenecke (n), street corner
die Straßenkreuzung (en), crossroads

der Strauß ("e), bunch of flowers
streben nach (dat.), strive for, aim at
die Strecke (n), line, stretch, distance
(sich) strecken, stretch
der Streich (e), prank
streichen, strich, hat gestrichen, spread, stroke
der Streifen (—), stripe, streak
der Streifzug ("e), exploration
(sich) streiten, streitet (sich), stritt (sich), hat (sich) gestritten, quarrel
streng, severe, strict
streuen, scatter
der Strohhut ("e), straw hat
das Strohlager (—), bed of straw
der Strohsack ("e), palliasse
der Strom ("e), large river
strömen, pour
der Strumpf ("e), stocking
die Stube (n), (small) room
das Stück (e), piece, play, way
der Student (en, en), student
studieren, study
das Studium (Studien), study
die Stufe (n), stage, step
der Stuhl ("e), chair
die Stunde (n), hour ; zur guten Stunde, at a happy hour
der Sturm ("e), storm
stürzen, ist gestürzt, dash, fall, falter
(sich) stützen, support, rest
subjektiv, subjective
das Substantiv (e), noun
suchen, seek ; suchen nach (dat.), search for
süddeutsch, South German
Süddeutschland (neut.), South Germany
der Sultan (e), sultan
summen, hum, buzz
der Sumpf ("e), bog
der Superlativ (e), superlative

die Suppe (n), soup
der Suppenlöffel (—), soup spoon
süß, sweet
die Symphonie (n), symphony
das System (e), system
systematisch, systematic
die Szene (n), scene

der Tabak (e), tobacco
das Tablett (en), tray
(sich) tadeln, criticize, reproach, rebuke (oneself)
tafeln, dine
der Tag (e), day ; dieser Tage, (one of) these days, lately ; eines Tages, one (fine) day ; am Tag, in the day ; an (den) Tag legen, show forth
das Tagebuch ("er), diary ; Tagebuch führen, keep a diary
tagelang, for days
der Tagesraum ("e), common room
das Taghemd (en), day-shirt
täglich, daily
taktvoll, tactful
das Tal ("er), valley
das Talent (e), talent
die Tanne (n), fir tree
der Tannenbaum ("e), fir tree
die Tannendunkelheit (en), twilight among the firs
das Tannengrün, green of the firs
der Tannenwald ("er), fir forest
der Tannenzapfen (—), fir cone
die Tante (n), aunt
tanzen, dance
der Tänzer (—), dancer
die Tanzmusik, dance music
die Tapete (n), wallpaper
der Tapezierer (—), paper-hanger
die Tasche (n), pocket, bag
das Taschenbuch ("er), pocket book
der Taschenkalender (—), pocket-calendar
das Taschentuch ("er), handkerchief
die Tasse (n), cup

die Tat (en), deed ; in der Tat, indeed
tätig, active, busy
die Tatsache (n), fact
tatsächlich, actual(ly), indeed
die Taubheit, deafness
tauchen, dive, dip
der Taucher (—), diver
der Taugenichts (e), good-for-nothing
täuschen, deceive
sich täuschen, be mistaken
tausend, thousand
tausendfach, a thousandfold
tausendmal, a thousand times
die Taxe (n), tariff
der Taxifahrer (—), taxi-driver
der Tee (s), tea
der Teekessel (—), tea kettle, teapot
der Teich (e), pond
der Teil (e), part ; zum Teil, partly
teilen, share, divide
sich teilen in (acc.), share out ; teilt euch darein, share it
teil'nehmen, nimmt teil, nahm teil, hat teilgenommen, take part, share
teils . . . teils, partly . . . partly
die Teilung (en), partition, division, distribution
telefonieren, telephone
der Teller (—), plate
das Temperament (e), temperament
das Tennis, tennis
der Tennisschuh (e), tennis shoe
der Teppich (e), carpet
die Terrasse (n), terrace
das Testament (e), testament
teuer, dear
der Teufel (—), devil
die Teufelskanzel (n), devil's pulpit
der Text (e), text
das Theater (—), theatre
der Theaterdichter (—), theatre poet

das Thema (Themen), subject, theme
die Themse, Thames
die Theologie, theology
theoretisch, theoretical
die These (n), thesis
der Thron (e), throne
Thüringen (neut.), Thuringia
tief, deep
die Tiefe (n), depth
tiefliegend, deep-set
das Tier (e), animal
der Tiger (—), tiger
tingieren, tinge
der Tintenklecks (e), ink spot, blot
der Tisch (e), table
der Titel (—), title
die Titelrolle (n), title role
die Tochter ("e), daughter
der Tod (e), death
die Todesangst ("e), agony
die Toleranz, tolerance
toll, mad
die Tomate (n), tomato
der Ton ("e), sound
tönen, sound
der Topf ("e), saucepan, pot
das Tor (e), gate, door
der Tor (en, en), fool
tot, dead ; ein toter Punkt, a dead end
tot'machen, kill
die Tour (en), tour, trip
die Tradition (en), tradition
tragen, trägt, trug, hat getragen, bear, wear, carry
die Tragödie (n), tragedy
die Träne (n), tear
das Trauerspiel (e), tragedy
der Traum ("e), dream
träumen, dream
träumerisch, dreamy
traurig, sad
treffen, trifft, traf, hat getroffen, meet, hit, strike ; ich traf es besser, I was more fortunate

sich treffen, trifft sich, traf sich, hat sich getroffen, meet one another ; er traf sich mit einem Kreis Bekannter, he met a circle of friends
treffend, telling
trefflich, splendid, excellent
treiben, trieb, hat getrieben, drive, drift, carry on, do, sprout, put forth
das Treiben, doings
trennen, part, sever
sich trennen, part
die Treppe (n), staircase
treten, tritt, trat, ist getreten, step
treu, faithful
treuherzig, trusting, sincere
trinken, trank, hat getrunken, drink
das Trinkgeld (er), tip
der Triumph (e), triumph
trocken, dry
die Trompete (n), trumpet
der Tropfen (—), drop
trotz (gen.), in spite of
trotzdem, all the same, although
die Trübsal (e), misery
der Trübsinn, melancholy
die Trümmer (pl.), ruins
das Tuch ("er), cloth, scarf
das Tüchelchen (—), little scarf
tüchtig, sound, efficient
die Tugend (en), virtue
tugendhaft, virtuous
tun, tat, hat getan, do, make, put ; was tun? what is to be done? tun Sie's! do so! tun als ob, pretend
das Tunnel (s), tunnel
die Tür (en), door
die Türklinke (n), door knob, handle
der Turm ("e), tower, steeple
der Türmer (—), keeper, guard

die Turmplatte (n), platform of tower

die Turmwarte (n), watch-tower

die Türspalte (n), door ajar

der Typ (en), type

typisch, typical

die Tyrannei (en), tyranny

das Übel (—), evil

übel, evil ; es ward ihm übel zu Mut, he began to feel uncomfortable

übel nehmen, nimmt übel, nahm übel, hat übelgenommen, take offence ; Sie nehmen es ihr übel, you are offended by her

sich üben, practise

üben, across

über (acc. and dat.), over, across ; über tausend Jahre, 1000 years hence

überall, everywhere

sich überarbeiten, überarbeitet sich, overwork

der Überblick (e), survey, view ; einen Überblick gewinnen, get a general idea

überblicken, survey

überfallen, überfällt, überfiel, hat überfallen, overcome, take by surprise

der Übergang ("e), transition

überhängen (auch : -hangen), hang over

überhaupt, generally, altogether ; und überhaupt, and anyhow ; überhaupt keine, none at all ; überhaupt nicht, not at all

überhüpfen, skip, skimp

über lassen, überläßt, überließ, hat überlassen, leave, abandon

sich (dat.) überlegen, consider, ponder, think about

übernachten, übernachtet, **stay** the night

übernehmen, übernimmt, übernahm, hat übernommen, take on

überraschen, surprise

übersäen, scatter

überschreiten, überschreitet, überschritt, hat überschritten, cross

übersehen, übersieht, übersah, hat übersehen, overlook

übersetzen, translate

die Übersetzung (en), translation

übertreiben, übertrieb, hat übertrieben, exaggerate

die Übertreibung (en), exaggeration

überwältigen, overwhelm

die Überzeugung (en), conviction, persuasion

übrig, left over

übrig bleiben, blieb übrig, ist übriggeblieben, remain, be left over

übrigens, moreover, by-the-way

die Übung (en), practice, exercise

das Ufer (—), bank

die Uhr (en), watch, clock ; zehn Uhr, ten o'clock

um (acc.), at, about, round ; um neun Jahre älter, by nine years his senior ; um nichts gescheiter geworden, having learned nothing ; um ihn her, round about him ; eine Hand um die andere, one hand after the other in turn ; um nicht zu sagen, one might almost say ; um . . . zu, in order to ; um . . . willen, for . . .'s sake

um ändern, change, adapt

umarmen, embrace

(sich) um drehen, turn round

um'fallen, fällt um, fiel um, ist umgefallen, topple over

umfangreich, extensive

umfassen, enclose, include

der Umgang, social life

die Umgangssprache (n), everyday language

umgeben, umgibt, umgab, hat umgeben, surround

die Umgebung (en), surroundings

umgehen, geht um, ging um, ist umgegangen, go about ; — mit (dat.), deal with

umher, around

der Umlaut (e), modified vowel

umranken, branch, twine around

der Umriß (sse), contour

um'rühren, stir

umschlingen, umschlang, hat umschlungen, embrace

umschwirren, buzz, chirp round

sich um'sehen, sieht sich um, sah sich um, hat sich umgesehen nach, look around for ; im Umsehen, in no time

umsonst, in vain, for nothing

umspinnen, umspann, hat umsponnen, spin round

umständlich, fussy, ceremonious

um'steigen, stieg um, ist umgestiegen, change (trains)

umweben, umwob, hat umwoben, envelop, weave round

um'wehen, blow over

sich um'ziehen, zog sich um, hat sich umgezogen, change

unabänderlich, inevitable

unangekündigt, unannounced

unanständig, indecent, vulgar

unaufhörlich, incessant

unbändig, unrestrained, excessive

unbedingt, at all events, absolute

die Unbehaglichkeit (en), discomfort

unbekannt, unknown, strange ; ich als Unbekannter, I as a stranger

unberührt, untouched

unbeschreiblich, indescribable

unbestochen, unbiased, unbribed

unbeweglich, motionless, immobile

unbewußt, unconscious

und, and ; und dergleichen (dgl.), and suchlike

der Undank, ingratitude

unendlich, infinite

unentbehrlich, indispensable

unerbittlich, merciless, cruel

unerhört, unheard-of, incredible

unermeßlich, immeasurable, unfathomable

unerschöpflich, inexhaustible

unerwartet, unexpected

unerweislich, not provable

der Unfall ("e), accident

ungeduldig, impatient

ungefähr, approximate ; von ungefähr, perchance

ungefühlt, unfelt

ungeheuer, tremendous, immense, enormous

das Ungeheuer (—), monster

ungern, reluctantly ; er läßt sich ungern sprechen, he is averse to being called on

ungesalzen, unsalted

die Ungeschicklichkeit (en), clumsiness, stupidity

ungeschickt, clumsy

ungesellig, unsociable, dissocial

ungestört, unruffled

ungewohnt, unwonted, unusual

ungezogen, naughty

ungezwungen, informal

unglaublich, incredible, unbelievable

ungleich, uneven

unglücklich, unhappy

ungreifbar, intangible

unheimlich, weird, uncanny

unhöflich, rude, impolite

die Uniform (en), uniform

die Universität (en), university

die Universitätsprofessur (en), university professorship, chair

die Universitätsstadt ("e), university town

unklar, hazy, vague

unmittelbar, immediate

unmodisch, old-fashioned

unmöglich, impossible

unmusikalisch, unmusical

unnachahmlich, inimitable

unnatürlich, unnatural

unnötig, unnecessary

die Unordnung (en), disorder, muddle

unorthodox, unorthodox

unregelmäßig, irregular

unreif, unripe

die Unruhe, unrest

unruhig, restless, alarmed

uns, us

unschätzbar, invaluable

unschön, ugly

unschuldig, innocent

der Unsinn, nonsense

unsinnig, mad, senseless

unsterblich, immortal

unten, downstairs, below ; nach unten, (going) down

unter, lower

unter (acc. and dat.), under, among ; unter anderem, among other things ; unter uns, between ourselves

unterbrechen, unterbricht, unterbrach, hat unterbrochen, interrupt

untereinander, mixed ; ich lese alles untereinander, I read all sorts of things

unter'halten, hält unter, hielt unter, hat untergehalten, hold under

sich unterhalten, unterhält sich, unterhielt sich, hat sich unterhalten mit (dat.), talk to, converse with

unterhaltsam, entertaining

die Unterhaltung (en), talk, conversation, entertainment

die Unterhose (n), pants

unter'kriegen, get down, defeat ; er läßt sich nicht unterkriegen, he refuses to give in

der Unterlaß, omission ; ohn' Unterlaß, without ceasing

unterm = unter dem

untermischen, intermingle

unternehmen, unternimmt, unternahm, hat unternommen, undertake

das Unternehmen (—), enterprise, undertaking

unterrichten, unterrichtet, teach, instruct

unterrichtet, informed

die Unterrichtsanstalt (en), educational establishment, institution

unterscheiden, unterscheidet, unterschied, hat unterschieden, differentiate, distinguish

der Unterschied (e), difference

unterschreiben, unterschrieb, hat unterschrieben, sign

die Unterschrift (en), signature

untersetzt, sturdy, square, squat

unter'stecken, stick, put under

unterstützen, support

die Unterstützung (en), support

untersuchen, investigate, examine

untertan, subject

unter'tauchen, dive, submerge

unterwegs, on the way

ununterbrochen, continual, un-
interrupted
unvergleichlich, incomparable
unverhofft, unhoped-for
unvermeidlich, inevitable
unvernünftig, unreasonable,
futile
unverschämt, impudent
unvollständig, incomplete
unvorsichtig(erweise), rash(ly)
unwichtig, unimportant
unwiderstehlich, irresistible
die Unwissenheit, ignorance
die Unzahl (en), great number ; in
Unzahl, in profusion
unzählbar, countless
unzählig, countless
die Unzeit (en), wrong time ; zur
Unzeit, inconvenient
unzufrieden, dissatisfied
die Unzufriedenheit, discontent
unzulänglich, inadequate
üppig, luscious, exuberant
uralt, ancient
der Urlaub (e), holiday, leave, fur-
lough
die Urlaubsreise (n), holiday trip
die Ursache (n), cause
die Ursprache (n), original language
der Ursprung ("e), origin
das Urteil (e), judgement, verdict
urteilen, judge ; nach . . . zu
urteilen, judging by . . .
die Urteilskraft ("e), judgement
der Usurpator (en), usurper
usw. = und so weiter, and so
forth

v. = von, of, from
die Vase (n), vase
der Vater ("), father
das Vaterunser (—), Our Father
die Vegetation, vegetation
das Veilchen (—), violet
veilchenblau, violet blue
verabscheuen, detest

sich verabschieden, verabschiedet sich,
take leave, say goodbye .
verachten, verachtet, despise
verächtlich, contemptuous
verallgemeinern, generalize
veranstalten, veranstaltet, arrange, hold
das Verb (en), verb
verbannen, banish
(sich) verbergen, verbirgt (sich), verbarg (sich), hat (sich) verborgen, hide
verbessern, correct
verbiegen, verbog, hat verbogen, twist
verbieten, verbietet, verbot, hat
verboten, forbid
verbilden, verbildet, corrupt,
deform
verbinden, verbindet, verband,
hat verbunden, connect
sich (dat.) verbitten, verbittet sich,
verbat sich, hat sich verbeten,
protest against
verbrauchen, use up, consume
verbringen, verbrachte, hat verbracht, spend (time)
der Verdacht, suspicion
verdächtig, suspicious
verdanken, owe
verdauen, digest
verdecken, cover
verdenken, verdachte, hat verdacht, blame
verderben, verdirbt, verdarb,
ist (hat) verdorben, ruin,
spoil
verdichten, verdichtet, thicken
verdienen, deserve, earn
das Verdienst (e), merit, earnings
verdreht, crazy
verdunkeln, darken
verdünnen, thin down
verehren, revere, respect, admire
vereinen, unite

vereinfachen, simplify

die Vereinfachung (en), simplification

die Vereinigten Staaten von Nordamerika, the United States of North America

verfassen, write

die Verfassung (en), constitution

verfehlen, miss

verfertigen, make, produce, manufacture

verflechten, verflicht, verflocht, hat verflochten, entangle

die Verfolgung (en), pursuit

die Verfügung (en), decree, order, disposal; es steht Ihnen zur Verfügung, it is at your disposal; er traf die Verfügung, he arranged, decreed

vergangen, past

die Vergangenheit (en), past

vergebens, in vain

vergeblich, vain, fruitless

sich (dat.) vergegenwärtigen, visualize, picture to oneself

vergehen, verging, ist vergangen, pass, perish

vergessen, vergißt, vergaß, hat vergessen, forget

vergleichen, verglich, hat verglichen, compare

verglimmen, verglomm, ist verglommen, fade

sich vergnügen, amuse, enjoy oneself

das Vergnügen (—), pleasure; zum Vergnügen, for fun; viel Vergnügen, enjoy yourself; es macht Ihnen Vergnügen, it gives you pleasure

vergnügt, cheerful

der Vergnügungspark (s), fairground, amusement park

vergolden, vergoldet, gild

vergönnen, grant, allow

vergraben, vergräbt, vergrub, hat vergraben, bury

vergrößern, enlarge

sich verhalten, verhält sich, verhielt sich, hat sich verhalten, behave

das Verhältnis (se), relation, condition, love affair

verheiraten, marry

die Verheiratung (en), marriage

verhören, cross-examine

sich verhören, hear wrong

sich verirren, get lost, lose one's way

der Verkauf ("e), sale

verkaufen, sell

der Verkehr, traffic, intercourse; gesellschaftlicher Verkehr, social intercourse

das Verkehrslicht (er), traffic light

verkehrsreich, busy with traffic

die Verkehrsstörung (en), traffic jam

verkehrt, wrong, topsy-turvy, inside-out

verkennen, verkannte, hat verkannt, fail to recognize

verklagen, accuse

(sich) verklagen, sue

verknüpfen, connect

sich verkriechen, verkroch sich, hat sich verkrochen, hide, creep away

verkündigen, proclaim

verlangen, long, demand; das ist zu viel verlangt, that is asking too much; mich verlangt zu hören, I am longing to hear

das Verlangen, longing

verlängern, prolong

verlassen, verläßt, verließ, hat verlassen, leave

sich verlassen, verläßt sich, verließ sich, hat sich verlassen auf (acc.), rely on

sich verlaufen, verläuft sich, verlief sich, hat sich verlaufen, lose one's way, scatter

verlaufen, lost
verlegen, mislay, lay, put
verlegen, embarrassed, self-conscious
die Verlegenheit (en), embarrassment
verlernen, forget, unlearn
sich verlieben in (acc.), fall in love (with) ; er wurde verliebt, he fell in love
verlieren, verlor, hat verloren, lose
sich verlieren, verlor sich, hat sich verloren, vanish
vermachen, bequeath
vermeiden, vermeidet, vermied, hat vermieden, avoid
vermieten, vermietet, let
vermindern, diminish
vermischen, mix
vermissen, miss
vermögend, wealthy
vermuten, vermutet, suppose, presume
vermutlich, presumably
vernehmen, vernimmt, vernahm, hat vernommen, perceive
die Vernunft, reason
vernünftig, reasonable, sensible
veröffentlichen, publish
verpassen, miss
verraten, verrät, verriet, hat verraten, betray, indicate
der Verräter (—), traitor
verrückt, mad, distracted
der Verrückte (n, n), maniac, madman
der Vers (e), verse
die Versammlung (en), meeting, gathering
versäumen, miss
verschaffen, procure
verscheuchen, chase away
verschieben, verschob, hat verschoben, postpone

verschieden, different
verschließen, verschloß, hat verschlossen, lock up, close
verschlingen, verschlang, hat verschlungen, intertwine, interlace ; devour
verschlucken, swallow
verschmähen, disdain
verschnaufen, rest, get one's breath
verschonen, spare
verschwinden, verschwand, ist verschwunden, disappear
versehen, versieht, versah, hat versehen, provide
das Versehen (—), mistake ; aus Versehen, by mistake
versetzen, reply
versichern, assure ; seien Sie versichert, rest assured
versinken, versank, ist versunken, sink into, submerge
versperren, block
versprechen, verspricht, versprach, hat versprochen, promise
das Versprechen (—), promise
der Verstand, understanding, reason
verständig, sensible
das Verständnis, appreciation, understanding
verständnislos, unsympathetic
(sich) verstecken, hide
verstehen, verstand, hat verstanden, understand ; versteht sich! understood ! es versteht sich von selbst, it goes without saying ; was er darunter versteht, what he means by it
sich verstehen, verstand sich, hat sich verstanden auf (acc.), be good at
verstohlen, surreptitious(ly)
verstopfen, close, stop up

verstreuen, scatter

verstoßen, verstößt, verstieß, hat verstoßen, offend, trespass

der Versuch (e), attempt, effort

versuchen, try

verteidigen, defend

verteilen, distribute

die Vertiefung (en), dell, hollow

vertonen, set to music

die Vertonung (en), composition, setting

vertragen, verträgt, vertrug, hat vertragen, stand, bear

sich vertragen, verträgt sich, vertrug sich, hat sich vertragen, get on, agree, make up a quarrel

die Verträglichkeit, peaceableness, conciliatoriness

vertrauen, trust

das Vertrauen, trust, confidence

vertrauensvoll, full of trust, trusting

vertraut, familiar

der Vertreter (—), representative

vervollständigen, complete

verwachsen, crippled

verwahren, keep, guard

die Verwaltung (en), administration

verwandeln, change, transform

verwandt, related

verwechseln, confuse

(sich) verweilen, tarry, stay

verwenden, verwendet, verwandte, hat verwandt (auch : schwach), use ; Zeit verwenden, spend, expend time

verwinden, verwindet, verwand, hat verwunden, overcome

verwirren, confuse, bewilder

sich verwirren, get blurred, hazy

die Verwirrung (en), confusion, bewilderment

verwundert, astonished

verwunschen, bewitched

verwünschen, curse

die Verwüstung (en), devastation

verzagen, despair

verzehren, consume

verzeihen, verzieh, hat verziehen, forgive ; (ver)zeihen, accuse

verzollen, declare (customs)

verzücken, ravish

verzückt, rapt

die Verzweiflung (en), despair

die Vesper (n), afternoon break

das Vesperbrot (e), snack in the break

die Vesperzeit (en), time of break

der Vetter (n), cousin

das Vieh, cattle, livestock

der Viehstand, animal population

viel, much ; das viele Singen, all that singing ; vielfach, manifold, frequent

viele, many

vielleicht, perhaps

vielmehr, rather

vielseitig, versatile

vielsilbig, multi-syllabic

vieltausendmal, many thousand times

vier, four ; der vierte, fourth

das Viertel (—), quarter

die Viertelstunde (n), quarter of an hour

viertens, fourthly

vierzehn, fourteen ; vierzehn Tage, a fortnight ; der vierzehnte, fourteenth

vierzehnjährig, fourteen years old

violett, purple

die Violine (n), violin

der Virtuose (n), virtuoso

der Vogel ("), bird

das Vogelnest (er), bird's nest

das Vogelschießen, bird shooting

der Vokalkomponist (en, en), vocal-composer

das Volk ("er), people

der Volkscharakter (e), national character

das Volksfest (e), popular holiday, fair

das Volkslied (er), folk-song

die Volksliedersammlung (en), collection of folk-songs

das Volksmärchen (—), popular tale

die Volksmenge (n), crowd of people

volkstümlich, popular

voll, full

vollenden, vollendet, complete

vollendet, completed

vollends, completely

völlig, complete(ly)

vollkommen, perfect

die Vollkommenheit (en), perfection

die Vollreife, maturity

vollständig, complete

die Vollständigkeit (en), completeness

von (dat.), from, of, by ; Frau v. Schiller, Frau von Schiller

vor (acc. and dat.), before, ago ; vor einem Jahr, a year ago ; vor allem, above all ; vor Nebel, for fog

voran, ahead

voraus, ahead, at the outset ; im Voraus, in advance, in anticipation

voraus'bezahlen, pay in advance

voraus'haben, hat voraus, hatte voraus, hat vorausgehabt, have an advantage

voraus'setzen, assume, presume ; vorausgesetzt, daß, provided that

vorbei'fließen, floß vorbei, ist vorbeigeflossen, flow past

vorbei'gehen, ging vorbei, ist vorbeigegangen, go past

vorbei'marschieren, march past

das Vorderbein (e), front leg

das Vorfahrtsrecht (e), right to overtake

der Vorgesetzte (n, n), chief, boss

vor'haben, hat vor, hatte vor, hat vorgehabt, plan, intend to do

vor'halten, hält vor, hielt vor, hat vorgehalten, hold in front

vorhanden, available, at hand

der Vorhang ("e), curtain

vorher, before, previously

vorher'gehen, ging vorher, ist vorhergegangen, precede

vor'kommen, kam vor, ist vorgekommen, appear ; es kommt mir vor, it seems to me, I feel

sich (dat.) vorkommen, kam sich vor, ist sich vorgekommen, feel, appear to oneself

die Vorkriegsreise (n), pre-war journey

der Vorläufer (—), precursor

vorläufig, provisional, for the time being

vor'lesen, liest vor, las vor, hat vorgelesen, read aloud

die Vormalung (en), visualization, imagination

der Vormittag (e), forenoon, morning

der Vormittagsimbiß (e), morning snack

vorn(e), in front ; vorn(e) dran, at the head

vornehm, distinguished, fashionable

vor'nehmen, nimmt vor, nahm vor, hat vorgenommen, carry out, undertake ; single out

sich (dat.) vor'nehmen, nimmt sich

vor, nahm sich vor, hat sich vorgenommen, plan
vorhin, to the front
der Vorplatz ("e), entrance hall
die Vorratskammer (n), larder, store-room
das Vorrecht (e), privilege
vorsätzlich, intentional(ly)
der Vorschein, appearance; es kam zum Vorschein, it appeared
der Vorschlag ("e), suggestion, proposal
die Vorsehung, providence
die Vorsicht, caution
vorsichtig, cautious
die Vorsilbe (n), prefix
vor'spielen, play to someone
vorstehend, preceding
vor'stellen, represent
(sich) vor'stellen, introduce (oneself)
sich (dat.) vor'stellen, imagine, fancy
die Vorstellung (en), performance, idea, conception
vortrefflich, excellent
vorüber'eilen, hurry past
vorüber'gehen, ging vorüber, ist vorübergegangen an (dat.), pass
vorüber'kommen, kam vorüber, ist vorübergekommen an (dat.), go past
vorüber'ziehen, zog vorüber, ist vorübergezogen, move past
das Vorurteil (e), prejudice
vorwärts, forward
vorwärts'kommen, kam vorwärts, ist vorwärtsgekommen, get on, progress
vorweg'schnappen, forestall, snatch from
vorwurfsvoll, reproachful
vorzüglich, outstanding, by preference; er mußte vorzüglich ihre Aufmerksamkeit

erregen, it was bound to attract their attention more than anything else

wachsen, wächst, wuchs, ist gewachsen, grow
das Wachstuch ("er), oilcloth, American cloth
der Wachtmeister (—), sergeant
die Wachtstube (n), police station, guard room
wackeln, waddle
wacker, valiant, gallant
die Wage (n), scales
das Wägelchen (—), little cart
wagen, dare, risk, venture
der Wagen (—), car, carriage
die Wahl (en), choice
wählen, choose
die Wahlverwandtschaft (en), elective affinity
der Wahnsinn, madness
wahr, true; nicht wahr? isn't that so?
während, during, whilst, whereas
wahrhaftig, true, truthful
die Wahrheit (en), truth
wahrlich, true, veritable
wahrscheinlich, probable
der Wald ("er), forest, wood
die Waldkirche (n), forest church
der Waldsaum ("e), edge of the wood
die Waldung (en), wood
der Waldvogel ("), wood bird
der Walfisch (e), whale
der Wall ("e), wall, dam
die Walpurgisnacht ("e), St. Walpurgis' Night (1st May)
die Wand ("e), wall
wandeln, walk
der Wanderer (—), wanderer, walker
wandern, go walking
die Wanderung (en), wandering

die Wanderzeit (en), journeyman's time

wann? when?

die Ware (n), thing, goods

warm, warm

die Wärme, warmth

das Wärmelicht ("er), warming light

wärmen, warm, air

warnen vor (dat.), warn, advise against

die Warnung (en), warning

warten, wartet auf (acc.), wait for

der Wartesaal (säle), waiting-room

das Wartezimmer (—), waiting-room

warum, why

was, what, which; was soll ich da hingehen, why should I go there? J was! nonsense! was für ein Beifall, what applause; was für (ein), what kind of; was Hände hat, whoever has a pair of hands; was ist dir? what is the matter with you?

was = etwas, something; es ist doch was, yet it is something

die Wäsche, linen, laundry

(sich) waschen, wäscht (sich), wusch (sich), hat (sich) gewaschen, wash

das Wäscheweib (er), washerwoman

das Wasser (—), water

der Wasserfall ("e), waterfall

das Wasserfaß ("sser), water-barrel, tub

wässerig, watery

weben, wob, hat gewoben, move

webend, moving

der Wechsel (—), change

wechselseitig, mutual

wecken, awake

weder . . . noch, neither . . . nor

der Weg (e), way, road, path, course; sie laufen uns über den Weg, they get into our road

weg, away, off

das Wegekraut ("er), plantain

wegen (gen.), because of

weg'führen, lead away

weg'geben, gibt weg, gab weg, hat weggeben, give away

weg'legen, lay aside

weg'nehmen, nimmt weg, nahm weg, hat weggenommen, take away, claim

weg'waschen, wäscht weg, wusch weg, hat weggewaschen, wash away

weg'wehen, blow away

der Wegweiser (—), sign-post

wehe mir, woe on me

wehen, blow

sich wehren, defend oneself

wehselig, miserable, sad, pitiful

(sich, dat.) weh'tun, tat (sich) weh, hat (sich) wehgetan, hurt (oneself)

das Weib (er), woman, wife, hag; unsere Weiber, our women-folk

weiblich, female, feminine

weich, soft

die Weide (n), pasture

weiden, weidet, graze

sich weigern, refuse (to do)

weihen, consecrate

die Weihnachten (—), Christmas

der Weihnachtsabend (e), Christmas Eve

der Weichnachtsbaum ("e), Christmas tree

das Weihnachtsgeschenk (e), Christmas present

die Weihnachtsstube (n), Christmas room

der Weihnachtstag (e), Christmas Day

weil, because

das Weilchen, little while

die Weile (n), while

weilen, stay, abide

weimarisch, Weimar (adj.)

der Wein (e), wine

der Weinberg (e), vineyard

weinen, cry, weep ; der Kleinen kam das Weinen nahe, the little one was nearly crying

die Weise (n), way, manner ; auf diese Weise, in this way

weise, wise

weisen, wies, hat gewiesen, show, point ; ich weise euch von mir, I send you away, reject you

die Weisheit (en), wisdom

der Weisheitszahn ("e), wisdom tooth

weiß, white

weissagen, prophesy

weißangestrichen, white-washed

weißlich, whitish

weit, far, wide, long ; das Weitere, the rest ; ich besuche den Kurs weiter, I continue to attend the class ; bei weitem, far, by far ; ohne Weiter(e)s, without any ado, immediately ; es ist so weit, it is ready

weitberühmt, renowned

weiter'geben, gibt weiter, gab weiter, hat weitergegeben, pass on

weiter'gehen, ging weiter, ist weitergegangen, go on

weitschallend, far-resounding

das Weizenmehl, wheat flour

welch, which, what

die Welle (n), wave

die Welt (en), world ; auf die Welt kommen, be born

die Weltanschauung (en), philosophy of life

weltberühmt, world-famous

die Weltgeschichte (n), world history

die Weltkugel (n), globe

der Weltlauf ("e), way of the world

wem, (to) whom ?

wen, whom ?

die Wendeltreppe (n), spiral staircase

die Wendung (en), turn, phrase

wenig, little

wenige, few

wenigstens, at least

wenn, when, whenever, if ; wenn auch, if, even though

wer, who ? he who

werben, wirbt, warb, hat geworben, woo, enlist

werden, wird, wurde, ist geworden, become ; solche Briefe werden einem leichter, such letters come more easily to you ; aus der Sache kann nichts werden, nothing can come of the matter ; was wird aus mir werden? what will become of me ? wird's? hurry up! es wird ihm schwer, he finds it difficult ; man wird zum Künstler, one turns artist ; wer wird das nicht mögen? who would not like it ?

werfen, wirft, warf, hat geworfen, throw, cast

das Werk (e), work

die Werktagsstimmung (en), work-a-day mood

das Werkzeug (e), tool

der Wert (e), value

wert, worth(y), dear

wertvoll, valuable

das Wesen (—), being, essence

weshalb, why, for which reason

wessen? whose ?

die Weste (n), waistcoat

weſtindiſch, West Indian

weswegen, why, because of which

die Wette (n), bet, wager ; um die Wette, in competition, as fast as possible

wetteifern, compete

das Wetter (—), weather

der Wettſtreit (e), competition

der Whisky (s), whisky

wichtig, important

die Wichtigkeit (en), importance, import

wider (acc.), against ; wider Willen, against your will

der Widerſpruch ("e), contradiction

widmen, devote, give up to

wie, how, what like, as ; wie wäre es (mit), how about, what about, how would it be ; wie ich Sie kenne, if I know you ; wie geſagt, as I have said ; wie es auch kommt, whatever happens ; wie wir ſo ſind, just as we are

wieder, again ; wieder einmal, once again

wieder'geben, gibt wieder, gab wieder, hat wiedergegeben, render

(ſich) wiederholen, repeat (oneself), revise

die Wiederholung (en), revision

wieder'kehren, iſt wiedergekehrt, return, recur

das Wiederſehen (—), revoir; auf Wiederſehen! good-bye

wiederum, in turn, again

Wien (neut.), Vienna

die Wieſe (n), meadow, field

das Wieſental ("er), meadow-valley

wieſo, how

wild, wild

die Wildheit, wildness, boisterousness

die Wildnis (ſe), wilderness

der Wille (ns, n), will ; um . . . willen, for . . .'s sake

der Wind (e), wind

ſich winden, windet ſich, wand ſich, hat ſich gewunden, twist, wind

windig, windy

die Windung (en), winding, bend

winken, beckon, wave

der Winter (—), winter

die Winterluft ("e), wintry air

winzig, tiny

der Wipfel (—), tree-top

wirbeln, twirl, whirl

wirklich, real

die Wirkung (en), effect

wirtſchaften, wirtſchaftet, keep house

wirtſchaftlich, economic

das Wirtshaus ("er), inn

die Wirtshausſonne (n), inn sign of the Sun Inn

wiſſen, weiß, hat gewußt, know; ich möchte wiſſen, I wonder

das Wiſſen, knowledge

die Wiſſenſchaft (en), science, learning, branch of knowledge

die Witwe (n), widow

der Witz (e), joke, funny story, wit

witzig, witty

wo, where ; zu einer Zeit, wo, at a time when ; jetzt, wo du nicht hier biſt, now that you are not here ; wo nicht erzeugt, doch . . ., if not produced, yet . . .

wobei, when, on which occasion

die Woche (n), week

wochenlang, for weeks

wodurch, whereby, through which

wofür, for which

die Woge (n), tall wave

wogen, ift (hat) gewogt, float, wave

woher, wherefrom

wohin, where(to), whither ; wohin wir kamen, wherever we went

wohl, possibly, well, I suppose ; er ſagte dann wohl, he would then say

wohlan, well then

wohlbekannt, well known

wohl'bekommen, bekam wohl, ift wohlbekommen, suit well

wohlbeſchaffen, well made

wohlbeſtellt, well cultivated, well provided

wohlgefällig, pleasing, attractive

wohlgelaunt, good-humoured, good-tempered

das Wohlſein, well-being

wohl'tun, tat wohl, hat wohlgetan, do well, act wisely

das Wohltun, charity

wohnen, stay, live

das Wohnhaus ("er), dwelling-house, manor

die Wohnung (en), flat, dwelling-place

die Wolke (n), cloud

wollen, will, wollte, hat gewollt, will, want to ; ſie wollte eben hineingehen, she was about to go inside ; es ſei wie es wolle, be it as it may

wollen, woollen

die Wolluſt ("e), lust, sensual pleasure

womit, with which

die Wonne (n), delight

woran, at which, of which

worauf, whereon, whereupon

woraus, out of which

worin, in which, wherein

das Wort (e), word, saying ; (viele)

Worte machen, waste (many) words, be long-winded ; wir nehmen ihn beim Wort, we take him at his word

das Wort ("er), word

das Wörterbuch ("er), dictionary

die Wortfolge (n), word order

das Wortpaar (e), pair of words

der Wortſchatz ("e), vocabulary

die Wortſchatzübung (en), exercise on vocabulary

worunter, among which, whom

wovon, of which

wozu, what for, to which ; wozu überhaupt dieſe Grammatik? why this grammar, anyway ?

das Wunder (—), miracle, wonder ; was Wunder, no wonder

wunderbar, wonderful

die Wundergeſtalt (en), miraculous figure

das Wunderhorn ("er), miraculous horn

wunderlich, quaint

wundern, surprise

ſich wundern, be surprised

wunderſam, wondrous

wunderſchön, wonderful

das Wunderwerk (e), wondrous work

der Wunſch ("e), wish

wünſchen, wish ; ich wünſchte ich könnte, I wish I could

ſich (dat.) wünſchen, make a wish

wünſchenswert, desirable

die Würde (n), dignity

würdig, worthy, respected

würdigen, appreciate

die Würdigung (en), appreciation, estimate

der Wurf ("e), throw, cast (dice) ; wem der große Wurf gelungen, he who has won through

würgen, choke

der Wurm ("er), worm
das Wurm ("er), little thing
  wurmen, vex, peeve
die Wurst ("e), sausage
die Wurstbrühe, sausage water,
  soup
die Würze (n), spice
die Wurzel (n), root
  wüst, barren, waste, desolate
die Wüste (n), desert
die Wut, fury

  zackig, pronged, jagged
  zahlen, pay
  zählen, count ; sie mochte fünf
    Jahre zählen, she might be
    five years old
der Zähler (—), teller, counter
  zahm, tame
  zähmen, tame
das Zahnweh, toothache
  zanken, quarrel
die Zapfenbirne (n), cone-shaped
  pear
  zart, delicate
der Zauber (—), charm
die Zauberflöte (—), magic flute
die Zauberfrau (en), magic woman,
  witch
  zaubern, charm, bewitch
der Zeh (en, auch : die Zehe, n),
  toe
  zehn, ten ; der zehnte, tenth ;
    der Zehente, tithe
das Zeichen (—), sign
  zeichnen, draw
die Zeichnung (en), drawing
  zeigen, show
die Zeile (n), line
die Zeit (en), time, tense ; zu der
    Zeit, at that time ; mit der
    Zeit, in time, gradually
das Zeitalter (—), era
der Zeitgenosse (n, n), contemporary
die Zeitlang, while

die Zeitung (en), newspaper
das Zeitungsblatt ("er), newspaper
das Zelt (e), tent, vault of heaven
das Zepter (—), sceptre
  zerbrechen, zerbricht, zerbrach,
    ist (hat) zerbrochen, break to
    pieces
die Zerlegung (en), dissection
  zernichten, zernichtet, destroy,
    annihilate
  zerstören, destroy
die Zerstörung (en), destruction
der Zettel (—), slip of paper
das Zeug, stuff
  Zeus (masc.), Zeus, Jupiter
der Zickzack, zigzag
die Ziege (n), goat
der Ziegenbock ("e), goat, billy-
  goat
  ziehen, zog, hat (ist) gezogen,
    grow, draw, pull, thread,
    move ; groß gezogen, reared,
    grown
die Ziehharmonika (s), accordion
das Ziel (e), goal, aim ; Maß und
    Ziel, reasonable limit
  ziemlich, fair, considerable
die Zier (den), beauty, ornament
  zieren, adorn
  zierlich, graceful, neat
die Ziffer (n), figure, number
die Zigarette (n), cigarette
die Zigarre (n), cigar
der Zigeuner (—), gipsy
das Zigeunerkind (er), gipsy child
das Zigeunerweib (er), gipsy woman
das Zimmer (—), room
der Zimmergenosse (n, n), room-
  mate
der Zins (en), interest
die Zipfelmütze (n), peaked night-
  cap
der Zirkel (—), circle
  zitieren, quote
die Zitrone (n), lemon

die Zitronenscheibe (n), slice of lemon

zittern, tremble

der Zoll ("e), customs duty

der Zollbeamte (n, n), customs official

der Zopf ("e), plait

zu, to, too, closed ; zu der (einer) Zeit, at the (one) time ; zum erstenmal, for the first time ; zu Tisch, at table ; auf mich zu, up to me ; das Meter zu eindreiviertel Mark, at one and three-quarter marks the meter

der Zucker, sugar

die Zudecke (n), cover

zudem, moreover

zuerst, at first, first

der Zufall ("e), accident, chance

zufrieden, content

zu'frieren, fror zu, ist (hat) zugefroren, freeze over

zu'fügen, inflict

der Zug ("e), train, draught, feature, move

zu'geben, gibt zu, gab zu, hat zugegeben, admit

zu'gehen, ging zu, ist zugegangen auf (acc.), go up to

zugereist, arrived

zugleich, at the same time

zugute'kommen, kam zugute, ist zugutegekommen, benefit

zuhause, (at) home

das Zuhause, home

zu'hören, listen

zu'klappen, shut with a bang

die Zukunft ("e), future

zu'langen, reach, pass

zuleide'tun, tat zuleide, hat zuleidegetan, harm, hurt

zuletzt, at last

zu'machen, close

zumal, especially, because

zunächst, first of all

zu'nehmen, nimmt zu, nahm zu, hat zugenommen, increase

die Zunge (n), tongue

die Zungenübung (en), tongue-twister

zurecht'machen, get ready, manufacture

zürnen, anger, be angry ; mich zürnt es, it angers me

zurück, back

zurück'blicken, look back

die Zurückerinnerung (en), memory

zurück'gehen, ging zurück, ist zurückgegangen, return

zurück'halten, hält zurück, hielt zurück, hat zurückgehalten, hold back

zurückhaltend, reserved

zurück'kehren, ist zurückgekehrt, return

sich zurück'lehnen, lean back

zurück'rennen, rannte zurück, ist zurückgerannt, run back

zurück'stürzen, ist zurückgestürzt, fall back

(sich) zurück'versetzen, think back

zu'rufen, rief zu, hat zugerufen, call out to

zusammen, together

zusammen'arbeiten, arbeitet zusammen, co-operate

zusammen'brechen, bricht zusammen, brach zusammen, ist zusammengebrochen, collapse, falter

(sich) zusammen'drängen, crowd together

zusammen'fahren, fährt zusammen, fuhr zusammen, ist zusammengefahren, start, be startled

zusammen'falten, faltet zusammen, fold up

zusammen'fassen, sum up

zusammen'halten, hält zusammen, hielt zusammen, hat zusammengehalten, keep together, husband

der Zusammenhang ("e), connection, context

zusammen'hängen, be connected

sich zusammen'krempen, huddle oneself together, crumple up

zusammen'schrumpfen, shrink

zusammen'setzen, put together, compound

der Zuschauer (—), onlooker, spectator

der Zuschauerraum ("e), auditorium, theatre

zu'schließen, schloß zu, hat zugeschlossen, close

zu'sehen, sieht zu, sah zu, hat zugesehen, watch

zu'senden, sendet zu, sandte zu, hat zugesandt (auch: schwach), send

der Zustand ("e), state, condition

zu'stimmen, agree

die Zuversicht, confidence

zuvor, before

zuvor'eilen, ist zuvorgeeilt, forestall

zuvor'tun, tat zuvor, hat zuvorgetan, outdo, forestall

zuweilen, at times

zu'werfen, wirft zu, warf zu, hat zugeworfen, throw to someone

zuwiderhandeln, act against, oppose

der Zwang, compulsion

zwanzig, twenty; der zwanzigste, twentieth

zwar, admittedly, true, namely; und zwar am Knie, namely on the knee

der Zweck (e), purpose; es hat keinen Zweck, it is of no use

zwei, two; der zweite, second; fürs zweite, zweitens, zum zweiten, secondly

zweierlei, two kinds of things

der Zweifel (—), doubt

zweifeln, doubt

zweifelnd, doubtful(ly)

der Zweig (e), twig, branch

zweiunddreißig, thirty-two

zwerghaft, dwarfed

zwicken, pinch

der Zwieback ("e), rusk

die Zwiebel (n), onion

der Zwilling (e), twin

(sich) zwingen, zwang (sich), hat (sich) gezwungen, force (oneself)

zwischen (acc. and dat.), between

zwitschern, twitter

zwölf, twelve; der zwölfte, twelfth

ENGLISH–GERMAN VOCABULARY

(containing vocabulary of translation exercises only)

a, ein, eine; ten thousand a year, zehntausend das Jahr
abode, das Heim (e)
about, über (acc.)
above, über (acc. and dat.) ; oben
abridge, kürzen
accident, der Unfall ("e)
according(ly), dementsprechend
acquaintance, der Bekannte (n, n)
act, spielen, schauspielern
acting, die Schauspielkunst ("e)
actor, der Schauspieler (—)
actress, die Schauspielerin (nen)
actual, tatsächlich
add, hinzu'fügen
admiration, die Bewunderung
admire, bewundern
admit, zu'geben, gibt zu, gab zu, hat zugegeben
advance, weiter'fahren, fährt weiter, fuhr weiter, ist weitergefahren
adventure, das Abenteuer (—)
afar, fern(e)
affection, die Neigung (en), die Zuneigung (en)
afraid, ängstlich ; they are afraid, sie fürchten
after, nach (dat.), nachdem ; after (that), da(r)nach ; after all, letzten Endes
again, wieder
against, gegen (acc.)
aggravated, gereizt
ago, vor (dat.) ; two months ago, vor zwei Monaten
ah, ach
aim at, erstreben
air, wärmen

air, die Luft ("e) ; in the open air, im Freien
alert, munter
all, alle, alles, all ; ganz ; all the psaltery, der ganze Psalter
allowed, erlaubt ; be allowed, dürfen, darf, durfte, hat gedurft
alone, allein
along, entlang
aloud, laut
already, schon
also, auch
always, immer
amazement, die Verwunderung
amiable, liebenswürdig
among(st), unter ; among other things, unter anderem
amuse, unterhalten, unterhält, unterhielt, hat unterhalten
and, und
angry, ärgerlich
another, ein anderer, einander ; one song after another, ein Lied nach dem anderen ; another five minutes, noch (einmal) fünf Minuten ; another stop, noch (wieder) ein Aufenthalt
answer, (be)antworten, (be)antwortet
answer, die Antwort (en)
any, irgendein (e) ; any at all, irgendein (e)
anything, etwas ; not anything, nichts
apartment, das Zimmer (—) ; set of apartments, die Wohnung (en)
apologize, (sich) entschuldigen ;

454

apologize for my etc., bitte ihn
um Entschuldigung, daß ich, etc.
apparent(ly), scheinbar
appear, scheinen, schien, hat ge=
schienen ; erscheinen, erschien, ist
erschienen
appearance, der Schein ; die Spur
(en)
approach, sich nähern
approbation, die Billigung (en)
April, der April
arm, der Arm (e) ; in my arms,
auf dem Arm
armchair, der Lehnstuhl ("e)
arrangement, die Bedingung (en)
arrival, die Ankunft ("e)
arrive, an'kommen, kam an, ist
angekommen ; an'langen, ist
angelangt
art, die Kunst ("e)
as, als, wie ; as if, als ob ; wie ; as
yet, bis jetzt ; the same as, das=
selbe wie ; as well as, ebenso=
wie
as . . . as, so . . . wie
ascend, besteigen, bestieg, hat be=
stiegen ; hinauf'steigen, stieg
hinauf, ist hinaufgestiegen
ascent, der Aufstieg (e)
ask (for), fragen; bitten, bittet, bat,
hat gebeten (um, acc.) ; ask
riddles, Rätsel stellen, auf'geben
asleep, eingeschlafen ; be asleep,
schlafen, schläft, schlief, hat ge=
schlafen
asparagus, der Spargel (—)
at, an, bei, in, um ; at all, über=
haupt, gar ; any at all, irgend=
ein (e)
at home, zu Hause
attain, erreichen, erlangen
attend, begleiten, begleitet
attitude, die Haltung (en)
attraction, die Anziehungskraft ("e)
author, der Verfasser (—), der
Schriftsteller (—)

aversion (to), die Abneigung (en)
gegen (acc.)
avoid, vermeiden, vermeidet, ver=
mied, hat vermieden
away, weg, fort
awhile, eine Weile
awkward, ungeschickt
awkwardness, die Ungeschicklichkeit
(en)
ay, jawohl

baby, das Kindchen (—), der Säug=
ling (e), das Wickelkind (er), das
kleine Kind
back, der Rücken (—)
back, zurück
background, der Hintergrund ("e)
baker, der Bäcker (—)
ballad, die Ballade (n)
bank, das Ufer (—)
bar, der Schenktisch (e)
bare, kahl
barmaid, die Kellnerin (nen)
basin, das Becken (—)
bath, das Bad ("er)
battle, der Kampf ("e)
be, sein, ist, war, ist gewesen ;
werden, wird, wurde, ist ge=
worden
beach, die Küste (n), der Strand (e)
beating, das Schlagen
beautiful, schön
become (of), werden, wird, wurde,
ist geworden (aus)
bed, das Bett (en); das Beet (e)
before, vorher ; bevor, ehe
begin, an'fangen, fängt an, fing an,
hat angefangen ; beginnen, be=
gann, hat begonnen
believe, glauben
bell, die Glocke (n)
bell-man, der Nachtwächter (—)
below, unten ; go below, nach
unten gehen
bend, sich neigen
beset, verfolgen, plagen, quälen

besides, außerdem ; besides all this, außer all diesem

best, best, am besten ; I liked him best, ich hatte ihn am liebsten

better, besser

between, zwischen (acc. and dat.)

biscuit, der Keks (e), das Biskuit (s)

bit, bißchen ; not a bit, nicht im geringsten, gar nicht, kein bißchen

blind, der Rolladen ("), die Jalousie (n)

blow, wehen; blasen, bläst, blies, hat geblasen

blue, blau

boat, das Boot (e)

body, der Körper (—) ; of body, körperlich

boisterous, ausgelassen, ungestüm

bonnet, die Haube (n)

book, das Buch ("er)

border on, grenzen an (acc.)

born, geboren

bosom, die Brust ("e), der Busen (—)

both, beide ; both . . . and, sowohl . . . als auch

bound, begrenzen

bowling-green, der Spielrasen (—)

brain oneself, sich den Kopf ein=schlagen, schlägt ein, schlug ein, hat eingeschlagen

breakfast, frühstücken

breakfast, das Frühstück (e)

breakfast-table, der Frühstückstisch

breath, der Atem

breathe, atmen

breathing, das Atmen

breeches, die Kniehose (n)

brick, der Backstein (e)

bright, licht, hell

bring, bringen, brachte, hat ge=bracht

brother, der Bruder (")

build, bauen

building, das Gebäude (—)

business, das Geschäft (e), die Beschäftigung (en) ; die Aufgabe (n)

but, aber ; sondern ; no sounds but, kein Geräusch als

butter, die Butter

buy, kaufen

by, von   [(gradually), allmählich

by and by (soon), bald nachher ;

call, nennen, nannte, hat genannt; call at, besuchen ; be called, heißen, hieß, hat geheißen

calm(ly), ruhig, seelenruhig

can, können, kann, konnte, hat gekonnt

candid, aufrichtig

cane, der (Spazier)stock ("e)

careful, sorgfältig

careless, sorglos

carriage, der Wagen (—)

carve (out), schnitzen

cat, die Katze (n)

catch, fangen, fängt, fing, hat gefangen

cathedral, der Dom (e)

certain, sicher, gewiß

change, sich verändern, ändern

chapter, das Kapitel (—)

character, der Charakter (e)

characterize, charakterisieren, aus=zeichnen

charming, reizend

château, das Schloß ("sser)

chatter, das Geschwätz

cheerful, vergnügt

church, die Kirche (n) : to church, zur Kirche

civil, höflich

class, die Klasse (n) ; a class of customers, eine Sorte Kunden

clean, sauber

clear, klar

clearness, die Klarheit (en)

clerk, der Schreiber (—), der Büro=angestellte (n, n)

clock, die Uhr (en) ; one of the clock, ein Uhr

clothes, die Kleider (pl.)

coach, die Kutsche (n)

cobbler, der Schuster (—)

coffee, der Kaffee (s)

coffee-house, die Kaffeestube (n)

cold, kalt ; I talked coldly, ich redete kühl

collar, der Kragen (—)

colour, die Farbe (n)

comb, kämmen

come, kommen, kam, ist gekommen; come to be, werden ; come by, vorbei'kommen ; come in, her= ein'kommen

comedy, die Komödie (n), das Lust= spiel (e)

comfortable, gemütlich

commotion, die Bewegung (en)

company, die Gesellschaft (en)

completeness, die Vollständigkeit (en)

compliment (on), das Kompliment (e) (über, acc.) ; die Anerken= nung (en) (gen.)

conceal, verdecken

conception, der Begriff (e), das Verständnis

conclude, schließen, schloß, hat ge= schlossen

conquest, der Sieg (e)

consider, betrachten, betrachtet

considerable, beträchtlich

consume, verbrauchen

contemplation, die Betrachtung, die Kontemplation

contemptuous, verächtlich

contentment, die Zufriedenheit

continual, ununterbrochen

continued, die Fortsetzung (en)

conversation, die Unterhaltung (en), das Gespräch (e)

conversation book, das Konversa= tionsbuch ("er)

conviction, die Überzeugung (en)

cook, der Koch ("e), die Köchin (nen)

copy, ab'schreiben, schrieb ab, hat abgeschrieben

corn, das Korn ("er), das Getreide (—)

corner, die Ecke (n)

cottage, das Häuschen (—), die Hütte (n) ; cottage house, das Häuschen (—)

country, das Land ("er)

countryman, der Landsmann (Landsleute)

county, die Grafschaft (en)

course, der Lauf ("e) ; of course, natürlich

covet, begehren

cradle, die Wiege (n)

crayon, der Buntstift (e), der Farb= stift (e)

creature, das Geschöpf (e)

creep, kriechen, kroch, ist gekrochen ; they crept about me, sie krochen auf mir herum

criminal, strafbar, verbrecherisch

critical, kritisch

criticism, die Kritik (en)

crowd together, (sich) zusammen'= drängen

cruel, grausam

cry, rufen, rief, hat gerufen ; cry out, aus'rufen

cup, die Tasse (n)

curiosity, die Neugier(de)

curious, seltsam

curse, verwünschen

customer, die Kunde (n, n)

cut, schneiden, schneidet, schnitt, hat geschnitten

cutting, das Schneiden

damp, feucht

dance, tanzen

dancer (fem.), die Tänzerin (nen)

danger, die Gefahr (en)

dark, dunkel

dash out, hinaus'stürzen

daughter, die Tochter (")

day, der Tag (e) ; one day, eines Tages

dear, lieb ; dear me ! lieber Himmel, liebe Zeit ! —

dearness, die Zuneigung, die Herzlichkeit (en)

declaimer, der Vortragskünstler (—)

deep, tief

degree, das Ausmaß (e), der Grad (e)

delicate, empfindlich

delicious, köstlich

delight, entzücken

delight, das Entzücken

delighted, entzückt

deny, ab'sprechen, spricht ab, sprach ab, hat abgesprochen

departure, das Weggehen

descend, herab'steigen, stieg herab, ist herabgestiegen ; herab'kommen, kam herab, ist herabgekommen

describe, beschreiben, beschrieb, hat beschrieben

deserve, verdienen

desire, wünschen

desist, auf'hören

determine on, beschließen zu (infin.)

devote, widmen (dat.)

dialogue, das Zwiegespräch (e), der Dialog (e)

diary, das Tagebuch ("er)

die, sterben, stirbt, starb, ist gestorben

different, verschieden, anders ; different(ly) from, anders als

diminish, verkleinern, vermindern

dinner, das Mittagessen (—), das Essen (—) ; after dinner, nach dem Mittagessen ; at dinner, beim Essen

direct to, richten, richtet auf (acc.)

disagreeable, unangenehm

discontent, die Unzufriedenheit (en)

discuss, besprechen, bespricht, besprach, hat besprochen

dish, das Gericht (e), die Speise (n) ; die Schüssel (n)

dislike, mißfallen, mißfällt, mißfiel, hat mißfallen ; nicht mögen, mag, mochte, hat gemocht ; I dislike him much, er mißfällt mir sehr, ich mag ihn gar nicht

dispose, an'legen

dissocial, ungesellig

distance, die Entfernung (en) ; at a distance, entfernt

distinct, deutlich, sichtbar

distinguish (oneself), (sich) aus'zeichnen ; unterscheiden, unterscheidet, unterschied, hat unterschieden

distinguished, hervorragend

distracted, verrückt

do, tun, tat, hat getan ; machen ; it will just do, es ist gerade recht

door, die Tür (en, auch : Türe, =n)

doorway, der Türeingang ("e)

dormouse, die Haselmaus ("e)

doubt, bezweifeln, zweifeln an (dat.)

down, hinunter, (nach) unten ; down to, bis zu ; down my back, den Rücken hinunter

dragon, der Drache (ns, n, n, auch : Drachen, —)

dragoon, der Dragoner (—)

draw, ziehen, zog, hat gezogen ; draw on, hin'halten, hält hin, hielt hin, hat hingehalten

drawing, die Zeichnung (en)

drawing-room, das Wohnzimmer (—)

dream-children, die Traumkinder

drink, trinken, trank, hat getrunken

dry, trocknen

during, während (gen.)

each, jeder, jede, jedes

eagle, der Adler (—)

earn, verdienen

easy, leicht

eat, essen, ißt, aß, hat gegessen

edition, die Ausgabe (n)

effort, die Anstrengung (en)

either, entweder ; either . . . or, entweder . . . oder

Elbe, die Elbe

elbow, der Ell(en)bogen (—)

Elizabeth, Elisabeth

eloquence, die Beredsamkeit

else, sonst ; nothing else, nichts anderes

eminence, die Bedeutung (en), der Ruhm

emphatic, ausgesprochen

employ, verwenden, verwendet, verwandte, hat verwandt (auch : schwach)

encouraging, ermunternd

end, enden, endet

end, das Ende (n)

England, England (neut.)

enjoy, genießen, genoß, hat genossen ; sich freuen (gen.) ; to enjoy much, sehr genießen, sich sehr freuen

enormous, ungeheuer

enrich, bereichern

enthusiasm, die Begeisterung

enthusiast, der Schwärmer (—)

envy, beneiden, beneidet ; to be envied, beneidenswert

era, das Zeitalter (—)

especially, besonders

essay, der Aufsatz ("e)

esteem, halten (für, acc.)

estimate, die Schätzung (en), die Würdigung (en)

etc., und so weiter, usw., etcetera, etc.

Europe, Europa (neut.)

even, eben, sogar ; not even, nicht einmal

evening, der Abend (e)

ever, je, immer, stets ; for ever, für immer

every, jeder, jede, jedes ; everybody, jeder(mann)

everything, alles : everything that, alles was

evident(ly), offenbar

exact, genau

exactly so, ganz genau das

exaggeration, die Übertreibung (en)

excellence, die Gabe (n), der Vorzug ("e)

except, außer, bis auf (acc.)

excite, erregen

excitement, die Aufregung (en)

excuse, entschuldigen ; excuse me, entschuldigen Sie !

exercise, die Übung (en), die Aufgabe (n)

exist (for), leben (dat.)

existence, das Dasein

expanse, die Weite (n), die Ferne (n)

expatiate on, sich aus 'lassen, läßt sich aus, ließ sich aus, hat sich ausgelassen über (acc.)

expert, erfahren

explode, vernichten, vernichtet

express, aus 'drücken

expression, der Ausdruck ("e)

extensive, ausgedehnt

extract, der Auszug ("e)

extraordinary, außerordentlich

extreme, außerordentlich

eye, das Auge (n)

face, das Gesicht (er)

fair(ly), schön, sauber

faith, der Glaube (ns, n, n) ; faith ! wirklich !

fall down, (herunter)fallen, fällt (herunter), fiel (herunter), ist (herunter)gefallen

falsehood, die Falschheit (en)

familiar, vertraut

family, die Familie (n) ; family watch, die Familienuhr (en)

famous, berühmt

fancy, sich (dat.) ein bilden, bildet sich ein

far, weit ; far from dissocial, bei weitem (durchaus) nicht ungesellig

fashion, die Mode (n)

fast, schnell ; fest ; fast asleep, fest eingeschlafen

fat, dick

father, der Vater (")

fear, fürchten, fürchtet

feel, (sich) fühlen ; empfinden, empfindet

felicity, die Leichtigkeit (en)

fellow, der Kerl (e)

fevered, fieberisch, fieberheiß

field, das Feld (er)

fierce, heftig

fifteen, fünfzehn

figure, die Gestalt (en)

find (out), finden, findet, fand, hat gefunden

finding, das Finden

fine, schön

fineness, die Feinheit (en)

fire, das Feuer (—)

firm, fest

first, erst, zuerst

five, fünf ; five hundred, fünfhundert ; fifth, fünft

flageolet, das Flageolett (s)

flame, die Flamme (n)

flannel, der Flanell ; flannel waist-coat, die Flanellweste (n)

flash, blitzen ; it flashed on me, es schoß mir durch den Sinn

flower, die Blume (n)

fly, die Fliege (n)

follow, folgen (dat.)

fond, lieb ; he is fond of it, er mag es gern ; she is fond of him, sie liebt ihn, sie hat ihn lieb

fool, der Narr (en, en)

foolish, töricht

foot, der Fuß (") ; on foot, zu Fuß

footstep, der Schritt (e)

for, für (acc.) ; lang ; denn ; for about forty minutes, etwa vierzig Minuten lang

force, die Kraft ("e), die Stärke

forest, der Wald ("er)

fork, die Gabel (n)

form, formen ; gestalten, gestaltet ; bilden, bildet

forward, vorwärts

foundation, die Grundlage (n)

fourteen, vierzehn ; fourteenth, vierzehnt

Frankfort, Frankfurt (neut.)

free, frei

freedom, die Freiheit (en)

freemason, der Freimaurer (—)

freeze, frieren, fror, hat (ist) gefroren ; all frozen over, ganz vereist

French, französisch

frequent, häufig, zahlreich

friend, der Freund (e), die Freundin (nen)

friendly, freundlich, freundschaftlich

friendship, die Freundschaft (en)

from, von (dat.), aus (dat.)

front : in front of, vor (dat. and acc.)

frostless, frostfrei, frostlos

frosty, frostig

fruit-tree, der Obstbaum ("e)

full, voll

fun, der Spaß ("e) ; we have some fun, wir amüsieren uns gut

funny, lustig, komisch

furnish, ein richten, richtet ein

game, das Spiel (e)

garden, der Garten (")

gasp out, atemlos hervor stoßen, stößt hervor, stieß hervor, hat hervorgestoßen

gate, das Tor (e)

general(ly), allgemein, gewöhnlich

genial, herzlich

gentleman, der Herr (n, en); gentleman's seat, der Herrensitz (e) ; gentleman's house, das Herrenhaus ("er)

genuine, echt

German, deutsch ; der Deutsche (n, n) ; in German, auf deutsch

Germany, Deutschland (neut.)

gesture, die Gebärde (n)

get, bekommen, bekam, hat bekommen ; geraten, gerät, geriet, ist geraten ; get up, auf'stehen, stand auf, ist aufgestanden

getting up, das Aufstehen

girl, das Mädchen (—)

give, geben, gibt, gab, hat gegeben ; give up to, widmen (dat.)

glad, froh

glance, der Blick (e)

glide, gleiten, gleitet, glitt, ist geglitten ; gliding, gleitend

glory, stolz sein auf (acc.)

gnat, die Mücke (n)

go, gehen, ging, ist gegangen ; ab'fahren, fährt ab, fuhr ab, ist abgefahren ; I went on to say, ich sagte weiter ; go to sleep, ein'schlafen, schläft ein, schlief ein, ist eingeschlafen ; go in, hinein'gehen ; go on, fort'fahren, fährt fort, fuhr fort, ist fortgefahren

God, (der) Gott ("er) ; in God's name, in Gottes Namen, um Himmels willen

golden, golden

good, gut ; good morning, guten Morgen

gossip, die Klatschbase (n)

graceful, anmutig

gracious, anmutig ; good gracious! du liebe Güte!

grasp, halten, hält, hielt, hat gehalten ; packen

grave, ernst

gravel, der Kies ; gravel walk, der Kiesweg (e)

great, groß

great-grandmother, die Urgroßmutter (")

green, grün

group, gruppieren

grow, wachsen, wächst, wuchs, ist gewachsen

guess, erraten, errät, erriet, hat erraten

guide, führen ; leiten, leitet

habit, die Gewohnheit (en)

habitual(ly), gewohnheitsmäßig

hair, das Haar (e)

half, halb ; die Hälfte (n)

hall, die Diele (n)

Hamburg, Hamburg (neut.)

hand, die Hand ("e)

handsome, schön, hübsch, stattlich

hang, hängen (hangen, arch.)

happiness, das Glück

happy, glücklich

harbour, der Hafen (")

hard, hart, schwer ; hard labour, das Zuchthaus

hasten, beeilen

hasty, rasch

hat, der Hut ("e)

hate, hassen

hatter, der Hutmacher (—)

have, haben, hat, hatte, hat gehabt ; have to, müssen, muß, mußte, hat gemußt ; have some wine ! möchten Sie (etwas) Wein?

he, er

head, der Kopf ("e) ; head of a table, das Kopfende eines Tisches

hear, hören

heart, das Herz (ens, en, en) ; by heart, auswendig

heartiness, die Herzlichkeit

heat, die Hitze

heavy, schwer

helmet, der Helm (e)

help, helfen, hilft, half, hat geholfen (dat.)

Henry, Heinrich

her (adj.), ihr (e) ; (pron.), fie, ihr
here, hier
herein, hierin
hide, verbergen, verbirgt, verbarg,
  hat verborgen (vor)
high, hoch ; higher, höher ; highly,
  höchft
hill, der Hügel (—)
him, ihn, ihm
himself, (er) felbft
his, fein (e)
history, die Gefchichte
hold, halten, hält, hielt, hat ge=
  halten ; hold an office, ein Amt
  bekleiden
home, nach Haufe
honest, ehrlich
honour, die Ehre (n)
hope, hoffen ; die Hoffnung (en)
horse, das Pferd (e)
hot, heiß
hour, die Stunde (n)
house, das Haus ("er)
how, wie ; how is your mother?
  wie geht es Ihrer Mutter?
however, aber, jedoch
hundred, hundert ; a hundred,
  hundert
hungry, hungrig
husband, der Mann ("er), der
  Ehemann ("er), der Gatte (n, n)

I, ich
ice, das Eis
idea, die Vorstellung (en)
ideal, das Ideal (e) ; ideal
idiomatic, idiomatifch
idiot, der Idiot (en, en)
if, wenn, ob
ill, fchlecht
immediate(ly), fofort, fofortig
immense, ungeheuer
import, die Bedeutung (en)
impossible, unmöglich
improved, beffer
in, in, auf ; in 1805, (im Jahr) 1805

incident, das Ereignis (fe)
indeed, in der Tat, wirklich ; so
  good indeed, ja fo gut
indicate, an'deuten, deutet an
indifference (to), die Gleichgültig=
  keit (gegenüber, dat.)
indignant(ly), entrüftet
inmate, der Hausgenoffe (n, n), der
  Infaffe (n, n)
inn, das Gafthaus ("er)
inside, innen ; look inside, innen
  hinein'fehen
instance, das Beifpiel (e) ; for
  instance, zum Beifpiel
instead of, anftatt (gen.)
interesting, intereffant
interior, das Innere
interval, die Paufe (n), die Zeit=
  fpanne (n)
invention, die Erfindung (en)
invite, ein'laden, lädt ein, lud ein,
  hat eingeladen
involuntary, unfreiwillig
irregular, unregelmäßig
irresistible, unwiderftehlich
irritating, unleidlich, aufreizend
island, die Infel (n)
it, es, er, fie
its, fein (e)

January, der Januar (e)
jewel, das Juwel (en)
journal, das Tagebuch ("er), die
  Briefe (pl.)
July, der Juli (s)
just, eben, gerade ; just as well,
  ebenfogut

kick, ftrampeln
kind, die Art (en)
kindly, freundlich
knife, das Meffer (—)
knock, klopfen ; a knock at the
  door, es klopft an die Tür
knock off, ab'fchlagen, fchlägt ab,
  fchlug ab, hat abgefchlagen

knot, der Knoten (—)
know, kennen, kannte, hat gekannt;
 wissen, weiß, wußte, hat gewußt
known, bekannt

labour, die Arbeit (en); hard
 labour, das Zuchthaus
lady, die Dame (n)
lamp, die Lampe (n)
language, die Sprache (n)
large, groß
last, dauern; an'halten, hält an,
 hielt an, hat angehalten
last, letzt
late, spät
lately, kürzlich, seit kurzem
laugh (at), lachen (über, acc.)
laundress, die Waschfrau (en)
lavish, üppig
learn, lernen
least: at least, wenigstens
leave, lassen, läßt, ließ, hat gelassen;
 zurück'lassen; leave alone, in
 Ruhe lassen
leave off, weg'lassen, läßt weg,
 ließ weg, hat weggelassen;
 ab'legen
left, link
leg, das Bein (e)
length, die Länge; at length,
 schließlich
lengthy, langatmig
less, weniger
let, lassen, läßt, ließ, hat gelassen;
 let down, herunter'lassen
letter, der Brief (e)
lie, liegen, lag, hat gelegen
life, das Leben (—)
lightning, der Blitz (e); quick as
 lightning, blitzschnell
like, gern haben, hat gern, hatte
 gern, hat gern gehabt; wie; the
 like, seines= (ihres)gleichen; like
 this, so
likely, wahrscheinlich
line, die Zeile (n)

linen, das Leinen, die Leinwand
lion, der Löwe (n, n)
literary, literarisch
literature, die Literatur (en)
little, wenig, klein; a little, ein
 wenig; my little ones, meine
 Kleinen
live, leben, wohnen
Lizzy, Liesel
logician, der Logiker (—)
loiter, trödeln, zaudern
long, lang(e)
look, aus'sehen, sieht aus, sah aus,
 hat ausgesehen; sehen; look
 at, an'sehen; look back to,
 zurückblicken auf (acc.); look
 inside, innen hinein'sehen; look
 around, sich um'sehen
Lord, Herr; Lord's Day, der Tag
 des Herrn; Lord bless me,
 guter Gott!
lord, der Lord (s)
love, lieben
love, die Liebe
lovely, lieblich
low, niedrig
luggage, das Gepäck
lunacy, der Irrsinn
lunatic, der Irrsinnige (n, n)
lunch, zu Mittag essen, ißt zu
 Mittag, aß zu Mittag, hat zu
 Mittag gegessen

mad, verrückt
madam, (meine) Dame (n)
magnitude, die Größe (n)
maid, das Dienstmädchen (—)
mail, die Postkutsche (n)
Maine, der Main
make, machen; lassen, läßt, ließ,
 hat gelassen; ab'geben, gibt ab,
 gab ab, hat abgegeben; make
 up one's mind, sich entschließen,
 entschloß sich, hat sich entschlossen
 (zu, dat.)
man, der Mann ("er)

manhood, das Mannesalter (—)

maniac, der Irrsinnige (n, n)

manner, die Weise (n) ; manner of existence, die Lebensweise (n)

many, viele ; a great many, sehr viele ; a great many more, sehr viele mehr

marble (adj.), marmorn; a marble one, ein marmorner

March, der März (e)

March Hare, der Märzhase (n, n)

married, verheiratet

mast, der Mast (en)

master, der Meister (—)

matter, der Stoff (e), die Sache (n)

may, mögen, mag, mochte, hat gemocht ; können, kann, konnte, hat gekonnt ; dürfen, darf, durfte, hat gedurft ; you might say, du könntest sagen

me, mich, mir

mean, meinen

meat, das Fleisch

meditation, das Meditieren, das Sinnen

meet, (sich) treffen, trifft (sich), traf (sich), hat (sich) getroffen ; it meets my eye, es fällt mir ins Auge

melancholy, trübsinnig, schwermütig

mere(ly), bloß

merit, das Verdienst (e)

meritorious, verdienstvoll

merry, fröhlich, lustig ; merry Christmas, fröhliche Weihnachten

midst, die Mitte (n) ; in the midst of, mitten in (acc. and dat.)

mind, etwas dagegen haben ; she doesn't mind, sie hat nichts dagegen

mind, der Geist (er) ; make up one's mind (upon), sich entschließen (zu)

minute, die Minute (n)

miscellaneous, verschieden

miserable, trübselig

mistake, verwechseln

modern, modern

money, das Geld (er)

monster, das Ungeheuer (—)

mood, die Stimmung (en)

moral, sittlich, moralisch

more, mehr ; more than ever, mehr denn je ; more and more frequent, immer zahlreicher

morning, der Morgen (—) ; this morning, heute Morgen ; good morning, guten Morgen ; in the morning, morgens

most, meist, höchst ; most of us, die meisten von uns

mother, die Mutter (")

motion, die Bewegung (en)

mountain, der Berg (e)

moustache, der Schnurrbart ("e)

mouth, der Mund ("er)

movement, die Bewegung (en)

Mr, der Herr (n, en)

Mrs, die Frau (en)

much, viel, sehr

must, müssen, muß, mußte, hat gemußt

my, mein (e)

myself, (ich) selbst

naked, nackt

name, der Name (ns, n, n)

natural, natürlich ; unehelich

nature, die Natur (en)

nay, nein

neat, nett, ordentlich, sauber

need, brauchen

neighbourly, nachbarlich

never, nie ; never before, nie vorher

new, neu

newspaper, die Zeitung (en)

next, nächst

night, der Abend (e), die Nacht ("e); at night, abends, am Abend

nine, neun

nineteen, neunzehn

ninth, neunt

no, nein ; kein (e) ; no one, keiner

noble, edel

noise, der Lärm, das Geräusch (e)

noisy, geräuschvoll

none, keine

not, nicht

nothing, nichts ; nothing but, nichts als ; nothing at all, gar nichts ; nothing else, nichts anderes

notion, der Begriff (e) ; I took a notion, es fiel mir ein, es kam mir in den Sinn

now, jetzt, nun

number, die Anzahl (en)

object, der Gegenstand ("e)

obtrude oneself, sich vor'drängen

o'clock, Uhr

odd, sonderbar, seltsam

of, von (dat.), über (dat. and acc.) ; I was writing of this line, ich schrieb an dieser Zeile

off, weg

offer, an'bieten, bietet an, bot an, hat angeboten

office, das Büro (s), das Amt ("er)

Oh, O

on, auf (dat. and acc.), an (dat. and acc.), über (dat. and acc.)

once, einst, einmal

one, ein, eins, einer, eine, eines ; one another, einander

only, nur

open, auf'machen

operate on, operieren

operation, die Beschäftigung (en), die Operation (en)

or, oder

order, die Ordnung (en) ; in order to hear, um . . . zu hören

other, ander ; the other evening, neulich abends ; the other day, neulich

otherwise, sonst, sonstwie ; not otherwise, sonst nicht

ought to, sollte

our, unser (e)

ourselves, (wir, uns) selbst ; amongst ourselves, unter uns

out (of), aus (dat.)

outward, äußerlich

over, über (dat. and acc.)

overlook, übersehen, übersieht, übersah, hat übersehen ; vergessen, vergißt, vergaß, hat vergessen

overpowering, überwältigend

own, zu'geben, gibt zu, gab zu, hat zugegeben

own, eigen

page, die Seite (n)

pain, der Schmerz (en) ; pain of body, körperlicher Schmerz

paint, malen, bemalen

pair, das Paar (e) ; pair of boots, das Paar Schuhe

papa, der Papa (s)

paper, das Papier (e)

part, sich trennen

part, der Teil (e) ; die Rolle (n)

particularly, besonders

passage, die Überfahrt (en) ; der Abschnitt (e)

passion, die Leidenschaft (en)

passionate, leidenschaftlich

past, vorbei ; past one o'clock, ein Uhr vorbei

patient, geduldig

patriarch, der Erzvater ("), der Patriarch (en, en)

people, die Leute (pl.)

perch, auf'stellen

perfect, vollkommen

perfection, die Vollkommenheit (en)

perform, auf'führen, spielen

perhaps, vielleicht

period, die Zeit (en), die Periode (n)

permanent, dauernd

perpetual, dauernd

person, die Person (en), der Mensch (en, en)

personal, persönlich ; personal remarks, anzügliche Bemerkungen

persuasion, die Überzeugung (en)

pervade, erfüllen, durchdringen

philosophic, philosophisch

philosophy, die Philosophie (n)

phrase, der Ausdruck ("e)

pick one's teeth, sich (dat.) die Zähne stochern

picture, das Bild (er)

piece, das Stück (e) ; piece of paper, der Zettel (—)

pierce, durchdringen, durchdrang, hat durchdrungen ; piercing, durchdringend

pigeon, die Taube (n)

pilgrimage, die Wallfahrt (en)

pin, stecken

pin-money, das Nadelgeld (er)

pint, der Schoppen (—) ; a pint of wine, ein Schoppen Wein

place (oneself), (sich) stellen

place, der Ort ("er, e), die Stelle (n)

plain, die Fläche (n), die Ebene (n) ; deutlich

plate (of), der Teller (—)

play, spielen ; das Schauspiel (e) ; her foot played a movement, ihr Fuß führte eine Bewegung aus

player, der Spieler (—)

playing, das Spielen

pleasant, angenehm

please, gefallen, gefällt, gefiel, hat gefallen

pleased, froh

pleasure, das Vergnügen (—), der Genuß ("e)

plenty (of), mehr als genug

pocket, die Tasche (n)

poem, das Gedicht (e)

poet, der Dichter (—)

poetic, dichterisch

poetry, die Dichtkunst ("e)

police, die Polizei

political, politisch

poplar, die Pappel (n)

possession, der Besitz ; take possession, Besitz ergreifen, ergriff, hat ergriffen

pray, bitten, bittet, bat, hat gebeten ; pray ? bitte, ich bitte Sie ?

prefer, vor'ziehen, zog vor, hat vorgezogen

prejudice, das Vorurteil (e)

prepare, bereiten, bereitet ; vor'bereiten, bereitet vor

present, das Geschenk (e) ; make presents, schenken

pretension, die Anmaßung (en)

pretty, hübsch ; pretty well, good, ziemlich gut

pride, der Stolz

prize, der Gewinn (e), der Preis (e)

probable, wahrscheinlich

productive, schöpferisch

professorship, die Professur (en), der Lehrstuhl ("e)

profit, Gewinn bringen, brachte, hat gebracht

promotion, die Beförderung (en)

prove, beweisen, bewies, hat bewiesen

proverb, das Sprichwort ("er)

pull down, nieder'reißen, riß nieder, hat niedergerissen

purchase, erstehen, erstand, hat erstanden ; ein'kaufen

purpose, die Absicht (en) ; on purpose, absichtlich

purse, die Börse (n), der Geldbeutel (—)

pursuit, die Verfolgung (en)

put, legen, stecken ; tun, tat, hat getan ; put on (bonnet), (die Haube) auf'setzen

quaint, wunderlich

quarter, das Viertel (—) ; quarter of an hour, die Viertelstunde (n)

question, die Frage (n)
quick, schnell
quietness, die Ruhe
quite, ganz

railway, die Eisenbahn (en) ; railway carriage, der Eisenbahnwagen (—)
rapid, rasch
rarely, selten
rather, lieber
raven, der Rabe (n, n)
read, lesen, liest, las, hat gelesen
reader, der Leser (—)
ready, fertig, bereit
real, wirklich
realm, das Reich (e)
recover from, sich erholen von (dat.)
recreation, die Erholung (en)
red, rot
reflection, der Gedanke (ns, n, n)
refreshing, erfrischend
religious, religiös, fromm
remark, bemerken
remark, die Bemerkung
remarkable, bemerkenswert
remember, sich erinnern an (acc.)
repeat, wiederholen
reply, erwidern
represent, dar'stellen
resolution, der Entschluß ("sse) ; take the resolution, den Entschluß fassen
rest, stützen ; die Ruhe
reverie, die Träumerei (en)
rich, reich
richness, der Reichtum ("er)
riddle, das Rätsel (—)
ridiculous, lächerlich
right, recht, richtig ; das Recht (e) ; on the right, rechts
rise, sich erheben, erhob sich, hat sich erhoben ; auf'stehen, stand auf, ist aufgestanden
river, der Fluß ("sse)
roast beef, der Rindsbraten (—)

robin redbreast, das Rotkehlchen (—)
roll forth, hervor'strömen, ist hervorgeströmt
Roman, der Römer (—)
roof, das Dach ("er)
room, der Platz ("e), das Zimmer (—)
rose, die Rose (n)
round, um (acc.) ; rund
rude, ungezogen
run, rennen, rannte, ist gerannt ; laufen, läuft, lief, ist gelaufen ; fahren, fährt, fuhr, ist gefahren
rush out, hinaus'stürzen

sack, der Sack ("e)
sad, traurig
sail, das Segel (—) ; set sail, unter Segel gehen, ging, ist gegangen
same, selb ; the same thing, dasselbe
satisfaction, die Befriedigung (en)
saucer, die Untertasse (n)
saw, sägen
say, sagen ; it says, es heißt
scald, verbrühen
scar, der Abhang ("e), die Klippe (n)
scarcely, kaum
scatter, verstreuen
scene, der Schauplatz ("e)
scene-shifter, der Kulissenschieber (—)
sceptic, der Skeptiker (—)
scepticism, die Skeptik
search for, das Suchen nach (dat.)
seat, der Sitz (e)
second, zwei
see, sehen, sieht, sah, hat gesehen
seek, suchen
seem, scheinen, schien, hat geschienen
send, senden, sendet, sandte, hat gesandt (auch : schwach) ; schicken ; send away, weg'schicken
sense, der Sinn (e) ; sense of sight, der Gesichtssinn (e)

September, der September (—)
servant(maid), das Dienſtmädchen (—)
set of apartments, die Wohnung (en)
set up, errichten, errichtet ; ſetzen ; set forward, ſich auf'machen
seven, ſieben
several, mehrere
severity, die Strenge
shake, wackeln
shall, ſollen, ſoll
sharpness, die Schärfe (n)
shave, raſieren ; for shaving, zum Raſieren
she, ſie
shelter, ſchützen
ship, das Schiff (e)
shirt, das Hemd (en)
shoemaker, der Schuhmacher (—)
shop, der Laden (")
shore, das Ufer (—)
short, kurz ; in short, kurz geſagt, mit einem Wort
shorten, kürzen
shout out, aus'rufen, rief aus, hat ausgerufen
show, zeigen
sickness, die Krankheit (en)
side, die Seite (n)
sideways, ſeitwärts
signal, das Zeichen (—)
silent, ſchweigend
silly, albern
similar, ähnlich
simplicity, die Einfachheit (en)
since, ſeit (dat.)
sing, ſingen, ſang, hat geſungen
single, einzig
singular, einzigartig
sir, (mein) Herr (n, en)
sit down, ſich ſetzen
sixpence, fünfzig Pfennig
sixteen, ſechzehn
sixth, ſechſt
skin, die Haut (")
sleep, ſchlafen, ſchläft, ſchlief, hat

geſchlafen ; go to sleep, ein'ſchlafen, ſchläft ein, ſchlief ein, iſt eingeſchlafen
sleep, der Schlaf
smile, lächeln ; smile upon, an'lächeln
smoke, der Rauch
smooth, glatt, ſanft
snugness, die Gemütlichkeit (en)
so, ſo
social, geſellig
soda-water, das Sodawaſſer (—), das Selterswaſſer (—)
solacing, tröſtlich
solitary, einſam, zurückgezogen
solitude, die Einſamkeit (en)
some, einige, etwas ; some time, einige Zeit lang ; some picture, irgendein Bild
something, etwas ; not something, nichts
sometimes, manchmal
son, der Sohn (")
song, das Lied (er)
soon, bald ; sooner, früher
sort, die Art (en), die Sorte (n) ; all sorts of, allerlei
sound, das Geräuſch (e)
sparrow, der Sperling (e) ; der Spatz (en, en)
speak, ſprechen, ſpricht, ſprach, hat geſprochen
speech, die Rede (n), die Äußerung (en)
spend, aus'geben, gibt aus, gab aus, hat ausgegeben ; spend time, Zeit verbringen, verbrachte, hat verbracht
spill, verſchütten, verſchüttet
spire, die Turmſpitze (n), der Kirchturm ("e)
spirit-speaking, geiſtvoll
spiritual, geiſtig
spite, der Trotz ; out of spite, zum Trotz
spoon, der Löffel (—)

spread, (sich) aus'breiten, breitet
(sich) aus ; spread (butter),
(Butter) streichen, strich, hat ge=
strichen
spring, der Frühling (e)
spruce-beer, das Sprossenbier (e)
spy, erspähen
St., Sankt ; St. Margaret's Church,
die Sankt Margaretenkirche
staff, das Personal (e)
stage, die Bühne (n)
stage-coach, die Postkutsche (n)
staircase, die Treppe (n) ; winding staircase, die Wendeltreppe
(n)
stall, der Stand ("e)
stand, stehen, stand, hat gestanden
state, der Zustand ("e)
stay, bleiben, blieb, ist geblieben
stead, die Stelle (n)
steep, steil
step, die Stufe (n)
still, noch, immer noch ; ruhig
stillness, die Stille
stimulate, an'regen
stir, rühren ; stir the fire, das
Feuer an'schüren
stock, der Vorrat ("e) ; stock of
money, das Kapital (ien)
stocking, der Strumpf ("e)
stop, an'halten, hält an, hielt an,
hat angehalten ; auf'halten, hält
auf, hielt auf, hat aufgehalten
stop, der Aufenthalt (e)
story, die Geschichte (n)
strand, stranden, strandet, ist ge=
strandet
strange, seltsam, sonderbar
stranger, der Fremde (n, n) ; they
are strangers to it, es ist ihnen
fremd
straw, das Stroh
strawberry, die Erdbeere (n)
stream, strömen, ist geströmt ;
streaming hair, fliegende Haare
street, die Straße (n)

strength, die Stärke
strike, auf'fallen, fällt auf, fiel auf,
ist aufgefallen
strong, stark
struggle, der Kampf ("e)
stumble, stolpern
style, der Stil (e)
subject, das Thema (Themen)
such, solch ; such as, so wie
suit, der Anzug ("e)
sunbeam, der Sonnenstrahl (en)
sunset, der Sonnenuntergang ("e)
superior, besser
suppose, vermuten, vermutet ; I
suppose, wohl
sure, sicher, gewiß ; to be sure,
allerdings, natürlich
surprise, überraschen ; surprised,
überrascht
surround, umgeben, umgibt, um=
gab, hat umgeben
sweep, fegen, kehren
sweet, süß
sword, das Schwert (er), der Degen
(—)
symptom, das Symptom (e)

table, der Tisch (e), die Tafel (n)
take, nehmen, nimmt, nahm, hat ge=
nommen ; take water (Pepysian,
17th century, p. 27), einschiffen ;
take hold of, ergreifen, ergriff,
hat ergriffen ; an'fassen
take out, aus'führen ; take up,
auf'heben, hob auf, hat aufge=
hoben
talent, die Gabe (n), das Talent (e)
talk, das Geplauder
talk to, reden, redet mit (dat.) ;
sprechen, spricht, sprach, hat ge=
sprochen mit (dat.)
talking, das Sprechen
tall, groß
task, die Aufgabe (n)
tea, der Tee (s)
teach, lehren

tea-party, die Teegesellschaft (en)
tell, erzählen, sagen
ten, zehn ; ten thousand, zehn=
tausend
tend to, geneigt sein ; it tends to
diminish, es vermindert leicht
terrible, schrecklich
terrific, schrecklich
testament, das Testament (e)
than, als
thankful, dankbar
that, dies, das ; jener, jene, jenes ;
dieser, diese, dieses ; welcher,
welche, welches ; daß
thatch, mit Stroh decken
the, der, die, das
theatre, das Theater (—)
their, ihr (e)
them, sie, ihnen
then, da, dann
thence, von da
there, da, dort ; there is (are), es
gibt
therein, darin
they, sie
thing, das Ding (e), die Sache (n)
think (of), denken (an, acc.) ; halten,
hält, hielt, hat gehalten für (acc.)
third, dritt
this, dies ; dieser, diese, dieses
those, die, jene ; in those of the
last year, in denen aus dem
letzten Jahr
though, obgleich
thought, der Gedanke (ns, n, n)
three, drei
throat, die Kehle (n)
through, durch (acc.)
throw open (doors), auf'reißen, riß
auf, hat aufgerissen ; throw
down, hinwerfen, wirft hin,
warf hin, hat hingeworfen
Thursday, der Donnerstag (e)
ticking, das Ticken
tile, der Ziegel (—)
till, bis

time, das Mal (e) ; a hundred
times, hundertmal
time, die Zeit (en) ; at the time, zu
der Zeit
title, der Titel (—)
to, zu (dat.), um . . . zu, nach
(dat.), an (dat. and acc.)
today, heute
together, zusammen
tome, der Band ("e)
tomorrow, morgen
tone, der Ton ("e)
too, zu ; auch ; here, too, auch
hier
tooth, der Zahn ("e)
top, die Spitze (n) ; on the top of
it, oben drauf
towards, nach (dat.), zu (dat.), auf
(acc.) . . . zu
towel, das Handtuch ("er)
tower, der Turm ("e)
Tower, der Tower
town, die Stadt ("e)
tragedy, die Tragödie (n), das
Trauerspiel (e)
tragic, tragisch
transform, verwandeln
translate, übersetzen
transplant, verpflanzen
travel, reisen
travelling, reisend
treat, behandeln
tree, der Baum ("e)
tremendous, ungeheuer
trick, die Eigenheit (en)
troublesome, lästig
true, wahr
truth, die Wahrheit (en)
truth-telling, wahrheitsliebend
try, versuchen ; try on, an'pro=
bieren
Tuesday, der Dienstag (e)
tumult, der Betrieb
Turkey, die Türkei
turn, wenden, wendet, wandte, hat
gewandt (auch : schwach)

twaddle, ſchwaţen (auch : ſchwä=
ţen)

twenty, zwanzig

twenty-eighth, achtundzwanzigſt

twenty-sixth, ſechsundzwanzigſt

twist, (ſich) winden, windet (ſich),
wand (ſich), hat (ſich) gewunden

two, zwei

uncle, der Onkel (s, auch : —)

uncomfortable, unbequem

under, unter (dat. and acc.)

understand, verſtehen, verſtand,
hat verſtanden

undress, aus'ziehen, zog aus, hat
ausgezogen

undressing, das Ausziehen

university, die Univerſität (en) ;
university professorship, der
Univerſitätslehrſtuhl ("e), die
Univerſitätsprofeſſur (en)

unknown, unbekannt

unruffled, ungeſtört

until, bis

unwell, unwohl, ſchlecht

up, auf (acc. and dat.)

up and down, auf und ab

upon, auf (acc. and dat.)

upright, aufrecht

use, behandeln

use, der Gebrauch ("e) ; no use,
ſinnlos

use up, verbrauchen

usual(ly), gewöhnlich

very, ſehr ; this very line, juſt
(gerade) dieſe Zeile ; the very
next day, ſchon am nächſten Tag ;
in the very place, ausgerechnet
an die Stelle ; the very perfection, gerade die Vollkommenheit

vessel, das Schiff (e)

vicious, bösartig

victory, der Sieg (e)

view (of), die Ausſicht (en) (auf, acc.)

village, das Dorf ("er)

vinegar, der Eſſig

visible, ſichtbar

visit, beſuchen

visit, der Beſuch (e)

volume, der Band ("e)

vulgar, unanſtändig

wager, die Wette (n) ; for wagers,
um die Wette

waistcoat, die Weſte (n)

walk, gehen, ging, iſt gegangen ;
walk out, hinaus'gehen

walk up and down, auf= und ab'=
gehen, ging auf und ab, iſt auf
und abgegangen

want, brauchen ; wollen, will,
wollte, hat gewollt

warm, warm

wash, waſchen, wäſcht, wuſch, hat
gewaſchen ; a-washing, beim
Waſchen

washing, das Waſchen

watch, die Uhr (en) ; family watch,
die Familienuhr (en)

water, das Waſſer (—)

watery, wäſſerig

wave, die Welle (n)

way, der Weg (e)

we, wir

wear, tragen, trägt, trug, hat ge=
tragen

weather, das Wetter (—)

Wednesday, der Mittwoch (e)

week, die Woche (n)

welfare, die Wohlfahrt

well, gut ; nun ja

what, was ; what waves ! was für
Wellen ! what a tall person,
was für ein großer Menſch

when, als, wenn, wann ; whenever, wenn ; jedesmal wenn

where, wo, wohin

whether, ob

which, der, die, das ; welcher,
welche, welches

while, die Weile

who, der, die, das ; welcher, welche, welches ; wer?

whole, ganz

why, warum

wide, weit ; he opened his eyes wide, er machte große Augen

wife, die Frau (en)

will, wollen, will, wollte, hat gewollt

win, gewinnen, gewann, hat gewonnen

wind, der Wind (e)

winding, die Windung (en) ; winding staircase, die Wendeltreppe (n)

window, das Fenster (—)

windy, windig

wine, der Wein (e)

winter, der Winter (—)

wise, die Weise (n) ; weise, klug

wish, wünschen ; I wish you could, ich wünschte, du könntest

wish, der Wunsch ("e)

wit, der Witz (e), der Geist (er)

with, mit (dat.), bei (dat.), in (dat. and acc.) ; she dances with delight, sie tanzt vor Entzücken

without, ohne (acc.)

woman, die Frau (en)

wonder, sich fragen

wonder, das Erstaunen

wonderland, das Wunderland ("er)

wood, der Wald ("er) ; das Holz ("er)

woody, bewaldet

word, das Wort (e) ; they take him at his word, sie nehmen ihn beim Wort

work, das Werk (e) ; die Arbeit (en)

world, die Welt (en)

would, würde

write, schreiben, schrieb, hat geschrieben ; I was writing of this line, ich schrieb an dieser Zeile

writing, das Schreiben

writing-desk, der Schreibtisch (e)

wrong, falsch

year, das Jahr (e)

yet, noch, doch ; as yet, bis jetzt

you, Sie, Ihnen ; du, dich, dir ; ihr, euch

young, jung

your, Ihr (e), dein (e)

youth, die Jugend